EXTRAITS DU CATALOGUE

LA MAIN D'ARGENT

STEPHEN LAWHEAD

Le Chant d'Albion
livre deuxième

LA MAIN
D'ARGENT

roman
Traduit de l'anglais
par Thierry Loisel

BUCHET/CHASTEL
18, rue de Condé – 75006 Paris

Merci à Catherine Fay
Th. L.

Titre original :
SONG OF ALBION : THE SILVER HAND.

© Stephen Lawhead, 1992.
Publié par Lion Publishing, Oxford, England, 1992.

© Buchet/Chastel, Pierre Zech éditeur, Paris, 1997, pour la traduction française.

ISBN : 2-283-01739-4
Dépôt légal : 4ᵉ trim. 1997
Imprimé en France.
N° éditeur 1408

Pour Donovan Welch

·

Écoute, ô Fils d'Albion, la parole prophétique :
Chagrin et tristesse : trois fois Albion sera plongée dans une douleur intense.
Le Roi d'Or en son royaume frappera de son pied le Rocher de la Dispute.
Le Ver au souffle ardent revendiquera le trône de Prydain ;
Llogres sera privé de souverain. Mais heureux sera Caledon ;
les Corbeaux s'envoleront en masse vers ses innombrables vallons,
et le chant des corbeaux sera son propre chant.
Lorsque la lumière du Derwyddi est éteinte et que le sang des bardes
requiert justice, que les Corbeaux déploient leurs ailes au-dessus du bois sacré
et du tertre saint. Sous l'aile du Corbeau réside un trône.
Et sur ce trône, un roi, avec une main d'argent.
À l'Heure du Conflit, racines et branches s'intervertiront, et cet événement
nouveau passera pour un miracle. Que le soleil se fasse sombre comme l'ambre,
que la lune se voile la face : l'horreur investit le pays. Que les quatre vents se
combattent en un terrible rugissement ; que les échos en résonnent jusqu'aux
étoiles. La Poussière des Anciens s'élèvera jusqu'aux nuées ; l'essence d'Albion
est disséminée et déchiquetée au sein des vents ennemis.
Les mers se soulèveront accompagnées de voix puissantes. Aucun port ne peut
offrir de sécurité nulle part. Arianrhod dort sur son promontoire entouré d'eau.
Bien que beaucoup la cherche, nul ne la trouvera.
Beaucoup l'appellent et l'implorent, mais elle reste sourde.
Seul le chaste baiser la restituera en sa juste place.
Puis le Géant Mauvais fera rage, et, du tranchant aiguisé de son glaive,
terrifiera le monde. Ses yeux lanceront des flammes ;
ses lèvres distilleront du poison. Il dévastera l'île, aidé de son immense armée.
Tous ceux qui s'opposeront à lui seront emportés par le flot des méfaits
qui s'écoule de ses mains. L'Île du Puissant deviendra son tombeau.
Tout cela sera le fait de l'Homme de Cuivre qui, chevauchant son destrier
tout de cuivre également, sèmera noire et grande douleur.
Réveillez-vous, Hommes de Gwyr !
Empoignez vos armes et contrez les traîtres en votre sein !
Les échos de la bataille résonneront parmi les étoiles
du firmament et la Grande Année connaîtra son apogée.
Écoute, ô Fils d'Albion : le sang est né du sang. La chair est née de la chair.
Mais l'esprit est né de l'Esprit, et restera à jamais avec l'Esprit.
Pour qu'Albion soit Un, l'Exploit du Héros devra s'accomplir,
et Main d'Argent devra régner.

BANFAITH D'YNYS SCI.

I

MESSAGER DU MALHEUR

Nous transportâmes le corps de Meldryn Mawr depuis les hauteurs de Findargad jusqu'à la Colline des Rois, pour l'y enterrer. Trois chevaux tiraient le chariot : un blanc et un roux, attelés aux brancards du cercueil, et le troisième, noir, qui les guidait. Je marchais à la tête du cheval noir, conduisant la dépouille du roi jusqu'à sa dernière demeure.

Six guerriers avançaient à pas lents de chaque côté de la bière. Les sabots des chevaux et les roues du chariot étaient enveloppés de morceaux d'étoffe, ainsi que les lances et les boucliers des guerriers. Les Llwyddis suivaient — chaque homme, femme ou enfant tenant à la main une torche éteinte.

On n'avait pas assisté à un tel enterrement royal depuis des temps immémoriaux. Les roues et les sabots sont enveloppés de chiffes afin que le cercueil puisse traverser le pays en silence ; les armes sont également recouvertes de morceaux d'étoffe, et les torches sont éteintes, afin qu'aucun regard ne puisse remarquer le passage du cortège. Le silence et le secret sont conservés afin que le tombeau funéraire ne soit jamais découvert ni profané par quelque ennemi.

La nuit tirait son voile stellaire à travers le ciel lorsque nous arrivâmes à Glyn Du, une étroite vallée affluente du Val de Modornn. Le cortège funèbre pénétra dans le sombre val, évoluant au voisinage des flots obscurs et calmes. La vallée, profondément encaissée, était encore plus sombre que le ciel qui la dominait, lequel continuait à scintiller dans l'azur du crépuscule. L'ombre massive et ramassée du tombeau se dessinait sur la colline.

11

Au pied de Cnoc Righ, la Colline des Rois, je fis un petit feu pour que nous puissions allumer les torches. Les gens prirent place et formèrent deux longues files de chaque côté du sentier qui montait jusqu'à l'entrée du cairn ; et la flamme passa d'une torche à l'autre. C'est l'Aryant Ol, le Chemin Radieux, le long duquel un roi doit être porté jusqu'à son tombeau. Lorsque le peuple se fut rassemblé, j'entamai le rite funéraire par ces mots :

« L'épée que je porte à la ceinture était une muraille, haute et puissante — le fléau des ennemis rôdeurs ! À présent elle est brisée.

« Le torque que je porte à la main était lumière du jugement pénétrant — le phare de la juste grâce rayonnant depuis la colline lointaine. À présent il est éteint.

« Le bouclier que je porte sur mes épaules était un plateau d'abondance offert dans la cour d'honneur — nourriture des héros. À présent il est fendu, et la main qui le soutenait est froide.

« Le corps blême et pur sera bientôt recouvert, gisant au milieu de la terre et des pierres bleues : triste est mon cœur, car le roi est mort.

« Le corps blême et pur sera bientôt recouvert, gisant au milieu de la terre et des chênes : triste est mon cœur, le Souverain des Tribus a été tué.

« Le corps blême et pur sera bientôt recouvert, sous le tapis de verdure du tumulus : triste est mon cœur, le grand chef de Prydain s'apprête à rejoindre ses pères au sein du Tertre des Héros.

« Gens de Prydain ! Jetez-vous face contre terre, la douleur s'est abattue sur vous. Le Jour du Conflit s'est levé ! Grande est la douleur, amer est le chagrin ! Pas un chant allègre ne résonnera dans le pays, seuls des chants funèbres ! Que tous entament des complaintes amères ! Le Pilier de Prydain est anéanti. La Demeure des Tribus n'a plus de toit. L'Aigle de Findargad a disparu. Le Sanglier de Sycharth n'est plus. Le Grand Roi, le Roi d'Or, Meldryn Mawr, a été assassiné. Le Jour du Conflit s'est levé !

« Amer est le jour de la naissance, car la mort est sa compagne. Et pourtant, bien que la vie soit cruelle et froide, nous possédons encore l'ultime consolation. Car mourir dans un monde, c'est aussi naître dans un autre. Que tous entendent et se souviennent ! »

Après avoir prononcé ces paroles, je me tournai vers les guerriers qui se trouvaient près du cercueil et leur donnai des ordres. Les chevaux furent dételés, le chariot fut soulevé et ses roues détachées. Puis les guerriers levèrent le cercueil jusqu'à leurs épaules et commencèrent à marcher lentement vers le cairn, passant entre les deux alignements de torches, doucement, le long du Chemin Radieux menant jusqu'au tombeau.

Lorsque le cercueil passa devant moi, je pris place derrière le convoi et entamai *La Complainte d'un héros déchu*, chantant d'une voix douce et lente, grâce à laquelle les mots tombaient comme autant de larmes dans le silence du vallon. Contrairement à d'autres complaintes, celle-ci était accompagnée à la harpe. Elle fut chantée par le chef des bardes et, bien que je ne l'aie jamais chantée, je la connaissais par cœur.

C'était un chant puissant, empli d'amertume et de colère, évoquant la façon dont la vie du héros avait été écourtée et son peuple privé de son courage et de la protection de son bouclier. Je chantais, ma voix montait, libre et ferme, remplissant la nuit d'un chagrin difficile et irrémédiable. Un tel chant ne provoque aucun soulagement : il évoque la froideur de la tombe, l'obscénité du pourrissement, et la vacuité, le gâchis, la futilité de la mort. Je chantais la cruauté de la séparation et la pénible solitude de la souffrance. Je chantais tout cela, martelant mes paroles entre mes dents qui auraient voulu les retenir.

Les gens pleuraient. Et moi aussi, gravissant peu à peu l'Aryant Ol, alors que nous approchions du tombeau. Le chant arrivait à son terme : une simple note, qui se transforma en un hurlement sauvage et strident représentant la rage devant la vie cruellement écourtée.

Ma voix s'éleva jusqu'à la note finale, s'amplifiant, s'élargissant, remplissant la nuit de mes doléances. Mes poumons me brûlaient, j'avais mal à la gorge ; j'avais l'impression que mon cœur était prêt à éclater sous la tension ; hurlant jusqu'à l'épuisement, les sons éclatèrent, puis faiblirent soudain, mourant alors qu'ils étaient à l'apogée de leur force. Un écho brusquement suspendu résonna le long des coteaux de Glyn Du, puis s'envola vers le grand vide parsemé d'étoiles telle une lance projetée violemment dans le regard abyssal de la nuit.

Lorsqu'ils entendirent cela, les guerriers qui portaient la dépouille du roi s'arrêtèrent. La force quitta leurs bras, et le cercueil se mit à osciller et à tanguer. Pendant un instant, je crus qu'ils allaient faire tomber le corps ; ils titubèrent, finirent par se remettre d'aplomb, puis, lentement, replacèrent le cercueil à hauteur d'épaule. Ce fut une scène pitoyable et insupportable, illustrant avec bien plus de force que les paroles de ma complainte le supplice et la douleur immense provoqués par notre perte.

Les porteurs s'avancèrent devant l'entrée du cairn ; ils firent alors une pause afin de laisser entrer à l'intérieur du tombeau deux hommes munis de torches. Puis le cercueil entra, et je suivis. Il y avait là tout un alignement de niches aménagées dans la pierre, des petits logements qui contenaient les restes des rois de Prydain, recouverts de leur propre bouclier. La dépouille de Meldryn fut posée au centre du cairn, sur son cercueil ; les guerriers saluèrent leur roi, chacun d'entre eux effleurant du dos de la main le front de leur prince, afin de rendre une dernière fois les honneurs à Meldryn Mawr. Puis on commença à défiler un par un. Je m'attardai longuement sur le visage du seigneur que j'avais servi et aimé. Couleur de cendre, les joues décharnées, les orbites creuses, le front pâle, pâle comme l'ivoire, mais un front haut, et respectable. Même dans la mort, il conservait une noble expression.

Puis je m'attardai sur les différents boucliers, ceux des autres souverains, accrochés sur les parois du cairn : autres souverains, et autres époques, chacun d'eux, de grand renom, ayant en son temps régné sur Prydain. À présent Meldryn Mawr, le Grand Roi d'Or, avait quitté le siège du pouvoir. Qui donc, désormais, serait apte à prendre sa place ?

Je fus le dernier à partir, prêt à abandonner la dépouille du roi à son sommeil définitif. Plus tard, lorsque les servantes de la mort auront accompli leur tâche, je reviendrai pour regrouper les restes, que je déposerai alors dans une des niches encore vides. Mais pour l'heure, j'adressai à Meldryn Mawr un dernier adieu, puis sortis du cairn. Redescendant lentement le long du sentier scintillant d'Aryant Ol, je me mis à entamer *La Complainte de la Reine*.

Dès qu'elles m'entendirent chanter, les femmes se joignirent à moi, mêlant leurs voix délicates à la mienne. Il y avait une nuance de réconfort dans ce chant ; pendant que je chantais, j'avais le sentiment d'être vraiment le Chef des Bardes, et autrement que par le titre. Car tout en chantant, je voyais ce chant naître au sein même du peuple ; je voyais celui-ci tirer force et nourriture de sa beauté. Je le voyais vivre dans ce chant, et je songeais : Ce soir, je tiens fermement en ma main le bâton d'Ollathir, et j'en suis digne. Je suis digne d'être le barde d'un grand peuple. Mais qui sera digne d'être notre roi ?

Tout en fixant l'un après l'autre le visage des personnes rassemblées sur les coteaux de Cnoc Righ, je me demandais qui, parmi ceux-ci, serait apte à porter le torque que Meldryn Mawr avait abandonné. Qui serait apte à porter la couronne de feuilles de chêne ? Il y avait certes des hommes de valeur parmi nous, forts et admirables, des chefs qui étaient aptes à conduire une bataille… Mais un roi est bien autre chose qu'un simple chef de guerre.

Qui donc est digne d'être roi ?, pensai-je. Ollathir, mon maître et mon guide, qui souhaiterais-tu me voir choisir ? Parle-moi, vieux frère, comme tu avais l'habitude de le faire jadis. Offre à ton Filidh le bénéfice de ta sage expérience. J'attends ta parole, Sage Conseiller. Enseigne-moi la direction qu'il me faut prendre...

Mais Ollathir était mort, comme tant de valeureux fils de Prydain, laissant seul résonner quelques échos de sa voix dans les mémoires. Son *awen*, hélas, avait quitté le royaume des mondes, et je devais seul trouver ma voie. Très bien, me disais-je, revenant finalement à ma tâche. Je suis barde, et je suis en mesure d'accomplir tout ce qu'un barde peut accomplir.

Je repliai un pan de ma cape sur ma tête, et brandis bien haut mon bâton. «Fils de Tegvan, fils de Teithi, fils de Talaryant, moi, un barde, fils des bardes, je suis Tegid Tathal. Écoutez-moi !»

Prendre ainsi la parole était audacieux, car je savais fort bien que certains eussent préféré que je garde le silence. «Vous me voyez le plus triste des hommes, car le seigneur qui me donnait son soutien a été lâchement assassiné. Meldryn Mawr est mort. Et je ne vois devant moi que mort et ténèbres. Notre fils radieux nous a été ravi. Notre roi gît, froid et raide, dans sa demeure de tourbe, et c'est la félonie qui siège en place d'honneur.

«C'est le Jour du Conflit ! Que tous les hommes comptent sur le tranchant de leur épée pour se protéger. La Guerre du Paradis est commencée ; les échos de la guerre résonneront à travers le pays, pendant que Llud et Nudd se combattent l'un l'autre afin de régner sur Albion.

— Messager du malheur !», hurla Meldron en se frayant violemment un passage à travers la foule. Il avait revêtu les habits de son père — le siarc, les breecs et les buskins rouge écarlate serties d'or —, et portait à la taille le poignard doré ainsi que la ceinture composée de disques d'or plus fins que des écailles de poisson. Et, comme si cela ne suffisait pas, il avait attaché ses cheveux couleur fauve de manière à ce que tout le monde puisse voir le torque d'or du roi autour de son cou.

Mes paroles avaient visé juste. Meldron était furieux. Ses mâchoires étaient tendues, et ses yeux luisaient comme deux éclats de silex à la lumière des torches. Siawn Hy, le favori de Meldron, le visage sombre et lisse, suivait son maître, marchant à sa droite.

«Tegid ne sait plus ce qu'il dit. Ne faites pas attention !, cria Meldron. Il a perdu la tête !»

Un murmure passa parmi les Llwyddis, qui ne savaient que penser ; et Meldron se dirigea vers moi. «Pourquoi faites-vous cela, barde ? Pourquoi persistez-vous à vouloir effrayer notre peuple ? Nous avons déjà suffisamment à faire pour nous dispenser d'écouter tous vos babillages inconséquents.

— Je me rends bien compte, certes, que vous êtes très occupé, répondis-je en le regardant droit dans les yeux. Occupé à dérober la ceinture et le torque de Meldryn Mawr. Mais n'allez pas imaginer qu'en portant ses vêtements, vous allez pouvoir prendre la place de votre père.

— Personne n'est autorisé à parler au roi sur ce ton, barde !, jappa Siawn Hy en se rapprochant de nous. Surveillez vos paroles, ou bien nous saurons vous faire taire.

— Ce n'est pas un barde, dit Meldron, c'est un messager du malheur, rien de plus. !» Le prince éclata d'un gros rire nerveux, agitant la main d'un geste méprisant : «Allez, Tegid Tathal, du large ! J'en ai plein le dos de vous voir vous mêler de ce qui ne vous regarde pas... On n'a que faire ici de vos discours pleins de dépit. On n'a plus besoin de vous...»

Siawn Hy arbora un petit sourire. «Il semblerait que vous ne soyez plus d'une grande utilité pour le roi, barde. Sans doute devriez-vous proposer vos services ailleurs, où ils seront peut-être mieux appréciés.»

La colère s'alluma d'un seul coup comme une flamme à l'intérieur de moi. «Meldron n'est pas le roi !, leur rappelai-je. Je suis le seul, pour l'heure, à détenir le pouvoir — celui de désigner le roi comme je l'entends.

— Et moi, je détiens les Pierres Musicales !, brailla Meldron. Personne n'a plus désormais le pouvoir de me contrer !»

Ses paroles pleines d'orgueil provoquèrent un long murmure d'approbation parmi les nombreuses personnes regroupées autour de nous. Je compris clairement la manière dont il s'était débrouillé pour duper ses partisans et transformer l'exploit judicieux de Llew à son propre avantage. Il avait exigé l'ensemble des fragments de pierres imprégnées du chant, et les avait élevées au rang de talisman du pouvoir.

«Vous employez votre courage à mauvais escient, dis-je aux partisans du prince. Le Chant d'Albion n'est pas une arme.»

Siawn sortit brusquement son épée, la lame étincela telle une zébrure dans la lueur des torches. Il s'inclina près de moi et appuya la pointe de son épée contre ma gorge. «Nous avons d'autres armes à notre disposition», murmura-t-il entre ses dents, soufflant son haleine chaude sur mon visage.

La menace était bien téméraire. La foule s'amassait autour de nous, ne sachant pas quel parti prendre. Attaquer un barde devant son peuple ne pouvait conduire qu'à la catastrophe. Mais le prince Meldron, avec son autorité sans nuance — secondé par Siawn Hy et sa Horde de Loups — les avait intimidés. Les gens ne savaient plus qui croire, ni en qui avoir confiance.

Je fixai Siawn Hy avec un mépris glacial. « Allez-y, tuez-moi donc, raillai-je. Cela n'y changera rien, Meldron ne sera jamais roi. »

Siawn enfonça un peu plus la pointe de son épée. Je sentais toute sa force condensée sur ce seul point. La lame mordait dans ma chair. Je serrai mon bâton et m'apprêtai à frapper.

Une voix s'élança du milieu de la foule : « Regardez ! »

Une autre cria : « Le cairn ! »

Siawn tourna le regard vers le tertre. La surprise avait remplacé la malice dans ses yeux, et la lame vacilla.

Je jetai un coup d'œil vers le sommet de la colline. À la lueur de la torche, j'aperçus quelque chose bouger à l'intérieur du cairn. Une illusion due à la lumière inconstante, pensai-je ; une lumière vacillante, quelque volute de fumée provenant des torches tenues en l'air. Je m'apprêtai à tourner les talons pour repartir, mais je la vis encore... quelque chose, là-bas... bougeant dans l'obscurité...

Puis nous nous avançâmes, et tout le monde vit la silhouette d'un homme qui sortait du cairn.

Une femme cria : « C'est le roi !

— Le roi !, s'écrièrent les gens en retenant leur souffle. Le roi est vivant ! »

Un frisson de terreur et d'émerveillement traversa la foule.

Moi aussi je croyais réellement que le roi était revenu à la vie. Mais cela ne dura pas bien longtemps. Non, Meldryn Mawr n'était pas en train de se démener pour revivre.

L'homme, s'étant redressé, s'éloigna peu à peu du tertre et commença à redescendre à grandes enjambées la Colline des Rois pour se diriger vers nous. J'aperçus soudain sur son doigt le reflet d'or de la bague du favori de feu le roi.

« Llew !, m'exclamai-je. C'est Llew ! Llew est de retour ! »

Le nom de Llew se mit à frémir à travers la foule assemblée. « Llew..., c'est Llew... Vous avez vu ? Llew ! »

Le voyageur de l'Autremonde était vraiment revenu. Les Llwyddis fondirent littéralement devant lui, formant une allée lumineuse au moment où il passait parmi eux. Il ne regarda ni à droite ni à gauche, mais descendit d'un pas résolu le versant de la colline.

Je l'observais, et je voyais combien sa présence stupéfiait les gens autant qu'elle les encourageait : ils l'acclamaient, tendaient les mains pour le toucher, les torches étaient lancées très haut derrière lui. «Llew ! Llew !», s'exclamaient-ils, et son nom jaillissait facilement sur toutes les lèvres !

Je le regardai descendre à grands pas la Colline des Rois, et longer le Sentier Radieux, et je me disais : cette silhouette-là, la Forte Poigne pourrait bien en faire un roi...

II

LE RETOUR DU HÉROS

«Bienvenue, mon frère !», dis-je alors que Llew arrivait devant moi. Je lui aurais bien donné l'accolade comme à l'un des nôtres, mais il avait la mâchoire serrée, et il y avait de la menace dans son regard. «Je suis content de vous voir.»

Il ne répondit pas aux salutations, mais mit Siawn Hy au défi. «C'est terminé, dit-il — et bien qu'il parlât calmement, ses paroles étaient inflexibles. Jette cette épée. Nous rentrons.»

Siawn Hy se raidit. Il éloigna instantanément la lame de ma gorge et la pointa vers celle de Llew. Mais celui-ci l'empoigna à mains nues et la repoussa violemment sur le côté.

«Saisissez-le !», hurla Siaw Hy en mettant la main à sa ceinture pour prendre son poignard.

Une dizaine de lances se retournèrent vers Llew. Mais leurs pointes, toujours enveloppées de chiffons, se firent hésitantes. Les guerriers de la Horde des Loups, bien qu'au service de leur prince, étaient réticents à l'idée d'agresser leur propre héros. La foule s'agitait dangereusement, poussant et s'approchant de plus en plus ; on entendit quelqu'un défier tout haut l'ordre de Meldron. Le peuple ne comprenait pas ce qui se passait, mais il était clair qu'il n'appréciait pas.

«Llew !», m'écriai-je en repoussant les lances avec l'extrémité de mon bâton. «Salut à Toi, Llew !» Je levai mon bâton en l'air et appelai la foule à réagir. «Le héros est de retour ! Que chacun d'entre nous l'acclame !»

Les Llwyddis acclamèrent d'une voix puissante. Llew tourna les yeux vers le peuple rassemblé autour de lui, les torches bien hautes, lui jetant de temps à autre un coup d'œil plein d'espoir. Je réalisai que Llew ne savait absolument pas ce que son apparition signifiait pour les personnes présentes — ce que pouvait représenter pour eux le favori de Meldryn sortant ainsi du Tertre du Héros. Un roi mort avait disparu dans les ténèbres, et un homme vivant en était sorti — de façon mystérieuse, inexplicable, et à la vue de tous : un héros de l'Autremonde qui tentait à prouver qu'il était l'égal du roi que nous venions d'enterrer.

Avant que Meldron ait pu réagir, je levai les mains pour demander le silence, et dis : «Le roi est mort, mon frère, mais vous êtes vivant ! Vous voilà de retour parmi votre peuple, et nous nous devons de fêter ce grand événement !»

Le peuple manifesta bruyamment son approbation. Meldron, qui s'était encore renfrogné, sentit qu'il était temps pour lui de s'éclipser. Il avait un peu trop compté sur le soutien de tous, et sous-estimé la déférence du peuple envers Llew.

Néanmoins, il essaya une ultime fois de reprendre l'avantage. «Qu'est-ce que vous espérez donc, en réapparaissant ainsi parmi nous ?, revendiqua-t-il.

— Je suis revenu honorer le roi», répondit Llew calmement. Il lançait de petits regards brefs alternativement vers le prince et vers Siawn Hy. Quelque chose passa entre Siawn et Llew, que je ne compris pas. Mais je voyais Siawn bouillir de colère, et le visage de Llew se durcir une nouvelle fois alors que réapparaissait sa première résolution. « Et aussi pour faire quelque chose que j'aurais dû faire depuis longtemps.

— Vous parlez d'honneur, ricana Meldron, mais vous êtes en train de déshonorer quelqu'un qui est mort.

— Llew était le favori du roi», déclarai-je haut et fort... pensant qu'il était prudent de rappeler à tous que Meldryn Mawr avait décerné ce titre à Llew ; c'était là en effet l'acte ultime du roi, et celui qui avait également causé sa mort. «Qui oserait refuser au favori du roi le droit de rendre hommage à son seigneur ?

— Vous n'avez aucune autorité pour parler de la sorte, barde !, dit Meldron d'une voix pleine de ressentiment et de dépit. Vous et votre roi avez peut-être dupé mon père avec vos discours pleins de fourberie, avec vos comportements pleins de ruse ; inutile d'espérer que je vous laisse agir de même avec moi !

— Pourquoi parler de ruse et de fourberie, Meldron ?, demandai-je. Vous êtes entouré de conseillers fort sages, dis-je tout en regardant Siawn qui se contractait, plein de malveillance. Est-ce que par hasard vous ne leur feriez pas confiance ?

— Je ne crois qu'en la force de mon épée !, éructa le prince. Et je crois en mon armée. Mieux vaut la compagnie de soldats que les paroles creuses d'un barde. »

Voyant qu'il avait poussé un peu trop loin, Meldron ne savait plus comment battre en retraite dignement. Plutôt que de donner l'accolade à Llew, ce qui aurait augmenté le soutien à celui-ci — car vraiment le peuple vouait grande estime à Llew —, il avait choisi la raillerie et les injures.

Le prince se tourna vers tous ceux qui s'étaient rassemblés près de nous. « Llew est de retour ! Nous n'avons donc rien à craindre, à présent que le favori de mon père est à nouveau parmi nous ! » Il parlait avec un mépris non déguisé. Puis il leva lentement un doigt accusateur et désigna Llew. « Pourtant, je ne puis m'empêcher de penser, poursuivit-il, que si Llew avait honoré le roi avec autant d'assiduité qu'il le proclame, Meldryn Mawr serait toujours parmi nous. Comment se fait-il que le roi soit mort et que son favori, lui, soit toujours en vie ? »

Ce que le prince avait en tête avec ces paroles bien imprudentes, je le savais pertinemment : il voulait brouiller tous les sentiments favorables que le peuple éprouvait envers Llew. Apparemment, il pensait que le fait de jeter le trouble sur la loyauté de Llew et sur ses compétences pourrait l'aider. En réalité, au lieu de semer le doute, il ne réussissait qu'à installer encore plus de confusion.

Les gens se regardaient les uns les autres avec perplexité. « Que raconte Meldron ? C'est pourtant bien Llew qui nous a sauvés de l'emprise des *coranyids* ! » Plusieurs même se mirent à protester ouvertement : « C'est Paladyr qui a tué le roi ! Oui, c'est Paladyr… et non pas Llew ! », hurlaient-ils.

Oui, pensai-je également, c'était Paladyr le meurtrier du roi. Et où était-il donc à présent ?

Mais je me retins de parler. S'il fallait que la suspicion se déclenche, pensai-je, mieux valait la laisser mijoter un peu dans la tête du prince lui-même. Car en vérité, c'était pour le moins risqué de chercher à diffamer un héros qui avait, à juste titre, conquis l'affection du clan. Meldron faisait preuve de peu de discernement dans son entreprise, et le peuple sait toujours, d'une manière ou d'une autre, se souvenir des insultes proférées, et faire en sorte de redresser les torts.

Ayant donc fait tout ce que, pour l'heure, son audace lui avait dicté, Meldron donna au cortège le signal du départ, puis il fit demi-tour et se fraya un passage à travers la foule. Siawn Hy esquissa un faible sourire, puis se précipita à la suite de Meldron. La Horde des

Loups, l'air embarrassé, se mit en marche vers la sortie, sur les traces de son prince.

J'étais soulagé de les voir partir, et tout aussi soulagé de trouver à nouveau Llew à mes côtés.

«Je craignais que vous ne fussiez mort», murmurai-je. Les gens affluaient vers nous, tous les regards portés sur Llew. Certains l'accueillaient ouvertement avec des salutations qui venaient du fond du cœur, avec des expressions pleines de respect. La plupart, cependant, trop impressionnés pour parler, effleuraient simplement le dos de leur main sur leur front au moment où ils passaient.

Llew souriait d'un air piteux. «J'aurais dû vous prévenir de mes intentions, dit-il. Je pensais que c'était mieux de partir seul. J'en suis désolé. La prochaine fois, je vous préviendrai.

— Vous voulez dire que vous allez repartir ?, demandai-je.

— Oui, répondit Llew en se crispant à nouveau. Je le regrette, Tegid. Mais cela vaut mieux ainsi. Vous comprenez ?

— Non, je ne comprends pas vraiment, avouai-je.

— Eh bien, il faudra juste que vous acceptiez ce que je vous dis.

— Mais vous ne me dites rien…»

Il ne répondit pas. Je tendis la main et saisis son bras ; je le sentais crispé. «Llew, nous sommes frères, vous et moi. Nous avons bu à la même coupe ; je ne vous laisserai pas repartir sans avoir entendu une meilleure explication que celle que vous venez de me donner.»

Llew se renfrogna d'un air malheureux, mais il resta silencieux et détourna les yeux pour observer le départ des Llwyddis. Je me rendais compte que la décision qu'il avait prise était une décision pénible. Il souhaitait m'expliquer, je crois, mais ne savait tout simplement pas où ni comment commencer. Alors je lui fis une proposition : «Ne dites encore rien. Nous attendrons que les autres se soient un peu avancés, et nous les suivrons à distance de manière à ne pas être entendus. Vous pourrez alors me parler ; personne ne nous dérangera.»

Llew acquiesça, et nous attendîmes que les derniers de la procession se fussent mis en marche vers Glyn Du. Alors nous amorçâmes la marche à leur suite, marchâmes pendant un bon moment sans parler, dans l'attente que Llew trouve enfin les mots qu'il cherchait.

«Je suis désolé, Tegid, dit-il. J'aurais dû vous prévenir, mais je pensais que vous alliez m'empêcher…

— Vous empêcher de partir ?

— M'empêcher de faire ce que je devais faire — ce que je dois faire», dit-il. Je sentais l'agitation qui bouillait à l'intérieur de lui, et m'apprêtai à prononcer quelque parole apaisante, mais il m'en empêcha : «Non, attendez, Tegid. Je dois d'abord vous parler.» Il resta silencieux encore un moment. Nous écoutions le frémissement soyeux de nos pas dans l'herbe haute. Devant nous, l'avant-garde de la procession avait déjà rejoint l'entrée du vallon, et les gens étaient en train d'éteindre leurs torches dans le fleuve. Lorsque nous y arrivâmes nous-mêmes, il ne restait plus que les odeurs de fumée. La procession s'était avancée dans le Val de Modornn. La lune s'était levée, pâle, et nous pouvions distinguer, dans la pénombre de la vallée, les longues silhouettes aux reflets d'argent des marcheurs qui s'étiraient devant nous.

Cela me faisait peine à voir ; j'avais l'impression que nous n'étions plus qu'une race prête à s'éteindre, marchant à travers la lumière déclinante vers les ténèbres de l'oubli. Mais je gardai ce sentiment pour moi, attendant que Llew pût exprimer ce qu'il avait sur le cœur.

Il recommença à parler dès que nous fûmes sortis du sombre vallon. «Il y a une guerre qui fait rage, dans ce monde qui est le mien, annonça Llew avec calme. On ne la fait pas à coups de lances et d'épées... j'aurais préféré, car au moins nous connaîtrions notre ennemi. Mais cet ennemi, il est là !, dit-il en frappant du poing sur sa poitrine. L'ennemi, il est à l'intérieur de nous... il a fini par nous empoisonner, par nous rendre malades. À l'intérieur, nous sommes malades, Tegid. Siawn, et moi aussi, nous sommes corrompus, et nous avons importé cette corruption au sein d'Albion. Si nous restons ici, nous allons tout corrompre... nous allons tout détruire.

— Mais c'est tout le contraire, Llew, si vous n'aviez pas été là, tout aurait été détruit. En réalité, vous nous avez sauvés alors que personne d'autre n'en était capable.»

Il ne parut pas m'entendre, car il continua à parler : «Simon — Siawn — s'est déjà bien employé à répandre le poison. Il a fourré certaines idées dans la tête du prince... des idées qui n'ont absolument aucune place ici dans Albion.

— Il n'a eu aucun mal à faire cela. Meldron a toujours été cupide au point de vouloir toujours plus que ce qu'on lui donne.

— J'ai tout lieu de croire que le meurtre de Meldryn Mawr était une idée de Siawn. Il imaginait que les rois, ici, étaient choisis en vertu du droit de succession, et il...

— Le droit de succession ?, demandai-je en l'interrompant. Je ne connais rien concernant un tel droit.

— *Dilyn hawl*, dit-il en choisissant d'autres mots. Ce qui signifie que le pouvoir est transmissible du père au fils. Dans notre monde, on procède ainsi. Simon — je veux dire Siawn Hy — ne savait pas qu'ici l'usage était différent. Il pensait que si Meldryn Mawr venait à mourir, le pouvoir reviendrait directement au prince Meldron.

— Il vous l'a dit ?

— Pas de manière si explicite, non. Mais je connais Simon ; je sais comment il pense. Et il a réussi à convaincre Meldron qu'ensemble ils pourraient transformer les règles concernant la transmission du pouvoir... qu'ensemble ils pourraient modifier les usages.

— C'est donc pour cette raison qu'ils ont essayé d'étouffer le Chant, dis-je. Et c'est aussi pour cette raison qu'ils détiennent les Pierres Musicales.

— Le Chant d'Albion...» Il se tut, plongé dans ses souvenirs.

«Ils pensent que les pierres leur donneront le pouvoir, remarquai-je. Ils espèrent utiliser le Chant comme une arme.

— C'est donc encore plus grave que je ne pensais, marmonna Llew. Si j'avais fait ce que j'avais alors prévu, rien de cela ne serait arrivé.»

Il s'arrêta de marcher et me prit par le bras. «Vous entendez, Tegid ? Tous ces gens... les hommes de votre clan, Tegid, le roi et tous les autres..., ils seraient toujours en vie si j'avais vraiment fait ce que j'étais venu faire ici. Oui, Meldryn Mawr et tous ceux qui sont morts à cause de lord Nudd seraient toujours vivants.

— Pourquoi parler ainsi ?, dis-je. C'est plutôt grâce à vous que nous tous ici sommes restés en vie. Nous vous devons la vie.

— C'est à cause de moi que tant d'hommes sont morts !, insista-t-il. Tegid, écoutez-moi. Je suis venu ici pour récupérer Simon, et j'ai échoué. Je me suis laissé séduire, je suis tombé sous le charme de ce monde, et j'ai cru que je pouvais y rester.

— Si vous n'étiez pas venu, répondis-je pour tenter de l'apaiser, Meldron et Siawn auraient réalisé leurs plans.

— Tegid...» Sa voix était à nouveau sombre et déterminée. «... Il faut absolument neutraliser Simon. Il n'appartient pas à ce monde... pas plus que moi. Nous devons retourner dans le nôtre. Et je dois l'éloigner d'ici ; mais j'ai besoin de votre aide, mon frère. Aidez-moi, Tegid.»

Je serrai ses bras comme c'était l'usage entre parents, et dis : «Llew, vous savez fort bien que je ferai tout ce que vous voulez. Mais je dois vous demander quelque chose.

— Dites donc. Je le ferai si cela m'est possible.

— Laissez-moi vous nommer roi», dis-je.

Il eut un mouvement de recul. «Vous n'avez donc rien entendu de ce que je vous ai dit !, s'écria-t-il en repoussant brusquement mes mains. Comment pouvez-vous me demander une chose semblable !

— Vous étiez le favori du roi. Grâce à la Prouesse Héroïque, vous nous avez sauvés alors que personne n'en était capable. Le peuple vous respecte ; il vous soutiendra face à Meldron.

— Tegid, ce n'est pas possible !» Il recommença à marcher... d'une allure rapide et rageuse. Et je lui emboîtai le pas.

«Je ne saurais accorder le pouvoir à Meldron. Je ne lui donnerai en aucun cas l'aval pour qu'il poursuive ses horribles plans. Pourtant, il me faut transmettre le pouvoir à quelqu'un... et sans tarder.

— Offrez-le à quelqu'un d'autre.

— Mais il n'y a personne, justement.»

Il se retourna brusquement pour me regarder dans les yeux. «Vous ne comprenez donc pas ! Simon doit être neutralisé avant qu'il ne détruise tout. Je dois faire en sorte qu'il retourne dans le monde d'où il vient. Est-ce que vous comprenez ce que je suis en train de vous dire ?

— Je comprends, mon frère, répondis-je calmement. Mais réfléchissez à ce que je vous dis moi aussi. En tant que roi, vous pourrez neutraliser à la fois Siawn Hy et Meldron. En montant sur le trône, vous pourrez réparer tout le mal que Siawn a déjà fait.»

Il s'apprêta à repartir, mais je le rattrapai aussitôt par l'épaule. «Écoutez-moi, Llew, dis-je avec conviction. Vous avez dit que Siawn a répandu un poison mortel ici. Si c'est vrai, alors neutralisez-le. Je vous offre la chance de pouvoir le faire.»

III

TAN N'RIGH

«Je serai mort et enterré, refroidi depuis longtemps, promis-je solennellement, plutôt que de laisser la responsabilité de mon peuple à cette vipère de Meldron. S'il n'était vraiment qu'un serpent, je lui trancherais la tête et je jetterais son corps encore frémissant sous les convulsions de la mort dans le cratère en flammes.

— Meldron, cependant, s'est proclamé roi lui-même.

— Il ne saurait être roi ! Seule une décision souveraine peut délivrer ce titre. Et seul un barde peut prendre une telle décision, déclarai-je. Moi seul détiens le pouvoir sur Prydain. Et ce pouvoir consiste à le transmettre selon mon propre choix. Telle est la tradition d'honneur.»

Nous nous assîmes seuls tous les deux au milieu de la colline, sous les ruines de Sycharth, à deviser calmement. Je pensais qu'il était préférable de parler en secret, loin des yeux et des oreilles de Meldron, sachant que personne ne viendrait s'aventurer ici, aussi près de la citadelle dévastée.

Llew se mit à hocher lentement la tête. «Je n'aime pas cela, Tegid. Vous vous attendez donc à ce que Meldron s'écarte de lui-même pour la simple raison que vous offrez la couronne à quelqu'un d'autre ? Il nous aurait tués ce soir, si le peuple ne l'en avait pas empêché.

— Et il l'empêchera à nouveau. Vous avez bien vu comment cela se passe : les gens ne laisseront pas Meldron vous toucher. Ils ont beaucoup de considération pour vous, Llew. Ils vous respectent. S'ils doivent choisir entre vous et Meldron, c'est vous qu'ils suivront.»

Llew resta silencieux pendant un long moment. Enfin, il parla : «Très bien, Tegid. C'est d'accord.» Avant que je puisse répondre, il leva aussitôt un doigt, et ajouta. «Mais seulement pendant le temps qui sera nécessaire pour que j'accomplisse ma tâche. Ensuite, vous devrez choisir un autre roi.

— C'est d'accord, dis-je rapidement.

— Je suis sérieux, Tegid ! Je serai votre roi jusqu'à ce que je trouve le moyen de ramener Simon dans le monde qui est le sien. Vous me comprenez bien ?

— Je vous comprends parfaitement.»

Il me lança un regard de défi.

«Seulement le temps de trouver un moyen de neutraliser Siawn Hy. Je comprends, frère. Absolument.»

Il se détendit enfin. «Bon, comment allons-nous procéder, maintenant ?

— Il y a plusieurs manières de transmettre le pouvoir, dis-je. Je vais en choisir une que Meldron ne connaît pas... un usage ancien. L'usage du *Tán n'Righ*.

— "Roi par le feu" ?, s'exclama Llew. Une manière un peu cruelle, apparemment. Est-ce le cas ?

— Non, répondis-je. Pas si vous le faites correctement. Mais pour cela, il faut absolument que vous vous conformiez exactement à mes instructions.»

Nous parlâmes encore, jusque tard dans la nuit, en tête à tête, emmitouflés dans nos capes, frissonnant, le regard tourné vers les feux de camp, au-dessous de nous. Le soleil était près de se lever lorsque nous mîmes un terme à nos discussions.

«Bien, et maintenant ?, demanda Llew en bâillant.

— Maintenant, nous allons nous reposer. Et vous, vous éviterez de vous montrer. Meldron ne doit trouver aucune occasion de vous défier. Il ne faut pas à l'inverse qu'il se méfie, sinon il interviendra. Je sais où vous pouvez vous cacher.»

Je lui nommai l'endroit où il pouvait s'isoler pour dormir ; nous nous levâmes et restâmes un instant sans bouger. «Êtes-vous certain que tout peut être fait en un seul jour ?, demanda Llew.

— Un jour, pas plus. Je m'occupe de tout. Je viendrai vous chercher, ou j'enverrai quelqu'un lorsque tout sera prêt.»

Nous nous séparâmes et partîmes chacun de notre côté. Je redescendais la colline vers le camp, et déjà, mes pensées s'agitaient, partaient loin, loin... Oui, il y avait beaucoup à faire, et tout devait être fait très vite. La cérémonie allait avoir lieu ce soir !

Je travaillai toute la journée — calmement, sans précipitation. Je ramassai des pierres des quatre points cardinaux : noires pour le nord, blanches pour le sud, vertes pour l'ouest, mauves pour l'est. J'allai tirer de l'eau à une source claire et bondissante. Je rassemblai les neuf bois sacrés : le saule près d'un cours d'eau actif ; le noisetier parmi les rochers ; l'aulne dans les marécages ; le bouleau près d'une chute d'eau ; l'if aux abords d'une clairière ; l'aubépine d'un recoin caché ; l'orme de quelque coin ombragé ; le sorbier de la colline ; le chêne du soleil. À ceux-là, qui formaient le *Nawglan*, le Neuf Sacré, j'ajoutai le houx avec son brillant étalage d'épines ; le sureau, avec ses baies d'un violet puissant ; la pomme, avec sa fermeté douce et sucrée.

Je jetai l'ensemble dans un feu installé sur une pierre plate. Puis, soigneusement, je rassemblai les cendres, que je versai dans une petite bourse en cuir que j'attachai à ma ceinture.

Lorsque j'eus fait ces préparations, je retournai au campement et commençai à amasser du bois pour le Tán n'Righ, le Feu du Roi. Pour cela, je prélevai des braises en fusion de chacun des foyers que les gens avaient allumés la nuit précédente, et du bois de la réserve de chaque campement.

La seule difficulté que je rencontrai fut d'obtenir la braise et la branche du campement du prince. Mais la bonne fortune me souriait, car Meldron — exaspéré par les diverses obligations de la vie du camp, qu'il trouvait dégradantes pour lui — avait, à l'heure du midi, enfourché son cheval pour partir à la chasse. Il avait suffi que j'attende que lui et sa Horde de Loups fussent hors de vue ; et je n'eus plus qu'à me servir sans même qu'il s'en rendît compte.

À la tombée du jour, j'allai chercher Llew, toujours caché, et retournai bien vite au camp pour attendre le retour de Meldron.

Au moment de l'heure bleue, la lueur d'une lune à peine levée sur ma gauche, et le soleil couchant sur ma droite, j'allumai le Feu du Roi à l'intérieur d'un cercle de pierres provenant des quatre points cardinaux. Puis je convoquai le peuple au son de ma corne d'aurochs. Une telle sonorité n'avait pas été entendue parmi nous depuis notre départ, décidé par Meldryn Mawr, pour Findargad ; et les hommes du clan étaient inquiets de l'entendre à présent résonner. Ils se rassemblèrent rapidement, firent cercle autour du feu. Puis j'appelai Llew, qui attendait dans ma tente.

Aussitôt que Llew s'avança pour venir prendre place, le prince Meldron se fraya brusquement un passage à travers la foule, accompagné de Siawn Hy. « Qu'est-ce que c'est, Tegid ?, s'écria Meldron. Encore une de vos idioties ! »

Je ne relevai pas, car je ne voulais en aucun cas offrir à l'un ou à l'autre l'occasion de parler.

«Ôtez vos bottes», dis-je en m'adressant à Llew. Lorsqu'il eut délacé ses buskins et qu'il les eut retirées, je dis : «Étendez votre cape sur le sol, derrière vous.»

Il s'exécuta, puis se retourna à nouveau vers moi. «Retirez votre siarc, votre ceinture et vos breecs», dis-je.

Llew hésita un instant, puis obéit. «Débarrassez-vous de vos vêtements, puis venez vous placer devant moi.»

À la vue de tous les gens rassemblés, Llew commença, avec quelque réticence, à se déshabiller, posant l'un après l'autre ses vêtements sur la cape étalée sur le sol. Puis il fit quelques pas jusqu'à moi. Je lui demandai alors de marcher trois fois en cercle autour de moi.

«C'est un peu gênant, marmonna-t-il entre ses dents alors qu'il passait une première fois devant moi.

— Continuez à marcher.

— Ils sont en train de se moquer de moi !, murmura-t-il alors qu'il accomplissait son deuxième cercle.

— Laissez-les faire. Ils couineront comme des cochons qu'on égorge bien assez tôt.»

Llew continua à marcher, lentement, et après avoir achevé son troisième cercle, vint se placer à nouveau devant moi. «Ça suffira peut-être, maintenant...

— Ce que vous êtes en train de faire est de la plus haute importance. Il faut que l'on voie que vous êtes sans défaut d'aucune sorte, dis-je. Étendez votre main droite.»

Il s'exécuta. «À présent la main gauche», ordonnai-je. Et alors qu'il avançait la seconde main, je me baissai vers le feu et saisis deux branches préparées qui étaient en train de brûler. Je les tirai du feu et m'approchai derrière lui. «Rappelez-vous, chuchotai-je à son oreille. Ne dites rien. Et restez absolument impassible.»

Une branche dans chaque main, je commençai à agiter les tisons sur toute la surface de son corps dénudé. Commençant par les talons, je remontai avec les braises le long de ses mollets et de ses cuisses, près de ses fesses, le long des côtes, puis enfin le long de ses bras étendus. Llew restait immobile et raide, ne regardant ni à droite ni à gauche, mais fixant droit devant lui, les yeux rivés sur le clair de lune.

Je déplaçai les flammes auprès de sa poitrine, de son ventre, descendis vers l'aine et les organes génitaux, vers les jambes et les pieds. Les poils de sa poitrine et de ses jambes roussissaient lorsque les flammes effleuraient sa peau, et remplissaient l'air d'une odeur de cochon brûlé. Il serrait les mâchoires et me lançait des regards meurtriers, mais ne fit aucune grimace, ne laissa échapper aucun son.

«Llew !, dis-je en haussant la voix et en me relevant pour le placer face à l'auditoire. Vous vous êtes montré devant le peuple. Je ne vous trouve aucun défaut.»

Entendant cela, l'un des guerriers de la Horde des Loups s'exclama : «Comment pouvez-vous voir à travers toute cette suie ?» Ils se remirent tous à rire, sans y voir plus de malice... ce qui montre à quel point ils étaient ignorants.

«Les flammes ayant le pouvoir d'assainir et de purifier, continuai-je en reposant soigneusement les tisons dans le foyer, je vous déclare pur et sain de toute corruption.» Prenant la bourse de cuir qui pendait à ma ceinture, je versai dans le creux de ma main un peu de cendres, et, du bout des doigts de l'autre main, j'apposai sur Llew la marque du Nawglan, le sanctifiant ainsi au nom du Neuf Sacré : sur la plante de chaque pied, sur le ventre, sur le cœur, sur la gorge, le front, le long de la colonne vertébrale, et autour de chaque poignet.

Les Llwyddis observaient, ébahis. Je jetai furtivement un regard vers le prince et vis que son petit sourire arrogant avait disparu, qu'il prêtait une attention discrète à ce qui était en train de se passer devant ses yeux. Siawn Hy observait lui aussi avec une menace froide sous ses paupières tombantes.

Lorsque j'eus fini, je me plaçai à nouveau face à Llew : «Faites entendre votre voix, Llew. Déclarez devant le peuple : Qui servez-vous ?»

Il répondit conformément à ce que je lui avais indiqué : «Je sers le peuple !

— À qui devez-vous la vie ?

— La vie de mon peuple est ma propre vie !

— Où réside votre pouvoir ?

— Mon pouvoir est dans la volonté du peuple !

— Comment allez-vous gouverner ?

— Je gouvernerai selon la sagesse du peuple !

— Comment vous ferez-vous obéir ?

— Je me ferai obéir du fait de la générosité du peuple !»

Je plaçai mes mains près de son visage, les paumes vers l'extérieur. «J'ai entendu ce que vous avez déclaré, proclamai-je en forçant la voix de manière à ce que chacun entende. Qu'il en soit ainsi !»

Ayant dit cela, je me retournai pour récupérer les tisons. Très vite, de manière à ce que Llew n'ait pas le temps de réaliser ce qui se passait, je plaçai un tison ardent dans chacune de ses mains — l'extrémité embrasée vers le bas. Le feu remonta aussitôt tout le long de la branche, et en un éclair, les mains de Llew furent complètement noyées dans les flammes. Il resta ainsi sans bouger, serrant les tisons alors que les flammes lui léchaient la peau. Il ne cria pas, ne hurla pas ; il ne broncha pas, ne lâcha pas les torches.

Les gens en avaient le souffle coupé. Le prince Meldron et ses sbires restaient bouche bée, stupides.

«De par le feu enflammé, proclamai-je, que votre serment soit ici exaucé !»

Llew leva les tisons en flammes au-dessus de sa tête et se mit à pivoter lentement sur lui-même afin que tous puissent constater que le feu avait consumé les branches, mais sans le brûler lui-même.

Tous les regards étant tournés vers le miracle des poings embrasés, personne ne m'aperçut passer la main sous ma cape et en ressortir le torque. Les tisons bien en l'air, Llew me tournait le dos ; j'arrivai derrière lui et accrochai le torque d'or autour de son cou. Puis je levai les mains au-dessus de sa tête et psalmodiai : «En vertu de l'autorité que me confère le Tán n'Righ, je te déclare Roi !»

Je me tournai vers l'assistance, et ma voix commença à chanter :

Par autorité du vent lorsqu'il souffle en rafales sur la mer, Tu es Roi,
Par autorité du soleil lorsqu'il envahit la nuit profonde, Tu es Roi,
Par autorité de la pluie lorsqu'elle reverdit les collines lointaines, Tu es Roi,
Par autorité de la terre lorsqu'elle se soulève en hautes montagnes, Tu es Roi,
Par autorité de la pierre lorsqu'elle donne naissance au fer éclatant, Tu es Roi,
Par autorité de l'aigle, et du taureau, et du saumon, et de toutes les créatures qui évoluent dans l'eau, dans les airs et sur la terre, en chaque recoin de la nature terrestre, céleste et marine, Tu es Roi,
Par autorité du Sage et Tout-Puissant, qui de sa Poigne de Fer, régit et soutient tout ce qui existe dans le royaume des mondes, Tu es Roi !

Puis le psaume prit fin ; je brandis mon bâton, et proclamai : «Voici Llew, le Seigneur de Prydain, le Roi des Llwyddis ! Offrons-lui l'hommage le plus sincère ! Préparons-nous à lui rendre les honneurs !»

Quelques-uns étaient déjà prêts à s'agenouiller, mais la voix du prince les en empêcha. «Non ! Non ! Il n'est pas votre roi !» Meldron se précipita dans le cercle de feu et saisit le torque de Llew, l'arrachant violemment de son cou. «Le roi, c'est moi !»

Avant que personne n'ait pu lever la main pour l'empêcher, Siawn Hy avait pointé sa lance dans les côtes de Llew, et criait : «Meldron est roi ! Meldron est roi !»

Siawn rabaissa les bras de Llew et, pour que ce dernier les laisse tomber, frappa les tisons. Il fit un geste vers le chef de la Horde des

Loups, qui s'avança à l'intérieur du cercle en lançant des regards nerveux au peuple rassemblé tout près d'eux. L'un comme l'autre ils évitaient mon regard.

Meldron, levant le torque au-dessus de sa propre tête, se proclama lui-même roi. Il disait : «Écoutez-moi maintenant ! Je tiens dans mes mains le torque des rois llwyddis ! Le titre royal de mon père me revient de droit !

— Un tel droit n'existe pas !, ripostai-je. Seul un barde peut conférer le pouvoir à quelqu'un. Et c'est à Llew que je l'ai donné !

— Vous n'avez aucun pouvoir ici !

— Je suis le chef des bardes de notre peuple, répliquai-je calme et sûr de moi. Moi seul détiens l'autorité. Moi seul détiens le pouvoir de la transmettre.

— Vous n'êtes rien du tout !, hurla le prince, serrant le torque dans son poing et le secouant devant mes yeux. C'est moi qui détiens le torque de mon père. Je suis roi !

— Moi je vous dis que le fait de détenir un torque ne vous fera pas roi pour autant — pas plus que rester debout sans bouger dans une forêt ne vous transformera en arbre !...»

À ces mots, quelques-uns se mirent à rire, et la rage de Meldron redoubla. Alors, téméraire, j'enfonçai le clou. «Eh bien allez-y donc ! Portez le torque d'or et commandez au *gosgordd* des guerriers, le défiai-je. Parez-vous des vêtements les plus somptueux, et soyez prodigue en or et en argent envers la meute geignarde qui en réclame à cor et à cri. Faites tout ce que bon vous semble, Meldron ! Mais rappelez-vous ceci : le pouvoir ne réside pas dans un torque, ni dans un trône, ni même dans la puissance d'une épée.»

Je me retournai vers le peuple. À présent, c'était à eux de jouer ; il fallait qu'ils réduisent Meldron au silence une fois pour toutes. «Écoutez-moi ! Meldron n'est pas roi. Vous venez à l'instant d'assister à l'intronisation : c'est Llew qui a été choisi pour être roi. N'écoutez pas Meldron ! Résistez-lui ! Il n'a aucun pouvoir ici. Il n'a aucun droit de...»

Puis, avant même que j'aie pu finir ma phrase, Meldron hurla vers sa Horde de Loups : «Saisissez-les ! Saisissez-les tous les deux !»

IV

LE CACHOT

«Je suis désolé, frère.»

Autant parler aux murs. Llew était assis, les genoux serrés contre sa poitrine, la tête posée sur son bras. Dans la pénombre de la fosse, lui n'était qu'une ombre — une ombre misérable et sombre. Après sept jours et sept nuits passés dans le cachot, je ne pouvais pas lui en vouloir. Tout était ma faute. J'avais sous-estimé Meldron et son acharnement à renverser les rites si longuement pratiqués par notre peuple. J'avais mal évalué le soutien dont il bénéficiait parmi les partisans de sa Horde de Loups, leur volonté farouche de le soutenir contre l'ensemble du clan. Oui, et j'avais de mon côté surestimé ma propre capacité à exploiter le sentiment de respect que le peuple pouvait éprouver envers Llew. Ils auraient dû porter Llew aux nues, mais Meldron, ils le connaissaient, il était l'un des leurs. Llew était un inconnu, un étranger à notre milieu.

Pourtant, j'avais pensé — ou plus exactement, j'avais cru au plus profond de ma chair — que le peuple ne resterait pas inactif, qu'il ne laisserait pas Meldron défier le dernier barde qui leur restait. Un roi est un roi, mais le barde, c'est le cœur, c'est l'âme du peuple ; il est leur vie même, transformée en chant, la lumière qui guide leurs pas sur les voies du destin. Le barde incarne l'esprit essentiel du clan ; il est le maillon qui rend les hommes solidaires entre eux, le cordon doré qui rassemble toutes les générations du clan, reliant tout ce qui est passé avec tout ce qui est encore à venir.

Mais la peur rend les hommes aveugles et stupides. Et c'était alors une période troublée. J'aurais donc dû savoir que le peuple n'était pas prêt à défier Meldron au point de verser son sang. Au Jour du Conflit, même les hommes les plus valeureux n'étaient pas prêts à risquer leur vie au nom de la vérité pour laquelle nous avons toujours vécu.

«Je suis désolé, Llew.

— Arrêtez de dire cela, Tegid, marmonna-t-il. J'en ai assez de toujours vous entendre répéter la même chose.

— Je n'avais vraiment rien prévu de tout cela.»

Il leva son visage vers la paroi sombre au-dessus de sa tête. «J'ai eu tort de me laisser convaincre par vos bavardages ; je n'ai donc à m'en prendre qu'à moi-même. Je n'aurais jamais dû vous écouter.

— Je suis désolé, Llew.

— Ah, arrêtez donc !» Il tourna brusquement la tête vers moi : «Euh... C'est...» Il fit un effort pour surmonter la léthargie provoquée par notre situation difficile, mais se crispa sous l'effort et retomba dans sa tristesse. «À quoi bon ? Cela n'a pas d'importance.»

Il resta longtemps sans parler, et je pensai qu'il n'allait plus rien ajouter. Pourtant : «Je me souviens à présent, Tegid. Je me souviens de tout... avant, je n'y parvenais pas...

— Vous vous souvenez de quoi ?

— De mon propre monde, répondit-il. Avant que j'y revienne, j'avais oublié jusqu'à son existence. Je ne voulais pas m'en souvenir, vous comprenez ? Et j'étais presque parvenu à oublier tout ce qui le concernait. Si ce n'avait été à cause de Simon, je n'aurais jamais envisagé d'y retourner, et je l'aurais perdu.»

Je l'observai dans la pénombre du cachot. Il ne m'avait jamais parlé de son propre monde, et ici, ce n'était pas dans notre manière de poser des questions. Les êtres d'autres mondes qui viennent séjourner parmi nous — les *dyn dythri*, les étrangers — sont traités avec grand respect. Nous les acceptons, et nous les laissons s'intégrer ; nous leur enseignons notre façon d'être et leur offrons la liberté de se mettre à l'épreuve et d'y trouver le bénéfice qu'ils peuvent en attendre.

Un jour, notre race a fait le voyage jusqu'à leur monde ; nous leur avons apporté des offrandes pour alléger le fardeau de leurs existences. Mais rien de plus. L'abîme entre les deux mondes s'est creusé de plus en plus, et le passage qui les relie est perfide et plein de ténèbres. Nous continuerons à accueillir les étrangers parmi nous, mais nous ne ferons plus volontiers le voyage jusqu'à leur monde, pas plus que nous les encouragerons, ainsi que nous le faisions jadis.

«Il a changé, poursuivit Llew d'une voix grave. Le monde, *mon* monde, a changé. Il est encore pire que lorsque je l'ai quitté — et un seul jour, peut-être deux, se sont écoulés, de ce côté-là. Décoloré, sans vie... tout s'estompe, se délabre, se désintègre.»

Il semblait essayer de résoudre quelque chose, ou essayer de se l'expliquer à lui-même. C'est la raison pour laquelle je n'intervins pas, et le laissai parler.

«C'est la Guerre du Paradis, continua-t-il. Ce qui a lieu ici, dans ce monde, affecte également la vie là-bas. Le profess... — je veux dire mon ami Nettles m'a parlé ; il m'a tout expliqué. Et je l'ai cru. Mais je ne pensais absolument pas que ce serait ainsi... que le changement serait aussi accablant. C'était comme si le monde était en train de disparaître sous mes yeux.»

Je me souvenais de ce que Llew avait dit concernant Siawn Hy, qui venait corrompre notre monde — ou à tout le moins le faible prince Meldron. «La corruption est toujours un ennemi très puissant, fis-je remarquer.

— C'est beaucoup plus que cela, Tegid», répondit-il aussitôt, faisant quelques gestes dans le noir pour se pencher vers moi. «Beaucoup plus que cela. Il y a un équilibre, comprenez-vous..., une harmonie entre ce monde-ci et l'autre. Et Simon a bouleversé cet équilibre ; ses idées, ses projets... ou même sa simple présence ici a changé les choses.

— Et des changements dans ce monde-ci provoquent également des changements dans l'autre monde, suggérai-je. Je comprends.

— Croyez-moi, si l'on pense que quelque chose vaut encore la peine d'être sauvé dans les deux mondes, il faut alors neutraliser Simon, absolument.

— Je ne peux que vous croire, frère, répondis-je. Mais avant de pouvoir sauver le monde, nous devons d'abord nous sauver nous-mêmes.

— Il faut que l'on sorte d'ici ! Il faut que l'on s'évade !» Il se leva, comme il s'était déjà levé un nombre incalculable de fois, pour tester les grosses planches de bois qui étaient au-dessus de nos têtes. Mais c'était inutile, alors il s'effondra de nouveau.

«Croyez-vous qu'il va nous tuer ?, demanda-t-il après un moment. À présent qu'il est roi...

— Meldron n'est pas roi. Le roi, c'est vous.

— Pardonnez-moi..., railla-t-il amèrement. Je l'avais oublié.

— Je vous ai transmis le pouvoir», dis-je. Je n'avais pas cessé de le lui répéter. «Vous êtes le roi. Et je ne sais pas ce que Meldron compte faire. Si je le savais, nous ne serions pas là.

— Ne me redites pas que vous êtes désolé, Tegid. Je ne veux plus l'entendre. »

Après nous avoir faits prisonniers pendant la cérémonie d'intronisation, Meldron nous avait traînés jusqu'aux ruines du caer et enfermés dans la fosse à ordures derrière le corps de bâtiments. Il avait fait recouvrir la fosse avec du bois carbonisé et avait fait condamner le tout en le recouvrant d'un amas de gravas et d'ordures venant de la citadelle incendiée. Puis il nous avait laissés là, sous bonne garde. Je n'avais aucune idée de ce qu'il avait l'intention de faire de nous. Et j'avais l'impression qu'il ne le savait pas plus que nous.

Il avait sans doute peur de nous tuer ouvertement, présumai-je. Sinon, nous serions déjà morts. Il avait profité au maximum du soutien du peuple, et il ne fallait pas aller plus loin — c'eût été au prix de perdre le peu de faveur dont il pouvait encore bénéficier. Il ne pouvait pas non plus nous laisser en liberté — c'eût été prendre le risque de nous voir inciter à la rébellion contre lui. Donc, aussi longtemps qu'il ne trouverait pas de meilleur moyen de traiter notre problème, il nous garderait prisonniers.

Le cachot était surveillé jour et nuit pour éviter toute possibilité d'évasion venue de l'extérieur. Il y avait au minimum deux gardes, qui étaient là en permanence ; souvent davantage. Nous les entendions parfois échanger quelques mots lorsqu'ils changeaient de tour de garde. Nous savions à quels moments ils se relayaient, car les gardes de la nouvelle équipe nous apportaient de l'eau et un peu de nourriture qu'ils nous tendaient à travers une petite fente entre deux planches.

Puis les jours passaient. Nous restions dans notre prison puante et recouverte d'ordures, enfermés à l'écart de la lumière, et privés de toute main secourable. Et plus les jours passaient, plus Meldron nous méprisait — sachant pourtant qu'il ne pourrait pas régner sereinement tant que Llew et moi serions vivants. Cette seule idée me réconfortait. Car même ainsi au moins, nous apportions notre contribution, certes modeste, pour l'empêcher d'amorcer son règne illégitime.

Une nuit, je fus réveillé par une sorte de petit grattement. Je n'y fis d'abord pas attention, pensant que c'étaient les rats — ils avaient envahi le caer — qui rongeaient quelque chose. Mais je me rendis compte peu à peu que le lent scrap… scrap… scrap… formait un son très régulier.

Quelqu'un était en train de creuser.

J'attendais, j'écoutais dans l'obscurité. Le bruit augmentait, et je pris le risque de parler en m'adressant à l'autre côté de la paroi. «Qui êtes-vous ?», demandai-je, osant à peine élever la voix plus haut qu'un murmure.

Llew dormait. Au son de ma voix, il commença à bouger. «Tegid, que se passe-t-il ?, dit-il en se traînant sur les genoux jusqu'à moi.

— Chhh ! Écoutez !

— Taisez-vous donc... Vous allez alerter les gardes...» La voix était celle d'un enfant.

«Qui êtes-vous ?, insistai-je.

— Je suis Ffand, dit la voix. Maintenant taisez-vous.

— Qui est Ffand ?, s'interrogea Llew.

— Qui est avec vous, Ffand ?, demandai-je, pressant mon visage au plus près de la paroi de bois de notre cruelle prison.

— Personne n'est avec moi», répondit la voix. Et l'on entendit creuser à nouveau. Cela continua un moment, puis s'arrêta brusquement.

«Que faites-vous, Ffand ?

— Chhh !» Le chuchotement était ferme et pressant. Puis il y eut un silence. Enfin : «C'était l'un des gardes. Il s'était réveillé. Heureusement il s'est rendormi. À présent il faut que je parte...

— Attends...

— Il va bientôt faire jour.

— Ffand ! Attends, je...

— Je reviendrai dès qu'il fera nuit.

— S'il te plaît...»

Mais il n'y avait plus personne. Je m'effondrai sur le sol.

«Qui est Ffand ?, demanda une nouvelle fois Llew.

— C'est la jeune fille qui a pris soin de votre chiot, expliquai-je.

— Mon chiot ?» Il réfléchissait tout haut, et je voyais bien qu'il avait oublié tout ce qui concernait Twrch. «Ah, oui... mon chiot...

— Vous aviez confié Twrch à une jeune fille. Sur la route de Findargad...

— Oui, avant la bataille de Dun na Porth, dit-il. Je me souviens. Je n'avais jamais su son nom.»

Cette journée-là fut interminable. La nuit semblait ne jamais vouloir venir. Enfin, l'obscurité de notre prison se fit encore plus profonde, et nous retînmes notre souffle, attendant impatiemment d'entendre le léger bruit de grattement. Voyant que Ffand n'arrivait pas, nous ressassions sans fin ce qui avait pu se passer — peut-être n'avait-elle pas pu s'absenter ce soir ; peut-être le garde était-il resté constamment éveillé... Ou pire encore : peut-être avait-elle été découverte et capturée... Que lui feraient-ils s'ils la capturaient ?

Nous avions renoncé à tout espoir de la voir revenir, jusqu'à ce que finalement nous entendions à nouveau le petit scrap... scrap... scrap... «Elle est revenue !, murmurai-je. Ffand !» Et je frappai légèrement sur la poutre au-dessus de ma tête. «Ffand !»

Quelques instants plus tard, la voix répondit : «Chhh ! Taisez-vous ! Ils vont vous entendre !»

Je m'apprêtai à parler à nouveau, mais Llew me mit en garde. «Attendez un peu, Tegid. Laissez-la terminer.»

Je repris ma place, et nous écoutâmes le petit grattement régulier au-dessus de nous. Mais il n'avait pas plutôt commencé qu'il s'arrêta. Et, cette nuit-là, il ne reprit pas. Nous attendîmes longtemps, à scruter la paroi, mais nous n'entendîmes plus rien.

Nous attendîmes encore le jour suivant, anxieux, mal à l'aise, espérant que Ffand n'avait pas été découverte. Nous demandant pourquoi elle s'était interrompue...

Elle ne revint pas la nuit suivante, et nous dûmes craindre le pire.

Nous étions tellement découragés que nous pensions ne plus jamais la revoir. Aussi, lorsque nous entendîmes à nouveau, la nuit suivante, le petit grattement, nous fûmes finalement pris au dépourvu, et nous rendîmes compte que nous avions attendu — que nous l'avions attendu... impatients de le voir reprendre...

Ffand creusa toute la nuit, et ne s'arrêta que deux fois : une fois pour se reposer (elle annonça que ses mains n'en pouvaient plus), et une autre fois lorsque l'un des gardes se réveilla pour aller se soulager.

Les deux nuits qui suivirent, elle ne revint pas. Mais nous savions à présent qu'il ne fallait pas nous en inquiéter. La petite Ffand était manifestement habile et capable. Elle faisait en sorte de choisir les moments propices et voulait éviter les risques inutiles. De toute façon, nous n'avions pas d'autre solution que d'attendre son bon plaisir.

Ffand revint la nuit suivante pour nous dire que le roi Meldron avait annoncé qu'il siégerait parmi sa cour dans la matinée. «Il a dit que nous devions tous nous tenir prêts à quitter les lieux. Que nous allions partir pour Caer Modornn.

— Quand ?

— Très prochainement, répondit la voix. Au lever du jour, au lendemain de la séance du conseil.»

Llew tendit la main vers moi. «Demandez-lui combien de temps cela va encore prendre pour que nous soyons libres ? Est-ce qu'elle pourra y parvenir cette nuit ?

— Ffand, dis-je la joue plaquée contre la poutre, est-ce que tu penses pouvoir finir cette nuit ? Est-ce que tu pourras nous libérer dès cette nuit ?»

Il y eut un petit silence. Puis : «Non, je ne pense pas.

— Écoute, Ffand, il faudrait absolument que tu y arrives. Ils vont venir nous chercher dès demain. Il faut que nous soyons libérés cette nuit.

— J'essaierai.

— Peut-être pouvons-nous faire quelque chose, dit Llew. Ffand, que peut-on faire pour t'aider ?»

Le bruit de grattement reprit — plus rapide cette fois, et plus fort parce que la jeune fille redoublait d'efforts pour essayer de nous libérer à temps. Elle ne s'arrêta pas, creusa sans relâche toute la nuit. Scrap... scrap... scrap..., toute la nuit.

Et puis... il y eut un bruit sourd, comme si quelque chose de lourd s'était effondré.

«Et voilà !» La voix de Ffand descendit jusqu'à nous. «C'est fait.

— Bravo. Dis-nous à présent ce que nous devons faire, Ffand, dis-je.

— La poutre est dégagée, maintenant, dit la voix. Mais elle est trop lourde pour que je puisse la déplacer... Il faudrait que vous le fassiez vous-mêmes.

— Quelle poutre, Ffand ? Frappe un coup sur celle que nous devons déplacer.»

Un bruit sourd mais énergique résonna sur l'une des poutres, dans un coin du cachot. «Parfait. À présent, écoute attentivement, Ffand. Nous allons nous occuper du reste. Mais toi, il faut que tu t'en ailles. Il faut que tu partes le plus loin possible.»

Il n'y eut aucune réponse.

«Ffand ?

— Je ne veux pas partir.

— Il le faut. Je ne veux pas qu'il t'arrive quoi que ce soit si les choses tournent mal. Allez, va-t'en...»

Llew se mit à parler face à la poutre. «Ffand..., dit-il gravement, écoute-moi.

— J'écoute...

— Merci, Ffand. Tu nous as sauvé la vie. Mais maintenant, il faut que tu t'éloignes si tu veux que tout le travail pénible que tu viens de faire pour nous ne soit pas perdu. Tu comprends ? Et en plus, pense à Twrch... Qu'est-ce qu'il va devenir sans toi ? Je voudrais que tu prennes soin de lui encore un peu. Est-ce que tu veux bien faire ça pour moi, Ffand ?

— Bon, c'est d'accord, soupira-t-elle.

— Encore une chose, dis-je rapidement. Combien y a-t-il de gardes ?

— Cette nuit, seulement deux. Et de fieffés ronfleurs.» Elle se tut, rapprocha son visage de la poutre : «Adieu…

— Ffand ?»

Pas de réponse.

«Elle est partie, supposai-je. Alors, prêt ?»

Llew s'agenouilla près de moi tout au fond du cachot. Ensemble nous saisîmes la poutre en introduisant les doigts dans l'espace étroit qui la séparait des deux poutres voisines. Je compris alors ce que Ffand avait fait : utilisant le tas de gravats pour se dissimuler à la vue des gardes, elle avait creusé au milieu de la terre et de la rocaille jusqu'à l'autre extrémité du cachot afin de libérer une poutre. Celle-ci supportait toujours son poids de gravats, mais à force de remuer le lourd morceau de bois d'avant en arrière, nous arrivâmes peu à peu à le dégager et, finalement, à le retirer. Poussière et débris de toutes sortes s'abattirent sur nous en passant par le trou que nous venions de former. Nous manipulâmes la poutre en la faisant progressivement glisser vers l'arrière, jusqu'à ce qu'un espace suffisamment large puisse être dégagé pour laisser s'y glisser un homme.

Accroupis, nous fixâmes silencieusement l'ouverture que nous avions faite, et nous écoutâmes. Lorsque nous ne perçûmes plus aucun mouvement du côté des gardes, je dis : «Je sors le premier.»

Je plongeai avec prudence la tête dans l'ouverture. Comme Ffand nous l'avait dit, il y avait bien deux gardes, qui l'un et l'autre dormaient. Je m'engouffrai avec difficulté dans l'étroit passage, en me tortillant, poussant des pieds, de manière à pouvoir traverser.

J'étais à présent à genoux, nerveux, humide de sueur, derrière le tas de gravats qui recouvrait la fosse. Les gardes dormaient à quelque distance — pour être, j'imagine, le plus éloignés possible de la puanteur des lieux. Ce qui expliquait qu'ils n'avaient entendu ni la présence de Ffand ni la nôtre.

«Venez», murmurai-je à Llew.

Quelques instants plus tard, il était là, accroupi près de moi. Rapidement, dans le plus grand silence, en nous déplaçant avec des précautions exagérées parmi les décombres de la citadelle de Meldryn Mawr, jadis si puissante, nous nous hâtions, toujours à l'affût d'autres gardes pouvant se trouver sur notre chemin. Mais nous ne rencontrâmes personne, et je n'en fus pas surpris. Le caer n'était plus qu'un charnier, puant, dévasté. Les guerriers que le sort avait désignés pour venir nous surveiller ne pouvaient pas tomber sur plus détestable tâche.

D'une certaine manière, j'admirai le courage de Ffand. L'enfant avait osé faire ce que des hommes valeureux s'étaient arrangés pour ne pas faire.

Nous nous précipitâmes vers l'endroit où se trouvait jadis l'entrée de la citadelle, et là, nous fîmes une pause pour observer toute l'étendue de la plaine. D'innombrables feux de camp étaient disposés à nos pieds, et au détour de Muir Glain, les piquets pour les chevaux. En contournant le campement par l'est, nous pourrions atteindre les chevaux les plus proches sans être repérés.

Mais il nous fallait faire vite ; déjà le ciel commençait à s'éclaircir à l'orient. Le jour allait bientôt poindre et les gens commenceraient à s'agiter. Nous voulions être loin avant que l'on s'aperçoive que nous nous étions échappés.

Sans nous dire un mot, nous commençâmes à redescendre le sentier du caer. Nous tenant à distance des tentes les plus proches, le cœur battant la chamade, nous contournâmes tout le périmètre du camp, atteignant la dernière palissade de pieux au moment où les premiers rayons du soleil percèrent l'horizon.

Là, une sentinelle montait la garde : deux hommes de la Horde des Loups... insouciants, peu attentifs, c'est vrai, mais là tout de même. Nous fîmes donc une pause pour réfléchir à la meilleure manière de nous emparer des chevaux sans donner l'alerte. Pour l'heure, il y en avait un qui s'était levé et s'éloignait du feu en direction des chevaux alignés. Celui qui restait ne bougeait pas, les épaules rentrées devant le feu, apparemment assoupi.

«C'est le moment ou jamais !», s'écria Llew ; et il était prêt à s'élancer en direction des chevaux. Nous n'avions pas encore fait un pas que nous vîmes deux montures se détacher de leur pieu et commencer à venir vers nous. Nous observions la scène, complètement ahuris, jusqu'au moment où ils furent face à nous, nous laissant découvrir une fillette gracile, presque fragile — c'était Ffand —, qui marchait entre les deux animaux, les tenant ferment par le licou et les conduisant vers nous.

Elle s'avançait vers l'endroit même où nous attendions, à l'une des extrémités de la ligne de piquets. Elle était plus jeune que dans mon souvenir, svelte, le visage barbouillé de terre, le sourire découvrant une dentition espacée, les cheveux en broussailles, les vêtements tout sales à force d'avoir creusé.

«Incroyable petite !, s'exclama doucement Llew.

41

— Que le dieu de la miséricorde la bénisse infiniment, murmurai-je en scrutant la zone des piquets pour surveiller le retour éventuel de la première sentinelle. Je ne vis personne, et après quelques instants, Ffand était devant nous à nous tendre les rênes.

«Je ne savais pas lesquels étaient les vôtres, alors j'ai choisi les meilleurs, dit-elle gaiement. Ai-je bien fait ?

— Tu as fait plus que cela... c'est magnifique, dis-je.

— Tu es un amour, ma petite Ffand.» Llew posa un gros baiser sur sa petite joue rebondie. Une rougeur soudaine de contentement illumina son visage.

Nous rassemblâmes les rênes et grimpâmes prestement sur nos montures. «Qu'est-ce que je fais de Twrch ?, demanda la fillette.

— Puis-je te le confier encore quelque temps, Ffand ?», dit Llew. Elle hocha fièrement la tête, affirmative. «Parfait. Je reviendrai le chercher un de ces jours.

— Porte-toi bien, Ffand, dis-je. On n'oubliera jamais à quel point tu nous as aidés.

— Au revoir !, répondit la fillette. Je prendrai soin de Twrch.»

Nous orientâmes nos chevaux vers le nord en prenant la direction de la rivière. Au milieu des marécages, les collines boisées se dessinaient, et plus loin encore l'ample vallée de Modornn. Nous avions l'intention de traverser la rivière et de prendre à l'est pour entrer sur le territoire de Llogres, car ici, à Prydain, nous ne pouvions plus espérer aucune aide. Deux jours de cheval, et nous serions à Blár Cadlys, la forteresse principale du roi cruin.

Nous arrivions à l'entrée des marécages, lorsque soudain Llew s'exclama : «Attendez ! Écoutez...» Je fis halte.

Au loin, j'entendis le son aigu du cor qui sonnait l'alarme. Notre évasion avait été découverte.

V

PRIS EN CHASSE

Une brume lourde et épaisse flottait au-dessus des marécages. Nous nous dirigions en plein milieu, là où la brume était la plus dense. Si à cet endroit nous pouvions échapper à nos poursuivants, nous avions une chance de nous en sortir.

Hélas, avant même de voir naître ce petit espoir, j'entendis les chiens : le hurlement perçant, sauvage, accablant, des chiens de chasse brusquement lâchés. Trois d'entre eux appartenaient à l'ancienne meute du roi, et Meldron n'avait pas hésité à les lancer après nous.

Llew rejoignit le bord du marécage juste devant moi, et disparut dans la brume. Je le suivis, toujours prêt à me cogner à lui sur le bord de l'eau.

«De quel côté maintenant ?, demanda-t-il.

— Descendons de cheval, et renvoyons les bêtes !

— Mais on peut espérer dans le brouillard que les chiens perdront nos traces...

— Nous serons de toute façon trahis par le bruit que nous faisons, dis-je. Renvoyons les chevaux, et on pourra peut-être quand même les éviter...»

Llew se laissa glisser au bas de son cheval et lui donna une tape sur la croupe. «Allez hue !» Le cheval partit au galop, sans cavalier, à travers le marais. Je me laissai à mon tour glisser, ayant de l'eau jusqu'aux genoux, et renvoyai mon cheval d'un cri accompagné d'une tape... puis me mis à suivre la silhouette de Llew qui disparaissait rapidement dans la brume.

J'étais désolé de nous voir obligés de nous séparer de nos chevaux aussi rapidement, mais c'était là notre seule chance. Ces chiens étaient capables de poursuivre un cheval jusqu'à son épuisement ; et grâce à leur flair redoutable, les nôtres ne leur échapperaient pas. Dans les marais toutefois, les chiens devraient compter plutôt sur leurs oreilles ; ils poursuivraient les chevaux, et les cavaliers suivraient les chiens... L'eau était froide, le soleil pâle et lointain. Nous avançâmes jusqu'à un bosquet de joncs. «Rentrons là», dis-je en prenant la direction des opérations. Les feuilles étaient sèches — les nouvelles pousses n'étaient pas encore apparues —, et les tiges de l'année passée crépitèrent dès que nous entrâmes. Après avoir fait une dizaine de pas, je m'arrêtai. «Nous attendrons ici, proposai-je. Dès que les cavaliers seront passés, nous courrons jusqu'à la rivière.

— S'ils ne nous tombent pas dessus avant..., fit remarquer Llew.

— Écoutez !»

J'entendis le bruit des sabots des chevaux pataugeant dans l'eau, et le grondement d'un chien. Serrant les dents, nous nous accroupîmes dans l'eau en tirant quelques joncs tout autour de nous.

À peu de distance, nous entendîmes un autre cheval piétiner le bord de l'eau puis patauger dans le marécage. À peine quelques secondes plus tard, un autre cavalier suivit... puis deux autres.

Dès qu'ils furent dans le marais, la brume se mit à amplifier les sons émis par les cavaliers, de sorte que l'on avait le sentiment qu'ils arrivaient vers nous de toutes les directions. Il était impossible de dire où ils étaient, s'ils étaient proches ou non. Nous étions toujours accroupis dans l'eau, tremblant, scrutant le moindre son de nos poursuivants tout autour de nous. Nous les entendions se guider les uns les autres, nous les entendions appeler les chiens, nous entendions les chiens japper et aboyer.

Les sons diminuèrent progressivement au fur et à mesure que les traqueurs s'éloignaient. Nous attendîmes, toujours tapis dans l'eau, frissonnant de peur et de froid. Le brouillard commença à se lever, un ciel bleu apparut au-dessus de nos têtes et le soleil levant se mit à réchauffer l'air à travers la brume des marécages. «Nous devrions partir, chuchota Llew. Le brouillard se lève... Ils vont finir par nous découvrir.»

Il se releva et commença à faire quelques pas.

«Attendez», murmurai-je en le saisissant par le poignet et en le tirant pour qu'il reprenne sa position accroupie près de moi.

Le rythme des sabots pataugeant dans l'eau était le seul repère que nous avions. Un cheval filait à toute allure parmi les ajoncs.

Son cavalier, épée à la main, donnait des coups, tailladait au hasard de son chemin.

Llew se projeta brusquement sur le côté, et je plongeai moi-même de l'autre.

L'animal surpris se cabra. Le cavalier frappa avec son épée. Se dégageant soudain, Llew se remit sur ses pieds en chancelant, fonça tête baissée sous la panse du cheval alors que le cavalier redoublait ses coups. Llew saisit brusquement l'épée de son agresseur et fit basculer celui-ci de sa monture. Je bondis pour rattraper l'animal en lui donnant une tape énergique sur l'encolure. Effarouché, il s'emballa et disparut au loin dans le marais.

Le cavalier hurla. Llew lui administra un coup de poing au visage... une fois, puis une autre. Sa résistance cessa.

Gelés sur place, nous écoutions.

Aucun cri ne résonna en réponse à l'appel du cavalier, rien qui manifestât que nous étions découverts.

«Aidez-moi à le soulever», dit Llew. Nous hissâmes le cavalier inconscient sur nos épaules et le tirâmes à travers les marécages jusqu'à la limite des eaux, où nous l'abandonnâmes.

«La rivière, c'est par là, dis-je en regardant vers l'est. En nous dépêchant, nous pourrons la rejoindre avant qu'ils ne reviennent et encerclent la zone.

— Eh bien, allons-y !», répondit Llew.

Nous pataugeâmes péniblement au milieu des marais, longeant le bord de l'eau, escaladant tant bien que mal plusieurs tertres complètement détrempés, ou bien nous retrouvant dans l'eau jusqu'aux cuisses. La poitrine nous brûlait, notre cœur s'excitait à tout rompre, nos muscles nous faisaient mal, mais nous nous démenions comme des diables pour rejoindre la forêt qui se dessinait au loin, et qui marquait la présence de la rive la plus proche de la rivière Modornn.

Complètement ruisselants, les vêtements trempés pesant sur tous nos mouvements, nous regagnâmes la terre ferme et nous frayâmes un chemin à travers des bosquets de sureaux, de saules et de noisetiers. Nous étions régulièrement griffés par des aubépines. Nous entrâmes dans les taillis et traversâmes la forêt en pouvant enfin nous tenir debout, nous dirigeant peu à peu vers la rive abrupte de la rivière.

À la haute saison, le Modornn est une vaste étendue d'eau, peu profonde, aux reflets gris-vert. En basse saison, une non moins vaste étendue de terre boueuse, entaillée en son milieu par un courant, unique et profond. Dans les deux cas, nous devrions nous mettre à l'eau, mais j'espérais que le niveau des eaux serait suffisamment élevé pour recouvrir nos traces sur les parties boueuses existant de chaque côté de la rivière.

Au moment où nous arrivâmes sur le rivage, je constatai que l'eau était dans un mouvement de reflux. Le niveau baissait, mais il y avait encore suffisamment d'eau pour couvrir nos traces ; et si nous nous dépêchions, nous pourrions rejoindre l'autre rive avant que le lit de vase ne soit mis à découvert.

Sans même jeter un coup d'œil vers l'arrière, nous traversâmes, mal assurés sur nos jambes, l'estuaire soumis aux marées : cherchant notre équilibre, le perdant, nous rattrapant l'un l'autre lorsque nous étions prêts à tomber, puis en continuant à nous débattre dans la vase. Nous barbotions péniblement pendant la traversée, et perdions pied en glissant sur les eaux peu profondes de l'autre rive. Nous avions l'impression d'avoir les jambes et les pieds aspirés par la vase visqueuse et puante.

Au moment où nous rejoignîmes la rive opposée, l'eau recouvrait à peine les empreintes de nos pas. Nous nous traînâmes jusqu'aux broussailles voisines et nous étendîmes sur le dos, aspirant de grandes bouffées d'air... tendant l'oreille dans la crainte d'entendre les sons que nous redoutions : des cris manifestant que nous aurions été découverts et des claquements de sabots traversant l'estuaire.

Nous attendîmes, mais aucun cri ne parvint jamais jusqu'à nous. Ni le rythme des sabots.

Lorsqu'il fut manifeste que nous avions réussi à semer nos poursuivants — du moins pour cette fois —, nous rassemblâmes le peu de forces qui nous restait et nous enfonçâmes, exténués, dans les profondeurs de la forêt. C'est seulement à ce moment-là que je commençai à croire que nous avions bel et bien échappé à nos agresseurs.

Nous avions très peu mangé depuis notre capture — du pain sec et de la bière aigre que les gardes nous avaient fait passer —, et la faim avait miné nos forces. Nous marchâmes vers l'est, nous éloignant toujours plus de la rivière, et fîmes halte dans une clairière pour récupérer et laisser le soleil sécher nos vêtements.

Là, nous scrutâmes avec grande attention le moindre son pouvant provenir de notre prise en chasse. Nous n'entendîmes ni chiens ni chevaux. Alors, doucement, le calme de la forêt commença à répandre ses bienfaits sur nous.

«Nous n'avons pas d'armes, pas de provisions, pas de chevaux, dit Llew en se roulant sur le côté. Pensez-vous que nous puissions espérer que les Cruins sauront nous accueillir avec une bonne coupe ?»

Les Llwyddis et les Cruins s'étaient souvent retrouvés face à face sur le champ de bataille. Mais de manière tout aussi fréquente ils s'étaient retrouvés ensemble autour d'un festin. Meldryn Mawr avait toujours rendu hommage au respect dont le roi Calbha l'honorait, à défaut d'une amitié véritable. «Quoi qu'il en soit, fis-je remarquer, un barde est toujours bien accueilli.

— Eh bien allons-y, je vous suis, ô barde plein de sagesse, dit Llew. Et espérons que lord Calbha aura un besoin aussi pressant d'entendre quelque chant que j'ai moi-même besoin d'un bon souper chaud.»

Nous nous remîmes sur nos pauvres jambes éreintées, et amorçâmes notre voyage à travers les collines boisées et les plaines bourbeuses en direction de la citadelle *cruin* de Blár Cadlys. Nous marchâmes toute la journée... jetant toujours d'innombrables coups d'œil en arrière, faisant d'innombrables pauses pour récupérer autant que pour scruter tout signe éventuel de nos poursuivants. Alors que nous atteignîmes les rives verdoyantes d'un cours d'eau situé à l'écart de tout, le soleil, doucement, disparaissait derrière les collines.

Là, épuisés, les pieds en bouillie, nous fîmes halte pour la nuit ; nous bûmes jusqu'à satiété l'eau du fleuve pour étancher notre soif, puis nous nous enveloppâmes dans nos capes pour récupérer enfin et dormir dans l'herbe haute et sèche de l'hiver. Je me réveillai dès le lever du jour et réveillai aussitôt mon compagnon. Nous nous lavâmes dans la rivière, et poursuivîmes notre chemin.

Le voyage dura ainsi quatre jours ; nous dormions chaque fois près d'une rivière ou d'un plan d'eau, et nous repartions à l'aube. Quatre jours à travers la forêt épaisse et les terrains marécageux et nauséabonds. Ce n'était pas encore la bonne période pour cueillir des baies, et nous ne pouvions nous permettre de perdre du temps à chasser le gibier. Si l'on ne mourut pas de faim, ce fut grâce aux quelques racines et pousses que je savais repérer ; et nous nous abreuvions dans les rivières et dans les plans d'eau.

Au terme du dernier jour — et au terme de nos forces aussi —, nous arrivâmes en vue du village des Cruins. Affamés au-delà de ce qui est imaginable, nous étions là, à la lisière de la forêt avoisinante et observions la fumée aux reflets d'argent qui s'élevait des cheminées des cuisines, à l'intérieur du caer. Les bonnes odeurs qui s'en dégageaient me mirent l'eau à la bouche, et je sentis mon estomac se contracter.

Blár Cadlys est construit au sommet d'une longue et haute colline qui contrôle l'entrée d'Ystrad Can Cefyl, le Val du Cheval Blanc, route principale qui conduit jusqu'au cœur de Llogres. Sur les grandes étendues de prairies qui s'étalent le long de la vallée courent les immenses troupeaux de chevaux qui sont à l'origine de la fierté des Cruins : celle d'être des cavaliers hors pair. Et une telle fierté n'était pas, à vrai dire, sans raison.

« Pensez-vous qu'ils savent, ici, ce qui est arrivé à Meldryn Mawr ?, demanda Llew.

— Non, ils ne peuvent pas déjà savoir. À moins que...

— À moins que Paladyr ne nous ait précédés ?»

Llew avait exactement formulé ce que je pensai moi aussi. «Allons-y, nous allons bientôt être fixés.»

Nous sortîmes épuisés de la forêt et commençâmes à gravir d'un pas mal assuré le chemin vers le caer — mais sans aucune volonté de nous hâter, afin qu'ils aient tout le temps de nous voir arriver. Et ce fut le cas. En effet, nous n'eûmes pas fait le premier pas sur l'allée qui conduit à la porte d'entrée que trois soldats apparurent sur le parapet de la loge de garde. Celui qui était le plus en vue nous apostropha, nous ordonnant de nous arrêter et de décliner nos identités.

« Je suis Tegid Talaryant, hurlai-je en réponse, Chef des Bardes de Meldryn Mawr, du clan des Llwyddis. L'homme qui m'accompagne est le favori du roi. Nous souhaiterions nous entretenir avec votre noble seigneur.»

Le planton nous toisa passablement perplexe, échangea quelques mots avec ses comparses, puis répondit : «Vous vous prétendez hommes d'estime et d'honneur, et vous vous présentez à nous comme de vulgaires mendiants. Où sont donc vos chevaux ? Et vos armes ? Pourquoi vous présentez-vous ainsi vêtus de haillons et vous déplaçant à pied ?

— Cela, répondis-je, j'estime que cela me regarde seul. Mais peut-être Calbha pensera-t-il qu'il gagnerait à nous accueillir comme il convient à des hommes de nos rang et renom.»

À ces mots, ils éclatèrent de rire ; mais je les fis taire sans tarder. «À présent écoutez-moi ! Si vous ne portez immédiatement notre message à votre seigneur, je prononcerai quelque malédiction contre vous et contre tout votre clan.»

Cela leur donna à réfléchir.

«Vous pensez qu'ils vont vous croire ?, demanda Llew alors que les trois compères débattaient du bien-fondé de ma menace.

— Peut-être que non. Mais à présent nous allons voir jusqu'à quel point ils oseront nous tenir tête.»

Apparemment, les gardes cruins n'étaient pas d'humeur à prendre des risques. Après une délibération particulièrement brève, l'un d'eux disparut, et en moins de temps qu'il faut pour le dire, la porte s'ouvrit. Quatre guerriers surgirent du caer et vinrent à notre rencontre pour nous conduire aux appartements du roi. Ils ne prononcèrent aucune parole, mais nous firent signe de les suivre. J'étais déjà venu une fois à Blár Cadlys pour accompagner Ollathir, et je le retrouvais peu différent de ce que ma mémoire en avait retenu. Pourtant il y avait quelques changements : les entrepôts à grains étaient à présent plus nombreux, et un second bâtiment pour les guerriers s'était ajouté à celui qui existait jadis. À l'entrée de leur échoppe, des artisans étaient en train de confectionner des hampes de lances ; les enclos à bétail avaient été agrandis.

Dès que nous arrivâmes à proximité des appartements, un guerrier partit en hâte pour nous annoncer à son seigneur. Le roi Calbha nous reçut à l'extérieur. Les épaules larges, un cou de taureau, arborant une chevelure noire, une courte barbe et une longue moustache. Il marcha à grandes enjambées vers nous, la main sur le pommeau de son épée, et un air légèrement renfrogné qui ridait son large front. Ceux qui étaient présents observaient avec intérêt la façon dont le roi allait négocier cette rencontre avec nous. «Je vous salue, Llwyddis, annonça le seigneur des Cruins sans nous tendre la main. Cela fait bien longtemps que nous n'avons pas eu l'occasion d'accueillir des membres de votre clan dans ces murs. Je ne peux pas dire que ce soit du reste un plaisir qui m'ait manqué.

— Nous vous saluons à notre tour, lord Calbha, répondis-je en inclinant la tête respectueusement. Cela fait bien longtemps que les Llwyddis se sont aventurés au-delà du Modornn. Mais selon toute vraisemblance vous allez avoir le plaisir bientôt de nous accueillir avec davantage de fréquence...»

Le roi cruin fronça les sourcils. Il prit mes paroles pour un avertissement. «Eh bien qu'ils viennent, répondit-il. Que ce soit pour la paix ou pour la guerre, nous serons toujours prêts à les recevoir...»

Il nous dévisagea des pieds à la tête, et ce qu'il vit ne parut pas l'impressionner particulièrement ; au contraire, il se renfrogna encore plus. «Pourquoi êtes-vous venus dans cette tenue ?

— À Prydain, répondis-je, on accorde aux bardes les bienfaits d'un bon feu avant de leur demander de chanter.»

Calbha se passa la main sur le menton. «À Llogres, répondit-il calmement, les bardes ne traînent pas à travers le pays comme les réchappés de quelque cachot.

— Seigneur, vous ne croyez pas si bien dire. Et si je n'avais pas le gosier si desséché par la soif et mon estomac si faible à cause de la faim, je vous raconterais sur le champ une histoire qui vaut, je crois, la peine d'être entendue.»

Calbha pencha la tête vers l'arrière et se mit à rire. «Joliment dit, barde. Suivez-moi jusqu'à mes appartements. Vous boirez et vous mangerez avec moi ; vous vous mettrez à votre aise et pourrez dormir. Vous ne manquerez de rien, vous êtes mes invités... vous et votre champion des marécages.»

Je levai les deux mains et lui offris ma bénédiction. «Que la paix soit avec vous aussi longtemps que nous serons sous votre toit, et que tous les hommes vous nomment Calbha le Généreux à partir de ce jour et pour l'éternité.»

Ces paroles plurent au seigneur de Blár Cadlys. Il nous précéda dans ses appartements et fit demander que lui fût servie la coupe de bienvenue. Le maître-brasseur revint en hâte, portant dans les mains un bol d'argent d'une taille respectable ; il l'offrit à son seigneur qui le prit et but une longue gorgée.

«Buvez, buvez mes amis, désaltérez-vous !», dit Calbha en essuyant sa moustache sur la manche de son siarc. Il me tendit le bol, et je bus, je bus, songeant que je n'avais jamais eu l'occasion d'apprécier une bière aussi bonne et aussi pleine de saveur.

Puis je tendis la coupe à Llew, qui aurait d'ailleurs dû boire avant moi — il était seigneur de Prydain après tout. Mais j'estimais préférable de ne pas révéler son titre dès maintenant. Il ne fit guère attention à ce manque d'égards, trop heureux de pouvoir enfin serrer cette coupe entre ses mains.

On avança des sièges, et nous nous assîmes en compagnie de Calbha, nous passant de main en main la coupe de bienvenue jusqu'à ce qu'elle fût vide. Le roi aurait voulu la faire remplir à nouveau, mais je l'en dissuadai : «Cette bière est sans aucun doute la meilleure que j'aie bue depuis bien longtemps. Mais si j'en bois davantage, je ne serai plus guère en mesure de chanter.»

Le roi ouvrit la bouche pour protester. Llew prit la parole juste au même moment : «Seigneur, comme vous pouvez le constater, nous ne sommes pas des hôtes dignes de nous asseoir à votre table.» Il montra d'un signe de sa main des vêtements déchirés et maculés de boue. «Permettez-nous d'aller prendre un bain, afin que nous puissions ensuite vous offrir une compagnie plus décente.

— Je me rends bien compte que vous avez dû accomplir un voyage pénible, admit Calbha. Allez donc vous laver et revenez me voir lorsque vous serez prêts. Je vous attends ici.»

Nous fûmes conduits jusqu'à une cour située derrière le bâtiment des soldats le plus proche où avait été placée une sorte de grand réservoir en pleine pierre, rempli d'eau, où les guerriers avaient l'habitude de se baigner après leurs exercices effectués dans la cour... On nous apporta une bassine et du savon de suif, des linges pour nous essuyer. Nous nous débarrassâmes de nos vêtements sales et nous plongeâmes dans le grand réservoir. L'eau était froide, mais son contact nous fit grand bien, et nous nous sentîmes revivre. Nous nous savonnâmes entièrement, prenant chacun à notre tour un peu d'eau dans la bassine pour nous rincer.

Pendant que nous étions là à nous baigner, une femme vint prendre nos vêtements et les remplaça par des habits propres, de manière à ce que, le bain terminé, nous ne soyons plus à nouveau confrontés à nos vieilles loques maculées de boue. Puis, alors que nous étions en train de nous sécher, Llew demanda brusquement : « Pourquoi les coranyids ont-elles attaqué uniquement Prydain ? »

La question me prit au dépourvu. Lord Nudd et son armée abominable, il est vrai, avaient dans leur mouvement incontrôlé de haine rageuse, détruit quasiment tous les villages de Prydain. Et pourtant, la citadelle des Cruins — même si elle était voisine de Sycharth — avait été épargnée. Pourquoi simplement Prydain ? Et non Llogres également ? Pourquoi lord Nudd avait-il concentré sa colère uniquement sur Prydain, alors que Llogres — si l'on en jugeait par le seul Blár Cadlys — était resté indemne ?

« Votre question est judicieuse, répliquai-je enfin. Mais je ne peux pas y répondre.

— Vous saviez pourtant que les Cruins seraient là, persista-t-il. Vous le saviez, Tegid. Vous n'en avez jamais douté.

— Je n'ai pas pris le temps de réfléchir. Je pensais seulement à fuir... et c'était là le refuge le plus proche », dis-je.

Llew continua : « Peut-être... Et pourtant vous admettez l'idée que les coranyids n'aient pas détruit les Cruins. Cela ne vous ressemble pas, Tegid... »

Nous nous rhabillâmes en hâte, enfilant les vêtements propres qu'on nous avait apportés, puis reprîmes le chemin des appartements royaux. Le feu avait été allumé dans la cheminée, et l'on avait disposé des chaises tout autour. Calbha était assis, et quelques conseillers et membres de son armée l'avaient rejoint — peut-être étaient-ils une vingtaine. Une femme à la chevelure noire siégeait à côté de lui, et ses guerriers, non loin de là, attendaient debout, une coupe à la main, en parlant à voix haute.

«Qui est çette femme assise à côté de Calbha ?, demanda Llew.
— C'est Éneïd, répondis-je. La reine...»
Lord Calbha et sa femme, tête contre tête, était en grande discussion lorsque nous entrâmes. Nous voyant approcher, ils se turent ; la reine se redressa et nous observa avec intérêt. Nous nous approchâmes encore. Je rendis mes hommages à la reine, qui inclina la tête en disant : «Mon mari vient de me dire que vous arrivez de Prydain à pied, et que vous avez dormi dans des fourrés et dans les marais. J'espère que vous trouverez l'hospitalité de Blár Cadlys plus à votre goût.

— Merci à vous, Majesté, répondis-je. Nous nous sentons déjà plus à notre aise ici que nous ne le serions dans nos propres maisons.»

Puis la reine se leva : «Vous devez avoir grand faim. Asseyez-vous auprès de mon mari. Il est impatient de discuter avec vous. Pendant que vous bavarderez, j'irai m'occuper ailleurs de questions plus plaisantes.»

Elle m'offrit son siège et fit signe à Llew de disposer de la chaise voisine ; puis elle prit congé.

«Vous êtes les premiers hôtes que nous ayons eus depuis bien longtemps, dit le roi. Ma femme se sentira offensée si vous ne mangez pas et si vous ne buvez pas à chaque repas jusqu'à complète satiété. En ce qui me concerne, je serai très heureux d'avoir quelques nouvelles de ce qui se passe sur les terres situées au-delà du Modornn.

— Demandez tout ce que vous voulez, seigneur. Je vous répondrai du mieux que je pourrai.

— Eh bien alors, dites-moi..., dit Calbha alors que nous prenions place près de lui. Vous êtes-vous échappés du cachot de Meldryn Mawr ?»

La question était pour le moins directe... à la limite de la discourtoisie. Mais il nous avait promis la liberté et tous les agréments de son hospitalité. Je ne percevais aucune mauvaise intention chez Calbha, y compris dans sa question quelque peu brutale, et décidai de lui répondre en toute franchise afin de me conformer au ton que lui-même avait adopté. «Oui, c'est vrai, nous nous sommes échappés du cachot de Sycharth, et nous sommes venus vous demander de l'aide.»

Le fait de reconnaître aussi librement la situation causa quelque réaction discrète parmi les hommes de Calbha. Il leva la main pour demander le silence. «Un barde et un guerrier couvert d'honneur, ... dans un cachot ?, fit-il remarquer. Ce n'est pas dans les habitudes de Meldryn Mawr de renoncer aux compétences de personnages de si haute valeur, et cela sans raison... Vos crimes doivent être vraiment impardonnables...

— Nous n'avons commis aucun crime, seigneur, répondis-je. Si ce n'est celui-ci : contrarier les desseins de quelqu'un qui s'est injustement proclamé roi lui-même.»

Si ma première intervention avait provoqué quelques remous, ces dernières paroles provoquèrent la tempête. Les conseillers du roi et les guerriers commencèrent à vociférer comme un seul homme. «Racontez-nous donc !, s'exclamèrent-ils. Qu'est-ce que cela veut dire ? Un nouveau roi ? De qui s'agit-il ? Racontez-nous !»

Lord Calbha se pencha un peu vers l'avant, le front plissé, intrigué. «Un nouveau roi ? Et Meldryn Mawr ?

— Meldryn Mawr est mort. Assassiné par son favori.»

Cette révélation provoqua un silence total dans la salle. Calbha écarquilla les yeux de surprise, et regarda vers Llew. «Non, dis-je. Llew n'est pas l'assassin. Le responsable de ce crime, c'est Paladyr, le prédécesseur de Llew.

— Qui donc est le roi, maintenant ?, demanda Calbha.

— Le fils du Grand Roi, Meldron, prétend détenir ce titre, répondis-je. Il s'est emparé du pouvoir à des fins personnelles.»

Lord Calbha secoua la tête, incrédule, et ses conseillers se mirent à chuchoter ensemble. «Que s'est-il donc passé ? Vous êtes le Chef des Bardes — du moins c'est ce que vous dites —; comment pouvez-vous autoriser que la succession soit contestée de cette manière ?

— J'ai accordé ce titre de la manière que j'ai estimé convenir, répondis-je simplement. Le prince Meldron n'a pas accepté mon choix. Il nous a fait saisir puis fait jeter dans le cachot.

— Ah, je vois !, dit Calbha qui comprenait enfin. Alors, c'est ainsi que les choses se sont passées...

— Oui, hélas.

— Et Meldron ? Les soldats sont-ils prêts à le soutenir ?

— Sans aucun doute.

— Je vois.» Calbha se tut, puis se retourna vers l'un de ses conseillers et lui fit signe de s'avancer. Ils discutèrent ensemble pendant un instant, puis le roi se retourna enfin : «Je connais bien ce Meldron. On vient de me rappeler que c'est lui qui était à la tête de l'armée llwyddi au moment des troubles qui agitaient le nord du territoire, il y a quelque temps.

— C'est exact, seigneur, répondis-je. Meldron est un chef d'armée tout à fait capable. Meldryn Mawr lui a confié la responsabilité de toute l'armée.

— Qu'est ce qui siège au fond de son cœur, est-ce la guerre ou est-ce la paix ?», demanda Calbha, révélant par sa question le fond de son propre cœur. Je compris que j'avais eu raison de lui faire confiance.

«Meldron fera tout pour se mettre en avant, que ce soit par la guerre ou que ce soit par la paix... bien qu'il estime que les choses avancent généralement moins vite par les voies pacifiques.

— Et alors le véritable roi ?, demanda Calbha. Vous nous avez dit que vous avez mis le pouvoir dans les mains de quelqu'un d'autre. Qu'est-il devenu ?»

J'avais réussi à me faire une idée des dispositions dans lesquelles se trouvait la cour, et j'estimai donc pouvoir révéler maintenant ce que j'avais jusque-là délibérément dissimulé. «Il est assis devant vous, seigneur», répondis-je en posant la main sur l'épaule de Llew.

Calbha tourna son regard fixe vers Llew, et l'observa un bon moment avant de répondre. «Je ne savais pas que j'accueillais un roi parmi mes hôtes. J'espère de tout cœur que mon ignorance ne sera pas interprétée comme un affront.

— Lord Calbha, répondit Llew, je ne me sens pas encore suffisamment roi au point que vous puissiez me remarquer comme tel. Pas plus que je suis homme à ressentir une offense là où elle n'existe pas. En vérité, je me présente devant vous comme un simple exilé, ayant trouvé ici la reconnaissance que je n'ai pas pu trouver ailleurs. Je vous en remercie ; sachez que je n'oublierai pas votre geste.»

La réponse de Llew n'aurait pas pu faire plus plaisir au roi des Cruins. Aussitôt les questions cessèrent ; des pots de bière furent apportés, et nos coupes remplies. Nous trinquâmes, puis la reine et ses suivantes entrèrent dans la salle. D'autres serviteurs se précipitèrent pour installer des tables de manière à ce que le banquet soit servi. Cette nuit-là, nous mangeâmes plus qu'à notre faim, et nous dormîmes en sécurité au sein de la puissante citadelle de Calbha.

VI

HAVRE DE PAIX

Nous passâmes les jours suivants à Blár Cadlys pour nous reposer et reprendre des forces. Le roi Calbha se montra un hôte plein d'égards. Il ne lésina pas sur la nourriture ni sur la boisson, pas plus qu'il ne profita de la situation. Un seigneur moins scrupuleux aurait utilisé notre détresse pour son propre bénéfice. Mais Calbha nous laissa totalement libre et ne nous imposa jamais quoi que ce soit. Ma confiance en lui augmentait de jour en jour.

Et puisque lui m'avait fait confiance sur des questions de moindre importance, je décidai à mon tour de lui faire confiance sur les plus sérieuses. Je lui racontai tout ce qui était arrivé à Prydain pendant la longue et surnaturelle saison de Sollen. Je lui racontai l'extermination perpétrée à Prydain par lord Nudd et ses coranyids. Il s'assit en silence tout en m'écoutant, stupéfait.

Lorsque j'eus terminé, il répondit : «Sollen a semblé interminable, et bien plus rigoureux qu'à l'habitude, c'est vrai. Mais cela ne nous a pas semblé particulièrement étrange pour autant.» Il secoua lentement la tête. «Mais ce que vous dites... Prydain détruite... C'est plus que ce que j'aurais pu imaginer.»

Calbha ne pouvait en aucun cas s'expliquer les raisons mystérieuses de la destruction de Prydain. Il ne savait rien concernant l'attaque de lord Nudd, et ne pouvait donc pas répondre à la question de savoir pourquoi Llogres avait été épargnée par la horde démoniaque.

«Qu'attendez-vous de moi?, demanda le roi Calbha, qui commençait à comprendre enfin la véritable raison de notre visite.

— Je vous demande de nous aider à réinstaller Llew sur le trône de Prydain», dis-je.

Il lissa l'extrémité de sa moustache, pensif. «Vous demandez de l'aide, et je suis prêt à vous l'accorder, dit-il enfin. Mais ce n'est pas mon propre sang qui viendrait à être versé dans un tel combat. Il me faut donc en référer à mes chefs de tribus afin de les laisser décider eux-mêmes.»

Il envoya sur le champ chercher tous les chefs et les nobles des villages voisins, lesquels se présentèrent à Blár Cadlys ; ils étaient au nombre de quinze. Une fois qu'ils furent rassemblés dans la grande salle, le roi m'invita à me lever devant l'assemblée. «Parlez donc, barde, m'exhorta le roi, nous sommes prêts à vous écouter.»

Je me mis debout et commençai pour la seconde fois à raconter tout ce qui était arrivé pendant la saison des neiges. Je leur dis que Sycharth avait été détruite, que la population de Prydain avait été décimée. Je leur parlais de lord Nudd et de son armée démoniaque, de la manière dont le Grand Roi avait rencontré la mort par traîtrise. Je leur racontai comment le prince s'était emparé du torque de façon illégitime, et laissai entendre que Meldron — hélas pour lui — avait quelques points faibles, et que si nous étions en mesure d'agir rapidement, nous pourrions écraser l'usurpateur avant qu'il ait le temps de rassembler des forces et d'asseoir son pouvoir dans le pays.

Puis, pour conclure, j'en appelai à leur soutien pour permettre à Llew de reprendre sa place légitime sur le trône, au titre de roi des Llwyddis. Calbha me remercia et me demanda de quitter la salle ; à la suite de quoi le seigneur des Cruins et ses chefs se mirent à délibérer sur tout ce que je venais de leur dire.

Ils tinrent conseil toute la journée pendant que nous prenions nos aises, Llew et moi, et profitions de la douceur de l'air. Le gyd commençait à dispenser ses bienfaits à travers toutes les terres ravagées par l'âpre sollen. Llew était calme et pensif. Je voyais qu'il était en train de méditer sur une question précise et je ne voulais pas le déranger. Le soir du second jour, nous fûmes conduits devant le conseil du roi pour entendre le résultat de leurs délibérations.

La salle était sombre et dégageait de vieilles odeurs de fumée. Il n'y avait plus de feu dans la cheminée. Nous nous approchâmes du trône et attendîmes, debout devant le roi ; nous ne fûmes pas invités à nous asseoir. Je me rendis compte, à voir les visages rassemblés dans la pénombre — des visages fermés, plein de solennité — que la bonne volonté de Calbha avait trouvé un terme. Sans chercher le moins du monde à radoucir le ton, il parla au contraire avec son habituelle franchise. «Nous avons été sensibles, barde, à la mise en garde qui se trouvait dans vos paroles, dit-il. Et nous sommes convaincus qu'elles ont pour but de sauver de nombreuses vies. De cela, nous vous sommes redevables. Et pourtant, nous ne pouvons vous soutenir contre Meldron.

— Lord Calbha, répondis-je, j'accepte votre décision, bien que cela provoque au fond de moi-même les pires appréhensions. Car, en vous révélant les faiblesses de Meldron, j'ai du même coup remis la vie de mes compatriotes entre vos mains... même si je ne vous ai demandé aucune preuve de confiance en retour.

— C'est vrai en effet, vous n'avez demandé aucun autre gage de notre loyauté, admit-il sans hésiter. Je me contente seulement de clore ce débat. Sachez que je ne prendrai aucunement les armes contre les Llwyddis, pas plus que je ne chercherai à envahir le territoire de Prydain.»

Je m'apprêtai à le remercier, mais le roi leva aussitôt la main. «Quoi qu'il en soit, je suis persuadé que Meldron ne pourra pas être aisément rendu à des intentions plus pacifiques. Le fait de vous savoir ici enflammera sa colère contre nous, et je ne souhaite aucunement lui offrir un motif de nous faire la guerre. C'est la raison pour laquelle vous devrez quitter ces lieux dès demain, avant le lever du soleil.»

Les membres du conseil chuchotèrent leur fruste approbation concernant la décision de leur roi. «Mais au regard de la confiance que vous m'avez montrée, continua Calbha, je vous offrirai des chevaux que vous choisirez parmi mon haras personnel ; je vous offre également toutes les armes que vous souhaitez, et toutes les provisions, quelles qu'elles soient, que vous considérerez vous être les plus utiles.» Il nous observa d'un regard plein d'encouragement. «Que répondez-vous à cela ?

— C'est plus que ce que nous pouvions attendre de votre bonté, répondis-je en inclinant respectueusement la tête. Nous acceptons vos offres.»

Llew prit à son tour la parole. «Votre générosité est grande, lord Calbha. Et je ne peux pas m'empêcher de me demander... puisqu'elle est tellement grande... si elle ne pourrait pas également nous accorder...

— Eh bien ?, demanda le roi avec circonspection. Parlez sans crainte. Que souhaiteriez-vous ?

— Nous souhaiterions un navire, lord Calbha.»

Le roi observa Llew discrètement en se lissant la moustache. «Un navire ?», répéta-t-il en levant lentement les yeux vers ses conseillers.

Aucun ne sembla désapprouver la requête. « Très bien, je mettrai un navire à votre disposition. Mais cette fois, cela mérite quelque chose en retour.

— Je vous écoute, répondit Llew. Je ferai pour vous plaire tout ce qui est en mon pouvoir.

— Je vous demande une promesse de paix entre nos deux peuples aussi longtemps que nous serons l'un et l'autre au pouvoir.

— Seigneur, si je suis roi, je suis un roi sans peuple et sans royaume. Mais en vertu de l'autorité qui pourrait m'être échue, je vous promets que mon règne sera pacifique aussi longtemps que je vivrai. »

Ces mots furent dits avec la conviction la plus simple et la plus sincère, et cela plut infiniment à Calbha. L'engagement ayant été pris par les deux parties, le roi Calbha ordonna qu'une coupe fut apportée, que nous portâmes successivement à nos lèvres, Llew et moi. C'était en quelque sorte un événement, car c'était la première fois que le titre royal de Llew était reconnu dans les faits autant que dans les mots.

À l'aube du jour suivant, Calbha nous conduisit jusqu'à l'enclos où il avait fait amener douze chevaux, parmi lesquels nous dûmes choisir nos montures. Tous étaient d'excellentes bêtes, et je m'apprêtai à choisir pour nous deux, mais Llew se retourna vers Calbha et dit : « Nous avons un long voyage qui nous attend, et probablement de nombreux dangers. Les chevaux des Cruins sont réputés dans tout Albion, et vraiment, ceux-là dépassent en excellence tous ceux que j'ai eu déjà l'occasion de voir. Si vous étiez à ma place, lesquels choisiriez-vous ? »

La question offrit à Calbha l'occasion de montrer sa supériorité dans la connaissance des chevaux... ce qu'il fit avec beaucoup d'empressement. « Chacun d'eux serait en mesure de vous prouver sa haute valeur, dit-il, et serait également prêt à vous servir. » Il fit une pause et, faisant un clin d'œil : « Mais vous avez bien raison de me demander conseil, car ce ne sont pas toujours les pattes les plus légères ni les pelages les plus luisants qui rendent les plus grands services. »

Il se tourna et pénétra dans l'enclos, marchant au milieu des chevaux, leur donnant des petites tapes, les caressant, laissant ses mains évoluer sur leurs flancs. Llew marchait à ses côtés, et ils parlèrent ensemble, examinant chaque cheval, chacun à leur tour, et discutant de leurs mérites respectifs. J'observais les deux hommes alors qu'ils discutaient ensemble. Et une fois encore je réalisai à quel point Llew avait changé : il était plus résolu, plus déterminé. Son comportement était différent. Pour la première fois depuis qu'il avait surgi du Tertre des Héros, à Cnoc Righ, il se montrait enfin confiant et sûr de lui.

Calbha et Llew continuèrent à examiner les chevaux, et, après mûre réflexion, en choisirent deux : une jument noire aux longues pattes et un étalon rouan avec des fanons blancs. L'une et l'autre étaient des bêtes fougueuses, dans la force de la jeunesse. Enfin, lorsqu'elles furent sellées, Calbha lui-même grimpa sur son cheval pie — un vigoureux étalon noir et blanc — pour nous accompagner jusqu'au littoral.

Tout comme les Llwyddis, les rois cruins s'étaient depuis longtemps réservés une partie de la côte le long de Muir Glain pour y établir un chantier naval. À l'opposé des Llwyddis, en revanche, les Cruins n'avaient jamais cultivé de réelle passion pour la mer. Ils aimaient beaucoup plus leurs chevaux et préféraient la terre ferme.

Leurs navires, cependant, étaient solides et prêts à affronter la haute mer ; de couleur noire, construits de planches épaisses, avec de lourdes voiles carrées. Et, bien qu'il n'eût que quatre navires suffisamment grands pour pouvoir nous transporter tous les deux plus nos chevaux, Calbha insista pour nous donner le meilleur des quatre. Pendant que les marins préparaient le navire à notre intention, le roi des Cruins arpentait les galets, s'inquiétant du moindre détail, et il donnait des ordres à ses hommes alors qu'ils attachaient les chevaux au centre du navire.

Il était sans aucun doute désolé de nous voir partir. Il n'avait pas de barde, et il aurait bien voulu que je reste près de lui. Et puis, il avait fini par respecter Llew ; n'eût été la peur que lui inspirait Meldron, il aurait pu lui trouver une place dans son armée.

Bref, le roi Calbha nous aida comme il put. Et lorsque vint le moment pour nous de prendre le large, nous le vîmes attendre debout, les bras croisés sur sa poitrine, à nous regarder jusqu'à ce que nous ayons mis les voiles et que nous soyons loin de la côte.

« Il a été bon avec nous, dit Llew en s'installant près de moi à la barre. J'aimerais pouvoir un jour lui rendre la pareille...

— Bon, eh bien maintenant que vous l'avez, ce navire, où nous emmenez-vous ?, demandai-je en tournant les yeux vers l'étendue miroitante de la mer devant nous. La mer est calme ; le vent propice ; Meldron est loin derrière nous. Où nous emmenez-vous ?

— À Ynys Sci, répondit-il sans hésitation. Là, nous recevrons un accueil qui sera digne de nous. »

Nous mîmes le cap sur Sci — la plus belle des nombreuses îles de l'Albion — tâchant de presser l'allure sur la route des baleines afin de rejoindre le port où nous serions en sécurité. Notre embarcation n'était pas très rapide, mais elle aurait pu avancer sans notre concours, je pense. Tout ce que nous avions à faire, c'était de veiller à ce que les voiles restent tendues, et que la proue continue à fendre les vagues. Nous voyageâmes en toute sécurité, sachant parfaitement que Meldron ne pouvait pas nous poursuivre — il n'y avait plus aucun bateau disponible à Sycharth. Une fois que Muir Glain eut disparu à l'horizon, nous nous sentîmes suffisamment en sécurité pour accoster dès que nous le souhaiterions, afin d'installer notre campement et trouver de l'eau et du fourrage pour les chevaux. Somme toute, ce fut un voyage plutôt agréable — à ceci près que le pays que nous longions était désert et abandonné. Prydain n'était plus qu'une lande sauvage. Nous ne vîmes le signe d'aucune présence humaine, et je commençais à me demander dans quel état nous allions trouver Sci lorsque nous arriverions.

Quand, après plusieurs jours de mer bien agitée, nous fûmes en vue du cap rocheux de Sci, je vins me mettre à la proue du bateau et scrutai l'alignement des falaises qui bordait la rade. «Là-bas !», m'exclamai-je en pointant le léger panache de fumée qui montait des cuisines derrière les appartements de Scatha. «Eh bien, lord Nudd ne les a donc pas emportés !

— Très bien», répondit Llew. Ce fut là sa seule réponse, mais je savais pertinemment combien il était soulagé. C'était un endroit auquel il avait fini par tenir, depuis qu'il y avait fait un long séjour. «C'est ici chez moi, m'avait-il dit un jour, ... si tant est que je puisse me sentir chez moi quelque part.»

Mais il avait une autre raison de vouloir venir à Sci. L'île était largement hors d'atteinte de Meldron ; il pourrait s'écouler beaucoup de temps avant que l'usurpateur parvienne à nous retrouver ici. Pourtant, aussi retiré que soit l'endroit, Sci conservait des liens avec l'ensemble d'Albion : les fils de la noblesse et de l'élite de l'armée venaient de tous les royaumes jusqu'à l'île de Scatha pour se voir enseigner l'art de la guerre. Grâce à eux nous pourrions savoir comment les choses se passaient dans les pays de Caledon et de Llogres.

C'est à cela que je songeai alors que nous entrâmes dans la rade peu profonde et entourée de sable. On nous avait vus arriver, et nous fûmes accueillis par Boru, le chef instructeur de l'école de Scatha. Il descendit à cheval depuis le caer situé au sommet de la colline jusqu'au rivage pour nous saluer.

«Tegid !, s'exclama-t-il quand il me vit debout à l'avant du bateau. Puis d'un coup de fouet il lança son cheval dans les remous, sauta puis s'avança au milieu des vagues pour nous rejoindre. «Tegid ! Cela fait plaisir de vous revoir. Bienvenu !» Je lui lançai la corde, qu'il enroula autour de ses mains, et nous commençâmes à marcher vers le rivage. «Et qui est avec vous, Tegid ?

— Boru !, dit Llew en sautant de la barque. Est-ce que vous ne me reconnaissez pas ?»

À ces mots, la silhouette longiligne du guerrier s'immobilisa : «Llyd ?, dit-il. Est-ce bien vous, vraiment ?

— Llyd, oui... ou plutôt..., répondis-je, on l'appelle Llew à présent. Beaucoup de choses se sont passées depuis la dernière fois que nous nous sommes vus.

— Bienvenue, mon frère !» Llew s'avança au milieu des vagues et répondit au salut de notre hôte en lui tendant les mains.

«Llew... c'est ça ?» Boru se mit à rire, lâchant la corde et saisissant fermement les bras de Llew. «Alors, vous avez enfin conquis un nom, un vrai nom. Racontez-moi donc !

— Plus tard... Lorsque le moment sera venu..., dit Llew. Tegid meurt d'envie de tout vous raconter.»

Boru nous aida à mettre le bateau en sécurité et à débarquer les chevaux, que nous montâmes sans les harnacher, galopant jusqu'à l'autre bout de la plage et remontant l'étroit sentier qui serpentait jusqu'au caer. Le caer de Scatha n'avait ni porte ni murailles — son renom d'invincible guerrière agissant comme une véritable citadelle. Nous avançâmes donc directement jusqu'à l'entrée des appartements et mîmes pied à terre.

«Respire, Tegid !», dit Llew en remplissant ses poumons. Il leva le visage vers le ciel. «Et regarde... aaah ! cette lumière ! On ne la retrouve nulle part ailleurs !»

Boru nous précéda dans les appartements, repoussa la couverture de peau qui obstruait l'entrée et appela à pleine voix. Ce ne fut pas Scatha qui répondit, mais Goewyn, sa fille aux cheveux d'or. Elle se leva de son fauteuil, près de la cheminée, la surprise laissant bien vite la place au plaisir dès qu'elle s'avança pour nous accueillir.

«Bienvenu, Tegid. Cela fait plaisir de vous voir. On dirait que cela fait des siècles que vous êtes parti d'ici, alors que cela ne fait guère plus d'une saison.»

Elle se retourna poliment vers Llew. Son sourire hésita alors que son regard parcourait les traits du visage de celui-ci.

«Goewyn... Je...», commença Llew.

Entendant prononcer son nom, elle dit : «Llyd ?»

61

Il hocha la tête. Elle s'approcha de quelques pas en hésitant, avançant ses mains pour le toucher, mais se retenant.

«Llyd, c'était son nom, expliquai-je. Mais plus maintenant. L'homme que vous avez devant vous se nomme désormais Llew, et il est roi de Prydain.

— Vraiment?» Les yeux de Goewyn s'écarquillèrent. «Un roi?

— Tout cela grâce à Tegid, admit Llew. Mais c'est une longue histoire.

— Une histoire en tout cas que j'aimerais bien entendre! Roi de Prydain?, s'esclaffa Boru franchement surpris. Qui l'aurait cru?

— Vous avez changé, dit calmement Goewyn. Et pas seulement de nom. Vous n'êtes plus l'homme qui nous quitta la saison dernière.» Elle leva la main pour lui effleurer les cheveux, le visage. Puis, comme si elle était rassurée de voir que l'homme qui se trouvait face à elle était bien celui qu'elle avait connu, elle l'embrassa. «Vous m'avez manqué.»

Ces derniers mots n'étaient adressés qu'à Llew — un tel accueil, vraiment, par ces doux yeux bruns n'était qu'à son intention. Je voyais avec quelle spontanéité elle s'était approchée de lui, et savais que durant le sombre et neigeux sollen, son cœur n'avait eu de cesse de brûler pour lui. Il s'était embrasé au moment où elle avait offert ses lèvres à Llew, et depuis lors, il brûlait d'un éclat intense.

Et pourquoi pas? L'un et l'autre se connaissaient bien. Llew avait passé sept années sur l'île : il s'était entraîné aux arts de la guerre pendant trois saisons par an, et la quatrième, il se reposait... il se reposait et prenait ses aises en compagnie des trois filles merveilleuses de Scatha, chacune d'entre elles servant à la cour d'un roi, mais revenant chaque hiver à Ynys Sci lorsque la plupart des apprentis-guerriers étaient retournés dans leurs clans et dans leurs familles.

Obéissant aux directives de Meldryn Mawr, toutefois, Llew n'était pas retourné à Sycharth, mais il était resté pendant les dures et froides saisons du sollen à Sci avec les rares privilégiés admis à partager cette illustre compagnie.

Je me retournai vers Boru. «Combien reste-t-il de guerriers sur l'île?

— Seize, répondit-il. Ils sont partis chasser à l'autre extrémité de l'île, et ne reviendront pas avant qu'ils n'aient mené leurs chevaux jusqu'à l'épuisement. Personne d'autre n'est encore revenu.

— Où est Scatha?

— Elle est partie faire une promenade à cheval», répondit Goewyn. Puis se souvenant de son devoir d'hôtesse, elle prit rapidement congé. «Vous êtes fatigués par votre voyage. Asseyez-vous,

je vous prie, et reposez-vous. Je vous apporte des boissons et de quoi manger.»
Elle s'éloigna rapidement, et Llew l'observa jusqu'à ce qu'elle ait disparu derrière un paravent à l'autre bout de la pièce. «C'est bon de se retrouver ici. J'ai l'impression d'être parti depuis toujours...
— Prenez place, mes frères», dit Boru en amenant deux chaises à notre intention. Il s'enfonça dans un siège et replia ses deux longs bras en travers de sa poitrine. «Alors, quoi de neuf chez Meldryn Mawr ? Où sont donc vos soldats en herbe ?», demanda-t-il dans un large sourire.
J'étais pour le moins surpris. Se pouvait-il que personne, sur cette île, ne sache rien de ce qui s'était passé au-delà de leurs côtes ?
«Quelles nouvelles avez-vous eues concernant Prydain ?», demandai-je en m'asseyant.
— Rien, pas la moindre, répondit Boru. Mais cela n'a rien de surprenant. La mer a gelé entre Sci et le continent, cette année. Je ne l'ai jamais vue aussi froide... je croyais que cela ne s'arrêterait jamais.»
Et puis Goewyn réapparut, accompagnée de Govan qui dansait quasiment derrière elle. Assurément elles étaient sœurs, mais aussi dissemblables que pouvaient l'être deux femmes entre elles. La chevelure de Goewyn était fine et dorée comme le lin, sa peau blanche et claire, tandis que la chevelure de Govan était couleur fauve, et sa peau d'une nuance plutôt sombre, comme caressée par le soleil. Govan avait les yeux bleus, alors que ceux de sa sœur étaient bruns. Goewyn était grande, toute pleine de grâce ; Govan était vive et souple, la voir évoluer était un délice pour les yeux. Elle était rarement calme, et jamais inactive. Partout où Govan était présente, on entendait rire — ou pleurer, c'est vrai —, mais rarement l'atmosphère était silencieuse.
Bref, elles arrivèrent toutes deux en riant. Govan vint directement à la rencontre de Llew. Elle leva les yeux pour croiser les siens, scruta son visage, fascinée par le changement qu'elle constata. «Llyd ?», murmura-t-elle d'une petite voix un peu impressionnée. «Que vous est-il arrivé ?
— Ce fut un hiver particulièrement difficile, répondit Llew.
— Ma sœur m'avait bien prévenue que vous étiez changé, mais...» Ravie elle-même par une telle métamorphose chez Llew, elle s'était mise à rire et à parler spontanément.
«Vous aussi, cela fait plaisir de vous voir, Govan, répondit Llew.
— Vous avez toujours été le bienvenu ici, reprit Govan redevenue brusquement solennelle et ayant effacé le sourire suspendu au

coin de ses lèvres. Et vous ne le serez pas moins à présent que vous êtes devenu roi.»

Nous perçûmes le bruit mat des sabots d'un cheval, à l'extérieur, et, avant que le bruit eût cessé, elle était là — Scatha, vêtue d'une cape et d'une mante rouge écarlate et d'une ceinture couleur prune. Sa longue chevelure, qui n'était pas attachée, était tout ébouriffée par la course à cheval. Les joues luisantes à cause de l'effort, elle était entrée dans la salle, le regard brillant, car elle avait aperçu notre bateau sur la plage et savait qu'elle avait de la visite qu'il fallait accueillir.

«Tegid... !, s'exclama-t-elle en entrant. Tous mes vœux de bienvenue!» Elle se retourna vers Llew: «De même qu'à vous...» Scatha hésita, s'avança de quelques pas et observa Llew avec soin. «Llyd? Est-ce toi?

— Me voici de retour, Pen-y-Cat», répondit-il en utilisant le titre familier que ses élèves-soldats employaient pour s'adresser à elle : Chef du Combat.

«Approche donc, mon fils», dit-elle. Tous ceux qui avaient réussi à surmonter l'enseignement difficile de son école, elle les reconnaissait ensuite pour ses enfants...

Llew s'avança devant elle. Elle posa ses deux mains sur les épaules de son élève et le fixa droit dans les yeux. «Oui, c'est bien Llyd», dit-elle ; puis, se penchant plus près encore, elle embrassa celui-ci sur les deux joues. «Bienvenu, mon fils.

— Mon nom est désormais Llew, répondit-il simplement.

— Et il est roi !, ajouta Govan.

— Vraiment ?, dit Scatha en interrogeant calmement Llew du regard. J'aurai grand plaisir à entendre comment tout cela est arrivé.»
À ce moment précis, des serviteurs entrèrent avec des plateaux de pain et de viande froide, et des pichets de bière. «Préparez du feu et remplissez les coupes !», lança Scatha. Puis, se retournant vers moi, elle dit : «Et vous, Tegid Tathal, nous direz-vous enfin comment une chose aussi remarquable a pu arriver ?

— Enfin !, dit Boru. Je commençai à croire qu'il avait avalé sa langue !»

À ce moment précis, Gwenllian, la première fille de Scatha, fit à son tour son entrée dans la salle. Elle était partie en promenade avec sa mère et était allée reconduire les chevaux à l'écurie avant de venir la rejoindre. À présent, elle était là, et n'avait de cesse de nous lancer, à Llew et à moi, des regards rapides tout en nous saluant.

Dès qu'elle vit Llew, elle s'immobilisa brusquement.

Son sourire de bienvenue s'effaça, et elle se raidit. Je la voyais prête à s'évanouir, car elle vacillait sur ses jambes... mais son regard resta vif et alerte. Le silence se fit autour d'elle, et chacun l'observa.

« Salut à toi, Llew, sois le bienvenu », prononça-t-elle dans un souffle de reconnaissance muette pendant que son regard parcourait les traits de Llew. « Te voilà enfin revenu. »

Je ne fus pas particulièrement surpris par cet accueil plutôt étrange, car ce furent les beaux yeux d'émeraude de Gwenllian qui, les premiers, pressentirent les terribles événements qui allaient se passer dans Albion. Ce fut Gwenllian à la chevelure de feu qui prophétisa quelque chose à propos de Llyd, à la suite de quoi le jeune homme avait endossé son nouveau nom. En le revoyant maintenant, sage banfáith qu'elle était, elle le reconnut en dépit de sa métamorphose, ou peut-être même à cause d'elle.

Un moment se passa, puis Gwenllian s'avança vers lui ; elle prit sa main et la serra, l'embrassa sur la joue en signe de bienvenue. Scatha observait ces retrouvailles, les traits tendus par la curiosité. Et même lorsque sa fille se fut éloignée, le regard de Scatha s'attarda sur Llew, qui, à présent conforté d'avoir pu reprendre sa place au milieu d'elles, avait retrouvé ses aises. Je n'ai pas la moindre idée de ce que Pen-y-Cat pouvait voir — peut-être se remémorait-elle l'homme qu'elle avait récemment vu partir, peut-être était-elle en train de jauger la valeur d'un nouvel allié puissant.

Nous nous installâmes près la cheminée flambante, et je commençai mon lugubre récit de tout ce qui nous était arrivé depuis notre dernière visite dans cette même salle pleine d'agréments. Je racontai les terribles faits perpétrés à Prydain par lord Nudd et l'armée démoniaque de ses coranyids... la destruction de Sycharth, et la destruction de tous les villages, grands et petits, à travers tout le pays. Je racontai notre fuite désespérée jusqu'à Findargad, et le long siège auquel il fut finalement mis un terme grâce à la découverte, par Llew, des Pierres Musicales au moyen desquelles le phantarque agonisant avait trouvé le moyen de sauver le Chant d'Albion.

Pour finir, je fis le récit des hauts faits de Llew sur la muraille de Findargad, puis de la félonie du prince Meldron qui déboucha sur la mort du Grand Roi ; j'évoquai les funérailles et la mise au tombeau de Meldryn Mawr, et la manière dont, à la vue de tous, Llew apparut à l'entrée du Tertre du Héros. Je racontai comment j'avais transmis le pouvoir suprême à Llew et comment, en représailles, Meldron, esprit revanchard, avait ravi ce titre et nous avait finalement faits prisonniers. Je relatai, enfin, notre évasion du cachot et notre fuite vers Ynys Sci.

Bref, je racontai absolument tout ce qui nous était arrivé depuis notre dernier séjour sur l'île. Je savais que nous aurions largement besoin du secours de Scatha dans les jours à venir, et je ne voulais rien cacher. J'avais déjà prévu un moyen possible de reconquérir le trône de Prydain.

De leur côté, mes auditeurs avaient écouté le triste récit en silence, sans toucher au pain et à la coupe qu'ils tenaient dans leurs mains. La nuit, à présent, était tombée, la salle avait sombré dans l'obscurité. Nous nous assîmes en cercle autour de la cheminée, les flammes commençaient à faiblir. On n'entendait plus que le crépitement des braises dans le silence de la salle. Mon récit avait provoqué une véritable stupéfaction. Boru fixait les charbons incandescents, le visage dans la pénombre, les traits tirés. Scatha et Govan conservaient une expression renfrognée, leurs yeux humides et luisants à cause des larmes retenues. Quant à Gwenllian, elle était debout, les mains devant elle, doigts croisés, impénétrable sous ses paupières baissées. Goewyn, elle, arborait une attitude à la fois de compassion et d'orgueil, et je me demandais ce qu'elle avait pu retenir de mes paroles pour qu'elles suscitent une telle réaction.

Enfin, Scatha leva les yeux, prit sa respiration, et dit : «Je suis profondément désolée d'apprendre la mort de Meldryn Mawr, et affligée par les actes honteux provoqués par la cupidité de son fils. Quoi que je puisse faire pour vous aider, soyez certain que je le ferai.»

Scatha venait de m'offrir le plus spontanément du monde ce que j'avais espéré ne pouvoir obtenir que par la persuasion. J'acceptai de bon cœur. «Je vous remercie, répondis-je. Avec votre concours, nous serons en mesure de faire aboutir la juste revendication de Llew en l'installant sur le trône.»

Mais Gwenllian leva une main pour nous mettre en garde : «Il faut cependant que vous sachiez encore ceci : ma mère est liée par un *geas* indissoluble qui stipule qu'elle ne prendra jamais parti pour un roi contre un autre dans une guerre, et qu'elle ne prendra pas non plus les armes contre quiconque lui aura confié de futurs guerriers, à moins que celui-ci n'ait levé le premier les armes contre elle.» Elle se tut pour me permettre de prendre toute la mesure de ses regrettables paroles.

Je comprenais toute la sagesse contenue dans de tels engagements, même si je regrettais de devoir en subir les inconvénients. Car le vœu formulé par Scatha signifiait que nous ne pourrions pas compter sur ses moyens considérables et sur son soutien dans le combat que nous allions mener.

«Cela est vrai, répondit Scatha. Il existe certains engagements que je ne suis pas en mesure de prendre.

— Pen-y-Cat, dit Llew, même si la force de votre épée est inestimable, c'est déjà beaucoup que vous ayez accepté de nous recevoir et de nous offrir votre hospitalité. Vous n'avez absolument rien à craindre en ce qui concerne votre geas. Nous trouverons un autre moyen de vaincre Meldron.

— Eh bien moi, je ne suis pas lié par un tel engagement, s'exclama Boru en se redressant d'un bond. Je suis prêt à prendre les armes contre Meldron et contre quiconque le suivra. Je vous soutiens entièrement, frère. Je me mets entièrement sous vos ordres.

— Merci, répondit Llew. J'accepte volontiers. Votre bras puissant nous sera un soutien irremplaçable, cela ne fait aucun doute.

— Allez, venez, dit Scatha. Laissons ces questions pour l'instant... Nous venons de retrouver de vrais amis, qui nous ont beaucoup manqué ; alors ce soir, nous allons boire et manger, nous allons nous réjouir de votre retour ici, sains et saufs.» Elle demanda que l'on refasse du feu, et que nourriture et boissons soient à nouveau servies. La conversation revint à des sujets plus plaisants, et nous laissâmes de côté Meldron et toutes ses bassesses.

Le soleil était couché depuis longtemps lorsque nous nous quittâmes pour regagner nos chambres. Nous suivîmes Boru et traversâmes la cour éclairée par la lune jusqu'au pavillon des guerriers. Llew s'arrêta brusquement et leva la tête pour contempler le ciel parsemé d'étoiles.

«Qu'y a-t-il ? Que regardez-vous ?», demandai-je.

Il ne répondit pas aussitôt. «J'avais oublié à quel point les étoiles, ici, sont brillantes, chuchota-t-il enfin. Et à quel point elles sont proches.»

VII

SOMBRE BELTAIN

Comme de petites mouettes tapageuses qui réintègrent leurs nids d'été, les jeunes guerriers commencèrent à affluer vers l'école de Scatha. Ils arrivaient, comme poussés par les vents... mais aucun d'eux n'arrivait de la déserte Prydain. Cette désertion forcée fut largement compensée par les jeunes qui arrivaient de Llogres et de Caledon.

Nous nous étions installés, Llew et moi, au bord de la falaise pour voir les premiers navires décharger leur flot de passagers impatients. De jeunes garçons, qui n'avaient sans doute pas plus de huit printemps, se rassemblèrent sur la rive, la tête déjà pleine des succès qu'ils allaient remporter grâce à l'enseignement qu'il leur fallait encore acquérir.

«La récolte, pour Scatha, sera bonne cette année..., fis-je observer. Encore une moisson excellente en perspective.

— Hmm ?», marmonna Llew l'air absent. Il était en train d'observer un homme qui s'efforçait d'amarrer un bateau sans autre assistance que la seule corde qu'il avait enroulée autour de ses larges épaules. L'homme était entièrement absorbé par sa tâche, tirant avec effort de ses jambes puissantes qui se débattaient dans l'eau afin de traîner le navire sur la plage de galets.

«Celui-là, c'est un solide chef de guerre», dis-je. Puis, essayant de rompre l'attention extrême que Llew portait à cette scène, je lui demandai : «Est-ce que vous le connaissez ?

— Oui, je crois...», répondit-il. Et aussitôt il commença à descendre le long du sentier de la falaise jusqu'à la plage de galets.

Je le suivis et l'entendis appeler : «Cynan !»

Le jeune homme leva la tête et chercha du regard, puis un large sourire illumina son visage. Des cheveux en broussailles, aux boucles rousses luisantes comme du cuivre poli, ébouriffés comme des plumes au vent ; des yeux bleus et vifs comme deux petits éclats de glace scrutant joyeusement le rivage pour voir qui l'avait appelé. Un large torque en argent étincelait à son cou.

«Vous, Cynan !, s'exclama Llew en avançant dans l'eau.

— Salut à Vous, mon ami, dit l'homme en voyant Llew arriver devant lui. Je suis Cynan en effet... Cynan ap Cynfarth.» Il continuait à sourire, mais aucune étincelle dans ses yeux ne manifesta qu'il reconnaissait son visiteur.

«Cynan, c'est moi, Llyd !»

Le jeune guerrier fit une pause, observa minutieusement son visiteur avec bienveillance de ses yeux intenses et bleus. «Non... c'est... Llyd ?

— Vous vous souvenez ?

— Llyd ap Dicter !, s'exclama enfin Cynan. Vous ici !»

Un nom plutôt étrange : Colère, Fils de la Rage. Qu'est-ce que cela signifiait ?

Llew se mit à rire et lui serra les avant-bras en signe de bienvenue. Puis ils se donnèrent l'accolade comme de véritables parents, bavardèrent, plaisantèrent, sans même se soucier des vagues qui les entouraient. Saisissant tous deux la corde, ils tirèrent le bateau sur la rive et se dirigèrent à grandes enjambées vers la plage de galets où je me trouvais.

«Tegid, dit Llew, je vous présente Cynan Machae. C'est mon frère d'arme, et c'est grâce à lui que j'ai appris à connaître les vertus de l'humilité.

— De l'humiliation, vous voulez dire !» Cynan se mit à rire, enroulant son bras autour des épaules de Llew. «Ah, mais vous étiez un bien piètre adversaire !

— Le père de Cynan est le roi Cynfarth de Caledon, expliqua Llew. C'est la tribu la plus importante des régions du sud.

— Si vous y incluez les moutons avec, ajouta gaiement Cynan. Je vous souhaite la bienvenue. Quiconque appelle Llyd son ami est également mon ami.

— Salut à vous, Cynan Machae, dis-je. J'espère que votre lance sait être aussi précise et percutante que le sont vos paroles.»

Llew tendit énergiquement une main vers moi. «Cynan, je vous présente Tegid Tathal, penderwydd de Prydain, dit-il. Il me fait l'honneur de m'accepter comme compagnon pour voyager.

— Vous êtes donc au service d'un Chef des Bardes ? » Cynan leva ses fins sourcils roux. «Eh bien, Llyd, vous êtes monté en grade depuis que je vous ai vu...

— C'est le moins que l'on puisse dire, répondis-je. Mais il n'osera pas le dire lui-même. Il ne se nomme plus Llyd, mais Llew, et il est le roi que je sers. »

La stupéfaction visible dans les yeux bleus de Cynan n'était pas feinte, pas plus que le plaisir qu'il manifesta. «*Clanna na cù !*, s'esclaffa-t-il. Si on m'avait dit que le malheureux petit soldat que j'ai connu pourrait être un jour chef de tribu, je ne l'aurais pas cru, alors un roi, pensez-vous ! » Il vint placer un doigt au creux de la gorge de Llew. «Et le torque d'or, mon ami, où l'avez-vous mis ?

— Venez donc au palais, et nous boirons une coupe ensemble, dit Llew.

— Un homme selon mon cœur, reprit Cynan. Montrez-moi le chemin. »

Ils commencèrent à traverser la plage en direction de la colline ; Llew se retourna : «Vous venez, Tegid ?

— Je vous rejoins dans un moment. C'est une belle journée, et je voudrais marcher un peu. Gardez-moi une coupe. »

Je regardais les deux amis gravir le sentier abrupt qui conduisait au caer. Puis je fis demi-tour et commençai à marcher vers l'ouest sur le rivage. La mer reluisait et scintillait comme de l'argent ciselé, et le ciel était d'un bleu éclatant. L'air salé était vif et piquant ; un soleil blême réchauffait paresseusement la terre et les eaux. Les petits galets renvoyaient un son un peu creux sous mes pas, et les mouettes, décrivant des cercles dans les hauteurs du ciel, lançaient leurs cris perçants.

Oui, c'était une belle journée, pour marcher et pour réfléchir — et il y avait tant de choses sur lesquelles je devais réfléchir. Mon souci principal était de former une armée afin de réussir à contrer Meldron et reconquérir le trône. L'armée des Llwyddis, même si elle était amoindrie, comptait encore à peu près quatre-vingts hommes. La Horde des Loups du prince, quant à elle, était restée intacte — une force d'élite constituée d'une vingtaine de guerriers parmi les meilleurs de Prydain.

Nous ne devions pas nous contenter d'affronter Meldron d'homme à homme. Il fallait que nous l'écrasions. Je n'avais aucune envie de faire la guerre contre des hommes de mon propre clan, mais une force suffisamment imposante pouvait signifier au bout du compte moins de sang versé. Oui mais... pouvoir rassembler une armée de quelque taille que ce soit... il eût été plus facile d'amadouer des huîtres pour les faire sortir de l'eau, ou de faire descendre les oiseaux du ciel d'un simple signe de la main. Bref, c'était en tout cas la tâche qui nous attendait désormais.

J'escaladai tant bien que mal les rochers fouettés par la mer et fis le tour du cap. Le vent frais me frappait de plein fouet. Je respirais l'air à pleins poumons, avançais sur le sable humide et lisse que la mer venait juste de quitter.

Les difficultés qu'il y aurait à réunir une armée occupèrent mon esprit pendant un temps, mais mes pensées finissaient toujours par dériver. De manière inexplicable, je me mis à penser à la nuit passée sur le tertre sacré, à Ynys Bàinail... lorsque, sorti des étendues de varechs couchés par la tempête, le Cythrawl, vieux démon, fut libéré sur tout le pays. Je remontai finalement dans les obscurités de ma mémoire jusqu'à cette nuit maudite où Ollathir, Chef des Bardes d'Albion, mourut.

J'entendis à nouveau la voix d'Ollathir qui s'élevait, parlant dans la langue secrète des derwyddis, hurlant, suppliant désespérément. Sa voix faisait trembler le tertre sacré. Puis je m'étais évanoui. La dernière chose que j'avais vue, c'était le Chef des Bardes, seul, adossé contre le pilier de pierre de Prydain, son bâton magique brandi au-dessus de sa tête pour tenter de tenir le Cythrawl en échec, de le contenir alors qu'il se tordait.

Avant de mourir, Ollathir avait soufflé son awen dans les poumons de Llew. Je n'avais pas assisté à la scène, mais cela, sans aucun doute, avait dû se passer exactement comme Llew me l'avait alors décrit : le baiser d'un homme sur le point de mourir.

Llew était donc en possession de l'awen du Chef des Bardes, mais il n'était pas barde lui-même. L'awen est la force conseillère du barde, elle est l'esprit qui éclaire son art, l'essence du savoir rendue manifeste par un pouvoir. Chez un barde comme Ollathir, l'awen était un instrument et une arme extraordinaires. Et de cela même Llew était en possession ; mais, du fait qu'il n'était pas barde, il ne pouvait pas le mettre à son service à volonté.

Une telle arme n'était pour autant perdue complètement pour lui. Je l'avais vue sortir de lui comme un éclair dans le Saint des Saints, la chambre secrète du phantarque, creusée dans les profondeurs de la roche, au-dessous de Findargad. Là, stimulée par la puissance du Chant d'Albion, l'awen avait transfiguré notre héros : Llyd, le guerrier récalcitrant était soudain devenu Llew, le champion des champions.

L'awen du Chef des Bardes était bien vivante en Llew, mais elle restait enfouie profondément en lui. Cela nous eût été d'un secours inestimable si j'avais pu trouver un moyen qui lui permette de l'invoquer à nouveau. Mais la formation pour être barde était longue et difficile. Et en outre, la discipline harmonieuse du cœur et de la pensée qui se réunissent dans l'âme du Chant n'était pas donnée à tous ceux qui accédaient à la communauté fermée des derwyddis, et les bardes n'étaient pas tous en mesure d'invoquer l'awen à volonté.

Cela me faisait du bien de marcher ainsi — avec la fraîcheur du vent sur mon visage, la chaleur du soleil, et puis, tout près de moi, les beautés de la mer qui s'étendait vers l'infini. Un plan commença à prendre forme dans ma tête. J'étais le dernier barde de mon peuple ; tous les autres avaient disparu. Mais à en juger par ce que j'avais vu à Llogres et à Sci, la rage destructrice de lord Nudd s'était confinée uniquement à Prydain. Il était probable que, au sein des tribus de Caledon et de Llogres, les bardes n'eussent aucune idée de ce qui s'était passé.

Je réalisai finalement qu'une solution était possible : leur envoyer un message par l'intermédiaire des guerriers mabinogi qui déferlaient sur l'île de Scatha. Oui, j'allais rassembler la communauté savante pour leur raconter ce qui était arrivé. Je les instruirais de l'usurpation exercée par Meldron et leur demanderais assistance pour rasseoir le pouvoir de Prydain.

Les jours qui suivirent, je m'entretins avec les garçons et les jeunes gens qui arrivaient sur l'île, et pus ainsi connaître quels rois de Caledon et de Llogres avaient toujours un barde à leur service. Je pus apprendre des guerriers mabinogi le nom de mes frères et l'endroit où l'on pouvait les trouver. Puis j'attendis, m'employant aux diverses tâches requises pour le service de Scatha.

Les journées se succédaient les unes aux autres, riches et douces comme l'hydromel doré. La Roue du Paradis tournait, évoluait selon le rythme de sa course mesurée : le temps des semailles et de la floraison — lorsque les collines resplendissent de mille fleurs couleur d'or, que même les vallons les plus obscurs se couvrent de rouge et de pourpre —, les saisons, lentement, travaillaient à leur gloire. J'en observai régulièrement tous les signes, au fur et à mesure que les jours passaient, et assistais au spectacle de toutes les fêtes célébrées par notre peuple.

Et je voyais aussi le lien de plus en plus serré qui peu à peu se tissait entre Goewyn et Llew.

Ils étaient souvent ensemble : partant à cheval dans la fraîcheur des premiers rayons du jour, marchant au milieu des collines au soleil couchant, ou bien sur la plage au clair de lune. Je voyais les regards dont Goewyn enveloppait son compagnon, le plaisir que sa seule présence provoquait en elle. Ce n'était pas la fraîche lumière de l'aube qui montait dans ses yeux noirs, mais quelque chose de plus éclatant, et tout aussi puissant, tout aussi pur. Llew se laissait entièrement séduire par tous ses charmes — par l'éclat de sa chevelure tressée pas moins que par son rire ; par le dessin de ses lèvres pas moins que par le simple effleurement de ses doigts fins. Llew n'était jamais seul car Goewyn n'était jamais bien loin...

Rhylla, la saison des semailles et des chants vint à son heure, apportant son lot de journées raccourcies, couleur d'ambre, et ses nuits couleur de gel. La saison des frimas suivit, avec ses journées froides, humides, soufflées par les rafales de vent. Mais avant que les bourrasques chargées de glace ne conspirent pour interdire tout voyage en mer, les jeunes gens de l'école de Scatha quittèrent l'île pour rejoindre leurs royaumes et leurs clans respectifs.

Avant le départ, je voulus dire quelques mots à tous ces jeunes qui rentraient sur le continent, et les conjurai — en le leur faisant promettre solennellement — de bien vouloir transmettre mon message aux bardes : à la requête du Chef des Bardes de Prydain, un *gorsedd* se tiendra à Ynys Bàinail, une lunaison après le Beltain.

Je restai sans bouger sur le bord de la falaise, le vent fouettant les pans de ma cape contre mes jambes, et je regardai les bateaux prendre le large et amorcer le voyage de retour, avec, à bord, les messagers porteurs de l'information qu'ils s'étaient engagés à transmettre ; je ne doutais pas que cela pouvait réussir. Lorsque la dernière embarcation disparut sur l'horizon, je fis retour en hâte vers les habitations, en me réconfortant moi-même à l'idée que le projet sur lequel j'avais réfléchi si longuement était désormais en marche.

Heureux sont ceux qui peuvent bénéficier de la protection du domaine de Scatha lorsque les vents soufflent et hurlent ! On peut s'y régaler de viandes savoureuses, de pain frais, et de doux hydromel ; on y chante des mélodies incomparables au son des harpes et des histoires merveilleuses ; on s'y divertit grâce à des jeux, ou en chassant, ou en se promenant dans les paysages de neige, d'où l'on revient les joues rougies pour déguster une bonne bière chaude servie dans une coupe fumante ; on y bavarde sans fin au coin d'un bon feu qui crépite ; on y trouve la chaleur d'une compagnie excellente alors que les bourrasques viennent griffer de leurs doigts de glace les toits de chaume, et font gémir toutes les charpentes.

Les journées passaient, les unes après les autres, et le cycle des saisons se renouvelait ; la sombre période des frimas tirait à sa fin ;

enfin, les intempéries rageuses s'éteignirent, l'hiver rassembla ses dernières forces, puis se retira. Les jours rallongèrent et les vents se réchauffèrent. La lune passa par tous ses quartiers, jusqu'à ce qu'un beau matin, alors que la nouvelle lune s'élevait au moment de l'heure bleue, nous pûmes accomplir enfin le rituel marquant la saison nouvelle : l'embrasement du feu de Beltain.

Ce jour-là, tous les autres feux sont éteints, de manière à ce que la flamme de Beltain, d'une pureté parfaite, puisse alimenter toutes les flammes qui allaient brûler au cours de l'année à venir. Dans la maison des chefs de tribus, le feu brûle sans interruption, et tous ceux qui veulent s'en procurer reçoivent des braises qui proviennent de la flamme originelle de Beltain, de sorte que chaque foyer reçoit lumière et chaleur de la pureté d'un feu commun.

À la suite de quoi, à la lueur ombreuse de la lune, Gwenllian et moi nous constituâmes le Nawglan — les neuf sortes de bois dont les qualités particulières produisent un effet si merveilleux. Nous réussîmes à nous en procurer une bonne quantité, que je mis en tas grâce à des lanières de cuir brut. Sur la plus haute colline de Ynys Sci, nous creusâmes une large tranchée peu profonde dans l'herbe... un cercle suffisamment grand pour y contenir tous les gens vivant au sein de la communauté de Scatha. Et au centre de ce cercle, nous plaçâmes tout le bois rassemblé sur un tapis de laine blanche d'agneau nouveau-né.

Toute cette compagnie se rassembla avant le lever du jour : Gwenllian, Govan, Goewyn, Llew, Scatha, Boru, les serviteurs et les quelques guerriers qui passaient l'hiver avec nous. Et, à l'instant de l'heure bleue, nous allumâmes le feu. Saisissant son arc de bois vert, Gwenllian arma sa corde en boyau, et tira une flèche en bois d'if qui, en vrillant, atteignit la profonde entaille de la souche d'un chêne. Dès que le feu eut pris, j'y déposai une plante sèche appelée *tán coeth*, qui provoqua sur la flamme naissante une petite explosion brillante et rouge écarlate — comme si la vie naissait de l'air lui-même.

J'avais déjà fait ces gestes un nombre incalculable de fois. Mais cette fois-ci, alors que je déposai le tán coeth sur le bois, l'étincelle se mit à luire faiblement puis s'éteignit en une petite volute de fumée. Gwenllian vit que le feu ne prenait pas, et prit brusquement une inspiration ; l'arc lui tomba des mains, son visage était blême. Mon cœur se mit à faiblir.

Je jetai un coup d'œil vers l'orient, en direction du soleil qui se levait, tout en cherchant à récupérer l'arc et le morceau d'if. Les premiers rayons du soleil effleuraient le sommet de la colline, et il n'y avait pas de feu pour accueillir la nouvelle journée. Le feu de Beltain était un échec. L'année commençait dans les ténèbres.

Très vite je replaçai l'arc et réenfonçai le bâton d'if aussi vigoureusement et aussi vite que mes doigts le permettaient, comme si seule la vitesse pouvait tout arranger. Sombre Beltain ! Comment cela avait-il pu arriver ? Je retins mon souffle, désirant de toutes mes forces voir réapparaître la flamme.

Quelques instants plus tard, un minuscule panache de fumée argentée surgit de la surface de la souche. Je me mis à souffler doucement jusqu'à lui faire prendre flamme. En l'espace de deux battements de cœur le feu se mit à s'embraser. Si jamais quelqu'un dans l'assistance avait remarqué que quelque chose avait cloché, il n'en avait rien dit ; mais je supposai que seuls Gwenllian et moi savions. Mon désir était si grand de voir la nouvelle année commencer correctement que je détournai mon visage de la flamme de mauvais augure et restai debout sans bouger afin d'accueillir le début du nouveau cycle des saisons.

Nous mîmes ensuite à cuire le pain de Beltain, après avoir confectionné des miches de taille assez réduite en mélangeant du grain et du miel, puis en les ayant déposées ensuite sur les pierres plates entourant les flammes, afin de les faire cuire. Gwenllian se mit à préparer du porridge avec du lait, de l'avoine et des œufs, pendant que je faisais griller du poisson, des morceaux de volaille et de viande sur des broches au-dessus des flammes. Goewyn distribua des pommes et des noisettes qui avaient résisté au ténébreux hiver, tandis que Govan versa la bière et le doux hydromel couleur d'ambre dans les coupes. On avait fait cuire la quantité de pain qui était strictement nécessaire, mais d'autres produits furent rajoutés, conformément au désir des gens qui souhaitaient se constituer une bonne réserve de provisions pour toute l'année.

Ainsi, aux premiers rayons de la belle saison qui renaissait, il y eut abondance de nourriture, de boissons et de chants. Gwenllian, déployant sa harpe sur son sein, lança vers le ciel sa mélodie de petites notes étincelantes. Sa voix s'éleva doucement, et elle dédia son offrande précieuse entre toutes au jour nouveau. Mais moi, même en dépit du fait que je chantais aussi, que j'écoutais le chant de Gwenllian qui s'élevait comme la fumée du feu qui se trouvait devant nous, mon cœur n'y était pas. Une certaine appréhension avait pris racine dans mon âme, et je ne parvenais pas à chanter avec sincérité.

Lorsque le feu se fut entièrement consumé, je rassemblai les braises encore rouges afin de rallumer un feu dans la cheminée de la grande salle, dans les appartements de Scatha. Puis je ramassai les cendres, et les partageai en quatre quantités égales à l'intention de Gwenllian, de ses sœurs et de moi-même. Le rituel de Beltain ayant ainsi été observé, nous retournâmes tous vers le caer.

Je laissai derrière moi le feu peu propice, préférant consacrer mes pensées à la réunion imminente. Je fis un peu d'ordre dans ma tête, et pesai chacun des mots que j'allais devoir utiliser pour rendre notre communauté solidaire et convaincre tous les bardes d'Albion d'agir… cela, tout en me rappelant trop bien que la dernière réunion s'était achevée sur un profond désaccord. Et puis, alors que le jour du départ approchait, nous apprêtâmes, Llew et moi, le bateau qui devait nous conduire à Ynys Bàinail, l'Île du Rocher blanc, où aurait lieu le gorsedd.

Par une journée doucement balayée par les vents, nous prîmes congé de nos amis et fîmes voile vers Ynys Bàinail et la réunion des bardes.

Je n'avais aucune idée du nombre des derwyddis qui répondraient à mon appel. Cela se passe en tout cas de la façon suivante : lorsque le chef des bardes de l'un des trois principaux royaumes d'Albion décide de convoquer une assemblée, tous les bardes sont tenus, en vertu d'un vœu de solidarité, d'assister au gorsedd si aucun motif plus urgent ne les en empêche. Au titre de Chef des Bardes de Prydain, j'étais par conséquent en droit de convoquer mes frères bardes.

Le gorsedd réunit des bardes venus de tous les clans et de tous les royaumes, car les derwyddis n'entretiennent pas des liens de sang comme les autres hommes ; pas plus d'ailleurs que nous ne jurons fidélité à aucun souverain ou chef de tribu, hormis le pouvoir qui se trouve au-dessus de nous. Nous qui détenons le pouvoir au nom de notre peuple, nous ne sommes liés qu'à lui seul : c'est envers le pouvoir que nous avons juré fidélité, et non envers le roi.

Les choses sont ainsi faites. Les rois vont et viennent ; seul le pouvoir reste. Les rois sont des hommes, et comme tels peuvent sombrer dans le vice et dans la corruption ; le pouvoir, en revanche est pur, non contaminé à sa source. Et les bardes d'Albion ont pour mission de maintenir la Souveraineté d'Albion dans toute sa pureté. Nous, les gardiens du pouvoir, sommes toujours vigilants contre ceux qui voudraient renverser ce que nous nous sommes engagés à faire respecter envers et contre tout.

Je tenais notre robuste embarcation au plus près du vent, de manière à ce qu'elle fende bien les flots, faisant fuir les poissons aux reflets d'argent devant nous. J'avais grande hâte de rejoindre Ynys Bàinail afin de voir qui arriverait le premier ; et aussi pour nettoyer la tombe d'Ollathir. Je l'avais enterré très vite, et souhaitais à présent lui rendre de véritables honneurs.

«Qu'est-ce que vous allez leur dire ?, demanda Llew alors qu'il détournait enfin les yeux du tertre d'Ynys Sci, fondu dans des vapeurs bleutées.

— Je vais leur dire que le prince Meldron s'est emparé illégitimement du pouvoir à Prydain, répondis-je simplement.

— Et comment croyez-vous qu'ils vont réagir ?

— Nous allons tenir conseil et voir ce qu'il est possible de faire, répondis-je. C'est la raison pour laquelle j'ai lancé cet appel.»

Llew hocha la tête, le regard perdu dans l'horizon lointain. «Combien seront-ils à répondre à cet appel ?

— Difficile à dire. Je crois que les bardes de Caledon et de Llogres sont toujours vivants.

— Deux trentaines plus deux ?

— Pourquoi avancez-vous ce chiffre ?

— Vous m'avez dit qu'il y en avait trois trentaines plus trois dans tout Albion, répondit Llew. Cela fait une trentaine plus un pour chacun des trois royaumes. Étant donné qu'il ne reste plus aucun barde à Prydain, à part vous-même, cela fait deux trentaines plus deux...» Il sourit. «Alors, ai-je évalué correctement ?

— Oui, si tout le monde répond à l'appel. Certains auront peut-être un empêchement.

— Quelle sorte d'empêchement ?

— La nécessité de protéger le pouvoir ou le peuple, répondis-je. C'est à chaque barde de déterminer où et quand le peuple et son roi peuvent avoir besoin de ses compétences.

— Je comprends.» Llew s'assit tout en appuyant son dos contre le mât et en posant ses bras pliés sur ses genoux. «Et en ce qui concerne le phantarque ? Est-ce que vous allez leur dire qu'il est mort ?

— Naturellement. C'est une question de la plus haute importance, dis-je tout en songeant que je n'en avais pas pris la juste mesure moi-même. Mes confrères et moi déciderons de la marche à suivre pour restaurer le Chant d'Albion.»

Le Chant d'Albion a été chanté dès l'origine de ce royaume des mondes ; dès les origines il y a toujours eu un phantarque pour le chanter. Caché au plus profond de son alcôve de pierre sous les hautes montagnes, le Chef des Bardes d'Albion chantait le Chant ;

c'était à travers lui que le Chant d'Albion prenait vie, faisant respecter et soutenant tout ce qui existait.

Certes le phantarque, à présent, était mort, mais le Chant persistait. Car le Chef des Bardes d'Albion l'avait protégé au moment de mourir tout comme il l'avait fait lorsqu'il était encore en vie. Se servant d'un puissant sortilège, le phantarque avait imprégné du Chant d'Albion les pierres mêmes qui l'avaient écrasé puis recouvert pour former son propre tombeau. Cela, il l'avait accompli pour faire en sorte que le Chant ne quitte pas ce royaume des mondes, et qu'Albion ne sombre pas dans les ténèbres et dans le chaos. Et ces Pierres Musicales, c'était à présent Meldron qui les détenait… c'était grâce à elles qu'il espérait justifier sa prétention illégitime au trône de Prydain.

« Essaieront-ils de reprendre ce Chant à Meldron ? », demanda Llew. Notre séjour sur l'île de Scatha n'avait pas été sans effet pour lui rendre le moral. Ses yeux gris clair, pendant qu'il observait au loin la mer déchaînée, ne semblaient envahis d'aucun trouble, ne cillaient pas.

« Je ne sais pas, dis-je. Une telle situation ne s'est jamais produite auparavant. »

Nous parlâmes d'autres choses et commençâmes à entamer nos provisions de pain. Notre solide embarcation fendait les flots et les mouettes planaient au-dessus de la voile tendue. Si le vent était favorable, trois jours de traversée suffiraient à nous mener à destination : Ynys Oer, grande sœur d'Ynys Bàinail.

Nous fûmes en vue de la grande île au matin du troisième jour. Profitant du vent toujours favorable, nous décidâmes de contourner le large cap septentrional pour arriver à Ynys Bàinail par l'ouest. Ce qui rallongea un peu le voyage par mer, mais nous épargna une marche pénible pour traverser le promontoire.

Procédant ainsi, nous arrivâmes en vue de l'Île du Rocher blanc qui brillait comme une balise reflétée par le soleil. La main en visière, je fus presque capable de distinguer le pilier rocheux sur le tertre, au centre de l'île. Nous contournâmes également l'île et pénétrâmes dans le détroit qui séparait le Rocher blanc de l'île plus grande qui lui était voisine. Les visiteurs d'Ynys Bàinail installent généralement leur campement sur le rivage occidental d'Ynys Oer, puis traverse le détroit de l'île sacrée à l'aide du *curragh,* une petite embarcation à la coque recouverte de cuir que les derwyddis réservent spécialement à cette fonction.

Il y a, sur la côte occidentale d'Ynys Oer, une petite crique sablonneuse dissimulée au milieu des rochers, avec une petite cahute en pierres où des provisions peuvent être entreposées, et où sont également rangés quelques instruments utiles aux visiteurs de l'île sacrée. La cahute se trouve juste à l'entrée d'un vallon verdoyant où les chevaux peuvent venir brouter ; au milieu coule un petit ruisseau d'eau claire où ceux-ci peuvent également s'abreuver. Les chevaux ne sont pas autorisés sur le Rocher blanc, pas plus que les armes, quelle que soit leur nature, ou les personnes qui n'en sont pas dignes ; car Ynys Bàinail, l'Île du Rocher blanc, est le centre sacré d'Albion.

Nous accostâmes dans la petite crique protégée par les rochers et jetâmes l'ancre. Llew rassembla du bois à brûler et alla chercher de l'eau. Il transféra nos provisions du bateau jusqu'à la cahute, puis, ayant fait tout le nécessaire, il partit marcher sur la plage pour s'occuper l'esprit.

Pendant ce temps, je pris un curragh et me rendis, seul, au Rocher blanc, afin d'aller faire une visite sur la tombe d'Ollathir. Je mis un peu d'ordre sur le petit tertre, ajoutai des pierres sur l'entassement de galets noirs et blancs. Puis je m'assis tout près du tombeau jusqu'à ce que le soleil effleure, au loin, l'horizon marin, après quoi je me levai et rebroussai chemin, retraversant le bras de mer pour aller attendre l'arrivée des bardes.

VIII

LE DERNIER «GORSEDD»

Les premiers bardes arrivèrent le matin suivant ; dix-sept, et tous de Llogres. Ils s'étaient rassemblés sur la côte orientale de l'île, et ayant vu notre bateau le jour précédent, ils avaient traversé le cap pour venir nous rejoindre. Au coucher du soleil, onze bardes arrivèrent de Caledon, sur deux bateaux. Puis trois autres bateaux venant de Llogres apparurent à la même heure le jour suivant, transportant quatorze bardes, accompagnés de leurs serviteurs mabinogi. Douze autres arrivèrent le midi, à dos de cheval, et les huit derniers suivirent à la tombée de la nuit.

Ainsi, tous les bardes d'Albion étaient présents. Ils avaient donc reçu ma convocation et s'étaient déplacés, impatients de débattre des signes et présages dont ils avaient été témoins depuis la dernière réunion.

Je connaissais la plupart de mes confrères, et je pus donc les accueillir individuellement. J'étais ému et heureux de les revoir, car depuis la mort d'Ollathir, j'avais agi en solitaire. De leur côté, les derwyddis étaient tristes de constater qu'Ollathir n'était pas avec moi. Car c'était bien Ollathir qu'ils attendaient ; ils ne savaient pas qu'il était mort. Et bien qu'ils virent que c'était moi désormais qui tenais le bâton de sorbier de Prydain, ils ne dirent rien, attendant le moment où j'allais leur expliquer les motifs de cette réunion.

Le gorsedd est mené avec grande probité ; des règles strictes concernant le protocole et la hiérarchie sont respectées. C'est là une observance très ancienne, et qui est appliquée dans le plus grand respect. Des guerres furent interrompues en plein milieu des combats, uniquement pour accueillir une réunion de bardes ! Bref, ils sont tenus en grande considération...

80

Gorsedd aussi est un mot très ancien. On l'utilise pour désigner le siège ou le trône d'un roi, car les premiers rois étaient intronisés au sommet des tertres saints ou des bosquets sacrés. Ainsi le mot qui veut dire un trône désigne avant tout un tertre. Et, les bardes étant souvent inhumés sur ces tertres sacrés, *gorsedd* signifie encore «tombe». Le tertre sacré d'Ynys Bàinail contenait la tombe d'Ollathir ; même s'il n'était pas mort sur ce tertre même, il est probable qu'il y aurait été enterré de toute façon.

Le Chef des Bardes de Caledon était un homme de haute taille, avec une longue moustache noire et une barbe tressée. Il se nommait Bryno Hir et, à présent qu'Ollathir n'était plus là, Bryno le Grand était le barde le plus éminent de l'Île du Puissant. Ollathir avait un grand respect pour Bryno ; il lui avait demandé conseil en de nombreuses occasions, et l'accueillait volontiers en toutes circonstances.

Lorsque le bateau de Bryno arriva, je voulais être sûr de pouvoir être là quand il débarquerait. Il leva les mains pour me saluer : «Salut à toi, Tegid ap Tàlaryant ! Longue vie à ton chant !» En même temps qu'il m'adressait ces paroles aimables, je voyais son regard qui recherchait discrètement Ollathir. Il ne cherchait aucunement à m'offenser, c'était une sorte de réflexe.

«Salut à toi, Bryno !» J'effleurai mon front avec le dos de ma main en signe de respect, même si nous occupions désormais le même rang. Mais je savais cependant que, lorsque le moment serait venu de choisir un nouveau phantarque, ce serait probablement Bryno Hir qui serait élu... «J'espère que vous avez fait un bon voyage.»

Il me regarda tout en m'interrogeant de son regard sombre et pénétrant. «Qu'est-il arrivé ?», demanda-t-il doucement.

Je l'emmenai un peu à l'écart des personnes qui l'accompagnaient. «Ollathir est mort», lui dis-je simplement. Et avant qu'il puisse demander comment cela était arrivé, j'ajoutai : «Et tous les autres bardes de Prydain avec lui. Je suis le seul survivant.»

Bryno se raidit ; sa figure devint pâle. «Comment se fait-il ?», demanda-t-il d'une voix brisée.

J'expliquai brièvement, et Bryno écouta, secouant gravement la tête à chaque phrase. Lorsque j'eus fini, il tourna les yeux vers le Rocher blanc. «Et pourtant le centre sacré n'a pas été profané...

— Llew, répondis-je, le jeune homme qui m'accompagne, a empêché que cela se produise. Il a reçu l'awen d'Ollathir, et je l'ai désigné roi de Prydain.»

Bryno se tut pendant un long moment, réfléchissant à tout ce que pouvait signifier ce que je venais de lui dire. Sage et prévoyant, le Chef des Bardes de Caledon comprit aussitôt le péril qui nous guettait. «Le Jour du Conflit», dit-il enfin. Puis il me demanda : «Et le phantarque ? Mort également ?

— Oui.»

Il ne m'interrogea pas sur les circonstances, ni même comment j'avais pu le savoir. «Et le Chant d'Albion ?

— Il a été sauvé», répondis-je ; et je lui racontai les exploits de Llew avec les Pierres Musicales.

«Et ces Pierres, où sont-elles à présent ?

— En possession du prince Meldron, répondis-je. Mais avec de l'aide, je suis certain que l'on pourra les récupérer.»

Malgré ces paroles réconfortantes, Bryno leva une main vers son visage. Il resta quelque temps plongé dans un chagrin silencieux, songeant tristement aux temps heureux qui s'éloignaient à jamais sous ses yeux. «Le Jour du Conflit», répéta-t-il lentement, pesamment, comme si ces mots contenaient tout le poids du malheur du monde.

Enfin il se retourna vers moi : «Ollathir avait essayé de nous prévenir, mais nous ne l'avons pas écouté.» La dernière assemblée de bardes lui revenait en mémoire, cette assemblée au cours de laquelle nous avions refusé d'entendre ce qu'Ollathir voulait nous dire, et qui s'était terminée dans la discorde.

«Ollathir ne savait pas plus que nous ce qui allait arriver, suggérai-je. S'il l'avait su, il n'aurait jamais…»

Le barde leva la main et me saisit par l'épaule. «Non, dit-il calmement. Nous sommes fautifs. C'est ainsi.» Il jeta un coup d'œil vers les petits groupes de bardes rassemblés çà et là sur le rivage, et prit une profonde respiration. «Il y a un traître parmi nous.

— Ce traître a répondu de ses crimes, répondis-je. Il a choisi la traîtrise, mais la traîtrise a eu le dessus sur lui.» Je lui parlais alors de Ruadh, le barde du prince Meldron, je lui racontai comment Llew et moi nous avions retrouvé son corps au pied du puits asséché, à Findargad.

Bryno écouta mon récit, et montra par les traits de son visage qu'il était prêt à tout affronter. «Vous avez eu raison de convoquer le gorsedd, dit Bryno. Nous aurons de quoi nous occuper aujourd'hui, ainsi que les jours à venir.»

Laissant les mabinogi installer le camp, nous mîmes les curraghs à l'eau et naviguâmes sur l'étroit filet de mer qui séparait Ynys Oer d'Ynys Bàinail. À plusieurs reprises, les frêles embarcations traversèrent les eaux couleur d'émeraude jusqu'à ce que tous se retrouvent de l'autre côté, sur le blanc rivage. Puis nous fîmes route le long de l'étroit sentier qui montait jusqu'au sommet du grand Rocher blanc, traversant la large brèche ouverte à même la roche qui débouchait sur le vaste plateau. Au centre de celui-ci se dressait le tertre sacré, et au centre du tertre, érigé comme une pointe, le grand pilier rocheux. Les bardes d'Albion avancèrent jusqu'au pied du tertre. Lorsque tous furent rassemblés, nous fîmes trois cercles solaires autour du périmètre du tertre, puis gravîmes les flancs escarpés.

Le sommet du tertre est plat, et le périmètre est délimité par des pierres blanches ; elles dessinent une sorte de roue dont le pilier rocheux forme l'axe. Les différentes familles de bardes, les *filidh*, les *brehon*, les *gwyddon* et les *derwyddis* — quelques-unes tenant des branches de noisetier ou de sorbier à la main, ou des bâtons de chêne, de hêtre ou d'if — se regroupèrent en plusieurs rangées autour du pilier à l'intérieur du cercle sacré.

La réunion des bardes pouvait alors commencer. Llew étant détenteur de l'awen du Chef des Bardes, il était donc autorisé à se joindre à nous au sommet du tertre, ce qui n'eût pas été le cas en d'autres circonstances. Debout devant le pilier entièrement recouvert d'une peinture bleue, avec Bryno le Grand à ma droite et Llew à ma gauche, je me mis à prononcer mes terribles déclarations devant l'assemblée des derwyddis : je leur annonçai la mort d'Ollathir et du phantarque, la destruction de Prydain, le massacre des bardes par lord Nudd, et l'imminence du Jour du Conflit.

À l'annonce de ces terribles nouvelles, mes auditeurs se mirent à trembler. Lorsque j'eus terminé, ils déchirèrent leurs vêtements et se prosternèrent à genoux en frappant la terre avec leurs poings. L'atmosphère fut remplie de leurs plaintes et de leurs gémissements ; ils se lançaient sur la tête des poignées de sable blanc et se frottaient ensuite les cheveux et la barbe. Ils hurlaient à l'outrage contre le soleil, interpellaient les éléments afin qu'ils soient témoins de leur cruelle détresse. Plusieurs prononçaient des vœux dans leur langue obscure, plaidant fait et cause pour la justice envers leurs frères assassinés.

Llew observait toute la scène d'un air inflexible, sans dire un mot, les bras croisés sur sa poitrine — le seul à ne pas faire un mouvement.

Lorsque toutes ces manifestations se furent épuisées d'elles-mêmes, je vins me replacer face à l'assemblée en demandant à chacun de se remettre debout et d'écouter la prophétie du héros dont la banfàith nous avait gratifiés. «Bardes d'Albion, Hommes de

Haute Sagesse, cessez donc vos plaintes ! Levez-vous et écoutez la parole prophétique que je m'apprête à vous délivrer. »

Ils se levèrent tous et se firent taire les uns les autres afin d'entendre ce que j'avais à leur dire. Je savais les mots qu'il fallait prononcer. Je les avais depuis longtemps amassés sur mon cœur. Je n'avais plus qu'à ouvrir la bouche, et ils allaient sortir d'eux-mêmes. Pourtant, alors qu'ils attendaient, immobiles devant moi, je ne parvins pas à prononcer un mot. Quelque chose me retenait. Je restai là, bouche bée, à fixer mes frères ; j'avais soudain l'impression de me retrouver devant des cadavres aux visages gris, aux vêtements crasseux, aux cheveux ébouriffés, aux orbites creuses.

Lorsque la lumière des Derwyddis n'existe plus, et que le sang des bardes requiert justice...

La prophétie de la banfàith... elle avait évoqué ce moment. La lumière des derwyddis, c'était le phantarque, et c'était le sang de mes frères, les bardes de Prydain, qui requéraient justice. L'assemblée avait réclamé que justice soit faite. Cela me surprenait. Était-ce ainsi que la prophétie devait se réaliser ?

Comme pour répondre à mon étrange question, un cri retentit — à distance, mais parfaitement distinct —, un cri de défi. Je me retournai vers Llew. Il restait sans faire un mouvement, et il écoutait. Puis il y eut un nouveau cri : un mot, un simple mot que l'on hurlait. C'est alors que je reconnus qu'on appelait... mon nom.

« T-e-e-g-i-i-i-d-d ! », cria-t-on pour la troisième fois.

Qui donc osait profaner le sanctuaire de l'île sacrée ?

Les derwyddis se pressèrent en direction du son. Ceux qui étaient les plus proches de la frange extérieure du cercle se ruèrent sur le bord du tertre pour observer la plaine qui s'étendait à leurs pieds. Leur réaction fut instantanée, et elle leur fut fatale.

Constatant la profanation du lieu sacré, quelques bardes s'étaient élancés depuis le tertre en dévalant la pente avec des cris de rage. D'autres étaient revenus précipitamment sur leurs pas en appelant les autres à la rescousse. En l'espace d'un éclair, tout fut plongé dans la plus extrême confusion. Le tollé était assourdissant. Je ne parvenais pas à comprendre ce qui était en train de se passer.

« Suivez-moi, Tegid ! » C'était Llew, qui partait rejoindre la vaste cohue.

Les derwyddis étaient de plus en plus nombreux à déferler sur les versants du tertre. J'entendais leurs voix pendant qu'ils couraient ; ils hurlaient, invoquaient la Prompte et Forte Poigne afin qu'elle frappe. Mais pourquoi ? Que se passait-il ? Qu'avaient-ils donc vu ?

Nous gagnâmes, Llew et moi, le bord du tertre, et regardâmes le spectacle qui se déroulait à nos pieds. Un groupe fort d'une centaine de guerriers s'avançait à travers la plaine, leurs armes et boucliers étincelants sous le soleil. C'était cela que les derwyddis avaient vu, et c'était cela qui les avait plongés dans une rage frénétique.

«Meldron !», dit Llew — prononcé par lui, ce nom était quasiment un juron.

L'usurpateur était là, trônant au milieu de sa Horde de Loups, exhortant à l'attaque contre les bardes sans défense. Au côté de Meldron chevauchait Siawn Hy, la lance à la main et le bouclier placé en bandoulière.

Sans rien pouvoir faire, je voyais mes frères se ruer sur les lances et les épées des guerriers qui les attendaient de pied ferme. «Arrêtez-les !», hurla Llew.

Mais il n'y avait pas moyen de les arrêter. Inconscients du danger, ils couraient à leur mort, voulant protéger le territoire sacré à leur corps défendant. Les hurlements des premières victimes retentirent...

Les bardes accouraient vers la plaine, cape flottant au vent, au-devant de la mort. La Horde des Loups frappa et frappa encore. À coups de lances, à coups d'épées qui surgissaient comme des éclairs sous leurs boucliers relevés. Les guerriers enjambaient simplement les corps qui se tordaient, et continuaient à progresser.

«Tegid, faites quelque chose !, cria Llew. Arrêtez-les !»

Bryno Hir surgit à côté de moi. Il tenait dans ses mains son bâton de sorbier, élevé au-dessus de sa tête, le visage noir de colère, les lèvres pincées, serrant les dents. Finalement il ouvrit la bouche, et l'air résonna au son du *Taran Tafod*, la Langue des Ténèbres. «*Cwmwl dyfod ! Gwynt dyrnod !*», hurla-t-il en invoquant les nuages pour qu'ils se rassemblent, en invoquant les vents pour qu'ils se mettent à souffler. «*Cwmwl dyfod ! Gwynt dyrnod !*»

À ces mots, le vent se mit à souffler en bourrasques à travers la plaine, puis tourbillonna autour de la base du tertre. Une vapeur de nuages se forma au-dessus du pilier rocheux, comme une gigantesque ébullition sortie du néant et s'étendant sur toute la surface du ciel pur.

«*Dyrnod ! Dyfold ! Tymestl rhuo !*», invoqua Bryno Hir tout en agitant son bâton au-dessus de lui. Les nuages s'épaissirent, obscurcissant la plaine au-dessous d'eux. Les vents couchaient, fouettaient l'herbe haute. «*Cwmwl dyfod ! Gwynt dyrnod ! Tymestl rhuo !*»

L'air parut trembler alors que la langue obscure tonnait depuis le sommet du tertre, résonnant à travers la plaine. «*Dyrnod tymestl, rhuo tymestl ! Terfesgu ! Terfesgu !*»

Un vent glacial hurlait sur les sommets ; les nuages — grossissant, s'agglutinant, se pressant — déferlèrent sur la plaine, et la tempête éclata avec force et violence. Une pluie cinglante se mit à se déverser par seaux entiers et nettoya la plaine.

La tempête redoubla. Il y eut des roulements de tonnerre. Et les guerriers avançaient, gravissant peu à peu les versants du tertre sacré. Llew criait, brandissant un bâton de chêne comme une arme. Bryno levait son visage vers le ciel et continuait à invoquer le vent et la pluie.

Et l'ennemi avançait toujours. Les derwyddis qui étaient restés descendirent à leur rencontre ; plutôt la mort que d'endurer l'incursion de l'ennemi en terrain sacré. Et ils moururent, effectivement. Les agresseurs, le visage menaçant, absolument déterminés, ne firent qu'une bouchée des pauvres bardes sans armes ni protection. Les cadavres jonchaient le versant des collines comme de grosses pierres noires. Les ennemis nettoyaient le sang de leurs armes sur les cadavres, et puis continuaient.

Les premiers guerriers atteignirent le sommet du tertre. Alors je saisis mon bâton et courus vers eux, brandissant mon solide bâton de sorbier comme une matraque. Le premier guerrier rencontré — je le connaissais, car c'était un compatriote — recula et trébucha. Je le frappai de mon bâton en l'atteignant aux épaules. Il hurla de douleur et laissa tomber son épée.

Avant que j'aie pu frapper à nouveau, une lame passa comme un éclair, et fendit mon bâton en deux. J'entendis alors un bruit précipité derrière moi, puis sentis deux mains puissantes m'enserrant la gorge. Je voulus me libérer, mais d'autres mains encore me saisirent, m'immobilisèrent par les bras qu'ils bloquèrent dans mon dos.

«Llew !, hurlai-je en me débattant avec rage. Du coin de l'œil, j'entrevis Llew ayant maille à partir contre trois adversaires. Ils l'avaient immobilisé au sol et lui administraient force coups de poing sur la figure et sur la poitrine pour essayer de le maîtriser. L'un d'eux leva la poignée de son épée et la rabaissa brusquement sur le crâne de Llew. «Llew !»

Je me mis à hurler comme une bête sauvage. Mes jambes flageolèrent et je fus comme aspiré vers le sol. Au moment de tomber, je vis Bryno, qui était assis par terre, adossé au pilier. La pluie coulait par flots sur son visage et se mêlait au sang qui se déversait librement de l'entaille qu'il avait à la gorge. Le pilier était maculé de sang derrière lui et imprégnait le sol. L'une des brutes de la Horde des Loups se tenait au-dessus de lui, nettoyant son épée sur la barbe de sa victime.

Du sang et de la pluie, le vent qui hurlait. Les cris des mourants… la mort… l'horreur dans l'enceinte sacrée… les atrocités, la mort…

Tout avait été très vite. Dès que Bryno eut été réduit au silence, la tempête se dispersa, se dissipa progressivement et fit place à un rayon de soleil qui transperça les nuages paraissant fondre à vue d'œil. Ébloui par l'éclat de la lumière, j'entrevis le corps de mes frères gisant à l'endroit où ils étaient tombés. Le tertre sacré, le gorsedd, était devenu leur propre tombeau.

Tous ceux qui n'étaient pas encore morts furent achevés d'un coup d'épée. Llew et moi fûmes les seuls à être épargnés.

Llew fut traîné inconscient hors du tertre. Quant à moi, je fus à moitié poussé, à moitié transporté jusqu'au bas de la côte, puis remis sur pied devant le prince Meldron qui m'accueillit d'un vigoureux coup de poing dans les dents. Ce qui provoqua le rire de Siawn Hy, un rire mauvais qui me transperça le cœur plus cruellement que ne l'aurait fait la lance toute tachée de sang qu'il tenait à la main. Son regard était méchant, glacé par la haine.

«Pensiez-vous vraiment pouvoir m'échapper, barde ?», s'enquit Meldron.

Je lui crachai au visage. Il me frappa une seconde fois, et je sentis ma bouche se remplir d'un sang chaud.

«Alors, comme ça, on recherche des alliances du côté des Cruins, continua-t-il en secouant la tête pour feindre la déception. Un projet quelque peu hasardeux. Vous espériez le soutien de Calbha, mais manque de chance, il vous a éconduit.»

Llew, à terre, se mit à gémir. Meldron fit quelques pas vers lui, et, le saisissant par une touffe de cheveux, il lui redressa brusquement la tête. «C'est un peu idiot, non, de voyager sans être armé, railla le prince. Et qui plus est quand on est roi.

— Justement, c'est peut-être le roi des idiots», rétorqua Siawn Hy.

Le prince se mit à rire et relâcha la tête de Llew. Puis se retournant vers moi, il dit : «Vous avez pris congé de nous avant que j'en aie fini avec vous… Mais je termine toujours ce que j'ai commencé ; vous devriez le savoir, Tegid.

— Faites ce que vous voulez, Meldron, murmurai-je entre mes dents pleines de sang. Tuez-moi et finissez-en une bonne fois pour toutes. Vous n'obtiendrez rien de moi.

— Je n'attends rien de vous, barde, railla-t-il. Si ce n'est ce qui me revient.»

Je savais ce qu'il voulait, mais je serais mort plutôt que de le lui accorder. «C'est à Llew que j'ai donné le pouvoir. C'est lui le roi de Prydain.

— C'est moi le roi de Prydain, insista Meldron plein de rage.

« — Vous ne serez jamais roi, moi vivant, répliquai-je.

— Pour un homme supposé plein de sagesse, je vous trouve bien entêté, dit-il d'une voix tranchante comme le fil de son épée. Maintenez-vous que Llew est roi de Prydain ?

— Je le maintiens ! »

Meldron jeta un coup d'œil vers Siawn, qui se mit à sourire avec malignité.

« Est-il vrai cependant qu'un homme estropié ne peut jamais devenir roi ?, demanda Siawn en s'appuyant avec désinvolture sur sa lance.

— Cela est tout à fait vrai, répondis-je. Un roi doit être sans aucune imperfection. »

Llew poussa un gémissement et ouvrit les yeux. Il avait repris conscience et recommençait à se débattre dans les bras de ses ravisseurs. « Simon !, siffla-t-il en appelant Siawn par son ancien nom.

— Gentil de te joindre à nous, l'ami... », rétorqua Siawn d'un air lugubre ; puis il hocha la tête vers Meldron.

« Présentez-moi son bras droit tendu ! », ordonna Meldron en tirant son épée.

Les hommes qui maintenaient Llew le forcèrent à se mettre à genoux. Il résista, mais l'un des hommes parvint à soulever son bras droit et un autre lui tint fermement la main ; ils réussirent finalement à lui maintenir le bras tendu. « Non ! », hurla Llew en se débattant pour dégager sa main.

« Ne faites pas cela, Meldron ! », hurlai-je à mon tour.

Meldron s'avança vers sa victime, toujours à genoux. « Je veux qu'il regarde, dit-il. Je veux que tout le monde voie. »

Un troisième guerrier saisit Llew par les cheveux et lui tourna la tête de force vers son bras tendu. « N-n-n-o-o-o-n-n-n ! », geignit Llew.

Ma tête était également maintenue de force de manière à ce que je ne puisse pas détourner le regard. « Arrêtez ! », hurlai-je.

Meldron souleva son épée puis laissa lourdement retomber la lame. Il y eut un bruit mat et sinistre, et la main droite de Llew se détacha dans un brusque giclement de sang. Il y eut un flottement dans son regard, puis il s'évanouit.

Meldron ramassa la main qui venait d'être tranchée et l'exhiba devant moi. Il en ôta la bague en or que son père, Meldryn Mawr, avait donnée à Llew et la glissa sur son doigt. J'essayais de détourner le regard, mais je n'y parvenais pas. « Eh bien voilà », dit-il en agitant la main de Llew devant mes yeux, qu'il tenait par l'index. Llew n'est plus sans défaut. Le voilà mutilé. Il ne peut plus être roi. Il faut donc que vous choisissiez quelqu'un d'autre.

— Moi vivant, vous ne serez jamais roi !

— Qu'à cela ne tienne !», répondit sauvagement Meldron.

L'épée qu'il tenait à la main s'ébranla. Instinctivement, je reculai brusquement ma tête vers l'arrière, mais elle était toujours maintenue fermement par mes ravisseurs. Meldron frappa de sa lame en travers de mes yeux.

Je me mis à crier. Le monde était brusquement devenu rouge... rouge feu, puis comme de l'acier en fusion. Et puis... noir.

IX

JETÉS À LA DÉRIVE

Nous fûmes traînés à l'écart du Rocher blanc jusqu'à la plage, puis balancés dans l'un des *curraghs* qui attendaient là. À demi-conscient, j'avais senti que l'on déplaçait le bateau sur le sable, puisqu'on l'avait mis à l'eau, et que l'on nous avait poussés et abandonnés à la merci des vagues.

Mes yeux me brûlaient. J'étais allongé à l'arrière du curragh ; je n'avais plus conscience de rien, si ce n'est de ce feu rougeoyant qui ne quittait pas mes yeux. Je hurlais, et j'entendais pour toute réponse la voix des hommes qui riaient. Puis les voix s'affaiblirent ; bientôt il n'y eut plus que le cri des mouettes. J'entendais le clapotis des vagues frappant doucement sur la coque du bateau... puis je perdis connaissance.

Je ne sais pas combien de temps dura mon évanouissement. Mais la douleur cuisante que je ressentais à l'intérieur de ma tête finit par me réveiller, et je réussis à m'asseoir. Chaque geste provoquait une telle douleur que mon estomac se contractait ; et je me mis à me vomir dessus. Je tombai à la renverse, et m'effondrai sur Llew.

Celui-ci poussa un gémissement, et soudain me revint à l'esprit ce qu'on avait fait subir à sa main. Sa main !

Je fis des efforts pour me redresser, labourant de mes ongles la paroi du bateau. Je ressentais une douleur lancinante sur tout le visage et avais le sentiment que ma tête allait éclater. Alors je me penchai par-dessus bord et pris un peu d'eau dans mes mains pour me rincer la figure. Le sel piqua mes yeux meurtris et provoqua une brûlure chauffée à blanc — comme une braise ardente à l'intérieur de mes yeux. J'eus un haut-le-cœur et tombai une nouvelle fois à la renverse.

Cependant, mes idées se firent plus claires et je pus me redresser. Maudissant Meldron et mon propre malheur, je tendis les mains vers le corps inerte de Llew et commençai à l'examiner.

Il était couché sur le côté, le bras un peu replié en travers de la poitrine. J'allai à tâtons, effleurant avec prudence toute la longueur de son bras, jusqu'au poignet puis à la main. Tout était en ordre, et il était couché sur son bras mutilé.

Je me mis sur mes genoux à côté de lui et tentai, péniblement, de le soulever, de le rouler et de le mettre sur le dos. Ce qui, une fois fait, libéra le bras blessé. Alors, le plus délicatement possible, je soulevai le moignon et le portai contre ma poitrine afin d'examiner doucement la plaie avec les doigts.

Le sang coulait à gros bouillons ; un sang chaud, épais. Étant couché sur sa plaie, le poids de son corps avait dû agir sur elle comme un garrot, et c'était ce qui lui avait sauvé la vie. En le retournant sur le dos, j'avais à nouveau provoqué l'hémorragie. Mais je n'avais pas le choix, car pour pouvoir l'aider, je devais poursuivre mon examen minutieux. Du bout des doigts, je frôlai délicatement la zone blessée : l'épée du prince avait été particulièrement efficace, les os et la chair avaient été tranchés net.

Je reposai doucement le moignon puis, rapidement, saisis le bord de mon siarc entre mes mains et en déchirai un morceau, que je redéchirai une fois encore pour former une large bande de tissu ; puis, avançant à tâtons jusqu'au bord de la barque, je trempai le tout dans la mer.

J'avais l'impression que ma tête allait éclater à tout moment. Grinçant des dents pour conjurer la douleur, je m'efforçai d'aller au bout de ce que j'avais commencé. Je repris doucement le bras mutilé et commençai à envelopper le moignon avec la bande de tissu imbibée d'eau salée.

Le sang sortait de la plaie à chaque pulsation du cœur de Llew. Je le sentais suinter à travers le linge. Alors je déchirai une nouvelle bande que je ligotai autour de la première ; puis une troisième, fortement serrée, me permit de faire tenir les deux premières ensemble. Je repliai ensuite le bras et le plaçai contre sa poitrine, espérant ainsi éviter toute hémorragie fatale. C'était là tout ce que je pouvais faire pour lui.

Affaibli, pris d'étourdissement à cause des efforts que je venais de faire, je déchirai une nouvelle longueur de tissu de mon siarc ; je la trempai dans la mer et, bravant la brûlure provoquée par l'eau salée, je l'attachai autour de mes yeux. Puis je vomis à nouveau. Et finalement, à bout de forces, je finis par m'effondrer au centre de la barque, gémissant de fatigue et de douleur.

Aveugle ! Tout était devenu informe, tout avait plongé dans les ténèbres... Je ne pourrais plus jamais voir le visage de mes compatriotes ni celui de mes frères — je ne pourrais plus jamais voir la lumière. Aveugle ! Mon univers était devenu aussi sombre que la douleur, aussi noir qu'un tombeau, aussi ténébreux que le cratère de l'uffern et que la mort infinie.

J'étais blotti tout au fond de la barque et me mis à pleurer amèrement du fait d'avoir perdu la vue, du fait d'avoir à subir un tel supplice... jusqu'à ce que, finalement, épuisé par la douleur, je sombre dans un sommeil sans rêves.

La douleur causée par la brûlure de mes yeux finit par me réveiller. J'étais allongé, sans pouvoir faire un mouvement, et, pendant un instant, je me mis à écouter. Le vent était resté on ne peut plus léger ; des vaguelettes frappaient contre la coque sans violence. Dans cette zone près des îles, l'amplitude des marées n'était pas très importante. Le reflux ne nous ferait donc pas dériver beaucoup de la côte occidentale d'Ynys Oer ; mais nous serions, ensuite, à la merci des courants marins et du temps.

Si les vents continuaient à souffler du nord, nous serions alors poussés vers le sud le long de la côte ouest d'Albion, et nous finirions par nous échouer quelque part sur une bande de terre déserte. Si en revanche les vents devenaient capricieux et changeants — ce qui était le plus probable en cette saison instable —, nous dériverions plus loin vers l'ouest et arriverions je ne sais où.

Au mieux, l'échouage n'était en fait qu'une lointaine possibilité. Nous n'avions ni rames, ni voile, ni provisions. Une vague un peu plus grosse que les autres pouvait en un rien de temps nous faire chavirer ; un simple rocher pouvait transpercer la coque du curragh, simplement constituée de cuir tendu. Nous étions à la merci du vent, des rochers et de la mer.

Meldron, autrement dit, avait été malin. Il ne nous avait pas tués directement, mais avait préféré nous livrer à notre sort en nous abandonnant aux courants marins. De cette manière, il pouvait prétendre en toute sincérité ne pas savoir ce qui était advenu de nous. Il ne contracterait aucune dette de sang pour ce qui regardait notre mort.

Soit... Mais la dette de sang qu'il avait contractée pour ce qui regardait la mort des derwyddis était, elle, immense. Quand même il eût possédé une montagne d'or rutilante et l'ensemble du bétail, toutes les servantes et tous les serviteurs des Trois Royaumes réunis, il n'aurait pas pu payer une telle dette.

Soleil, étoiles, soyez donc témoins ! Lord Nudd, prince de l'Uffern et d'Annwn, Roi des Coranyids, Souverain de la Nuit Éternelle... c'était lui, sans doute, le responsable du massacre des bardes de Prydain... mais c'était bien le prince Meldron qui avait assassiné les autres. Il n'y avait plus de bardes à Caledon ni à Llogres. Plus de bardes sur l'Île du Puissant.

Non, non... Pourtant, je survivais tant que faire se peut ; et puis les filles de Scatha, à Ynys Sci, elles, étaient saines et sauves.

Llew se mit à gémir, puis se réveilla en hurlant. Je levai ma tête endolorie et tendis une main vers lui. «Ne vous en faites pas, frère, lui dis-je. Je suis là. Restez calme.

— Tegid !», commença-t-il, avant de retomber dans une crise de douleur atroce. Il ferma la bouche et étouffa un cri ; le son s'éleva, c'était un vrai gémissement de supplicié. Ma main tâtonnante rencontra son dos. Je le sentais lutter contre la douleur, les muscles tendus, la sueur trempant ses vêtements. Finalement, il s'évanouit une nouvelle fois et resta sans bouger.

Je somnolais.

Lorsque je me réveillai, je sentis l'air frais sur mon visage ; la mer était calme. C'est ainsi que je pus comprendre qu'il faisait nuit. Llew avait dû attendre mon réveil, car dès que je me mis à bouger, il m'adressa quelques mots : «Où sommes-nous ? Qu'est-ce qui est arrivé ?» Sa voix était cassée, et il avait du mal à articuler à cause de la douleur.

«Nous avons été jetés à la dérive, lui dis-je. Meldron nous a abandonnés sur la mer pour nous faire périr...»

Il resta un moment sans parler, puis ouvrit la bouche, pitoyable : «J'ai froid.

— Tenez, prenez ça.» J'avais retrouvé ma cape, et la lui tendis. Il en tira une extrémité, et je pris l'autre.

«Vous, c'est votre main... et moi, ce sont mes yeux... Qu'allons-nous devenir ?

— C'est la mer qui en décidera ; de notre côté, nous ne pouvons rien faire.»

Alors nous attendîmes — une nuit interminable, une nuit infinie. Toute la journée du lendemain, nous restâmes allongés dans la barque, pouvant à peine bouger. Lorsque le soleil se glissa derrière la frontière du monde, nous nous serrâmes l'un contre l'autre au fond du bateau pour nous tenir chaud. Nous nous assoupissions par à-coups, sans jamais pouvoir nous endormir complètement à cause de la douleur lancinante de nos blessures. Moi, mes yeux, lui, sa main... Que pouvions-nous faire ?

Le temps resta clément, et ce fut une véritable bénédiction. De temps à autre, Llew se relevait pour regarder alentour. Mais nous étions loin de toute terre, et les maigres informations données par Llew n'étaient pas suffisantes pour que je puisse m'orienter.

Le quatrième jour, le vent se leva, âpre, et vira à l'ouest. Les vagues grossirent, soulevant notre frêle embarcation, l'agitant de tous les côtés. À chaque embardée, à chaque secousse, nous étions projetés contre les parois, contre les lames de bois arrondies du curragh. Et Llew hurlait à chaque fois qu'il cognait son moignon.

La nuit ne nous donna aucun répit. La tempête redoubla. La mer se souleva ; de hautes vagues s'étaient formées, et elles se déversaient sur nous. Épuisé, Llew perdit connaissance, et je dus le tenir délicatement contre moi de manière à ce qu'il ne se fasse pas encore plus mal. Pendant que je le maintenais, il marmonnait des paroles incohérentes ; et la mer déchaînée malmenait toujours notre fragile embarcation. À un moment donné, j'entendis une sorte de crissement bizarre, et je dus me concentrer un certain temps avant de m'apercevoir que c'était Llew qui grinçait des dents. Je fis un nœud, rapidement, avec le coin de ma cape, et je l'insérai ensuite entre ses dents pour éviter qu'il se morde la langue.

Les rafales de vent se firent de plus en plus violentes au fur et à mesure que la nuit avançait. J'entendais l'orage gronder, la pluie me fouettait le visage, mais je ne voyais aucun éclair. Alors que nous étions en plein cœur de la tempête qui faisait rage sur nous, Llew se redressa : «Chantez, Tegid !», cria-t-il pour essayer de recouvrir le hurlement du vent.

J'eus l'impression qu'il divaguait. «La paix soit avec vous, mon frère. Et restez calme. Tout cela va bientôt finir», dis-je, certain que notre barque allait bientôt chavirer sous l'effet d'une prochaine vague, et que nous allions être jetés à la mer et périr noyés. Nous irions alors nous aussi rejoindre tous les bardes d'Albion dans la mort — deux victimes de plus parmi tous ceux que Meldron avait déjà tués.

Llew faisait des efforts pour se tenir droit. «Chantez !, insista-t-il. Chantez pour que puissions accoster !»

En dépit du vent qui mugissait, rageur, au-dessus de nous, en dépit de la mer houleuse qui déferlait de tous côtés, je commençai donc à chanter… d'abord de manière hésitante, puis trouvant finalement de plus en plus d'assurance. Le vent arrachait violemment les mots de ma bouche et me les renvoyait à la figure. «À quoi bon !, hurlais-je.

— Chantez donc !, implora Llew. Chantez pour la Prompte et Forte Poigne, Tegid !»

À nouveau ma voix s'éleva, doucement, et entonna un chant de délivrance à l'intention du Tout-Puissant. Je chantai les vertus innombrables du Dieu Infiniment Bon ; je chantai le plaisir plein d'ardeur avec lequel la Prompte et Forte Poigne écoute puis vient en aide à tous ceux qui font appel à elle.

Au fur et à mesure que ce chant se formait en moi et que je l'exprimai, des images claires et distinctes surgissaient à mon esprit... un vallon aux versants abrupts dans une forêt profonde, avec de hauts sapins tendus vers le ciel... un lac secret et une citadelle toute en bois... un trône en bois de cerf sur un tertre couvert de gazon, orné d'un cuir de bœuf plus blanc que neige... un bouclier tout reluisant, avec un corbeau noir perché sur son bord... je vis aussi un feu qui brûlait au sommet d'une colline lointaine, et la réponse qui arrivait du sommet des collines plus proches... je vis un homme sur un cheval jaune pâle, sortant au galop de la brume, et les sabots du cheval qui provoquaient des étincelles sur le roc... et puis les guerriers d'une puissante armée qui étaient en train de se laver au bord d'un lac de haute montagne, et l'eau, qui était rouge de sang... je vis une femme vêtue d'un blanc manteau, debout au milieu d'un berceau de verdure, et la lumière du soleil qui enflammait sa chevelure comme un feu d'or... je vis un cairn dans un vallon retiré, un tertre funéraire secret, à l'écart...

Je chantai, et la tempête faisait rage. Notre barque de cuir faisait des embardées, subissait mille secousses, tantôt soulevée au sommet d'une vague, tantôt projetée vers le bas. Nous étions soufflés au milieu de la houle comme une petite poche d'écume malmenée par le vent. Des masses d'eau se déversaient sur nous, nous inondaient et nous glaçaient le sang. L'eau de mer, au contact de mes blessures, me brûlait et m'étouffait, car elle me remplissait la bouche.

À chaque secousse, Llew se mettait à gémir de douleur. «Chantez, Tegid ! Continuez à chanter !», hurlait-il. Je pensais qu'il commençait à délirer sous l'effet des tortures qui lui étaient infligées, mais il insistait, alors je me remis à chanter. De nouvelles visions affluèrent et se mirent à danser dans ma tête, aussi démentes que la tempête qui se déchaînait autour de nous.

«Entendez-vous, Tegid ?, cria Llew d'une voix étouffée par le mugissement du vent. Vous entendez ?»

Je tendis l'oreille, mais n'entendis que le hurlement rageur du vent et le grondement de la mer lorsque les vagues s'écrasaient sur les rochers... Sur les rochers !!

« Entendez-vous, Tegid ?

— Oui, j'entends ! » C'était le bruit des vagues qui venaient battre puis se briser sur les rochers. La tempête nous ramenait peu à peu vers le rivage. « Pouvez-vous voir quelque chose ?

— Non, répondit-il. Attendez… Si, je vois quelque chose… j'aperçois des rochers. J'aperçois l'endroit où les vagues viennent se briser.

— Pouvez-vous voir la terre ?

— Il fait trop sombre. »

Il m'agrippa le bras avec la seule main qui lui restait. « Continuez à chanter, Tegid ! Que votre voix nous ramène à terre ! »

Je me remis à chanter ; le bruit des vagues qui se brisaient augmenta et finit par remplir la nuit secouée par la tempête. Au fur et à mesure que nous nous rapprochions, j'avais l'impression, quasiment, de sentir les pointes aiguisées des rochers, menaçantes au milieu des vagues déchaînées ; elles se dessinaient de plus en plus distinctement, se découpant dans l'obscurité aux seules fins de déchiqueter, de broyer et de détruire. Des eaux torrentielles s'abattaient sur nous alors que la mer continuait à se fracasser sur les rochers alentour. Ma voix était noyée par le grondement des vagues, mais je continuais à chanter, implorant pour qu'une petite zone protégée puisse se former autour de notre barque, au milieu des dégâts provoqués par la tempête.

Je sentis soudain la mer se rassembler au-dessous de nous, comme un animal faisant le gros dos. Nous fûmes projetés en l'air, bousculés de tous bords, malmenés aussi légèrement qu'une feuille emportée dans un tourbillon. L'orage éclatait dans tous les coins, nous cassait les tympans, nous fracassait la tête, nous brisait l'âme.

Précipités au fond d'un abîme, puis à nouveau sur la crête de la vague, j'entendais l'eau aspirer littéralement la roche ; puis la barque fit une embardée sur le côté, poussée par la vague. L'espace d'un instant, la barque fut suspendue entre ciel et mer. Puis il y eut une vague immense, qui souleva le bateau et le projeta en l'air. Nous replongeâmes dans le vide, heurtâmes un autre rocher, et j'entendis un craquement brusque : les lattes de bois de la coque venaient de céder.

« Tenez bon ! », gémit Llew.

Je lançai mes deux mains en avant pour tenter de retenir les flancs du bateau, mais ne trouvai finalement contact qu'avec la roche froide. J'essayai bien de nous repousser, mais le bateau, déjà, glissait à rebours. D'un instant à l'autre, nous allions être projetés dans la mer déchaînée. Je pris ma respiration et, dans un dernier cri, me mis à implorer grâce pour que nous soit épargnée la vaste tombe marine qui s'ouvrait sous nos pieds.

Les vagues se retirèrent et je me sentis tomber. La barque se coucha sur le côté et se retourna plusieurs fois ; l'eau s'engouffra dans ma bouche et dans mes poumons, et je sentis mes bras et mes jambes se tordre sous la pression des vagues qui m'entraînaient vers les courants profonds. J'étais secoué, bousculé dans tous les sens, et traîné toujours plus loin vers le fond.

Finalement, je vins heurter quelque chose de dur avec mon genou, et mon épaule droite alla se cogner contre ce qui semblait être une muraille rugueuse. Le poids de l'eau me plaquait contre ce mur, m'écrasait comme s'il s'agissait d'une main géante cherchant à expulser tout l'air de mes poumons. Je me débattis avec les mains pour tenter de me dégager de la muraille de rochers.

Et enfin…

De l'air ! De l'air enfin ! Je suffoquai, à moitié étouffé au milieu de l'écume. Puis la mer se retira. Je me sentis alors comme aspiré sur le sol : aucune muraille, non… j'étais allongé sur une plage de galets. Une vague vint s'écraser droit sur moi, qui d'abord m'immobilisa sous son poids, puis me souleva et me transporta un peu plus haut sur la plage. À bout de souffle, je me mis à ramper à la façon d'un crabe sur les rochers humides et luisants, à travers les eaux qui refluaient.

La mer semblait m'aspirer par les jambes. Les algues s'entortillaient autour de mes bras et de mes chevilles. Et la marée montait, grossissait, arrivant à hauteur de mes hanches, puis de ma taille, de ma poitrine. Je fus à nouveau soulevé puis propulsé vers l'avant. Lorsque la mer se replia, j'étais appuyé sur mes genoux, et je sentais le contact de petits rochers durs sous mes mains.

Je me levai et fis quelques pas en trébuchant, puis, me cognant le pied contre un rocher, m'étalai de tout mon long… J'entendis à nouveau le bruit des vagues qui se brisaient. Je tâtai avec mon pied pour tâcher de trouver une prise, mais je me sentis soudain tiré vers l'arrière, les mains égratignées par la roche, parce que la mer semblait vouloir m'aspirer vers elle.

Tout à coup, je me sentis attrapé et solidement maintenu. Puis la voix de Llew résonna, luttant contre le bruit du vent et du ressac qui la recouvrait : « Tegid ! Je vous tiens, hurla-t-il. Essayez de vous relever ! »

Il m'agrippa le bras et me remit tant bien que mal sur mes pieds. Nous appuyant l'un sur l'autre, nous remontâmes péniblement sur le rivage fermé par les rochers, et nous nous effondrâmes sur une langue de sable.

«Vous avez réussi, Tegid ! Votre voix nous a ramenés à terre !», dit Llew en suffoquant. Je voyais qu'il était régulièrement pris de spasmes et qu'il se tordait sous la douleur.

«Llew !» Je lançai mes bras vers lui. Il m'agrippa de sa main encore valide et se mit à gémir... un accent désespéré, à vous briser le cœur. Je le maintins ainsi jusqu'à ce que la douleur diminue.

«Votre chant nous a ramenés à terre !», répéta-t-il lorsqu'il put à nouveau parler. Sa voix était râpeuse comme une corde usée. «Vous nous avez sauvés, Tegid, alors que nous étions perdus...

— Le Très Sage et Très Bon a entendu notre chant et nous a dépêché sa Prompte et Forte Poigne, qui nous a arrachés à la mer... et à la mort que Meldron nous avait réservée.»

Nous étions étendus sur la rive, tremblants de froid, affaiblis par la douleur causée par nos blessures. Llew, de temps en temps, se mettait à geindre, lorsque ses souffrances étaient trop lourdes à supporter ; mais il ne se plaignait jamais ouvertement. Nous passâmes ainsi toute la nuit, allongés sur le sable ; la tempête s'éloignait lentement. Enfin, alors que l'aube se mit à filtrer à travers les derniers échos de la tempête, à l'est, je sentis la chaleur du premier rayon de soleil sur mon visage. Je me mis à chanter à nouveau le chant dont on venait de me faire don.

Je chantai encore le vallon et ses versants abrupts au sein de la forêt profonde ; la citadelle sur le lac ; le trône en bois de cerf au sommet de son tertre recouvert de gazon, avec le cuir de bœuf qui le recouvrait. Je chantai l'étincelant bouclier et le noir corbeau perché sur son bord, les ailes déployées, qui remplissait le vallon de son chant austère ; et puis le feu embrasant les ténèbres de la nuit, le signal du feu auquel on répondait sur chaque colline alentour. Je chantai l'ombrageux cavalier sur sa monture jaune pâle, et la brume qui les encerclait, sans oublier les étincelles provenant des sabots sur la roche. Je chantai les guerriers de la grande armée qui se baignaient dans le lac de montagne, et l'eau rougie par leurs blessures. Je chantai la femme aux cheveux d'or dans son berceau de verdure éclairé par le soleil, et je chantai le Tertre du Héros dérobé aux regards.

Lorsque j'eus terminé, je m'aperçus que Llew, près de moi, avait sombré dans le sommeil. Alors je m'allongeai sur le sable, bercé par le murmure des vagues contre les rochers, et, à mon tour, je m'endormis.

X

LE NEMETON

J'entendais toujours le murmure plaintif de la mer qui s'agitait dans son lit de rochers, mais le son peu à peu diminuait au fur et à mesure que nous pénétrions dans les terres. Je tenais dans ma main gauche un morceau de chêne érodé par la mer qui me servait de canne ; et de ma main droite, je tenais l'épaule de Llew pour qu'il me serve de guide. À en juger par la seule direction de mes pas, qui semblaient toujours descendre, j'imaginais que le paysage inclinait en pente douce depuis le promontoire abrupt que nous laissions à présent derrière nous.

Après cette nuit misérable passée sur la plage, où nous fûmes tenaillés par la douleur, le jour naissant avait fini par stimuler notre détermination à poursuivre coûte que coûte vers l'intérieur des terres, ce qui signifiait que nous aurions à escalader les falaises du promontoire au pied duquel nous étions. Ni l'un ni l'autre de nous n'aurait été capable de le faire seul. Et même à présent, je ne sais pas comment nous avons pu survivre. Cela nous prit pratiquement la journée entière, mais une fois le promontoire franchi, nous pûmes nous reposer à l'abri d'une large entaille entre deux pans de rochers, où avait poussé une abondante végétation ; nous commençâmes malgré tout à grelotter dès que le soleil disparut à l'horizon. Ce fut encore au matin que nous pûmes reprendre notre marche vers l'intérieur des terres.

Pendant que nous avancions, Llew me décrivait ce qu'il voyait. «Devant nous, il y a des collines, disait-il, qui plus loin se transforment en hautes montagnes, aux pics acérés. Sur les plus hauts d'entre eux, il y a même de la neige.

— Dans quelle direction ?»

Il fit une pause pour s'orienter grâce au soleil. «Sud-ouest, je pense. Les collines les plus proches ont des sommets arrondis et sont boisées… essentiellement des chênes et des hêtres, et quelques sapins. Juste devant nous, il y a un cours d'eau, mais il va nous falloir redescendre en escaladant pour pouvoir le rejoindre. Les forêts ne se trouvent que sur l'autre versant. Nous pourrons nous reposer un peu près de la rivière avant d'y entrer, et…»

Il suffoqua. Son épaule se raidit et il se tordit de douleur.

C'était encore une de ces violentes douleurs qui le reprenait… Une douleur aiguë, comme d'innombrables petites flèches incandescentes qui se mettent soudain à relancer sans prévenir. Lorsque cela se produisait, il s'arrêtait jusqu'à ce que la crise se passe, et il pouvait ensuite repartir. Je pouvais certes imaginer les souffrances provoquées par sa blessure — qui valaient bien, sans doute, les entailles brûlantes qui me transperçaient les yeux et m'incendiaient l'intérieur du crâne.

«Où pensez-vous que nous sommes ?, demanda-t-il au bout d'un certain temps, serrant les dents malgré lui.

— Les hauts sommets, au loin, sont-ils boisés ?

— Oui, je crois», répondit Llew ; sa gorge se contracta et il se raidit un peu. «Mais ils sont très loin. Je n'en suis pas sûr… il me semble que les versants sont assombris par la présence d'arbres.»

Nous reprîmes notre marche. «Il se peut que nous nous soyons échoués quelque part sur la côte septentrionale de Caledon. Si c'est le cas, les sommets que vous apercevez au loin sont ceux de Monadh Dubh.

— Clan Galanae, la tribu de Cynan… dont les habitants vivent au sud de Caledon…, compléta Llew sans être sûr.

— Très loin au sud. Très peu de gens vivent ici, à l'extrême nord, expliquai-je. Les terres sont inhospitalières et désertes. Ces hauts plateaux sont la proie de violentes tempêtes de vent… du genre de celle que nous avons subie. Ce n'est pas une terre très accueillante que vous avez devant vous ; nous n'y trouverons aucun roi pour nous accueillir.»

Avec précaution, nous redescendîmes le versant de la colline afin de rejoindre le petit cours d'eau, au bord duquel nous nous mîmes à genoux pour boire ; puis nous prîmes enfin du repos. Allongé dans l'herbe sur la berge, je me mis soudain à repenser au massacre qui avait eu lieu sur le tertre. Ma gorge se noua et une plainte s'échappa de mes lèvres. Comment aurais-je pu prévoir de telles atrocités ?

Même à présent, je n'y comprenais toujours rien. Comment aurais-je pu prévenir une telle attaque ? Je pouvais à peine croire ce qui était arrivé...

Lorsque la lumière du Derwyddi est éteinte et que le sang des bardes requiert justice, que les Corbeaux déploient leurs ailes au-dessus du bois sacré et du tertre saint...

Ainsi avait parlé la banfàith. De telles paroles, exprimées avec cette terrible certitude, étaient sur le point d'advenir. La communauté savante avait été massacrée, la lumière de leur sagesse s'était éteinte ; le sang des bardes s'exhumait en mille plaintes, implorant que justice soit faite. Eh bien soit !

Tout en récupérant mes forces sur le bord de la rivière, j'examinai minutieusement toutes ces pensées. Quelques instants passèrent, puis Llew fit un mouvement pour se rapprocher de moi. «Et maintenant ?

— Nous avons besoin de repos, répondis-je. Et de temps, pour laisser nos plaies se cicatriser.

— Est-ce que vous souffrez ?, demanda-t-il la voix crispée et le souffle court.

— Je ne sais pas ce qui me fait le plus mal ; si c'est la perte de ma vue, ou bien celle de mes frères. C'est comme si on m'avait brusquement arraché l'âme.»

Llew resta silencieux pendant quelque temps. «Nous ne pouvons pas rester ici, dit-il enfin. Ici, nous avons de l'eau, mais rien à manger, et rien pour nous abriter. Il faut que nous partions.

— Nous trouverons un abri à l'intérieur de la forêt.»

Nous restâmes un long moment sans pouvoir bouger ni l'un ni l'autre. Ce fut finalement Llew qui se leva, lentement. Je sentis sa main se poser sur mon bras, et il m'aida à me relever. «Je propose que nous suivions la rivière pour voir où elle conduit.»

La végétation devint de plus en plus épaisse au fur et à mesure que nous longions le cours d'eau, et rendait la progression particulièrement difficile. Mais ce petit ruisseau rejoignit bientôt une rivière, au bord de laquelle poussaient des arbres plus hauts, et où il y avait, de chaque côté, de larges étendues herbeuses qui nous permirent de nous déplacer plus facilement.

Nous marchions lentement, contraints de faire des pauses fréquentes et longues. Lorsque le soir tomba, nous n'étions pas très loin de notre point de départ. Mais la vallée creusée par la rivière offrait de nombreuses cavités et de nombreux vallons rocheux où nous pouvions trouver un bon abri. Je n'avais rien sur moi qui me permette de faire du feu, mais j'appris à Llew comment s'y prendre pour trouver quelques racines comestibles… qu'il trouva après avoir creusé la terre muni d'un bâton, et qu'il alla laver à la rivière. Peut-être allions-nous geler au contact de l'air glacial de la nuit, mais au moins, nous ne mourrions pas de faim.

Cette nuit-là, je fus réveillé par les cris de Llew. Il souffrait et tremblait de froid. Je le soulevai, et d'un pas chancelant, mal assuré, nous partîmes vers la rivière, où je l'obligeai à plonger son bras mutilé dans l'eau glacée pour l'engourdir. Cela lui procura quelque soulagement, mais dès que nous retournâmes à la froideur de notre campement, nous fûmes pris de frissons et ne pûmes plus fermer l'œil de la nuit. •

Le jour suivant, je m'assurai que Llew avait pu trouver une paire de silex et j'amassai moi-même une bonne quantité de mousse sèche pour pouvoir amorcer le feu ; cela pour être assuré d'un bon feu à partir d'aujourd'hui.

« À quoi sert la pierre de silex en elle-même ?, demanda Llew.

— D'autres pierres peuvent tout aussi bien produire une étincelle au contact d'un silex. Je vous montrerai, dis-je. Vous verrez. Je ferai de vous un barde avant que tous les deux nous y passions… Et puis nous sauverons aussi l'awen d'Ollathir…

— Montrez le chemin, ô Grand Esprit de Sagesse, dit Llew. Vous entendre, c'est vous obéir. »

De cette façon, nous finîmes par arriver en plein cœur de Caledon : en faisant des pauses, en marchant lentement, souffrant le martyre à chaque pas, nous arrêtant souvent pour plonger nos plaies brûlantes dans les eaux fraîches et pures de la rivière. Au cours de l'une de ces pauses, je contraignis Llew à défaire son bandage. « Décrivez-moi l'état de votre blessure, lui dis-je.

— Elle commence à se guérir.

— Décrivez-la. Je dois savoir si elle se cicatrise correctement. »

Il prit une profonde respiration et déroula les bandes d'étoffe avec lesquelles j'avais enveloppé sa blessure. Il se mit à gémir — autant par chagrin que sous l'emprise de la douleur — alors qu'il retirait le bandage de son moignon sanglant. « C'est noir, dit-il. Et il y a plein de petites esquilles à l'intérieur.

— Nettoyez-la dans l'eau et dites-moi ensuite ce que vous voyez », dis-je.

Il plongea délicatement son bras ; je l'entendis le baigner plusieurs fois de suite. « *Clanna na cù*, marmonna-t-il entre ses dents.

— Et maintenant, à quoi elle ressemble ?, demandai-je lorsqu'il eut fini.

— Plus rouge que noire. Certaines esquilles sont parties avec l'eau. Et cela recommence à saigner.

— Le sang… est-il bien rouge et épais, ou bien liquide et plutôt pâle ?

— Bien rouge et épais, il me semble.

— Et la chair autour de la blessure… est-elle enflammée et sensible au toucher, ou bien froide ? Quelle est sa couleur ?

— Eh bien…, répondit-il après quelques instants, … lorsque je la touche, elle est tiède, mais pas vraiment chaude. La peau est rouge et enflée, mais pas enflammée. Ici, vous sentez ? », dit-il ; et je sentis sa main saisir mon poignet droit et guider ma main. Il pressa l'extrémité de mes doigts sur sa blessure. « Ici. »

Je sondai délicatement le pourtour de la plaie. C'était tiède au toucher, c'est vrai, mais pas brûlant comme cela aurait été le cas s'il y avait eu inflammation. Lorsque j'en vins à effleurer la plaie elle-même, il sursauta en écartant brusquement son bras. « Je suis désolé.

— Alors, qu'est-ce que vous en pensez ?

— Je crois que la guérison en en bonne voie. Il faudrait remettre un bandage, mais propre.

— Où allons-nous trouver cela ? »

Je retirai mon siarc et commençai à en déchirer un lambeau. Llew protesta : « Non, pas votre siarc, Tegid. Vous avez besoin du peu qu'il en reste pour vous protéger du froid.

— J'ai encore ma cape, répondis-je tout en commençant à déchirer mon vêtement pour former des bandes de tissu. À présent, aidez-moi à les nettoyer dans la rivière. »

Nous nous mîmes tous les deux à genoux au bord de l'eau et commençâmes à rincer les bandages. Une fois terminé, je tendis l'ensemble à Llew en lui disant : « Étendez tout cela sur un buisson et laissez-les sécher au soleil. »

Llew fit comme je lui avais recommandé, puis nous nous endormîmes sous la chaleur du soleil. Lorsque les bandages furent secs, j'aidai Llew à refaire son pansement. Alors il dit : « À votre tour, maintenant. »

Je portai une main sur le bandage qui recouvrait mes yeux. « Ça va bien…

— Non, cela ne va pas bien, Tegid, dit-il tout net. Le pansement est plein de sang et de saleté. Il faut absolument le changer. »

Je me mis donc à dénouer le bandeau et à le dérouler ; le tissu collait à la plaie et nous dûmes tirer pour le dégager, et le sang se remit à couler. Je me mordis les lèvres pour éviter de crier. « À présent, il faut nettoyer », insista Llew.

103

Avec l'aide de Llew, j'approchai péniblement mon visage de l'eau et l'aspergeai délicatement, en particulier sur la zone meurtrie qui avait jadis été mes yeux. Le contact avec l'eau glacée fut presque un baume sur ma plaie brûlante, et je me sentis mieux.

Je relevai la tête et tournai ma face vers Llew. «Alors, ça se présente comment ? Décrivez-moi.

— L'entaille est nette, dit-il. Et autour d'elle, la chair est rouge et enflée ; il y a aussi un liquide jaunâtre qui suppure. Mais le sang a une bonne consistance… pas trop liquide.»

Je pressai l'extrémité de mes doigts sur les bords de la blessure et sentis la chair. Elle était sensible et enflammée. «Et mes yeux, comment sont-ils ?»

Même s'il essaya de maintenir le ton de sa voix égal et sans passion, je sentis que Llew était troublé par ce qu'il voyait. «Il y a tellement de sang coagulé et de chair tuméfiée… frère… je ne peux pas vous dire. Je pense qu'il vaut mieux continuer à les protéger avec un bandeau.»

Il avait peur de me dire ce que je savais déjà : que mes yeux étaient perdus. Depuis que Meldron m'avait cruellement frappé, je n'avais pu voir le moindre trait de lumière, la moindre silhouette. L'éclat du soleil et les ténèbres de la nuit ne faisaient aucune différence pour moi. Je ne retrouverais plus jamais la vue.

Nous restâmes deux jours protégés par un vallon plein de verdure, pour récupérer et ménager nos forces. Nous nous nourrissions des racines de plantes aquatiques qui poussaient dans la rivière et nous protégions du froid en faisant du feu grâce aux branches mortes que nous ramassions dans la forêt environnante. Ayant ainsi repris des forces, nous reprîmes notre marche en suivant le cours de la rivière. Cela me semblait bon. Jour après jour, pendant que nous marchions, j'instruisais mon aimable compagnon de la vie de la nature, des champs et des forêts. Llew fit le meilleur accueil à ce que je lui apprenais, car cela le détournait de ses souffrances ; il se montra même un élève plein d'intelligence et de vivacité. Il se souvenait de tout ce que je lui disais, et souvent, même, m'engageait dans des discussions très serrées concernant tel ou tel petit détail. Il suffisait que je lui dise une seule fois quelque chose, et il l'assimilait.

Après plusieurs jours de marche, nous arrivâmes à une cascade. La rivière qui jusque-là s'était dirigée vers le sud, devint plus étroite et plus encaissée, les rochers le long des rives plus imposants ; le paysage commençait à se vallonner, car nous approchions des montagnes. Nous fîmes une pause, assourdis par le bruit fracassant de la chute d'eau. Llew regarda fixement la cascade et dit : «Il va falloir que nous trouvions un passage aux alentours de cette source ; les rochers ici sont trop imposants et les falaises trop abruptes pour que nous puissions les franchir.

— C'est l'une des voies d'accès aux montagnes qui sont situées derrière nous», dis-je. Et au moment où je prononçai ces paroles, j'eus soudain la conviction profonde que nous avions été guidés jusqu'à cet endroit ; l'Être Infiniment Sage et Bon avait dirigé nos pas. «Maintenant, à nous... il faut que l'on passe par ici.

— Vous êtes sûrs ? Je ne vois pas comment nous allons pouvoir grimper.

— Eh bien, nous pouvons toujours essayer.»

Llew ne rechigna pas ; il s'assit et commença à inspecter la masse de rochers qui s'imposait devant lui. Après quelque temps, il dit : «Ces rocs énormes sont plus hauts que des maisons, et lisses... il n'y a aucun moyen de les escalader. Nous devrons trouver un passage parmi les rochers moins hauts, mais ici ils sont tous recouverts d'une épaisse couche de mousse verte, et humide à cause de l'eau qui les arrose sans cesse ; ils seront donc très glissants.» Il fit une pause, puis me demanda : «Êtes-vous sûr que c'est cela que vous voulez faire ?

— Oui, absolument.

— Nous pourrions peut-être rebrousser chemin le long de la rivière et essayer de trouver un autre passage...

— C'est là que l'on doit passer», lui dis-je. Puis je me relevai et me débarrassai du bâton de chêne qui m'avait servi de canne. «Je le sens... C'est par là qu'il nous faut passer...»

Llew ne fit plus aucune objection, et nous commençâmes à chercher notre passage en gravissant peu à peu le long de la masse rocheuse. Nous fûmes instantanément trempés jusqu'aux os à cause de la brume et du crachin provoqué par la cascade. De plus, le bruit constant de l'eau rendait tout échange difficile entre nous ; mais Llew, pour me guider, donnait ses indications en criant. Nous étions mis à rude épreuve, nous glissions, nous luttions pour trouver la moindre prise ; mais nous grimpions progressivement, plaqués contre la roche.

J'exécutai les gestes, plongé dans mes ténèbres intérieures, mes mains agrippaient la pierre, et sentaient son contact froid et rugueux sous les prises. Je me mis à songer aux pierres : pierres posées à la verticale, piliers rocheux, cercles de pierres qui témoignaient des puissances de la Terre. Je me mis à songer aux pierres des oghams, aux cairns de pierre. Et sur toutes ces pierres était gravé le motif du Môr Cylch, le labyrinthe de la vie.

Je me mis ensuite à imaginer la structure précise de notre parcours sinueux, comme s'il était sommairement barbouillé de peinture bleue. J'avais le sentiment que j'entrais dans ce Môr Cylch, posant aveuglément mes pieds le long de ce passage sinueux, tortueux, faisant entièrement confiance au Constructeur du Labyrinthe pour qu'il guidât mes pas.

« On ne peut pas aller plus loin, cria Llew par-dessus son épaule. Il va nous falloir revenir sur nos pas et trouver un autre passage. »

Moins crispé, il redescendit lentement vers l'endroit où j'étais en équilibre, plaqué contre la paroi rocheuse. Lorsqu'il reprit la parole, sa voix s'était rapprochée. « C'est trop abrupt, trop dangereux. Qu'est-ce que vous suggérez ?

— C'est moi qui vais guider.

— Tegid, mais vous êtes… » Il s'interrompit aussitôt. « Comment allez-vous faire ?

— Je vais guider », insistai-je.

En dépit de ses probables appréhensions, Llew ne discuta pas. Il n'exprima aucune de ses craintes, et permuta avec moi sur l'étroit rocher en saillie où je me trouvai. Je me plaquai le plus près possible de la paroi et, avec grande difficulté, mais aussi avec la prudence la plus extrême, nous échangeâmes nos places. Alors je me mis, lentement, avec l'attention la plus soutenue, à me concentrer sur l'itinéraire qui devait nous conduire au sommet de l'à-pic rocheux.

« Regardez bien mes mains et mes pieds !, lançai-je vers Llew sans me retourner. Et faites comme moi.

— Mais vous êtes fou !, hurla-t-il en retour.

— Oui, je le sais ! »

Cependant, nous continuâmes à grimper. Tremblant, contraint de m'arrêter, angoissé à chaque pas que je faisais, plongé dans mon noir intérieur, je cherchais le passage. Me fiant simplement à la force de mes doigts et de mes orteils, je finis par trouver une prise pour mon pied, puis une pour ma main, et puis une autre… Frémissant, un pas après l'autre, nous grimpions. Je conservais l'image du Labyrinthe de la Vie dans mon esprit, et chaque prise devenait alors un nouveau pas sur le chemin que je me représentais intérieurement.

Toujours plus haut, nous escaladions la muraille rocheuse. Nous étions mouillés, trempés, par la brume et le crachin. Nous faisions quelques pauses de temps en temps afin de rassembler nos forces éparses qui s'amenuisaient, qui s'effilochaient, puis nous reprenions l'escalade. Llew me lançait des paroles d'encouragement, me stimulait d'une voix forte.

Cela sembla durer un siècle, mais j'eus enfin l'impression que le mugissement de la cascade commençait à s'éloigner. «Llew, est-ce que vous voyez quelque chose ?, demandai-je en tournant légèrement la tête.

— Non, rien, répondit-il. La brume, le crachin... je ne peux absolument rien distinguer !»

Je m'apprêtai à reprendre l'escalade, mais, en dépit de mes tentatives, je ne parvins pas à trouver de nouvelle prise. Alors, dans un accès de désespoir, j'essayai d'atteindre la roche en m'étirant aussi loin et aussi haut qu'il m'était possible, agrippant mes doigts fermement sur une fissure, et je me lançai...

Je sentis mon pied heurter un rebord que je ne pouvais pas voir, mais la roche était lisse et je dérapai, manquant une nouvelle fois de prise. Si mes doigts n'avaient pas été bien arrimés à la fissure, je serais tombé. Je rebroussai prudemment chemin.

«Tegid ! Est-ce que ça va ?

— Oui, oui, répondis-je. Je vais essayer encore.

— Non ! Attendez...»

Je lançai le pied une nouvelle fois, et mon talon trouva appui sur l'étroite corniche invisible. Je permutai rapidement mes mains de place et ramenai ma jambe qui pendait dans le vide jusqu'à ce que mon pied ait atteint la corniche. Je me redressai brusquement, et sentis un vent frais me caresser le visage. Je tendis alors une main vers l'avant : la paroi rocheuse se mit brusquement à fuir sous ma paume. Un geste rapide, puis un autre, et je me retrouvai debout sur une large plate-forme.

J'enjoignis aussitôt Llew de venir me rejoindre ; il me répondit, toujours en forçant la voix : «Ne bougez pas ! J'arrive !»

Peu de temps après, il cria vers moi de nouveau : «Tegid, c'est trop espacé. Je ne peux pas enjamber... je ne trouve aucune prise...»

Je m'allongeai sur le ventre et tendis le plus possible la main dans le vide, dans sa direction. «Attrapez ma main !, criai-je.

— Je ne peux pas, Tegid.» Il y avait dans sa voix les accents de la douleur et de la rage contenue. «Je ne vais pas pouvoir tenir avec une seule main !

— Attrapez la mienne, Llew. Essayez de trouver, je pourrai vous soutenir. Étendez le pied jusqu'à la corniche et attrapez ma main. Je pourrai alors vous tirer jusqu'en haut.

— Non, Tegid. C'est trop loin. Je ne peux pas...

— Attrapez ma main, Llew.

— Je vous dis qu'elle est trop loin ! *Je n'ai plus qu'une main !*

— Faites-moi confiance, Llew. Je ne vous lâcherai pas. » Il se tut pendant un instant. «Llew ?

— Très bien, reprit-il lentement. Je vais compter jusqu'à trois. Prêt ? Jusqu'à trois : un... deux... TROIS ! »

Je m'arc-boutais. Sa main frappa la mienne ; mes doigts tombèrent sur son poignet et l'agrippèrent. Des pierres se détachèrent et allèrent se perdre dans le mugissement de l'eau, au-dessous. Un instant plus tard, Llew était en train de se hisser à côté de moi sur la plate-forme. « Tegid, vous y êtes arrivé !, dit-il en reprenant son souffle. Grâce à vous, frère... on y est arrivés ! »

Nous restâmes haletants sur la plate-forme. Puis, comme pour nous récompenser de nos efforts, le soleil se mit à briller, réchauffant les pierres et séchant nos vêtements. Nous nous mîmes sur le dos, aspirant littéralement la chaleur du soleil, écoutant les échos de la cascade, comme un murmure, si lointain, si lointain...

Lorsque finalement nous nous relevâmes pour continuer notre route, je demandai à Llew de me décrire ce qu'il voyait alentour.

«J'ai l'impression que nous sommes à l'entrée d'une petite vallée, répondit-il. La rivière a creusé une sorte de ravin en forme de cuvette. Très verdoyante. Une herbe fine et courte y pousse, et il y a d'innombrables rochers au milieu des arbres — qui sont très hauts. Plus on avance et plus la rivière est large et profonde. Le vallon est en courbe ; il disparaît peu à peu au loin. Je ne parviens pas à distinguer ce qu'il y a au-delà du méandre, pas plus que ce qu'il y a au-dessus de la crête de la vallée. » Il s'arrêta et se tourna vers moi. «Alors, frère, qu'est-ce que vous en dites ?

— Continuons le long de la rivière et cherchons un endroit pour camper, répondis-je. Et si vous voyez sur le chemin une branche pouvant me faire office de canne, elle sera la bienvenue. »

Après ces mots, nous reprîmes notre marche. Llew dirigeait mes pas, et nous escaladions par-dessus ou au milieu des rochers le long de la rivière. J'écoutais tous les bruits, humais le vent et le passais au crible, en quête de quelques signes. Au milieu du bruit causé par la rivière, j'entendais le cri des oiseaux qui s'appelaient : celui, ténu, du grimpereau, le gazouillis chantant de la fauvette, et haut, très haut dans le ciel, le cri, comme une sorte de miaulement, d'une buse qui tournoyait paresseusement au-dessus des arbres. Parfois, j'entendais le bruit d'un poisson bondissant hors de l'eau, ou bien le bruissement furtif d'un animal qui courait se cacher dans les fourrés dès qu'il nous sentait approcher. Je humais les bonnes odeurs de la terre, des feuilles en décomposition, du bois humide qui commence à pourrir ; et puis les senteurs, fraîches et pures, de l'air nettoyé par le soleil ; la discrète présence parfumée des fleurs.

Après quelque temps, Llew fit une pause. «Il y a un groupe de sapins, pas très loin devant nous», dit-il d'une voix brisée par la douleur. L'escalade de ces chutes d'eau l'avait épuisé, et sa blessure recommençait à lui faire mal. «Nous devrions peut-être nous y arrêter et installer notre campement.»

Nous marchâmes jusqu'à l'endroit qu'il avait suggéré, où nous trouvâmes une clairière bien à l'abri au milieu des arbres. Le sol était recouvert d'un amas d'aiguilles de sapin, moelleux sous nos pas ; les branches au-dessus de nos têtes formaient un abri correct. Il y avait de larges pierres rassemblées en un vague cercle, lesquelles formaient une sorte de caer rudimentaire où nous pourrions faire notre feu et dormir. Après s'être un peu reposé, Llew entreprit d'aller ramasser du bois, et je me réservai la tâche de nettoyer un espace pour installer le feu.

Alors que je m'activais, me sentant protégé par le caer qui m'encerclait, j'entendis la brise gémir au sommet des arbres. Le soleil rejoignait lentement l'horizon et le vent s'était levé, venu de l'est où peu à peu il avait pris de la puissance. La nuit s'annonçait plutôt fraîche et nous serions heureux de pouvoir jouir d'un bon feu, ainsi que j'en informai Llew lorsqu'il revint avec le bois.

«Alors je vais aller encore en ramasser», dit-il. Je suis bien sûr que c'était bien la dernière chose qu'il avait envie de faire, mais il partit cependant marcher au milieu des arbres.

Essayant, lentement, de trouver mon chemin, je marchai à tâtons jusqu'au bord de la rivière, où je récupérai plusieurs pierres lisses et rondes. Après plusieurs voyages, j'en eus rassemblé suffisamment pour pouvoir installer un foyer rudimentaire, en forme de cercle. Alors que je commençai à arranger les pierres pour former le foyer, je crus percevoir les effluves d'une odeur familière.

Je m'interrompis, puis m'assis, dressant la tête et tournant mon visage face au vent. J'attendis un moment, mais l'odeur finalement se déroba. Ce n'était peut-être, pensais-je, que le fruit de mon imagination...

Je repris mon occupation, et peu de temps après, le vent se mit à souffler par rafales ; alors je sentis à nouveau la même odeur. J'étais certain cette fois qu'il ne s'agissait pas de mon imagination : c'était l'odeur d'un feu de chêne. Je tournai mon visage vers le vent. J'étais immobile dans cette position lorsque Llew revint.

«Qu'y a-t-il ?, demanda Llew en se débarrassant de sa charge. Qu'avez-vous entendu ?

— Rien, répondis-je. Mais j'ai senti une odeur... un feu de chêne.» Je lui indiquai la direction du vent. «Cela vient de par là. Et je pense que ça n'est pas très loin...

— Quoi, un village ?

— Je ne sais pas.

— Il va bientôt faire nuit, remarqua Llew. Mais quand même, nous devrions aller voir.

— Oui, allons-y ensemble.

— Au fait, dit Llew — il se pencha vers moi pour me prendre par le poignet — Je vous ai rapporté ceci.»

Il poussa dans ma main l'extrémité d'un morceau de bois, de diamètre assez fin, et dont l'écorce était douce au toucher ; un bois souple, mais résistant : du frêne, je pense. «Lorsque j'aurais à nouveau un couteau, nous vous sculpterons un bâton de marche digne de ce nom», dit-il.

Nous avançâmes à pas lents le long de la rivière, en suivant l'odeur de fumée. Llew ne tarda pas à me dire, lui aussi : «Je sens l'odeur à présent. Nous ne devons pas être très loin... Mais aucun signe d'une présence, quelle qu'elle soit.

— Ce sont peut-être des chasseurs», répondis-je.

À présent, Llew s'était arrêté. Il posa sa main contre ma poitrine pour me faire signe d'arrêter. «Ça y est, je vois !, murmura-t-il. je vois la fumée... un panache qui s'éloigne au-dessus de l'eau. Le village doit se trouver un peu plus loin.»

Nous reprîmes notre marche, tranquillement, lorsque, seulement quelques pas plus loin, Llew s'arrêta de nouveau. «Je crois, dit-il, qu'il y a un passage à gué, ici.» Au moment même où il prononça ces mots, j'entendis un bruissement d'eau retenue par des rochers. «Nous pouvons aller sur l'autre rive... Préférez-vous que j'aille au-devant pour savoir qui est l'auteur de ce feu ?

— Guidez-moi. Nous irons ensemble.»

Mon bâton dans une main et de l'autre main tenant le bras de Llew, nous traversâmes à gué. Les pierres étaient étalées bien à plat, de sorte que je n'eus aucune difficulté à traverser. Mes pieds n'avaient pas encore touché la rive opposée que je crus percevoir dans l'air une atmosphère étrangement calme, imprégnant même la terre.

«Il y a un groupe de chênes juste devant nous, murmura Llew. Les arbres sont très imposants.»

« — Eh bien allons-y, répondit-il. Mais restez tout de même vigilant. »

Nous commençâmes à avancer ; quelques pas plus loin, je sentis quelque chose qui changeait autour de moi. Il faisait plus frais dans le bosquet, et plus humide... une odeur forte de végétation avec des relents de fumée, de troncs recouverts de mousse et de feuilles mortes. L'air était calme, les lieux envahis de silence. On n'entendait aucun bruit... pas un souffle de vent dans les feuilles, pas un mouvement furtif dans les fourrés, aucun chant d'oiseau.

Nous avançâmes avec grande précaution, en nous serrant au plus près des arbres. Brusquement Llew se raidit, me toucha le bras et s'arrêta. « Qu'est-ce que vous avez vu ?, chuchotai-je.

— Il y a là une sorte de motif particulier... il est gravé. Ici... »

Il me prit la main et la souleva jusqu'au tronc qui se trouvait près de moi. L'écorce en avait été ôtée et on avait gravé quelque chose sur la surface lisse du bois. Je reproduisis le motif avec mes doigts ; c'était un dessin grossièrement exécuté, un cercle vide avec une tige étroite qui en traversait le centre. Une roue ayant pour axe une lance.

« Il y en a d'autres, chuchota Llew. Chaque arbre en possède au moins un. »

Je n'avais pas besoin de voir ces motifs sculptés sur ces chênes imposants pour savoir que nous étions arrivés sur un lieu de haute importance. Je ressentais le profond silence du bosquet... une sorte de silence venu des temps immémoriaux, des temps où l'homme n'avait pas encore fait son apparition sur la terre, où les forêts, même, n'existaient pas... un silence qui submergeait tous les sons, apaisant, presque étouffant, pacifiant. Une paix qui réconciliait toute chose avec elle-même.

Le motif sculpté sur le tronc des arbres permettait d'identifier le bosquet. Celui-ci appartenait à Gofannon, le Maître de la Forge. Nous étions ici dans son sanctuaire.

« Nous sommes ici dans un *nemeton*, murmurai-je ; un endroit très ancien, un lieu sacré. Ce bois est consacré à Gofannon ; nous sommes chez lui. Venez, dis-je en tirant doucement Llew par le bras, nous allons lui rendre hommage et voir s'il peut avoir quelque compassion pour nous. »

Sans faire de bruit, nous pénétrâmes plus avant dans le nemeton. Sur mon passage, j'effleurais avec les mains les troncs rugueux des grands arbres, humais la douce odeur de fumée, un peu sèche, du bois de chêne qui brûlait... m'approchant peu à peu avec Llew du cœur du sanctuaire pour affronter la présence du Seigneur du Bosquet.

XI

L'OFFRANDE DE GOFANNON

« Il est là. » La respiration de Llew était à peine audible. « C'est...
Tegid... Il est immense... un géant.
— À quoi ressemble-t-il ? Décrivez-le.
— Imaginez un homme de grande taille et multipliez par deux. Ses
bras ne sont qu'une masse de muscles épais qui les font davantage
ressembler à des branches de chênes qu'à des membres humains. Il est
recouvert d'une toison rêche de poils noirs... sur les bras, sur la
poitrine, les jambes, les mains, sur la tête aussi. Une longue barbe
fourchue, et une non moins longue chevelure noire, qu'il porte
rattachée derrière la nuque à la façon d'un guerrier. Sa figure...
Attendez ! Il se retourne... et regarde dans notre direction ! »
   Llew m'agrippa le bras sous l'emprise de l'émotion. « Il ne nous
a pas encore aperçus.
— Quoi encore ? Essayez de m'en dire plus. À quoi ressemble-
t-il ? Qu'est-il en train de faire ?
— Sa peau est noire... noircie par la fumée. Ses yeux sont noirs
également ; et il a de grands sourcils épais, et noirs. Il a le nez aplati
et immense ; sa moustache est impressionnante... elle lui recouvre
la bouche et, à ses extrémités, forme une petite boucle qui
remonte. Il n'est vêtu que de breecs en cuir ; la poitrine et les bras
nus... à l'exception de deux énormes bracelets en or lui ceignant
chaque poignet.
— Et que fait-il ?
— Il est assis sur un petit tertre de terre à l'entrée d'une grotte.
La grotte possède une sorte de portique : deux grands piliers en

pierre équarrie surmontés d'un linteau, de pierre également. Les deux piliers possèdent plusieurs niches, trois de chaque côté, avec des crânes à l'intérieur… d'oiseaux et de divers animaux, je crois… et sur le linteau est sculpté le motif du Nœud infini. Les crânes et le motif sculpté sont recouverts d'une couche d'enduit bleu. Il y a une pierre et une enclume juste à l'entrée de la grotte. Près de la pierre, je vois un marteau — immense —, le plus grand marteau que j'aie jamais vu. Et il y a des pinces sur l'enclume.

— Continuez, le pressai-je. Qu'y a-t-il encore ?

— Il est assis près d'une sorte de cratère de feu et tient une immense broche dans les mains. Sur la broche, il y a de la viande… un mouton tout entier, ou un cerf. Il est en train de préparer la viande… s'apprête à la faire rôtir. Il n'y a pas encore de feu, et… il regarde à nouveau dans notre direction. Tegid ! Il nous a vus ! »

J'entendis une voix, profonde, comme venue des profondeurs de la Terre, sévère et autoritaire.

« Bienvenus, petits hommes, dit le Seigneur du Bosquet. Restez debout et approchez-vous. »

Même si le ton qu'il avait adopté était autoritaire, je ne ressentais aucune menace ni aucune malveillance dans sa voix. Toujours agrippé à mon bras, Llew me tira avec lui et nous avançâmes lentement sous le regard scrutateur de la créature.

« Nous vous saluons, Seigneur, dis-je à voix haute, nous nous inclinons avec respect et avec toute la considération due à votre rang. »

Gofannon répondit : « Que m'apportez-vous en gage de ce respect que vous dites me porter ? Quelle est votre offrande ?

— Seigneur, répondis-je en parlant dans la direction de la voix qui s'était adressée à moi, nous sommes des exilés qui cherchons un refuge dans un pays qui nous est inconnu. Nous avons été attaqués par des ennemis qui nous ont abandonnés à notre sort. Nous ne pouvons vous apporter que l'hommage discret de notre compagnie, celui que notre seule présence peut vous offrir. Mais si vous estimez toutefois que cette humble offrande reste conforme à vos mérites, nous vous l'offrons de bon cœur.

— C'est là un don fort précieux en vérité, répondit l'ancêtre avec gravité. Car cela fait bien longtemps que je n'ai accueilli des hommes au sein de ce bosquet. J'accepte votre offrande avec plaisir. Asseyez-vous avec moi et partagez mon repas. »

Nous fîmes quelques pas pour nous rapprocher — Llew me tenait par le coude afin de me guider —, et nous nous assîmes à même le sol.

« Est-ce que vous me connaissez ?, interrogea l'ancêtre.

— Seigneur, vous êtes le Chercheur de Secrets, répondis-je. Le Bêcheur de Minerais, l'Excavateur de Trésors. Vous êtes l'Affineur, le Mouleur de Métal, le Maître de la Forge. »

La voix caverneuse et tonitruante acquiesça. « Je suis tout cela... et plus encore. Oseriez-vous prononcer mon nom ?

— Vous êtes Gofannon, répondis-je d'un ton plein d'assurance, même si je tremblais intérieurement.

— Je suis celui-là », répondit le seigneur. Je percevais une certaine satisfaction dans sa voix. Il était content de ses hôtes. « Comment se fait-il que vous me connaissiez et que vous connaissiez mon nom ?

— Je suis barde et fils de barde, Seigneur Tout-Puissant. Je suis instruit des choses de la terre et du ciel, et de toutes celles qui sont utiles aux hommes.

— Avez-vous un nom, petit homme ?

— Je m'appelle Tegid Tathal, dis-je.

— Et le petit homme qui vous accompagne, dit Gofannon, a-t-il un nom ? Ou bien partagez-vous tous les deux le même nom ?

— Il possède un nom, Seigneur.

— Et possède-t-il une langue ? Ou bien êtes-vous possesseur d'une seule langue qui vous serve à tous deux ?

— Il possède une langue, Seigneur.

— Alors pourquoi ne prononce-t-il pas son nom. J'aimerais l'entendre, à moins qu'il y ait quelque empêchement. » Je perçus une légère inflexion dans la voix du géant au moment où il se tourna pour s'adresser à mon muet compagnon.

« Rien ne m'en empêche, Grand Seigneur, articula Llew avec douceur. Et je n'ai aucunement perdu ma langue.

— Alors parlez, petit homme. Je vous y autorise et je vous y engage.

— Je m'appelle Llew. J'étais jadis un étranger au pays d'Albion. Mais celui qui se trouve avec moi devant vous m'offrit son amitié.

— Je vois beaucoup de choses, petit homme. Je vois que vous êtes blessé, dit Gofannon. Vous avez perdu une main, et votre ami a perdu la vue. Et je vois bien que ces blessures continuent à vous faire souffrir. Comment cela est-il arrivé ?

— Nos ennemis nous ont attaqués à l'intérieur d'un lieu sacré, dit Llew. Tous les bardes d'Albion ont été massacrés. Nous seuls avons survécu, mais ils nous ont mutilés, puis abandonnés à notre sort à bord d'une barque. »

Le seigneur du bosquet sacré se mit à réfléchir longuement. Pendant qu'il retournait et retournait dans son esprit sagace les mots que nous lui avions dits, il émettait, comme pour en peser le vrai et le faux, un grondement sourd venu des profondeurs de sa gorge. « À présent, je vous connais », répondit enfin Gofannon. Et je ressentis une fois encore qu'il était satisfait. « Allez, nous allons partager ce repas. Mais au préalable, il faut aller chercher du bois pour faire du feu. »

Les mots qui suivirent furent adressés à Llew. « Vous, petit homme, vous allez casser du bois pour le feu. »

J'entendis le géant se lever et s'éloigner. Llew murmura : « Il m'a demandé d'aller couper du bois. Mais avec ma main... comment pourrais-je me servir d'une hache ? Je ne peux pas...

— Dites-le-lui.

— Voici la hache, dit Gofannon dès qu'il fut revenu. Il y a du bois par là-bas. Coupez-en suffisamment pour que le feu dure toute la nuit, car nous en aurons besoin.

— Je vous rendrais service avec grand plaisir, Seigneur, dit Llew poliment. Mais je suis blessé, comme vous avez pu le voir. Je ne puis tenir la hache, encore moins couper du bois. Peut-être pourrais-je me mettre à votre service d'une autre manière... »

Llew avait rejeté la requête avec grande courtoisie, et pourtant le Maître de la Forge ne se laissa pas attendrir. « Vous aviez deux mains, et vous en avez perdu une. Ne vous reste-t-il pas l'autre ?

— Oui, répondit Llew, mais ma blessure...

— Eh bien utilisez la main qui vous reste... »

Llew n'ajouta plus rien. Il se leva, et quelques instants plus tard, j'entendis le poids de la hache alors qu'il commençait lentement, maladroitement, à obéir. Je considérais la réaction de Gofannon plutôt sévère, mais estimais plus prudent de ne pas intervenir.

Je me contentais d'écouter le bruit sourd de la hache, et la respiration de Llew qui s'essoufflait. Et je serrais les dents pour lui, partageant sa douleur et sa déception pendant qu'il maniait la hache du géant.

Lorsque finalement Llew mit un terme à son travail, Gofannon lui demanda d'apporter le bois près du foyer. Llew s'exécuta sans protester, même si je savais que sa blessure avait dû le relancer pendant son supplice. Il fit plusieurs voyages, du tas de bois jusqu'au foyer, n'utilisant que sa seule main valide. Puis, dès qu'il eût posé la dernière bûche, Llew s'écroula près de moi sur le sol.

Il était trempé de sueur et tremblait d'épuisement et de douleur. « Voilà, c'est fait, marmonna-t-il entre ses dents.

— Détendez-vous, dis-je pour l'apaiser. Reposez-vous.

— Bon travail !, cria le Seigneur de la Forge. Nous allons pouvoir manger. »

En disant cela, le géant frappa dans ses mains, et j'entendis aussitôt le crépitement d'un feu, et une bonne odeur de viande en train de cuire se répandit dans l'air et me mit l'eau à la bouche ; mon estomac brusquement réclamait... Alors que Gofannon s'affairait à sa tâche, Llew restait étendu sur le sol, cherchant à reprendre des forces, et j'entendais le grésillement de la graisse qui fondait chaque fois que le Seigneur du Bosquet tournait la broche et que le jus brûlant crépitait dans les flammes.

Le temps qu'il avait fallu attendre pour que la viande soit cuite avait provoqué en moi des étourdissements de faim.

« Mangeons ! », cria soudain le Mouleur de Métal qui ne pouvait plus attendre. J'entendis ensuite un bruit sec, puis le son assourdi de quelque chose que l'on arrache ; enfin, tout ce que je sais, c'est que je me retrouvai avec un cuissot de chevreuil rôti et fumant dans les mains. Il y eut à nouveau ce bruit sec de quelque chose que l'on arrache, et Llew se vit également présenter un cuissot tout entier. « Il y a là de quoi manger pour une semaine ! », murmura-t-il. Enfin le reste de l'animal fut réservé à notre hôte gigantesque.

« Mangez, mes amis ! Rassasiez-vous ! », vociféra-t-il gaiement. Puis j'entendis un son étouffé alors que Gofannon se mettait à ronger son morceau de viande jusqu'à l'os.

Abandonnant toute retenue, j'approchai le cuissot jusqu'à mes lèvres et commençai à manger. Je malmenai la viande avec mes dents, me remplissant la bouche avec avidité, heureux de pouvoir savourer et de pouvoir me réchauffer. Tout le jus si plein de saveur dégoulinait sur mon menton et dans mon cou, sur ma poitrine. Je n'y prenais pas garde, j'avais trop faim...

« Seigneur Gofannon, dit brusquement Llew, je n'ai jamais dégusté une viande aussi bonne ! D'ailleurs, une seule bouchée partagée avec vous nous aurait déjà prouvé votre générosité...

— Un repas qui n'est pas partagé est un repas bien pauvre, répondit l'ancêtre avec affabilité. En revanche, lorsque la nourriture est partagée entre gens de bonne compagnie, le repas devient une véritable fête ! »

Le seigneur des lieux se mit à rire, et puis nous avec lui, remplissant le bosquet des sonorités les plus joyeuses. Nous mîmes un terme à notre repas, le sang affluant à nos joues du seul plaisir de sentir nos estomacs remplis d'un repas chaud.

« Buvez avec moi, petits hommes ! », s'exclama l'ancêtre d'une voix qui fit trembler les feuilles sur les branches des chênes. Il frappa dans ses mains qui résonnèrent comme un grondement de tonnerre.

« Je ne peux pas y croire ! », murmura Llew le souffle coupé en se penchant vers moi.

J'entendis un bruit énorme, comme si un rocher venait de tomber dans un étang profond. « Que s'est-il passé ?

— Une apparition…, chuchota Llew.

— Quoi, une apparition ?, chuchotai-je en retour. Dites ! C'est vous qui voyez pour moi… Décrivez-moi ce qui se passe.

— C'est une véritable cuve ! Une cuve remplie de bière couleur d'or, d'une taille… » Il cherchait ses mots d'une voix hésitante. « Elle est énorme ! Cette cuve pourrait contenir au moins cinquante hommes ! Et servir à boire à au moins trois centaines d'entre eux ! »

J'entendis à nouveau le même son impressionnant, puis me retrouvai avec une coupe entre les mains. Mais quelle coupe ! Un gobelet… de la taille d'un seau ! Et qui était rempli de bière mousseuse.

Gofannon s'exclama : « Buvez ! Buvez, mes amis ! Buvez et soyez heureux ! »

Je levai l'énorme gobelet et avalai de longues gorgées de cette bière froide et rafraîchissante. C'était la meilleure mixture, aigre-douce, légèrement piquante sur la langue, pleine de saveur, d'une consistance presque crémeuse… de loin la meilleure que j'aie jamais goûtée — et j'ai pourtant bu à la cour des rois.

Pensant que Llew n'allait pas être capable de soulever son propre récipient, je me retournai vers lui et lui offris le mien. « Ne vous en faites pas, frère », répondit-il avec chaleur, léchant la mousse sur sa moustache. « J'ai simplement plongé la tête entière dedans ! »

Il se mit à rire, et j'entendis là les accents d'un homme qui commençait à se ressaisir. Nous bûmes et nous mîmes à rire encore, et je sentais progressivement les douleurs de ma blessure, de même que les tourments provoqués par la perte de ma vue, se relâcher et tomber finalement comme un fardeau qu'on largue sur le pas de la porte. Mais ce n'était pas seulement l'effet de la bière, de la nourriture, de notre hilarité. Nous étions en présence du Grand Seigneur de la Forge, rien de moins… dont la seule complicité se révélait pour nous être un véritable bain de Jouvence, une chance d'un prix inestimable. J'en oubliai mes blessures et la faiblesse de mon état ; en présence de l'Être Infiniment Bon, je retrouvai toute ma vigueur et toute la plénitude de mes forces.

Lorsque nous eûmes bu et mangé tout notre saoul, Gofannon s'adressa à moi : « Vous m'avez dit que vous étiez barde. Quel rang occupez-vous ?

— Je suis le penderwydd de Prydain, répondis-je. Auparavant, j'avais été le chef des bardes de Meldryn Mawr. »

Notre hôte émit à nouveau un grondement sorti des profondeurs de sa gorge, puis dit : « Il y a bien longtemps que je n'ai pas entendu résonner la chanson d'un barde au sein de mon bosquet.

— Si cela peut vous être agréable, Grand Seigneur, je chanterai, dis-je. Qu'aimeriez-vous entendre ? »

Le Maître des Artisans réfléchit un instant, continuant à grommeler en lui-même : « Bladudd le Souillé », répondit-il finalement.

Un choix étrange, pensai-je. *Le Chant de Bladudd* est très ancien. Il est peu connu et rarement chanté ; peut-être parce qu'il n'évoque aucune bataille.

Comme s'il avait pu lire dans mes pensées, Gofannon dit : « C'est une histoire que l'on n'entend pas raconter souvent, je le sais. C'est pourtant celle que je voudrais entendre. Un vrai barde, digne de ce nom, se doit de la connaître.

— Eh bien soit », dis-je en me relevant. Mais, debout devant lui, je m'aperçus que quelque chose me manquait… « Il me faut d'abord vous faire mes excuses, Seigneur, car je n'ai pas de harpe. Cependant, je ferai en sorte, je vous le promets, que le chant n'ait pas trop à en pâtir.

— Il n'en est pas question !, vociféra Gofannon d'une voix qui fit trembler les arbres. Pourquoi devrions-nous pâtir de quoi que ce soit quand il est si facile de l'obtenir en demandant ?

— Grand Seigneur, répondis-je tout en continuant à trembler à cause de la puissance de la voix, auriez-vous l'extrême bonté de me procurer une harpe ?

— Une harpe !, cria-t-il. Vous réclamez une harpe, et vous restez les bras ballants le long du corps ! Présentez-moi vos mains, si vous voulez recevoir quelque chose ! »

Je présentai les mains, et l'on me présenta une harpe. Mes bras se refermèrent sous le poids de l'instrument, si familier et réconfortant, et je le nichai contre ma poitrine et mon épaule. Je passai une première fois un doigt sur les cordes et trouvai le son plein et mélodieux. Et de plus, l'instrument était accordé. Je plaquai un accord, et l'air se mit à se remplir d'un son magnifique, aux sonorités chaudes et vivantes. La harpe était d'une bonne facture ; il y avait un vrai plaisir à la manier et à l'écouter.

Je me concentrai un instant avant de chanter, pendant que mes auditeurs s'installaient pour écouter le chant. Puis, libérant un accord aux mille couleurs, je commençai : « Il y a bien longtemps, à une époque où les porcs n'avaient pas encore fait leur apparition dans Albion, à une époque où les bœufs ne nourrissaient pas encore la table des rois, régnait à Caledon un monarque de puissante renommée, dont le nom était Rhud Hudibras. » Mon hôte imposant approuva d'un grognement, et l'histoire put commencer.

« Or, ce chef de clan, un homme de bien, fort apprécié par son peuple, avait trois fils. Le premier était un chasseur et un guerrier de talent et d'adresse, et le second était semblable au premier. Les deux jeunes gens ne trouvaient rien de plus agréable que d'organiser des fêtes en s'entourant de la meilleure compagnie et en écoutant les chants des bardes. Pour eux, la vie était belle, pour peu que la bière coule à flots et qu'ils tiennent une jeune fille dans leurs bras.

« Mais le troisième fils n'avait pas le moindre intérêt pour la chasse ni pour la guerre. Bien préférable pour lui était la quête de la sagesse. Oui, préférable était pour lui la connaissance, plutôt que les chants des bardes avec leurs harpes, plutôt que les fêtes avec des amis, plutôt même que la taille svelte d'une jeune fille qu'il aurait pu tenir dans ses bras. Son nom était Bladudd. La connaissance et la vérité avaient toujours fait ses délices, et cela de la façon qui suit :

« Un jour, le roi Rhud fit appeler ses trois fils et leur parla avec bonté, en disant : "Je suis tout à votre service, mes chers enfants. J'ai mille choses à vous offrir. Vous n'avez qu'à parler. Ouvrez-moi votre cœur et dites-moi quels sont vos désirs. Demandez-moi tout ce que vous voulez et cela vous sera accordé."

« Les deux premiers fils répondirent au roi leur père : "Tout notre plaisir réside dans la chasse et dans la fête, ainsi que vous le savez. C'est la raison pour laquelle nous ne vous demandons rien d'autre que de bons chevaux, une grande quantité de jeux, la chaleur d'un feu et de quoi trinquer en compagnie d'amis fidèles à la fin de nos journées remplies."

« Le Grand Roi les écouta, puis il dit : "Tout cela, vous l'avez déjà. N'y a-t-il pas autre chose que je puisse vous donner ?" Car il n'avait rien d'autre dans le cœur et à l'esprit que d'octroyer les plus beaux cadeaux pour ses enfants bien-aimés.

« Les deux fils, des jeunes gens robustes et pleins d'ardeur, tinrent conseil ensemble et lui répondirent enfin : "Vous avez raison de dire que nous avons déjà tout ce que nous désirons. Cependant, il y a une chose que nous n'avons pas encore."

« Vous n'avez qu'à nommer cette chose, et elle est à vous, dit Rhud, Père plein de Sagesse.

« Alors les fils firent cette réponse : "Nous voudrions avoir devant nous un nombre d'années sans fin, de manière à pouvoir continuer à jouir éternellement de ces plaisirs.

« — Si tel est votre souhait, répliqua Rhud, rien n'est plus facile. Y a-t-il encore autre chose ?

« — C'est là notre réponse à votre question, répondirent les deux chasseurs. Nous ne voulons rien d'autre.

« — Fort bien, dit le bon roi. Vous pouvez disposer. Ce que vous m'avez demandé vous est accordé."

« Alors le roi, Seigneur plein de Sagesse, se tourna vers son fils cadet, lequel se tenait un peu en retrait, le front plissé, réfléchissant. "Bladudd, mon fils bien-aimé, dit le père. Je suis tout à ton service. J'ai mille choses à t'offrir. Tu n'as qu'à parler. Ouvre-moi ton cœur et dis-moi quels sont tes désirs. Demande-moi tout ce que tu veux et cela te sera accordé."

« Bladudd, qui avait beaucoup réfléchi pendant tout ce temps, répondit sans hésiter : "Père, sachant que vous êtes un homme de parole, je vous répondrai avec la plus grande franchise. Ainsi que vous le savez, la quête de la vérité et la recherche de la sagesse sont ce à quoi j'aspire le plus profondément. Pourtant, je désire tout de même quelque chose, sans savoir si cela me procurera de la peine ou de la joie. J'hésite à m'en ouvrir à vous de crainte que cela me soit refusé.

« — De quoi s'agit-il, mon cher fils, demanda le père. Ouvre-moi ton cœur, n'aie aucune réticence devant moi, et je n'en aurai aucune à ton égard.

« — Alors laissez-moi vous dire mon désir de partir pour un long voyage ; dans un pays lointain où je pourrais parfaire ma connaissance de manière à connaître la vérité de toutes choses ; et, connaissant la vérité, je gagnerai beaucoup en sagesse. Car je ne vous mens pas si je vous dis que j'ai appris ici tout ce qu'il est possible d'apprendre au sein de ce royaume… y compris tous ses charmes et tous ses attraits. Mais que sont les charmes et les attraits, comparés à la Vérité ?"

« Lorsqu'il entendit ceci, Rhud, père toujours plein de sagesse et d'amour, se mit à gémir et à pleurer de joie en même temps. Il gémissait parce qu'il savait quelles difficultés attendraient son fils bien-aimé ; et il pleurait de joie parce que Bladudd exprimait là un désir plus précieux que tout autre. Alors il lui dit : "Quel est donc ce pays lointain ? Quel est son nom ?"

« Bladudd répondit : "C'est le royaume qui s'étend à l'ouest, au-delà de la ligne où, dans la mer, le soleil se couche. Elle a pour nom la Terre Promise, et là-bas l'enfant le plus jeune est plus sage que le plus sage des hommes dans le royaume des mondes."

« Le roi Rhud leva ses deux mains et dit : "Tu peux partir en paix, mon fils bien-aimé. Ton souhait est exaucé."

« Le jour même, Bladudd s'embarqua sur un navire. Il voyagea longtemps, et très loin, le cap toujours vers l'ouest, en direction de la ligne où, dans la mer, le soleil se couche. Le pays lointain, il ne l'atteignit pas en quelques jours ; cela ne se comptait d'ailleurs pas en jours. Six lunes passèrent au-dessus de sa tête, et puis encore deux. La nuit de la nouvelle lune qui suivait — la neuvième, et c'était Beltain —, il sombra dans un profond sommeil. Il tira sa cape au-dessus de sa tête, ferma les yeux, et s'abîma bientôt dans le sommeil le plus lourd qu'il eût jamais connu.

« Il lui semblait que très peu de temps était passé, lorsqu'il entendit quelque chose qui ressemblait au bruit d'une puce. Il se réveilla, repoussa brusquement sa cape : il aperçut alors une lumière vacillante et entendit une faible musique. La lumière brillait tout autour de lui et venait de la mer. Bladudd se redressa et, agrippant le bord de la barque avec ses mains, plongea son visage dans l'eau pour voir d'où venait la lumière.

« Si la lumière resplendissant au-dessus des vagues était un véritable plaisir des yeux, celle qui rayonnait sous les flots était aveuglante. La musique, elle, était la plus ravissante qui lui ait été donnée d'entendre. Et pourtant, ce n'était ni la lumière ni la musique qui retinrent son attention. Pas du tout. Ce qui capturait l'attention de Bladudd, c'était le spectacle des collines rondes et verdoyantes, celui de tous les pommiers en fleurs qui se trouvaient devant lui.

« Là où auparavant il n'avait eu sous les yeux que les poissons et les algues, il voyait maintenant des oiseaux et des fleurs... des oiseaux aux couleurs éclatantes et de vastes prairies couvertes de fleurs bleues et blanches. Les oiseaux vinrent se poser sur les branches des pommiers et commencèrent à chanter un chant si mélodieux que Bladudd crut que son cœur allait éclater. C'était comme si, avant de percevoir cette musique, il n'avait jamais été capable d'entendre quoi que ce soit.

« Dès qu'il eut l'audace de rendre hommage aux oiseaux, ceux-ci s'élevèrent en tournoyant avec force battements d'ailes. Et lorsqu'ils se posèrent sur le sol, les oiseaux se transformèrent en cinquante jeunes filles à la beauté incomparable. Bladudd, sous le charme, observait sans un geste ces jeunes filles, et il aurait volontiers pu continuer à les observer jusqu'à la fin des temps s'il n'avait aperçu brusquement un troupeau de cerfs franchissant la colline à toute allure.

« Lorsque les cerfs atteignirent l'endroit où se trouvaient les jeunes filles, ils furent transformés en cinquante jeunes gens, aussi bien faits de leur personne que les jeunes filles étaient gracieuses. Tous les jeunes hommes portaient un torque en or massif autour du cou, et les jeunes filles étaient ceintes d'une couronne, en or également. Tous se rejoignirent et commencèrent à s'ébattre dans les prés. Et leurs jeux étaient un ravissement pour les yeux.

« Toute la beauté de cette poursuite pleine de grâce provoqua dans l'esprit de Bladudd la forte envie de les rejoindre. Aussitôt il sauta de sa barque et se retrouva les pieds dans l'eau. Dès qu'elles virent Bladudd, les jeunes filles se transformèrent à nouveau en oiseaux, et les jeunes gens en cerfs. Les uns et les autres s'enfuirent par-delà des collines.

« Sans perdre un instant, Bladudd se mit à réfléchir à ce qu'il convenait de faire. "Je vais me rendre invisible", pensa-t-il. Et il le fit.

« Ainsi dissimulé, il accourut à l'endroit où se trouvaient les jeunes gens qui avaient repris leur apparence primitive, et, choisissant le meneur, jeta ses bras autour de l'avenante créature. Dans cette position, le cerf et Bladudd coururent ensemble côte à côte au-delà de la colline. Mais bien que le cerf eût été le meneur, il se retrouva bon dernier à l'arrivée, et cela, parce que Bladudd le tenait par l'encolure.

« Puis la course reprit, et bientôt ils aperçurent un caer imposant au sommet d'une colline, à la fois très large et très haut. Les oiseaux poursuivirent leur vol jusqu'au caer, les cerfs courant derrière eux. Au centre du caer se trouvait un édifice splendide. Le paysage alentour excédait de loin, de très loin par la beauté ceux que Bladudd avait pu admirer ; tout comme les appartements royaux surpassaient largement en magnificence ceux que Bladudd connaissait.

« Au moment de pénétrer dans le caer, les cerfs et les oiseaux se transformèrent une fois encore en élégants jeunes gens et jeunes filles. Les jeunes gens se mirent à se moquer de leur meneur, parce qu'il fut le dernier à pénétrer dans le caer. Tout en s'esclaffant, ses compagnons lui demandèrent si leur petit sprint l'avait épuisé. "Non, répliqua le jeune homme, mais lorsque, au début, j'ai commencé à courir, j'ai soudain senti un poids autour de mon cou. Si la mort, qui se cramponne si fort à la gorge des mortels, m'avait alors saisi, le poids n'aurait pas été plus lourd."

« Le Peuple des Êtres Féeriques pénétra ensuite dans les appartements, et Bladudd suivit. Invisible du fait du sort qu'il s'était jeté, il trouva une colonne dans la salle où tous se trouvaient, et ne la quitta plus, appliquant fortement sa main sur sa bouche pour éviter de s'exclamer à chaque détail du spectacle qu'il voyait. Car où qu'il posât le regard, il voyait des trésors magnifiques, des objets splendides et innombrables, dans chaque coin ou recoin de la salle. Et le moindre trésor qu'il voyait était d'une richesse sans commune mesure avec son équivalent dans le monde qui était le sien. Sur un trône tout en pierres précieuses était assis un roi. Sa chevelure brillait d'un éclat de feu, et son visage rayonnait. S'il y avait de la noblesse et de l'élégance à la cour de ce roi — et il y en avait, cela ne faisait aucun doute ! —, le roi lui-même était encore au-dessus...

« Bladudd pensait qu'il ne pourrait pas être découvert. Pourtant, dès qu'il s'installa près de la colonne, le roi se leva d'un bond et s'exclama : "Il y a un mortel parmi nous !" Bladudd en fut tellement saisi qu'il en oublia le sort qu'il s'était jeté, redevenant du même coup visible à l'aimable compagnie.

« Le roi toisa Bladudd et l'intima de décliner son nom et son rang. "Je viens d'une lignée qui ne ferait aucunement honte à votre cour, répondit fièrement Bladudd. Puisque aujourd'hui c'est moi l'étranger parmi vous, je vous demande l'hospitalité que vous-même me demanderiez dans la situation contraire : la meilleure table, la compagnie d'une jolie dame, des musiciens pour vous charmer les oreilles, une place de choix au coin du feu, et une couche bien fraîchement apprêtée pour y dormir.

« — Voilà une réponse bien téméraire, rétorqua le roi. Que signifie cette brusque intrusion ?

« — Je suis venu ici chercher la vérité qui conduit à la sagesse, répondit Bladudd. Je jure par tous les dieux que mon peuple vénère que je ne suis pas venu ici rempli de mauvaises intentions. En vérité, tout ce que je pourrai prendre de vous ne saurait vous léser, car tout ce que je désire, c'est obtenir un peu de votre savoir."

« À ces mots, le roi renversa la tête en arrière et se mit à rire bruyamment. "Parce que vous imaginez que nous partageons notre savoir aussi facilement ?

« — Je pense seulement que cela ne coûte rien de demander, répondit Bladudd.

« — C'est vrai, concéda le roi. Quoi qu'il en soit, je n'imagine pas qu'il soit du ressort d'un simple mortel de trouver son chemin jusqu'ici — à moins que ce mortel s'appelle Bladudd ap Rhud Hudibras de Caledon...

« — Oui, c'est bien moi, déclara Bladudd, ébahi de constater que son nom pouvait être connu jusque chez un peuple si grand et si puissant.

« Eh bien, poursuivit le roi, votre esprit et votre témérité vous ont gagné votre place parmi nous... mais peut-être pas celle que vous auriez espérée. Vous vous occuperez de mes cochons. »

« Ainsi Bladudd — qui n'avait jamais vu un cochon de sa vie, et encore moins senti son odeur — devint le porcher du roi de la Terre Promise. Ces porcs, apprit bientôt Bladudd, étaient les créatures les plus remarquables qu'il ait jamais rencontrées. Leur vertu essentielle était la suivante : à chaque fois que l'un d'entre eux était tué puis mangé, il ressuscitait le jour suivant. Mais ce n'était pas tout, loin de là ! Car c'était le fait de manger la chair de ces animaux qui rendait les sujets de ce roi immortels.

« Pendant sept années — pour autant qu'il lui sembla —, Bladudd fut au service de ces cochons merveilleux — bien que pendant tout ce temps, il n'eût jamais la chance de tremper ne serait-ce que le bout de son petit doigt dans le jus d'un de ces porcs en train de rôtir, ni *a fortiori* de goûter à sa chair. Cependant, chaque jour, à midi, les serviteurs venaient et emportaient autant de cochons qu'il était nécessaire pour le festin du soir. Et dès le lendemain matin, les animaux étaient de retour sous la surveillance de Bladudd.

« Le rusé Bladudd, pendant toute cette période, observa et écouta. En compagnie de ses porcs, il visita la Terre Promise, rencontra les gens, leur parla, et apprit beaucoup. La nuit, il écoutait les bardes chanter dans les appartements du roi, et en apprit encore davantage. Et ainsi, en dépit de sa basse condition, ses connaissances augmentèrent et il fut heureux.

« C'était à la fin de la septième année ; Bladudd, ce jour-là, conduisait les porcs sans pareil près d'une rivière. Tout à coup, il entendit le son d'un cor de chasse, leva la tête, et aperçut un groupe d'hommes à cheval qui avançaient avec insouciance au milieu des fourrés. Une meute de chiens évoluait autour des cavaliers, et les uns et les autres avaient pris en chasse un cerf splendide, blanc comme l'écume, avec des bois et des oreilles rousses.

« Le cerf blanc se mit à bondir par-dessus la rivière comme s'il allait s'envoler... et atterrit à quelques pas seulement de l'endroit où se trouvait Bladudd ; il secoua un instant sa ramure et disparut dans les bois. Les cavaliers et les chiens le cherchèrent, mais en dépit de l'aboiement des chiens et de la vue perçante des cavaliers, ils ne purent retrouver la trace du cerf.

« Bladudd les observait, et il s'aperçut soudain qu'il voyait tous ces gens et tous ces animaux comme dans le reflet d'une mare, et non pas face à face, en chair et en os. C'est ainsi qu'il put savoir que la rivière formait l'une des frontières qui séparait un royaume des mondes de l'autre, et que le royaume des mondes qu'il était en train de regarder était celui-là même qu'il avait laissé derrière lui. Il vit la forme éclatante de leurs vêtements, entendit la musique de leurs paroles lorsque les gens se parlaient entre eux, et éprouva soudain une nostalgie profonde. Les larmes se mirent à couler de ses yeux, et il s'allongea tout près de la rivière en pleurant sur sa vie antérieure.

« À partir de ce moment-là, Bladudd perdit toute envie de rester en Terre Promise, et il chercha à retourner dans son propre pays. Il ne songea plus qu'à rentrer parmi les siens et chercha tous les moyens d'y parvenir.

« Il observa et attendit, trouva finalement une bonne occasion lors du *samhain*, au moment où les voies s'ouvrent entre les royaumes et où la traversée peut avoir lieu. Alors, rassemblant ses quelques affaires, Bladudd se mit en route vers le gué du Cerf Blanc. Il quitta le caer royal en secret, de crainte que quelqu'un l'empêche ou le persuade de ne pas sortir. Et il le fit en poussant devant lui neuf cochons parmi ceux du roi, car il voulait en profiter pour rapporter un trophée à Albion.

« Cela se passait bien, sauf que les porcs se mirent à pousser des cris aigus et réveillèrent tout le monde. Le roi entendit le bruit et lança l'assaut. Bladudd prit donc la fuite, essayant de lancer tous les sorts possibles afin d'échapper au roi.

« Au moment d'arriver à la rivière, Bladudd, qui avait du cran, en vint soudain à se jeter lui-même un sort qui le transforma en saumon et transforma les neuf porcs en autant d'écailles d'argent couvrant son dos. Mais le roi, lui, prit la forme d'une loutre. Alors il se changea en écureuil, et les neufs porcs en autant de petits pignons dans une pomme de pin. Le roi le poursuivit ensuite sous la forme d'un furet. À la suite de quoi Bladudd se changea en héron, et les neuf cochons en autant de plumes sur son cou. Alors le roi se transforma en aigle fondant sur sa proie. Finalement, Bladudd se changea en loup, et les neuf cochons en autant de tiques plantés dans sa fourrure. Alors le roi le rattrapa sous la forme d'un chasseur à dos de cheval ; il brandit sa lance au-dessus de Bladudd et des cochons, et les fit recouvrer leur forme d'origine.

« "Voilà un porcher bien infidèle !" », s'exclama le roi.

« Le Valeureux Bladudd lui répondit : "Pas autant que vous le pensez, Roi Tout-Puissant. Pendant sept années j'ai été tout à votre service. Pendant tout ce temps, vous n'avez constaté aucune perte, car j'ai su protéger vos cochons de tout prédateur, les loups, les aigles ; j'ai su faire en sorte qu'ils ne s'égarent pas, qu'ils ne manquent pas de soins, bref j'ai su les préserver de toutes les nuisances dont les porcs peuvent être victimes. Pas le moindre poil de la couenne toute rose du plus jeune porcelet n'a été perdu. Et en dépit de tous les soins que je leur ai prodigués, eh bien je vous le dis comme je le pense, je n'ai pas effleuré, même du bout des doigts, la peau d'un seul d'entre eux, lorsqu'on le faisait rôtir, ne serait-ce que pour me lécher les doigts ensuite. Pas plus que vous ne m'avez remercié, ne serait-ce que d'un mot aimable, pour les services que je vous ai rendus. C'est la raison pour laquelle, Valeureux Roi, il m'a paru légitime de m'attribuer moi-même un modeste salaire, en rapport avec la prospérité manifeste de votre cheptel.

« — Ces porcs, vous me les avez volés !, rembarra le roi.

« — Pas vraiment, Grand Seigneur. Je me suis promis de sauver l'honneur de votre nom et d'élever votre renommée dans mon pays aussi haut qu'elle brille dans le vôtre, et ceci, en présentant de votre part ces porcs à mon peuple au titre d'offrande. Je n'ai pris cette décision que pour éviter que l'on pense que vous êtes pingre, que vous êtes chiche."

« Le visage du roi devint noir de colère : "Vous parlez vraiment sans savoir, rugit-il. Vous ne vous rendez absolument pas compte des problèmes que votre incursion dans mes affaires aurait pu causer si je ne vous avais pas arrêté. Le procès le plus terrible et le plus fastidieux vous menaçait si jamais ces porcs posaient leurs pattes à l'intérieur de vos terres. Mais, au moins pour la sauvegarde de ces innocents, je vous en empêcherai. Vous pouvez me remercier pour ma bonté.

« — Je ne vous remercie de rien du tout, rétorqua hardiment le prince.

« — Vous êtes venu chercher la connaissance…

« — Et je l'ai obtenue… Mais non pas grâce à vous.

« — Cependant, si vous vous étiez contenté d'apprendre à renoncer à votre égoïsme et à votre orgueil, vous auriez reçu un don bien plus précieux que tous ceux dont vous auriez pu rêver."

« Disant cela, le roi leva sa lance et frappa carrément Bladudd à la tête, si violemment qu'il en perdit tous ses sens, et tomba à terre comme soudain pris de sommeil. Lorsque Bladudd ouvrit à nouveau les yeux, il était en Albion ; il n'y eut plus aucun signe de la présence du roi et ni de ses impressionnants cochons.

« Mais il restait ceci : le coup par lequel Bladudd avait été châtié par le roi avait ruiné sa chair au point qu'il en avait perdu toute beauté et toute décence. Ses cheveux tombaient, ses dents pourrissaient, sa peau s'infectait, devenait rouge, et ses muscles s'étiolaient. Ses habits, jadis si splendides, lui pendaient au corps comme des loques infâmes. Il ressemblait à une créature que sa Majesté la Mort en personne aurait apprêtée avant de la recevoir auprès d'elle.

« Alors il tenta par tous les moyens de retrouver bonne apparence. Mais hélas, tout ce qu'il avait appris ne lui servit à rien. Il ne pouvait pas effacer toute la déchéance dont on l'avait accablé.

« Lorsque Bladudd comprit cela, il se mit à pleurer. "Je crains de devoir subir un accueil plutôt frileux à mon retour parmi les miens. Ma tenue n'est pas faite pour encourager les amis à me faire fête, ni les bardes à me rendre hommage, et encore moins les faveurs de jolies dames."

« Il rassembla ses loques sur lui du mieux qu'il put, et fit route, un peu piteux, en direction de la citadelle de son père. Les gens qu'il croisait sur son chemin se dérobaient dès qu'ils le voyaient, et aucun d'entre eux n'eut l'audace de l'aborder... jusqu'à ce qu'il atteignît les portes de la citadelle paternelle. Les gardes, à l'entrée, refusèrent de le laisser entrer. "Qui êtes-vous ?, demandèrent-ils. Que venez-vous faire ici ? Qui vous autorise à penser que nous allons permettre à des gens comme vous de demander audience au roi ?

« — Qui je suis et ce que je viens faire, cela me regarde, répondit le mystérieux étranger. Et pour ce qui concerne votre roi, dites-lui que je suis quelqu'un qui pourra lui conter mille merveilles au-delà de toute imagination. Et si cela ne provoque chez lui aucune réaction, dites-lui que j'ai des nouvelles concernant son fils perdu, Bladudd."

« Dès que le roi Rhud entendit cela, il ordonna que l'étranger lui fût amené sur-le-champ. "Qui êtes-vous donc, Seigneur, s'enquit poliment Rhud. Et pour en venir au but, quelles nouvelles avez-vous concernant mon fils ?

« — Votre fils est debout devant vous", répondit l'étranger, qui écarta ses mains et laissa du même coup retomber ses loques, révélant ainsi l'état piteux dans lequel il se trouvait.

« Le Bon Roi plein de Sagesse se mit à pleurer. Et le prince également. Puis ce fut le tour de tous les proches et de tous les membres du clan. Car autant, jadis, il avait été beau, autant maintenant il était devenu répugnant. Enfin ils cessèrent de pleurer ; ils apportèrent au jeune homme du pain et de la viande, quelque chose à boire, et Bladudd, tout en récupérant de son voyage, se mit à raconter l'histoire merveilleuse qu'il avait vécue. Le roi écouta d'un bout à l'autre le récit de son fils, puis tint conseil avec ses chefs de tribu afin de savoir s'il y avait quelque chose à faire.

« "C'est une bien triste affaire, une affaire regrettable, dit l'un des conseillers du roi. Et pourtant — je vous prie à l'avance de m'excuser pour ce que je vais dire —, les conditions du pouvoir sont explicites : un homme diminué ne peut pas être roi. Bladudd, il faut bien le reconnaître, voit sa réputation plus que ternie. Et par conséquent, le prince ne peut pas reprendre sa place parmi les nobles au torque d'argent, tous prétendants à la succession."

« Le sage conseiller avait dit la triste vérité. Même si son avenir s'en trouvait brisé, Bladudd dut convenir qu'il n'y avait aucune issue pour lui, sinon de courir se cacher loin du regard des hommes. Il se retira très loin et se construisit une cabane dans la forêt où personne ne pourrait voir son état de déchéance.

« Ainsi, pendant sept années, il habita dans sa cabane solitaire, sans aucun serviteur à son service. Pendant tout ce temps, il n'eut contact avec aucun homme — et encore moins eut-il le plaisir de côtoyer la jolie silhouette d'une femme. Un jour cependant, à la fin des sept années, son serviteur vint le trouver et lui dit : "Bladudd, levez-vous. Quelqu'un est venu vous voir.

« — Voilà qui est magnifique !" répondit Bladudd. Et jetant un regard alentour, il demanda : "Mais où est cette personne extraordinaire ?

« — Elle est restée à l'extérieur, et attend votre volonté, Seigneur.

« — Faites à l'instant entrer mon visiteur !, cria Bladudd. C'est cela, ma volonté !"

« Le visiteur fut aussitôt introduit. Et à l'instant où il ôta la cagoule qui lui couvrait la tête, ce fut le visage d'une femme qui apparut à Bladudd. Cette femme ne possédait aucune beauté ni beaucoup d'allure. Elle louchait, avait la bouche édentée, et lippue ; bref, elle était laide comme un pou. Cependant, elle fascinait Bladudd par la simple raison qu'elle était venue spontanément lui rendre visite, et qu'elle ne recula pas, ne fut pas dégoûtée en le voyant, mais au contraire ne cessa pas de lui sourire, comme si son apparence monstrueuse ne lui faisait aucun effet. Elle le salua chaleureusement, ne manifestant ni crainte ni dégoût devant sa laideur.

« Bladudd était fasciné ; intrigué. "Qui es-tu, femme ? Où habites-tu, et qu'est-ce qui t'amène ici ?

« — Je viens de quelque endroit que tu connais bien, en dépit des apparences. Et je suis venu te trouver parce que j'ai de bonnes nouvelles pour toi.

« — Alors pourquoi me faire attendre ? Je meurs d'envie d'entendre enfin de bonnes paroles, s'exclama Bladudd. Dis-moi donc bien vite quelles sont ces bonnes nouvelles que tu m'apportes !

« — J'ai trouvé le moyen de soulager ton chagrin, Seigneur, si tant est que ce soit là quelque chose que tu désires.

« — Que je désire !, s'exclama le pauvre prince. Les bardes n'ont pas de mot pour décrire l'intensité de ce désir d'apaisement. Je suis bien placé pour parler de désir. Savez-vous que je n'ai eu contact avec aucune femme, durant ces sept années ? Ni avec aucun homme, d'ailleurs, si ce n'est mon serviteur. Alors, il va de soi que j'éprouve le désir d'être soulagé !

« — Parfait, dit la femme. Suis-moi."

« Bladudd était bien décidé à la suivre sur-le-champ, mais la pensée de l'effet pitoyable que son apparence avait produit sur ses compatriotes le mettait sur ses gardes. "Attends. Comment puis-je être certain que tu me veux du bien, et non du mal ?, demanda-t-il. Pardonne-moi, mais tu pourrais très bien me conduire vers quelque nouvelle humiliation, quelque nouvelle infamie.

« — Eh bien, fais comme tu voudras, prince", répondit la femme. Elle tourna les talons et s'apprêta à s'éloigner.

"Attends !, hurla Bladudd. Où vas-tu ?

« — Décide-toi, Bladudd, répondit la femme. Est-ce que tu veux m'accompagner, oui ou non ?

« — D'accord", dit Bladudd. Il rassembla ses loques sur lui et se hâta de rejoindre la femme.

« Le prince déchu suivit sa visiteuse, qui le conduisit jusqu'à une colline aride, puis encore au-delà, jusqu'à une lande déserte, puis toujours plus loin, jusqu'à un étang rempli d'une boue infecte et noire, bouillonnante.

"Débarrasse-toi de tes loques et baigne-toi dans l'étang, dit sans afféterie la femme en allant s'installer à proximité sur un rocher. Cette eau a des vertus apaisantes."

« Bladudd jeta un coup d'œil furtif et perplexe vers l'étendue limoneuse et puante. La surface se soulevait, gémissante, exhalant des émanations malodorantes. L'exhortation ressemblait davantage à une punition qu'à la promesse d'un apaisement. Toutefois, il ne voulut pas offenser davantage sa visiteuse, et puis ils avaient fait un long parcours pour arriver jusqu'ici. Aussi entra-t-il dans l'ignoble étang.

« La boue était très chaude, et lui brûlait la peau. Des flots de larmes se mirent à couler sur ses joues. Mais Bladudd, qui avait supporté ses infâmes souffrances avec grande force d'âme, supporta la douleur dans le seul but d'être soulagé selon son désir. Même ainsi, il ne put cependant endurer bien longtemps cette épreuve. Lorsque ce bain de boue brûlante devint insupportable, il sortit de l'étang puant et se présenta devant la femme.

"Le résultat est surprenant, incontestablement, ironisa Bladudd en observant des pieds à la tête d'un air indigné son corps recouvert de boue séchée. J'aurais cependant espéré mieux.

« — Ce que tu viens de dire aurait mérité que je te laisse dans l'état où je t'ai trouvé, rétorqua la femme. Mais qu'importe, ta cure est quasiment terminée." La femme à la bouche édentée pointa du doigt un saule que Bladudd n'avait pas encore remarqué. "Au pied de cet arbre, il y a une cuve remplie d'eau. Lave-toi pour retirer la boue qui te recouvre, et tu seras surpris du résultat, en dépit de ce que tu penses."

« Bladudd se dirigea vers la cuve, grimpa dedans, et se lava. L'eau était claire et fraîche, apaisante au contact de sa peau pleine de cloques et de boue. Dans l'eau il se détendit et oublia totalement ses souffrances. Oui, vraiment, il oublia toutes ses douleurs passées, tout son chagrin. Lorsque finalement il fit quelques mouvements pour sortir de la cuve, il se sentit un autre homme. Il jeta un œil à son pauvre corps dévasté et, merveille des merveilles, s'aperçut que celui-ci, comme son esprit, avait trouvé une nouvelle naissance.

« Il se rendit aussitôt près de la femme qui était assise sur son rocher à l'attendre. "Me voilà totalement rétabli !, lui dit-il en parcourant joyeusement de haut en bas tout son corps. Et en vérité, je ne vous mens pas si je vous dis que je me sens bien mieux maintenant que lorsque le roi de la Terre Promise me frappa d'un grand coup avec le manche de sa lance."

« Ne voyant venir aucune réponse de la femme, le prince leva les yeux et vit que la femme très laide avait disparu et qu'à sa place se trouvait la plus belle jeune fille qu'il avait jamais vue. Sa chevelure était d'un jaune si pâle qu'elle était presque blanche ; sa peau était fine et douce comme du lait, et ses yeux d'un bleu profond, étincelant comme des pierres précieuses ; ses dents régulières et d'un dessin délicat ; son nez droit ; elle avait un front lisse ; un cou élégant et gracieux ; de longs doigts, des bras souples, des seins tendres et bien galbés. Bladudd avait devant ses yeux la jeune fille de ses rêves...

"Madame, soupira Bladudd d'une petite voix intimidée, où donc se trouve la femme édentée qui m'a conduit jusqu'ici ? Il me faut la remercier pour le grand service qu'elle m'a rendu."

« L'avenante jeune fille regarda Bladudd ; elle tourna son regard d'abord vers la droite, ensuite vers la gauche. "Je ne vois ici aucune autre femme", répondit-elle. Sa voix, c'était absolument merveilleux, était comme du miel fondant ! "Vraiment, je pense que vous faites erreur. À moins que vous ne pensiez que je suis moi-même édentée ?"

« En disant ces mots, elle se mit à sourire avec une telle délicatesse que les genoux de Bladudd en tremblèrent et qu'il crut qu'il allait tomber face contre terre devant elle. "Madame, dit-il, je ne remarque pas la moindre petite imperfection ni la moindre disgrâce en vous.

« — Et moi pas davantage en ce qui vous concerne, dit la Dame. Mais peut-être vous sentiriez-vous plus à votre aise si vous vous recouvriez un peu."

« Bladudd se mit à rougir et regarda autour de lui. "Vous avez raison de me rappeler à la décence, répondit-il en apercevant ses pauvres loques à l'endroit où il les avait posées. Cependant, je crois que je préfère rester sans ma cape et sans habits plutôt que de devoir réendosser ces loques.

« — Ces loques ?, répondit la dame si merveilleusement belle. Vous deviez avoir coutume de porter de bien jolis habits si vous prenez ceux-ci pour des loques." Disant cela, elle se pencha légèrement et souleva l'amas de vêtements. Ébahi, Bladudd vit alors que ses pauvres loques avaient disparu, et qu'à leur place il y avait les habits les plus resplendissants que l'on puisse imaginer.

« "Ce sont mes habits ?", se demanda-t-il tout haut — et avec raison, car il aperçut devant lui une cape, un siarc, des breecs et des buskins plus précieux, plus somptueux que tout ce que le roi son père lui-même avait jamais possédé. "Ils m'appartiennent ?

« — Vous ne pensez tout de même pas qu'ils sont à moi, répondit la Dame, caressant sa douce et blanche cape de ses mains si fines. Et d'ailleurs, de nous deux, ajouta-t-elle, il semble bien que ce soit vous qui en ayez le plus besoin."

« De plus en plus ahuri, Bladudd se rhabilla promptement, rayonnant de joie devant la magnificence de son nouvel accoutrement. Ainsi paré, on aurait dit un roi. "Je vous le dis en vérité, s'exclama-t-il, je ne suis pourtant pas étranger aux belles choses, mais je n'ai jamais de ma vie possédé des habits aussi beaux.

« — N'oubliez-vous pas votre épée ?", demanda la Dame.

« Bladudd s'aperçut alors que la Dame tenait en travers de ses mains une épée dont la poignée était en or. "Elle est à moi ?", demanda-t-il, un peu méfiant. Car il n'avait jamais connu personne possédant une arme ayant ne serait-ce que la moitié de la valeur de celle-ci.

« "Je ne vois personne d'autre que vous devant moi, répliqua la Dame. Et je vous le dis sincèrement, c'est un spectacle plutôt agréable pour les yeux."

« Bladudd, tout heureux, attacha l'épée à sa ceinture, et se sentit l'âme d'un roi plus que jamais. Il fixa tendrement la jeune fille. "Gente Dame, soupira-t-il le cœur débordant d'amour et de gratitude, dites-moi votre nom afin que je puisse vous connaître."

« La jeune fille si belle regarda Bladudd à travers ses longs cils. "Ne me connaissez-vous donc vraiment pas ?

« Si je vous avais déjà rencontrée, répondit-il, vous pouvez être sûr que je m'en souviendrais. Si je n'avais entendu prononcer votre nom ne serait-ce qu'une seule fois, il résonnerait à mes oreilles pour toujours."

« La jeune fille se leva et descendit du rocher. Elle se mit à sourire et leva sa main vers les lèvres de Bladudd. "Mon nom est Souveraineté, répondit-elle. Cela fait bien longtemps que je vous cherche, Bladudd."

« Notre Bladudd sans défaut inclina la tête sur le côté. "C'est là un nom sans pareil, dit-il, mais qui correspond pourtant bien à votre noblesse." Puis il lui prit délicatement la main, sentit sa douce chaleur dans la sienne, et cela le remplit de joie. "Madame, dit-il, accepteriez-vous de m'accompagner chez moi ?

« — Je commençais à me demander si vous alliez un jour me le proposer", rétorqua l'avenante jeune fille. Elle désigna du doigt le saule, où deux chevaux étaient attachés. Puis, ensemble, la jeune fille et le prince sans défaut partirent pour le royaume de Rhud Hudibras.

« Lorsque le roi aperçut son fils, qui lui était rendu avec tant de perfections, il pleura des larmes de joie, car son bonheur était sans mesure. Il ordonna sur-le-champ qu'une grande fête soit donnée en l'honneur du retour de son fils jadis couvert de honte. "Te voilà de nouveau resplendissant, mon fils bien-aimé !, s'exclama le roi au milieu des larmes. Raconte-moi comment cela a pu se produire."

« Et le prince, tout heureux, conta tout ce qui lui était arrivé depuis qu'ils s'étaient vus pour la dernière fois : les sept années d'exil et de solitude, la visite de la femme laide, le bain dans l'eau limoneuse et bouillante, l'étang, l'apparition de la jeune fille, bref, absolument tout. Le Roi Rhud écouta le récit, secouant lentement la tête, émerveillé par tout ce qu'il entendait.

« "Et j'ai donc demandé à la jeune fille de m'accompagner, conclut Bladudd. La voici !" Il tourna son regard plein d'amour vers la jeune fille et dit : "Je souhaite qu'elle puisse rester toujours avec moi. Car je ne peux vraiment pas imaginer vivre un jour de plus si elle devait disparaître à mes yeux.

« — Je resterai avec vous, Bladudd, confirma la jeune fille.

« — M'épouserez-vous ?, demanda Bladudd le cœur battant aussi fort qu'un tambour.

« — Je vous épouserai, Bladudd, promit la jeune fille à la beauté éclatante. Car j'étais vraiment née pour vous, et vous pour moi… Si seulement vous l'aviez su."

« C'est ainsi que Bladudd et la jeune fille la plus belle de toute la contrée se marièrent le jour même. Et c'est de ce jour-là également que Bladudd devint roi. Car lorsque le roi vit à quel point son fils était devenu sage et avisé, et à quel point sa femme l'était tout autant, Rhud Hudibras dénoua son torque d'or et parla ainsi devant son peuple et ses chefs de tribu, tous rassemblés autour de lui. Il convoqua aussi son Chef des Chants, et, devant la foule serrée autour de lui, il dit : "Écoutez-moi tous !

« Je ne serais plus votre roi pour très longtemps", déclara-t-il. Alors le peuple se mit à gémir et à se lamenter, car il avait été un grand souverain, plein de bonté pour ses sujets. "C'est maintenant à toi de choisir celui qui devra me succéder, dit-il en s'adressant au barde. Alors choisis bien, choisis avec sagesse."

« Le barde et la foule se mirent à délibérer quelque temps, pendant que le roi attendait. Lorsqu'un temps convenable se fut écoulé, il dit : "Eh bien, quelle est ta décision ?"

« Le barde, au nom de son peuple, répondit dans un cri retentissant : "Nous savons fort bien que nous ne trouverons jamais pour nous gouverner un souverain aussi grand et aussi plein de bonté que vous, mais puisque vous nous avez annoncé que vous alliez suspendre votre règne — ce que nous ne cesserons pas de regretter amèrement —, nous choisissons Bladudd. Qu'il soit pour nous un pilier protecteur et une arme de justice."

« Rhud rayonna de plaisir, car son peuple avait su lire dans son cœur. Alors le Chef des Chants vint placer le torque d'or, symbole du pouvoir, autour du cou du nouveau roi. Et de ce jour commença le règne de Bladudd, plein de justice et de sagesse. Son désir intense de Vérité, de même que sa femme, Souveraineté, le soutenaient en toutes choses… et en toutes choses, Bladudd, par conséquent, prospérait.

« Ainsi se termine l'histoire de Bladudd le Souillé. Entende qui veut. »

Les dernières notes égrenées par la harpe retentirent longuement dans le bosquet. Je repris alors ma place auprès du feu, posai ma harpe près de moi, et bus dans ma tasse grosse comme une barrique. J'écoutai le silence du bosquet s'installer alors que la nuit nous recouvrait lentement de son noir manteau, nous attirant peu à peu au plus près de son cœur de ténèbres.

Gofannon, enfin, la voix résonnant comme un paisible orage au-dessus du tertre, commença à remuer lentement ; il dit : « J'ai été comblé par ce chant que vous m'avez offert, tout comme je suis comblé de l'honneur que vous me faites de votre précieuse compagnie.

— C'est nous, Seigneur, qui devons vous remercier, répondis-je. Le repas que vous nous avez offert fut rien moins que notre propre salut.

— Allons donc… rétorqua le géant avec une légère impatience. La nourriture n'apaise que pour un temps limité, et puis la faim revient. Alors que l'offrande que vous m'avez faite m'accompagnera et me soutiendra, où que j'aille. Et en vertu de cela même, je suis votre débiteur ; c'est pourquoi je veux vous accorder les bienfaits que mérite votre chant.

— Seigneur Gofannon, dis-je, nous avons apprécié la chaleur de votre accueil, votre bonté, votre compagnie sans égale. Et en vérité, vous nous avez déjà accordé bien plus que nous n'aurions été en droit d'attendre.

— Peu importe cela, répondit le géant, je veux vous récompenser largement pour le service que vous m'avez offert cette nuit. » J'entendis un bruissement, puis la voix de l'aimable géant résonna très haut par-dessus ma tête. « À présent, il nous faut dormir, dit-il. Reposez-vous en paix auprès du feu. Soyez sans crainte. Aucun ennemi ne viendra s'immiscer pendant votre sommeil ; personne n'osera venir vous déranger dans mon bosquet. »

Puis la voix s'affaiblit, puis s'estompa, et je réalisai que le Seigneur du Bosquet s'était retiré dans sa grotte. Nous entendîmes à nouveau sa voix retentir alors qu'il nous abandonnait à notre sommeil : « Ma récompense viendra en son temps, dit-il. Faites en sorte d'être prêts à la recevoir. »

XII

DRUIM VRAN

« Il vous l'a donnée, dit Llew. C'était vraiment là son intention. »
J'étais tenté. Je n'avais jamais tenu dans les mains une telle harpe.
« A-t-il laissé autre chose ? », demandais-je.

Llew s'arrêta et observa le camp tout autour de lui. « Non, dit-il. Seulement la harpe. La cuve de bière a disparu, et puis nos coupes... même les restes de notre repas. Tout a disparu, sauf la harpe. Elle est à vous, je vous dis. Elle a même une sangle. »

Nous nous étions réveillés en trouvant le bosquet vide, le Seigneur de la Forge était parti. Mais il avait laissé la harpe. Peut-être, comme l'avait répété Llew avec insistance, l'avait-il vraiment laissée à mon intention. Mais je commençais à avoir des doutes concernant notre hôte gigantesque.

« Vous devriez vraiment la prendre, Tegid, me conseilla vivement Llew. Vous ne pouvez tout de même pas la laisser ici.

— Vous avez raison, frère », dis-je, finalement convaincu ; et, saisissant la sangle, je passai la harpe en travers de mon épaule. « Allons-y. »

Sur la pointe des pieds, de manière à ne pas perturber la paix du *nemeton*, nous nous éloignâmes ; Llew guidait, et je marchais juste derrière lui, la main gauche posée sur son épaule, tâtant le terrain grâce au bâton de frêne que je tenais dans l'autre main. Nous ne retournâmes pas vers notre camp de la veille, et empruntâmes à nouveau le sentier le long de la rivière. Nous marchâmes longtemps. Je sentais que Llew réfléchissait, et j'avais, de mon côté, mille pensées qui m'occupaient.

La journée était chaude. Nous longions la berge, où la marche était plus facile. À midi nous nous arrêtâmes pour nous désaltérer à la rivière, prenant de l'eau dans nos mains et nous aspergeant la bouche. Puis nous nous assîmes sur la rive recouverte d'herbe pour nous reposer.

« Cette nuit, pour la première fois, depuis que… » Il hésita.

« … depuis que Meldron… pour la première fois… je n'ai pas eu mal. »

Je m'aperçus du même coup que ma propre blessure ne me lançait plus, ne me brûlait plus. J'effleurai d'une main le bandage qui me recouvrait les yeux, et même si la zone était encore sensible, la douleur avait disparu.

« Il semblerait que Gofannon nous ait assuré sa protection, comme il l'avait promis, observa Llew.

— Je ne pense pas que ce soit Gofannon, dis-je, plus en m'adressant à moi-même qu'à Llew.

— Pardon ?

— Il est apparu sous les traits de Gofannon, répondis-je, mais je ne pense pas que c'était le Maître de la Forge qui nous a accueillis hier soir.

— Qui était-ce, alors ?

— Un autre seigneur, plus grand encore, et plus ancien. Peut-être la Prompte et Forte Poigne elle-même.

— Moi aussi je m'interroge… reprit Llew pensif. Vous ne l'avez pas vu lorsque vous avez chanté ! Moi je l'ai vu… Il s'est transformé, Tegid. Au début, il était féroce, le regard quasiment égaré. Mais au fur et à mesure qu'il écoutait le Chant, ses traits se mirent à changer. Je vous le dis, mon frère, il était transformé.

— Vraiment ?

— Si vous l'aviez vu, vous seriez du même avis. Lorsque vous avez terminé, il ne pouvait plus parler. Pas plus que moi d'ailleurs. Vous avez toujours fort bien chanté, Tegid… mais hier soir… » Llew s'arrêta, cherchant ses mots. « Hier soir, vous avez chanté comme le phantarque lui-même. »

J'ai retourné ces mots dans ma tête. J'avais l'impression, lorsque je chantais, de *voir*. Au fur et à mesure que je chantais, alors que les paroles sortaient les unes après les autres de mes lèvres, j'avais le sentiment, littéralement, de n'être plus aveugle. La portée du chant était telle que je pouvais voir le monde briller devant moi… comme si mes ténèbres intérieures étaient illuminées par la lumière du chant, comme si les images mêmes du chant avaient fini par recréer mon propre regard.

Nous nous enfonçâmes encore plus profondément au milieu des collines boisées de Caledon. Le terrain, sous mes pas, commença à monter, épousant la direction des sommets montagneux le long de collines toujours plus hautes et de vallées toujours plus profondes. La rivière devint plus étroite, plus profonde et plus rapide, et semblait s'écouler, toujours plus proche. Llew était un bon guide. Il remplaçait mes yeux.

Cependant, au fur et à mesure que le sentier montait et que les forêts se densifiaient, notre marche se faisait plus lente et plus ennuyeuse. Afin de nous divertir un peu, nous nous mîmes à parler du paysage, des saisons, du mouvement du soleil à travers la voûte céleste. Nous nous mîmes à parler de toute l'armée des étoiles : le Clou du Paradis, le Grand Bran Sacré, le Grand Chariot, le Sanglier, la Petite Ourse, Les Sept Vierges, Arianrhod de la Roue d'Argent et toutes les autres. Nous approfondîmes la discussion sur les traditions anciennes et sacrées ; parlâmes de choses connues et de choses secrètes, visibles et invisibles, telles les puissances de l'air et du feu, de l'eau et de la terre ; des principes et des concepts fondamentaux, comme la vérité, l'honneur, la loyauté, l'amitié et la justice. Et nous portâmes notre attention sur les grands rois et sur les chefs de clans, sur les meneurs les plus avisés comme les plus fous. Oui, nous parlâmes longuement de la question du pouvoir… de la manière la plus juste de gouverner les peuples et les nations, des secrets de la sagesse, de l'ordre sacré de la souveraineté.

Comme précédemment, Llew maîtrisa tous les sujets. Sa capacité était sans bornes. Il avait une vraie mémoire de barde ; retenait tout ce qu'il apprenait. Son esprit prenait de l'ampleur, exactement comme un arbre se développe lorsque ses racines atteignent l'eau dissimulée sous la terre : tout en force, en hauteur et en largeur, en étalant largement ses branches pour s'imposer comme le roi des forêts. Comme Ollathir aurait pu le dire, il était devenu « un vrai chêne de savoir ».

Beaucoup parmi les choses que je lui avais enseignées n'étaient connues que par les bardes eux-mêmes. Mais qu'importe ! Il n'y avait plus aucun barde en Albion et le savoir, tout comme le feu, s'accroît dès lors qu'il est partagé.

Hélas, en dépit de l'accroissement de son savoir, je ne pus déceler chez lui la moindre petite étincelle d'awen, ni la moindre révélation fulgurante dissimulée à l'intérieur de son esprit. L'awen d'Ollathir restait invisible comme une pierre précieuse gardée secrète, qui attendait pour se manifester le jour et l'heure qu'elle aurait décidés.

Nous nous alimentions avec le peu que nous pouvions trouver sur notre chemin, ce qui signifiait que la faim était notre compagne de tous les instants. En revanche, nous ne souffrions pas de la soif, car nous pouvions boire toute l'eau froide que nous voulions dans les torrents que nous rencontrions. Nous maigrissions à vue d'œil, notre corps devenait sec du fait des rigueurs de la marche. L'intense privation nous rapprocha et nous rendit complices. Nous devînmes, Llew et moi, frères de cœur, liés l'un à l'autre par un lien plus fort que celui du sang.

Un matin, après plusieurs jours de marche, nous nous réveillâmes sous la pluie et par un vent du nord. Nous nous abritâmes sous un arbre en attendant que la pluie s'arrête. Il continua à pleuvoir tout au long de la journée ; et lorsque la pluie cessa enfin et que les nuages s'éloignèrent, il était trop tard pour reprendre la route. Nous remontâmes alors de quelques pas sur le sentier afin de découvrir le paysage qui s'offrait à nous.

« Nous sommes à présent sur une colline qui surplombe une profonde vallée, dit Llew. La colline qui, au loin, se trouve de l'autre côté de cette vallée est haute... plus haute que celle-ci.

— Et au-delà ?

— Je ne parviens pas à distinguer... il y a une sorte de paroi abrupte et très élevée. Il sera difficile de l'escalader. Il vaudra peut-être mieux trouver un autre itinéraire. »

J'acquiesçai de la tête, essayant intérieurement de me représenter la configuration des lieux. « Et la forêt, à quoi ressemble-t-elle, par ici ?

— C'est essentiellement une forêt de pins, assez dense — ou plus exactement, resserrée dans les vallées, et plus espacée sur les sommets. » Il fit une pause pour pouvoir embrasser l'ensemble du paysage. « Je pense que la colline fait partie d'une chaîne plus importante. Là, on dirait qu'il y a une route des crêtes qui court du nord au sud le long des sommets. Si c'est vraiment le cas, nous pourrions alors l'emprunter pour aller vers le sud. »

Je réfléchis un instant. Existait-il ne serait-ce qu'un seul sentier de marche à Caledon ? C'était possible, mais je n'en avais pas connaissance. À présent, le vent soufflait par rafales, changeait de direction, venant du sud, alors qu'un orage s'éloignait. Les vents ramenèrent une odeur forte de pins, après la journée de pluie.

Je me mis à respirer cette odeur entêtante, et soudain se représenta dans ma mémoire l'image, tout intérieur, d'un lac. Je vis aussitôt la vallée aux versants abrupts et ses forêts profondes, le haut sommet des pins tendus vers un ciel bleu, sans nuages, qui se reflétait dans les eaux pures d'un lac de montagne.

« Qu'y a-t-il, Tegid ? », demanda Llew, qui commençait à être habitué à mes petites défaillances. « À quoi pensez-vous ?

— Grimpons sur la crête. »

Llew ne refusa pas vraiment. « Nous n'avons plus beaucoup de lumière. Nous devrons monter bien haut, et il fera probablement nuit lorsque nous arriverons au sommet.

— Pour moi, cela fait peu de différence... »

Llew me donna un petit coup de coude. « Vous faites de l'esprit, Tegid ? C'est bien la première fois que vous voulez briller en étant privé de lumière.

— "Briller en étant privé de lumière ?" Vous prenez-vous donc pour un barde, pour parler ainsi par énigme ?

— C'est vous le fautif, frère... Me remplir ainsi la tête de tous vos discours ! » Il regarda un instant le sentier qui s'ouvrait devant nous, et soupira : « Allons-y ! »

La descente fut très rapide. Mais une fois arrivés de l'autre côté, nous mîmes plus de temps à remonter. Llew se hâtait autant qu'il pouvait se le permettre dans la lumière déclinante. Il aurait certes été plus vite sans moi, mais guère beaucoup plus. Et même si les bleus qui proliféraient sur mes tibias semblaient indiquer le contraire, j'étais de plus en plus expert pour trouver mon chemin avec l'aide de mon bâton. Je pouvais me déplacer relativement vite.

Lorsque le sentier devint abrupt, les indications de Llew se firent plus rares ; il ne parlait plus que lorsque cela était nécessaire afin de me guider. Je me demandais s'il se rendait compte à quel point il savait guider, avec quelle sûreté, quel naturel... Était-ce après tout si différent lorsqu'on guidait un peuple ? N'était-ce pas finalement la même chose ? Trouver l'itinéraire, décider de la route la moins dangereuse, enhardir tel pas mal assuré avec des paroles d'encouragement, guider, prendre la tête de l'expédition, mais sans trop s'éloigner... les vertus d'un bon guide n'étaient-elles pas en tout point semblable aux vertus d'un bon roi ?

« Nous n'avons plus beaucoup de chemin à faire, maintenant, lança Llew juste au-dessus de moi. Nous voilà presque arrivés.

— Que voyez-vous ?, demandai-je.

— J'avais raison en ce qui concerne le chemin de crête », répondit-il. Il m'agrippa le bras et me tira vers lui ; j'étais maintenant debout à ses côtés. « La vue, ici, est stupéfiante, Tegid. À présent, le soleil est couché, et le ciel est couleur de bruyère. Nous sommes ici très haut, sur une crête. En surplomb, il y a une large vallée en forme de coupole renversée, entièrement encerclée de toute une chaîne de montagnes. Il y a un cours d'eau qui traverse cette muraille, quelque part en bas ; elle alimente un lac au centre de cette cuvette. Sur trois côtés, le lac est bordé de grands arbres, et sur le quatrième il y a une vaste prairie herbeuse. Le lac est comme un miroir ; on peut apercevoir les nuages qui s'y reflètent... et les étoiles... il y a des étoiles qui commencent à briller. C'est tout simplement magnifique, conclut-il. J'aurais aimé pouvoir mieux décrire ; ou que vous puissiez voir par vous-même...

— J'ai vu..., répondis-je. Et c'est splendide.

— Vous connaissez l'endroit ?

— Non, je n'y suis jamais venu, expliquai-je. Mais je suis certain que c'est l'endroit même que j'ai vu lorsque j'ai eu cette vision.

— La vision que vous avez eue dans la barque... oui, je me souviens. » Puis sa voix changea brusquement lorsqu'il tourna à nouveau son regard vers le lac. « Qu'est-ce que vous voyez encore, Tegid ? »

Je fouillai dans ma mémoire pour retrouver le souvenir de cette nuit de terrible tempête, cherchant la suite des souvenirs de cette vision évanescente. « Je vois un lac... et puis une forteresse, avec une haute et solide palissade... Je vois une armée immense... plusieurs centaines de guerriers rassemblés autour d'un trône élevé sur un tertre, dis-je au fur et à mesure que les images remontaient à ma mémoire. Je vois...

— Non, pas cela... Je veux que vous décriviez... en détail. Que vous soyez précis. »

Je me concentrai, essayant de retenir les images. « Je vois..., commençai-je doucement, un groupe de pins très hauts qui forment une ligne sur la crête, sur notre droite. La pente, qui s'élève du bord du lac, un peu en retrait, est très abrupte, et la forêt qui la recouvre est ici très dense.

— Oui, continuez.

— Le lac est plus long que large ; il s'étend sur presque toute la longueur de la vallée. Autour, sur trois côtés, il y a des forêts, comme vous avez dit, et une vaste prairie herbeuse sur le quatrième.

— Que pouvez-vous dire au sujet de cette prairie ?

— Elle forme une sorte de terre-plein qui s'étend entre le lac et la crête rocheuse — un terre-plein parfaitement à l'abri, parce que la base de la crête remonte abruptement pour former une muraille protectrice en sa partie la plus éloignée.

— Quoi encore ?

— Le lac est serti sur tout son périmètre par un rivage accidenté composé de rochers noirs, qui ont la taille de miches de pain. Il y a d'innombrables pistes de gibiers qui descendent à travers la forêt jusqu'au lac.

— C'est incroyable, dut admettre Llew. Extraordinaire. C'est exactement comme vous le décrivez. » Il me donna de petites tapes sur l'épaule. « Allez, descendons jusqu'au bord du lac. Nous y installerons notre campement.

— Mais il fait de plus en plus nuit, vous l'avez dit. Comment trouverez-vous le chemin ?

— Je ne saurais pas le trouver, reprit-il doucement. De toute façon, il fait déjà trop nuit. Mais je n'ai pas besoin de le voir, car c'est vous qui me guiderez.

— Vous vous moquez de moi ?

— Pour vous, cela ne fait aucune différence, n'est-ce pas ?, demanda Llew. Votre vision intérieure saura nous conduire à l'endroit désiré. Et sans hésitation, sans nous perdre. Je suis certain que nous ne ferons pas un pas qui ne soit dans la bonne direction. »

Nous entendîmes le croassement d'un corbeau. Je tendis l'oreille : il y eut un autre croassement en réponse, puis plusieurs. Bientôt, sur toute la longueur de la crête résonnèrent les revendications criardes, âpres et intermittentes des oiseaux. Les corbeaux étaient en train de se rassembler pour la nuit dans les arbres, tout le long de la crête.

« Entendez-vous ?, dit Llew. Les gardiens des lieux sont en train de nous accueillir. Venez, frère, nous y serons les bienvenus. »

Nous restâmes, immobiles, sur le sommet de Druim Vran, la Crête des Corbeaux... C'est là un endroit que j'ai déjà vu, pensai-je, et j'entendis à nouveau la prophétie de la banfàith : *Mais heureux sera Caledon ; les Corbeaux s'envoleront en masse vers ses innombrables vallons, et le chant des corbeaux sera son propre chant.*

Llew avait dit la vérité. Je me concentrai à nouveau sur la vision intérieure que j'avais reçue. Oui ! Je pouvais voir le sentier se dérouler devant moi... comme dans la pleine lumière du jour.

« Parfait, dis-je. Mettons cette vision à l'épreuve... Nous allons descendre ensemble. »

Je réajustai ma harpe avec sa sangle et commençai à avancer d'un pas décidé. Mon pied retrouva le sol exactement comme je me le représentais dans mon esprit. Je fis un second pas, puis encore deux. À ma surprise, le chemin de ma vision intérieure se déplaça lentement en même temps que mon pied. Je voyais l'étroit sentier qui descendait devant moi — plus qu'un chemin, c'était plutôt un cours d'eau asséché, encombré d'un enchevêtrement de racines et de cailloux. Quelle que soit la lumière, le chemin était donc dangereux, *a fortiori* plein d'embûches de nuit, pour Llew.

Je fis encore quelques pas. « Le sentier est ici particulièrement abrupt, attention !, dis-je tout en décrivant ce que mon regard interne me montrait. Posez votre main sur mon épaule. Nous irons lentement. »

Llew fit ce que je lui recommandai, et ensemble nous amorçâmes la longue et laborieuse descente vers le lac. La manœuvre engageait toute ma force de concentration ; en dépit de la fraîcheur de la nuit, la sueur perlait sur mon front, s'écoulait le long de mon dos. Chaque pas était comme une épreuve de confiance, une sorte d'engagement qu'il fallait chaque fois renouveler, et qui n'était pas pour autant plus facile du fait que le pas précédent avait réussi.

La descente se poursuivit, nous suivions tous les détours du sentier tortueux. Contrairement à l'affirmation un peu rapide de Llew, nos pieds trouvaient rarement la bonne position : nous trébuchions sur les pierres, nos pieds se prenaient dans les racines qui sortaient de terre ; nous glissions sur les éboulis de cailloux, et de chaque côté les branches des fourrés nous éraflaient. Mais nous ne voulions pas faire attention à ces petits tracas, et poursuivions notre chemin.

« Tegid, vous êtes merveilleux ! », déclara Llew en essayant de récupérer son souffle lorsque nous fûmes à nouveau sur un terrain plat. Nous continuâmes un moment avant de déboucher sur un panorama donnant sur le lac. Les arbres étaient à présent très hauts ; nous trouvâmes un endroit abrité sous les branches, où un lit épais d'aiguilles de pins s'était amassé. « Je suis fatigué », dit Llew en bâillant. Il s'endormit en peu de temps à l'endroit même où nous nous étions arrêtés.

Moi aussi j'étais épuisé. Mais mon esprit restait vif à cause de l'excitation. Aveugle, j'avais pourtant traversé d'un bout à l'autre le chemin plein d'embûches. Uniquement guidé par ma vision intérieure, j'étais venu à bout de l'invisible sentier, et je sentais mon nouveau pouvoir jaillir comme une petite flamme naissante à l'intérieur de moi. Le pouvoir visionnaire dont j'étais dépositaire ne faisait plus aucun doute. Nous l'avions expérimenté pas à pas et il s'était révélé efficace.

J'étais aveugle, c'est vrai, et cependant j'avais retrouvé une nouvelle vue. Et j'avais le sentiment que la vue qui m'était désormais accordée était plus prégnante que celle que j'avais auparavant connue. La vue ! une vue qui n'est plus guère limitée par la lumière, voire par la distance. La vue ! Si j'étais à présent capable de voir au-delà des horizons les plus lointains, serais-je capable de voir également au-delà du présent, dans l'avenir... vers des royaumes qui n'existaient pas encore ?

Je ne dormis pas. Comment aurais-je pu ? J'étais assis, enveloppé dans ma cape, fixant intérieurement le lac, tel qu'il était, et peut-être aussi tel qu'il serait. Je grattai doucement sur ma harpe et me mis à chanter, me faisant une fois encore le porte-parole de la vision intérieure qui me brûlait. Le Très Sage et Très Bon est l'Être aux Multiples Dons... Que l'ensemble des hommes honorent et rendent un hommage éternel à Celui qui soutient toute chose grâce à sa Prompte et Forte Poigne !

XIII

LE CRANNOG

Nous installâmes notre campement dans une clairière, au milieu des pins qui se dressaient sur les versants dominant le lac. Le premier jour, Llew attrapa deux poissons, grâce à des pièges qu'il avait confectionnés avec des joncs tressés puis dissimulés dans les roseaux et les hautes plantes d'eau.

Ce soir-là, pendant que Llew faisait cuire la prise du jour sur le feu, nous évoquâmes tout ce qui avait contribué à nous amener jusqu'ici. Nous discutâmes sur la signification de la vision et de la manière dont elle pourrait se réaliser ; et nous nous mîmes à établir ce que nous devions faire. Puis, remplis de cette vision qui nous embrasait le cœur, nous savourâmes notre repas de poissons, puis recommençâmes à discuter.

Plus tard, alors que je m'installais avec ma harpe et commençais à gratter quelques accords, Llew m'attrapa par le bras et le tint fermement.

« Tegid, dit-il avec précipitation, il y a quelque chose que je veux faire.

— Qu'est-ce que vous voulez faire ?, demandai-je.

— On ne peut pas rester comme ça assit sans rien faire. Il faut faire en sorte de provoquer, d'amorcer quelque chose...

— Et alors, que voulez-vous faire ? Dites-le moi et je le ferai.

— Je ne sais pas, se résigna-t-il. Mais je vais y réfléchir. »

Puis il ne dit plus rien. Mais le matin suivant, il se réveilla dès le lever du jour et quitta le campement. M'étant réveillé plus tard, je me mis à descendre jusqu'au lac, où je pensais retrouver Llew. Mais il n'était pas là.

Je fis ma toilette, debout dans l'eau froide jusqu'à la taille, en m'aspergeant tout le corps. Au moment de ressortir, j'entendis un faible bruit mat. Que j'entendis à nouveau lorsque je me rhabillai. Je me tournai dans la direction du bruit, et appelai Llew. Une seconde fois, plus fort : « Llew, où êtes-vous ?

— Je suis là, entendis-je en retour. Ici, un peu plus loin ! »

Je me dirigeai au son de sa voix, et le retrouvai, immobile au milieu de la grande prairie surplombant le lac. « C'était quoi, le son que j'ai entendu ?, demandai-je.

— C'était ça… », dit-il en posant un lourd et large objet dans mes mains. Un objet rond, lisse, et froid au toucher.

« Pourquoi est-ce que vous transportez des pierres ?

— Je suis en train de marquer les limites de notre caer, répondit-il en ramassant une nouvelle pierre. Et ce sont les pierres qui servent à le délimiter. »

Il était apparemment allé prendre des pierres au bord du lac et avait constitué tout un tas. Et à présent, il arpentait le périmètre de sa supposée forteresse en utilisant les pierres pour délimiter le dessin des murs. Nous commençâmes à en faire le tour et il me montra où il avait placé les pierres.

« Très bien !, dis-je. Mais c'est un barde qui doit choisir l'endroit où construire la forteresse si le séjour doit se prolonger. D'autant plus s'il s'agit de la résidence d'un roi.

— Je ne suis pas roi…, grogna-t-il. Vous semblez l'oublier. Je suis mutilé. Et dans ce monde-ci, on ne suit pas les infirmes. C'est la dure vérité !

— D'accord, admit-il. Les choses sont ainsi faites. Cependant, le Très Sage et Très Bon est aussi l'Être aux Multiples Dons…

— Assez ! Je ne veux plus entendre cela !

— Si, vous allez l'entendre !, insistai-je. La Prompte et Forte Poigne vous a marqué de son sceau ; elle a choisi d'agir en vous de cette manière. À présent, c'est à vous de choisir : continuer, ou bien rebrousser chemin. Il n'y a pas d'autre solution. Et si vous continuez, davantage pourra vous être révélé.

— Cela n'a aucun sens de m'avoir choisi. D'ailleurs, rien dans tout cela n'a de sens.

— Je vous l'ai déjà dit… il s'agit d'un mystère.

— Vous continuez à le penser ?

— Mais oui, répondis-je.

— Pour quelle raison ? Qu'est-ce qui vous donne une telle certitude ?

— Mais je n'ai aucune certitude, dis-je. Rien n'est jamais certain. C'est la certitude que vous recherchez ?

— Bien sûr !

— Alors vous recherchez la mort...

— C'est difficile pour moi, Tegid !

— Certes, c'est difficile, pénible. La vie est dure et impitoyable. Il vous faudra bien choisir... d'une manière ou d'une autre. Personne ne peut se soustraire à une décision.

— Ah, et puis, ce n'est pas la peine de parler avec vous ! », criat-il ; et sa voix résonna sur la surface de l'eau comme un cri d'oiseau.

« C'est au fur et à mesure que l'on marche que le chemin se révèle, dis-je.

— On croirait entendre... un barde, répliqua-t-il avec aigreur.

— Un barde qui ne peut pas s'empêcher de croire que nous avons été conduits ici dans un but bien précis. Et l'Être qui nous a conduits ici verra à coup sûr ses plans se réaliser.

— Mais ils ont déjà échoué ! Même si, pourtant, j'ai vraiment cru en vous, Tegid ! »

La douleur, hélas, l'avait envahi au plus profond. Je m'en rendais compte maintenant, et je compris que la perte de sa main n'était pas ce qui était le plus pénible pour lui. Il ressentait une grande amertume ; c'était comme une source empoisonnée s'infiltrant jusqu'à son âme. Il avait supporté ses souffrances avec courage, mais elles avaient fini par avoir le dessus. C'étaient elles qui se cachaient derrière son impatience d'hier... c'étaient elles qui se cachaient derrière son impulsion à vouloir déplacer des pierres.

« Je vous dis la vérité lorsque je vous affirme qu'il y a un mystère...

— Arrêtez !, grogna-t-il en rejetant la pierre qu'il était en train de porter. Ne me parlez plus de vos mystères, Tegid... et ne me parlez plus de ce titre royal. Je n'en veux plus rien entendre ! »

Il bouillait de colère ; je pouvais en ressentir tous les effets malgré la distance qui nous séparait. « Oh, et puis à quoi bon ! », grommelat-il ; il arracha brusquement la pierre que je tenais dans les mains et la jeta au loin. « Nous n'avons même pas les outils nécessaires pour couper une branche de saule, ni *a fortiori* pour construire quoi que ce soit. Si c'était le cas, nous ne resterions de toute façon pas là ; nous retournerions à Sci, terre à laquelle nous appartenons. Mais c'est sans espoir, et j'en ai assez. »

Nous restâmes sans dire un mot pendant un long moment. Le soleil, dans notre dos, était chaud ; le vent, léger à travers les pins. Au loin, vers Druim Vran, j'entendis le cri rauque d'un corbeau.

Llew a tort, pensai-je. C'est à cette terre-là, et pas à une autre, que nous appartenons. « Ce n'est pas désespéré, dis-je. Impossible, peut-être, mais pas désespéré.

— Ah, vous autres, bardes… !, grogna Llew. Nous ne pouvons pas rester ici, Tegid. Nous n'avons rien à y faire. Si nous ne pouvons pas aller à Sci, dirigeons-nous vers le sud, en territoire *galanae*. Peut-être ce peuple — auquel appartient Cynan — nous accueillera-t-il. »

Voyant que je ne répondais pas, il dit : « Vous m'avez entendu ? »

Je m'étais baissé afin d'observer la pierre que Tegid venait de jeter à mes pieds, car j'en avais ressenti l'impact sur le sol. « Je vous ai entendu, dis-je. Vous avez raison.

— Alors, nous partons vers le sud ?

— Il faudrait au moins que l'on commence à construire quelque chose, mais pas ici.

— Qu'est-ce que cela changera ? », dit-il d'un ton maussade.

Je me retournai vers le lac. Au même moment, ma vision intérieure se réveilla, et je vis la citadelle — je vis où elle devait se trouver. « Sur le lac, dis-je… Sur le lac, oui. Mais pas ici. Par là-bas.

— Vous êtes fou.

— Peut-être. » Et je commençai à marcher en direction du lac.

— Vous voulez dire : dans l'eau ?

— Oui.

— Là-bas, dans le lac ?

— Ce sera un *crannog*, expliquai-je.

— Un crannog ?

— C'est un édifice construit sur une île artificielle, faites de rondins de bois et de pierres, et qui est…

— Oui, je sais ce qu'est un crannog, interrompit Llew avec impatience. Mais si nous ne sommes pas même capables d'édifier une simple cabane de terre dans un pré, comment pourrons-nous construire une forteresse au milieu du lac ? »

Pendant qu'il parlait, ma vision intérieure se déplaça, et je vis l'image du crannog tel qu'il devait être. « Pas seulement une citadelle, répondis-je. Une ville entière. »

Et à la vérité la citadelle que je voyais était aussi grande et aussi imposante que l'avait été jadis Sycharth. C'était une île — de la terre entourée d'une palissade de bois, au centre du lac, et non pas d'ailleurs une île unique, mais un ensemble d'îlots reliés ensemble par des ponts et des rues, formant une puissante forteresse, un caer construit sur l'eau : avec des habitations de forme ronde, en osier recouvert d'un enduit de terre, avec une palissade, des greniers, des entrepôts, et, sur un tertre de terre au centre de l'île du milieu, une gigantesque bâtisse en rondins de bois pour le chef du clan.

Je vis de la fumée s'élever du toit des cuisines et du foyer de la grande salle. Je vis des moutons, des bœufs, des porcs dans des enclos sur le crannog, ainsi que dans la grande prairie, où l'on avait planté des graminées. Plusieurs dizaines de bateaux, des grands et des plus petits, naviguaient sur les eaux tout autour du caer ; des enfants nageaient, s'amusaient ; des femmes pêchaient dans les eaux peu profondes.

Je vis tout cela ; je vis même plus encore. Et je racontais tout cela à Llew, exactement de la manière dont cela m'apparaissait.

« J'aimerais bien voir ça... », lança-t-il. Et je sentis son amertume, qui commençait tout juste à s'apaiser, le submerger à nouveau. Llew prit dans sa main la pierre qu'il tenait dans le creux de son bras mutilé, avança d'un pas lourd vers le bord du lac et la lança. J'entendis le bruit sourd de la chute. « Et bien voilà !, s'exclama-t-il sans se retourner. J'ai placé la première pierre. Quel nom allons-nous donner à votre cité des eaux ?

— Mais ce nom, vous venez de le lui donner, dis-je en faisant quelques pas pour le rejoindre. Dinas Dwr — la Cité des Eaux —, nous l'appellerons ainsi. »

Le nom lui plut ; Llew jeta une seconde pierre dans le lac. « Dinas Dwr est née ; les travaux sont commencés, dit-il. Et j'espère, à vrai dire, que Dagda aux Multiples Dons nous enverra un bateau, sinon nous serons condamnés à construire comme nous venons de le faire...

— Nous aurons besoin de bien plus qu'un bateau. Nous aurons besoin d'une véritable armée d'ouvriers et d'artisans. Ce doit être autre chose qu'une simple ville, frère. Ce doit être un refuge pour d'innombrables gens, un point de ralliement dans le nord pour l'ensemble d'Albion. »

Nous restâmes assis assez longtemps sur la rive rocailleuse du lac, pour discuter de la façon dont le crannog devrait être édifié. Je décrivis dans le détail toutes les manières de construire, toutes les solutions possibles, leurs avantages en temps de conflit, leurs limites. Llew fut extrêmement attentif, assimila l'ensemble de mon exposé, et lorsque j'eus terminé, il se leva. « Nous ne pourrons pas exécuter ce travail gigantesque en n'ayant comme moyens de subsistance uniquement des racines et des écorces, de la friture et une hypothétique volaille, déclara-t-il. Des bras qui soulèvent de lourdes pierres et des troncs d'arbre ont besoin de viande pour leur donner des forces.

— Que proposez-vous ?

— Je propose que nous allions chercher du bois de jeune frêne afin de fabriquer quelques lances qui me permettront de chasser, répondit-il. Les forêts abondent en gibier de toutes sortes ; il suffit de l'attraper.

— Oui, mais… », commençais-je.

Il m'interrompit. « Je sais ce à quoi vous pensez. Mais Scatha disait toujours qu'un homme qui ne se bat qu'avec une main n'est que la moitié d'un guerrier. À Ynys Sci nous avons appris à utiliser nos armes avec l'une ou l'autre main indifféremment.

— Je n'ai jamais douté de vous.

— Je dois refaire un peu d'entraînement, admit-il, mais cela reviendra vite, n'ayez aucune crainte.

— Et comment allez-vous couper, puis tailler les morceaux de frêne ?, demandai-je.

— Le silex…, répondit-il. Il y a du silex sur les sommets aussi bien que sur les versants de ces collines. On peut s'en servir pour confectionner des grattoirs, des haches et embouts pour les lances… autant que nous voulons. »

C'est ainsi que nous passâmes le jour suivant à collecter puis à façonner des silex pour confectionner les lames dont nous aurions besoin. Travailler en ne se fiant qu'au toucher, c'était plus facile que je ne l'aurais imaginé ; je pus acquérir le savoir-faire nécessaire pour produire des lames de pierre aussi tranchante — sinon aussi durable — que l'acier. Nous ne disposions pas de lanières de cuir pour attacher nos lames rudimentaires aux manches de bois, mais je me débrouillai pour utiliser du fil pris sur le coin de nos capes. Je me mis à tresser trois fils ensemble, puis à tresser une nouvelle fois trois tresses ensemble : trois fois trois, un nombre satisfaisant, et d'une grande solidité.

Pendant que je confectionnai mes tresses, Llew partit à la recherche d'une branche robuste qui pourrait servir de manche pour sa hache. Il trouva un morceau de bois de chêne, épais, fourchu, où je pus fixer la lame de la hache que je venais d'achever.

Llew testa l'outil sur un morceau de bois de chauffe. « Cela conviendra, annonça-t-il en soupesant l'objet terminé. « Reste à trouver un jeune arbre, bien droit.

— Vous en trouverez autant que vous voudrez sur le bord oriental de la crête, dis-je.

— Vous les avez vus ?

— Non, mais c'est là que poussent de tels arbres. »

Il fut absent tout le reste de la journée, et ne revint qu'à la tombée du soir, non pas avec un ou deux, mais avec six jeunes frênes bien droits, splendides. Quatre d'entre eux étaient encore verts, mais les deux autres étaient bien secs, car ils avaient été trouvés déracinés. Il avait élagué les branches et la cime, et s'apprêtait à les façonner avec un grattoir de silex que j'avais exécuté dans ce but.

Il commença par me tailler un nouveau bâton de marche. Il était plus long qu'aucun de ceux que j'avais utilisés auparavant, et plus mince. Mais j'estimais qu'il était plus aisé à manier pour un barde aveugle. « Je suis désolé de ne pouvoir vous en offrir un en bois de sorbier, dit Llew. Mais peut-être pourra-t-il vous servir en attendant de trouver quelque chose de mieux. »

Je laissai glisser ma main sur les rondeurs lisses du bois. Llew avait accompli un beau travail de taille et de lissage avec des outils rudimentaires, et je lui fis des compliments : « C'est parfait, Llew. C'est un objet magnifique. Je n'en souhaite pas d'autre. »

Le jour suivant, il se mit à façonner le manche, pendant que je terminai de tailler la lame et confectionnai une nouvelle lanière tressée pour la fixer. Nous ne terminâmes qu'au terme de la journée. « Demain, nous allons manger de la viande ! », déclara Llew en mâchonnant un morceau de racine de guimauve. Puis il ajouta quelque temps après : « Si seulement nous avions un peu de sel !

— Nous sommes trop éloignés de la mer pour y songer, mais en revanche, les herbes aromatiques abondent dans ces forêts. Je vais aller en cueillir quelques-unes pendant votre absence.

— Que le feu soit prêt à mon retour… Je rapporte le dîner ! », promit-il.

Il tint finalement parole, mais ce ne fut ni un sanglier ni un cerf qu'il ramena, mais… un écureuil. Llew en était très déçu, et affirma qu'il aurait mieux employé son temps en partant à la pêche.

« Les cerfs courent trop vite, marmonna-t-il en attendant que l'écureuil fût prêt à servir. Ils sont déjà loin avant que je puisse me préparer correctement à lancer mon arme. Sans cheval, il me paraît impossible de leur donner la chasse. Quant aux sangliers, ils sont dangereux lorsque le chasseur est à pied. » Il réfléchit un instant à ce qu'il venait de dire, puis ajouta : « Si vraiment je veux attraper un sanglier ou un cerf, il faudra que j'escalade un arbre au bord d'une piste à gibier et que j'attende.

— Peut-être vaut-il mieux trouver la piste qu'ils empruntent pour aller s'abreuver, suggérai-je. Tout le gibier vivant sur ce versant se dirige probablement vers le lac pour boire. Il suffit de trouver l'endroit, et c'est là que vous pourrez le guetter. »

Le matin suivant, Llew partit en hâte vers le bord du lac et examina le rivage pour trouver l'endroit où les animaux s'abreuvaient. Je pris le bâton que Llew m'avait confectionné et, testant le sol deci de-là, je fouillai les bois alentour et trouvai une réserve secrète de noix que j'enveloppai aussitôt avec plusieurs feuilles.

Llew revint vers midi en annonçant qu'il avait découvert le lieu où s'abreuvaient les animaux ainsi qu'une piste de gibier convenable qui y conduisait depuis la forêt. « Il y a un endroit, en contrebas, le long de la rive occidentale ; la forêt y est dense et les eaux du lac peu profondes. À en juger par les pistes que j'ai pu repérer, on pourra y trouver des cerfs et des sangliers. À guère plus d'une centaine de pas de cet endroit, il y a un pin sur lequel je peux grimper — un grand et vieux pin, et autour de lui la végétation est assez clairsemée. La piste passe juste au-dessous de l'une des plus grosses branches, et de là je pourrai parfaitement lancer une attaque. Souhaitez-moi bonne chance, Tegid.

— Je ne vous souhaite que cela !, dis-je. Mais partez-vous maintenant ?

— Je crois que cela est préférable. Je voudrais être en place bien avant la tombée du soir pour laisser une chance à mon odeur de se disperser.

— Eh bien allez-y, et prenez cela avec vous, dis-je en lui tendant le petit sac de feuilles rempli de noix. Je vous souhaite une bonne chasse. »

Il prit les noix, et je n'eus plus qu'à attendre le restant de la journée. La lune allait se lever tard… bien après la tombée de la nuit. Je ne m'attendais pas à le voir revenir avant l'aube. Toutefois, j'entretins le feu toute la nuit de manière à ce qu'il pût retrouver la direction du campement s'il revenait dans l'obscurité.

Lorsque la nuit tomba, je pris ma harpe et me mis à jouer. Les doux échos de l'instrument remplirent la sphère de la nuit tout autour de moi… ainsi que le halo formé par le feu de camp — que je ne pouvais du reste pas voir. J'entamai un chant très doux, une mélodie aux accents paisibles et calmes, de manière à ne pas perturber la sérénité de la forêt et de la nuit.

Les notes de cristal s'égrenaient une à une et, légères, se répandaient dans l'air, le feu crépitait doucement, et je pris conscience qu'il y avait, ici avec moi, une autre présence. Une altération subtile de l'air, un léger tremblement d'excitation sur la peau… oui, j'étais observé…

Je sentais la présence du visiteur juste à la limite de notre campement ; il m'observait. Était-ce un animal ? Non… pas un animal.

J'interrompis mon chant, mais continuai à gratter sur ma harpe, scrutant à travers les notes la faible rumeur de la nuit qui m'entourait. Je n'entendis pas d'abord ce que je voulais entendre, mais ensuite... il y eut un murmure, comme le souffle d'une respiration.

J'arrêtai de gratter, posai la harpe, et me relevai lentement. « Qui est là ? », dis-je doucement.

Pas de réponse — même si je crus détecter le frissonnement des feuilles, comme si une branche qu'on avait retenue reprenait soudain sa position naturelle.

« Montrez-vous ! », dis-je, avec cette fois plus de conviction et d'autorité. « Vous êtes bienvenu pour venir partager la chaleur de ce feu. »

Toujours aucune réponse.

« Vous n'avez rien à craindre. Je ne vous ferai aucun mal. Venez donc me rejoindre. Nous bavarderons un peu. »

Il n'y avait toujours pas de réponse. Mais j'entendis, distinctement, le craquement d'une petite branche et le froissement de feuilles indiquant que l'étranger s'éloignait. J'attendis un moment... Le silence était revenu ; j'étais à nouveau seul.

Je fis alors le tour du foyer pour rejoindre l'endroit où s'était arrêté mon timide visiteur. Je m'appuyai sur mon bâton et prêtai l'oreille un moment : je n'entendais plus rien. Puis, alors que je m'en retournai vers le feu, je sentis quelque chose sous mon pied. Je me penchai pour le ramasser. L'objet était plat et fragile, avec des pointes ou des épines très pointues plantées sur une tige de bois.

Je le tournai et retournai dans mes mains pendant quelque temps avant de m'apercevoir de quoi il s'agissait : c'était un brin de houx.

XIV

VISITEURS

Llew revint au lever du jour avec une prise — un chevreuil qu'il déposa près du feu, et qui lui fit oublier du même coup de me raconter, dans l'excitation, ce qu'il avait vu.

« C'était incroyable !, dit-il hors de souffle. Vous ne me croirez jamais, Tegid ! » Il avait couru depuis le lac en traînant le jeune animal et s'était essoufflé d'avoir dû escalader jusqu'au campement.

« Il fallait que je reste éveillé…, dit-il en reprenant sa respiration. Sinon, je serais… tombé de l'arbre… Il faisait froid là-haut… » Il respira puis avala. « Il fallait que je… me remue… pour éviter de m'engourdir… et je… j'étais…

— Calmez-vous, dis-je. Je peux attendre. »

Il prit une large respiration, puis une autre. « J'ai laissé accidentellement tomber ma lance, continua-t-il d'une voix un peu raffermie. Elle est tombée en plein milieu de la piste. Il faisait nuit, mais je pouvais l'apercevoir au-dessous de moi, à cause de la lune. Je suis descendu la chercher… » Il s'interrompit et prit longuement une nouvelle respiration, puis : « J'ai récupéré ma lance, et… Tegid, cela semble étrange à dire, mais j'ai senti soudain la présence de quelque chose. J'ai senti des yeux sur moi… comme si on m'observait. Je pensais qu'il pouvait s'agir d'un cerf. Je suis regrimpé sur mon arbre le plus rapidement et le plus calmement possible, et me préparai à lancer mon arme dans l'hypothèse où l'animal emprunterait la piste. »

Reprenant à nouveau son souffle, le rythme de son récit s'accéléra. « Pendant tout ce temps, je me maudissais de ne pas faire plus attention. J'étais certain d'avoir perdu une occasion de prise.

« Mais juste au moment où je reprenais position, j'ai entendu un bruit sur la piste. J'ai baissé les yeux pour regarder, et juste au-dessous de la branche sur laquelle j'étais assis… — Llew avait la voix qui tremblait d'excitation —, j'ai vu…, Tegid ! Vous ne me croirez jamais !… Au début, je ne savais pas ce que c'était. C'était juste cette espèce de masse sombre au pied de l'arbre… Mais elle avait un visage, et je voyais ses yeux… Tegid ! … ses yeux qui luisaient dans la clarté de la lune. Cette chose regardait droit vers moi ! Elle me voyait ! C'était comme…

— Oui… c'était ?, l'interrompis-je. Quelle était cette chose qui vous regardait, frère ?

— C'était… Comment appelle-t-on cela… Une créature végétale.

— "Une créature végétale" ?

— Je ne connais pas le mot. Comment appelez-vous cela ?

— Je ne pourrai pas vous dire, tant que vous ne m'aurez pas expliqué ce que vous avez vu, répondis-je. Faites-moi une description.

— Cela ressemblait à un homme… très grand et très mince, couvert de feuilles et d'épines. La créature avait des cheveux, je crois, mais elle avait des petites branches et des feuilles de toutes sortes, comme plantées sur tout son corps, des pieds à la tête. Ses yeux… Tegid…, ses yeux étaient immenses, et ils me fixaient. Je savais que la créature me voyait. Et elle savait que j'étais là. J'ai failli tomber de mon arbre lorsque je l'ai aperçue. La chose, elle était là, sans bouger, regardant vers moi. Cette chose… ce…

— *Cylenchar*, dis-je.

— Cylenchar ? Llew tenta de décrypter la signification de ce mot : "Buisson Pudique"… "Arbre Timide" ?

— "Arbre", ou "Forêt", oui, répondis-je. Mais pas vraiment "Pudique"… plutôt "Dissimulé", "Caché". C'est un mot très ancien, qui signifie "Celui qui est caché au sein de la forêt".

— Mais c'est bien cela que j'ai vu ? »

Je tendis la branche de houx devant moi. Llew s'en saisit. « Il est également venu ici, expliquai-je. Je crois que les sons de la harpe l'ont attiré.

— Il… Lui ?

— Oui, la Créature Cachée, le Cylenchar.

— L'homme vert, dit Llew, à voix basse. Dans le monde auquel j'appartiens, on appelle ce genre de créature un homme vert, ou un bonhomme des bois. J'en ai vu un, jadis… C'était… » Il retomba dans le silence tout en se remémorant la scène.

« Qu'y a-t-il, frère ? De quoi vous souvenez-vous ?

— Simon et moi, nous en avons vu un... Nous avons vu un homme vert, un Cylenchar, sur la route. C'était avant de passer dans ce monde-ci. Nous étions partis pour l'Écosse... euh, pour Caledon... Nous étions près d'un lac comme celui-ci... » Sa voix s'éteignit à nouveau.

Je remis un peu de bois dans le foyer. « Asseyez-vous, dis-je. Reposez-vous. »

Il fit ce à quoi je l'invitais. « Un homme vert », soupira-t-il.

Je tendis les mains vers le chevreuil qu'il avait ramené, effleurant de mes doigts la fourrure, le corps de l'animal. C'était un jeune mâle, souple, de petite taille. Sa viande allait être très tendre, succulente. « Vous avez fait une bonne prise. Nous avons de la bonne nourriture pour plusieurs jours.

— Mais ce n'est pas moi qui l'ai tué, dit Llew. C'est le Cylenchar. Juste avant la tombée du soir, j'ai entendu un bruit dans les taillis, et je me préparai à attaquer. C'est alors que j'ai vu... — il s'interrompit et avala — ... une masse confuse, une masse vaguement verte... qui se déplaçait, hérissée de branches, de feuilles, de brindilles... Et puis plus rien. Ensuite, j'ai vu le jeune chevreuil gisant sur le sol, dans la clairière située à proximité de l'arbre où je me trouvais. Il était déjà mort. Alors je descendis. L'animal était encore chaud ; il avait été tué peu de temps auparavant. J'attendis quelques instants, mais rien ne se passa. C'est ainsi que je décidai d'emporter la bête et de la ramener ici. »

Nous restâmes un moment assis, à écouter le crépitement du feu, nous demandant si le Cylenchar était en ce moment en train de nous épier. J'imaginais qu'il nous avait vus depuis le début, et qu'il nous avait espionnés pendant que nous installions notre campement et que nous fabriquions nos armes. Il nous avait observés et nous avait fait une offrande de nourriture. C'était là sa façon de nous souhaiter la bienvenue.

« Les Créatures Cachées sont des êtres très âgés, dis-je après quelque temps. Lorsque la Terre, au moment de la Création, était encore toute fraîche de rosée, ils habitaient déjà la région. Lorsque les hommes apparurent en Albion, ils se retirèrent dans les forêts, où ils se sont mis à attendre et à observer.

— Qu'observent-ils ?

— Tout. Ils observent tout. Savent tout ce qui se passe à proximité de la moindre feuille, dans l'ombre. Ils prennent soin des arbres et des animaux qui s'abritent à l'intérieur du cercle formé par les arbres. Ce sont les gardiens de la forêt.

— Vous avez dit que nous étions les bienvenus ici. Pourquoi la créature réagit-elle ainsi ?

— Je ne sais pas. Mais nous allons être observés, et sans doute protégés à partir de maintenant.

— Nourris aussi.

— Oui, observés et nourris. Nous allons mettre de côté une part de viande pour le Cylenchar — de manière à lui signifier notre respect et notre gratitude. Et si notre offrande est acceptée, cela voudra dire que notre présence est admise. »

Llew suspendit le chevreuil par les pattes postérieures à la branche d'un arbre, lui trancha la gorge et le saigna à blanc ; il rassembla quelques branches de saule puis revint et commença à le dépecer. « Vous êtes fatigué, dis-je. Allez vous coucher. Je m'occupe du reste.

— Vraiment ?

— Oui. Je vous réveillerai pour le dîner », dis-je. Ce fut à peine plus difficile que je pouvais le craindre — et cela était dû davantage à la qualité rudimentaire de la lame qu'à ma cécité. J'utilisais la lame de silex et le grattoir et, soigneusement, retirai la peau. Puis je débitai la carcasse ; enfin, du mieux que je pus, je séparai les deux cuissots. J'enveloppai les parties que je souhaitais conserver à part dans la peau de l'animal, et laissai les abats pour les oiseaux et autres animaux. Tout cela fut porté un peu à l'écart du campement, car je ne voulais pas souiller le sol avec les restes.

Lorsque j'eus terminé, je revins avec la viande vers le foyer, alimentai le feu jusqu'à ce que les flammes deviennent hautes et très chaudes, puis enfilai les deux cuissots sur les broches en saule que Llew avait préparées. Je mis la viande à cuire lentement sur le bord du foyer, et attendis que Llew se réveille.

Nous mangeâmes à midi, savourant notre somptueux repas. Nous mangeâmes jusqu'à n'en plus pouvoir, et descendîmes ensuite au lac pour boire et pour nous baigner. L'eau était froide et nous donnait la chair de poule pendant que nous nagions et nous dépensions dans l'eau. Le savon me manquait, et je n'aimais pas la sensation de mon pansement mouillé sur les yeux. Llew me surprit pendant que je faisais des efforts pour le retirer, et vint en nageant vers moi.

« Il est temps de voir comment la plaie évolue, dis-je.

— Vous avez raison, dit-il. Je vais vous imiter. » Et il commença lui aussi à dérouler le pansement de son moignon.

« Alors ? Dites-moi… Que voyez-vous ? »

Je sentis sa main effleurer ma tempe. Il fit pivoter mon visage d'un côté puis de l'autre. « Je ne chercherai pas à vous mentir, frère, dit-il solennellement. La plaie n'est pas belle — même si elle n'a pas évolué aussi mal qu'on aurait pu le craindre. La couleur de la blessure s'est améliorée, je crois. » Ses doigts m'examinaient délicatement. « Vos yeux ont été profondément touchés. Pouvez-vous voir quelque chose ?

— Non. Et je ne pense pas que ma vue puisse jamais revenir…

— Je suis désolé, Tegid. » Le ton de sa voix ne permettait aucun espoir.

« Comment va votre bras ?

— Cela s'améliore également. La peau est toujours légèrement enflammée, elle est toujours très rouge. Mais la plaie commence à se refermer lentement sur le moignon. Il y a toujours un peu de liquide qui suinte de la blessure. Il est très délayé et n'a plus la nuance jaunâtre qu'il avait auparavant. Il va me falloir à nouveau refaire un pansement, mais pour le moment, ça ne fera pas de mal de nettoyer un peu. La sensation de l'eau froide me fait du bien.

— Si nous avions un chaudron, j'aurais pu vous préparer un cataplasme afin d'atténuer un peu l'inflammation… » Au moment où je prononçais ces mots, ma vision intérieure se mit à s'activer, et je vis alors l'image d'un homme debout sur le bord du lac qui tenait dans les mains une bassine. Il était en train de la soulever au-dessus de sa tête et, alors que le soleil disparaissait au-dessus de la crête rocheuse, il se mit à la lancer au milieu du lac. J'entendis le bruit sourd au contact de l'eau, et vis les reflets chatoyants se propager sur la surface.

« Qu'y a-t-il, Tegid ? Que voyez-vous ?

— Il y a une bassine — une sorte de vasque en bronze — … par ici…, dis-je en me tournant vers le lac qui s'étendait devant moi. Il s'agit d'une offrande faite par un seigneur à la mémoire de son fils nouveau-né, qui est mort.

— Ici ?

— Au milieu du lac. » Je pointai l'endroit que j'avais vu intérieurement. « Là-bas, précisément.

— Attendez-moi ici, dit Llew. Je vais essayer de la trouver. »

Il ne remit pas le moins du monde en question la vision que je venais d'avoir. Il se mit aussitôt à plonger dans le lac, et nagea à la recherche de la bassine au milieu des galets qui jonchaient le fond. Il plongea et replongea, mais ne trouva rien.

« Restez là-bas !, m'exclamai-je. Et écoutez-moi… Je vais vous guider. »

Je sortis de l'eau et regagnai le rivage. Comme auparavant, l'image intérieure se déplaçait au fur et à mesure que je marchais. À ma droite, je vis un rocher imposant, à moitié sur la grève et à moitié dans l'eau ; lorsque j'avais vu l'homme, il était debout sur ce rocher avec la bassine dans les mains. J'essayai de trouver un itinéraire à travers les galets jusqu'au rocher. Et je grimpai dessus. Une nouvelle fois, je me tournai vers la mer. J'étendis mes deux mains droit devant moi. « Llew, où êtes-vous ?

— Je suis là, répondit-il. Je suis juste un peu sur votre gauche. » Je réussis à le localiser grâce à sa voix, puis le visualisai en confrontant sa position à celle de mon image intérieure : il apparut alors à mon esprit à l'endroit même. « Llew, levez la main ! »

Il tendit la main au-dessus de sa tête, et l'image de ma vision intérieure réagit de façon identique. Toutes deux n'étaient qu'une seule et même image.

« La vasque est juste derrière vous, sur ma droite, dis-je.

— À quelle distance ? »

Je fis une estimation : « Deux pas sur votre gauche, répondis-je ; puis sept ou huit pas en arrière. »

Il se retourna et s'éloigna. Ma vision intérieure s'estompa, puis ne fut plus qu'un écran noir. Il y eut d'abord quelques clapotis pendant que Llew marchait dans l'eau, puis un bruit étouffé lorsqu'il plongea. Il plongea une fois, puis une autre. Puis plusieurs fois encore. Je ne bougeais plus ; j'écoutais, j'attendais qu'il revienne à la surface. Je n'entendis rien pendant quelque temps… puis enfin…

J'entendis qu'il refaisait surface, et aussitôt après un cri : « Je l'ai !, s'exclama Llew. Elle est dans mes mains, Tegid ! J'ai retrouvé la vasque ! »

Il remonta précipitamment. Je tendis alors mes bras droit devant moi et sentis le contact froid de l'objet ruisselant d'eau que Llew me rapportait. C'était une vasque large et peu profonde, en bronze épais ; sa surface était bosselée aux endroits où elle avait été martelée. Trois lignes circulaires avaient été ciselées sur le bord.

« Elle est plus grande que je pensais », dit Llew. Je devinais un large sourire sur son visage. « Elle était posée à l'envers. Sous l'eau, elle ressemblait à une pierre. Mais elle était bien là où vous aviez dit… » Il se tut et fit quelques pas en s'éloignant à nouveau. « Je me demande, ajouta-t-il, ce que le fond du lac peut bien encore contenir… »

J'étais prêt à répondre, mais avant même de prononcer le premier mot, j'entendis le hennissement d'un cheval. « Écoutez ! »

Il y eut un second hennissement, clair et distinct dans le silence de la vallée.

« Cela vient de l'autre côté du lac, dit Llew.

— Voyez-vous quelque chose ? »

Llew ne répondit pas. Je sentais derrière moi qu'il était tendu. J'entendis une brise légère sur la surface du lac ; le vent soufflait vers nous depuis les sommets de la crête jusqu'à l'autre rive.

« Ça y est, je le vois !, murmura Llew. C'est un guerrier. Il porte une lance et un bouclier. Il est descendu au lac pour abreuver son cheval. Il ne nous a pas vus... pas encore...

— Est-il seul ?

— Je ne vois personne avec lui.

— Continuez à observer. »

Nous attendîmes.

« Non, il n'y a personne d'autre. Il est bien seul.

— Que fait-il ?

— Il est agenouillé... Maintenant il boit... » Llew se tut. « Il se lève. Il regarde dans notre direction... »

Llew agrippa soudain mon bras avec sa main valide. « Il nous a vus !, souffla-t-il avec nervosité. Il remonte sur son cheval...

— Est-ce qu'il vient vers nous ? »

Llew hésita. « Non, répondit-il, relâchant un peu mon bras. Il est en train de repartir dans la direction d'où il était venu. Il s'en va... » Puis un instant après : « Il est parti.

— Alors venez, dis-je en lui tendant la vasque en bronze pour redescendre de mon rocher. Je crois qu'il faut qu'on se prépare à avoir de la visite.

— Vous pensez qu'il va revenir ?

— Sans aucun doute, m'exclamai-je tout en marchant d'un pas mal assuré sur les galets. On peut supposer en effet qu'il va revenir, et la prochaine fois, il ne sera pas seul. »

Nous attendîmes toute la nuit, ainsi que le jour suivant. Et bien que Llew soit monté sur le sommet de la crête afin d'observer la vallée presque toute la journée, il ne vit venir personne. Je commençai à penser que c'était là une preuve que je m'étais trompé, et que le cavalier ne reviendrait pas.

« J'ai longé toute la crête, dit Llew quand il revint au campement. Je n'ai rien vu ni rien entendu. » Il émit un soupir las, planta sa lance dans le sol, et s'affala par terre. « J'ai faim, Tegid, dit-il assis de l'autre côté du foyer éteint. Allumons un feu et faisons cuire encore un peu de chevreuil. »

J'hésitai. Je n'avais pas voulu que l'on allume de feu la nuit précédente, de crainte d'attirer l'attention de visiteurs importuns.

« Qu'en pensez-vous ?, dit-il d'un ton cajoleur. Il n'y a personne. S'il y avait vraiment quelqu'un dans la forêt, je l'aurais entendu, aujourd'hui. Il n'y a personne dans les parages. »

Mes précautions apparaissaient futiles et un peu sottes. « Parfait…, dis-je en me laissant finalement fléchir, allez ramasser du bois. Nous allons faire un feu. »

Llew fit un gros tas avec les bûches et alluma le feu. En peu de temps, tout ce qui restait du chevreuil — les trois parts que nous n'avions pas encore mangées — fut embroché et mis à rôtir au bord des flammes, et l'air fut bientôt rempli des bonnes odeurs de gibier. La graisse fondait et grésillait en tombant goutte à goutte.

Llew, qui avait trop faim et ne pouvait attendre, retira les morceaux de viande brûlants de la broche avec ses doigts et souffla dessus avant de les engloutir. « Mmm, murmura-t-il gaiement. Ça va mieux, Tegid ! J'ai pensé à ce moment toute la journée… »

Pendant que la viande cuisait, j'avais apporté la vasque en bronze près du feu. En l'absence de Llew, j'avais préparé le cataplasme. La forêt abondait en herbes de différentes sortes, et en dépit du fait que je ne voyais pas, j'avais ramassé en très peu de temps tout ce dont j'avais besoin. La tâche la plus difficile avait consisté à aller chercher de l'eau avec la vasque et à revenir au campement sans tout renverser sur le chemin.

Je mélangeai les herbes avec l'eau et laissai reposer l'ensemble pour laisser infuser. Maintenant que nous avions du feu, je pouvais apporter mon récipient près des flammes pour le chauffer correctement. Je le laissai bouillir, et en attendant, me préparai une petite branche de noisetier pour mélanger ma mixture. Llew continuait à s'occuper des morceaux de viande qui restaient sur la broche et se léchait les doigts, alors que je remuais ma mixture dans la vasque tout en respirant les effluves des herbes pilées.

« Qu'y a-t-il là dedans ?, demanda Llew négligemment. Si c'est un…

— Chhhhhht ! », fis-je.

Je tendis l'oreille pour écouter les bruits de la forêt autour de nous. Je sentis la présence d'un grimpereau, puis d'une grive. Puis j'entendis le bruissement infime des feuilles mortes sous les taillis… et finalement le léger cliquetis provoqué par le harnachement d'un cheval.

« Ils sont toujours là, dans les parages, dis-je. Laissons le feu allumé et allons nous cacher dans la forêt jusqu'à ce que l'on sache ce qu'ils veulent. »

Llew se leva et retira sa lance qui était plantée près de lui dans le sol. Mais avant même qu'il pût faire un pas vers moi, j'entendis une voix derrière moi qui s'exclamait : « Attendez, mon ami ! »

Je me retournai.

« Ne soyez pas stupide », dit la voix.

Puis une autre ajouta : « Posez votre lance, l'ami. » C'était une voix pleine de menace.

Une troisième, enfin : « Est-ce vraiment l'accueil qui convient à des guerriers de notre rang ? »

La première voix reprit : « Restez tranquilles ! »

J'entendis qu'on s'agitait derrière moi, et de chaque côté aussi. Les chevaux avaient été laissés un peu plus loin, et ils étaient venus vers nous en marchant. Nous ne pouvions rien faire, nous étions cernés.

XV

ALLIANCE MORTELLE

« Qui êtes-vous ?, demanda Llew avec fermeté. Pourquoi nous agressez-vous ? » Je ressentais de la méfiance dans sa voix. Il n'arrivait pas à se détendre. Je faisais des efforts en moi-même pour stimuler ma vision, mais je me retrouvai devant un écran noir.

« Posez votre lance !, s'exclama sans ménagement la première voix.

— Pas avant de savoir la raison pour laquelle vous avez franchi les limites de notre campement !, insista Llew.

— Nous n'avons pas l'habitude de répondre aux questions sous la menace d'une arme, répondit l'étranger derrière moi.

— Et est-ce votre habitude d'enfreindre les limites d'un camp paisible par la force ?, rétorqua Llew d'une voix basse et mal assurée.

— Vous considérez-vous être chez vous, insinua sans sourciller l'un des guerriers, pour vous attribuer le droit de poser aussi fermement des questions à tous ceux qui vivent sur ces terres ? »

J'entendis le bruissement léger d'un pas. Un homme s'était rapproché de nous. Je tendis mes mains droit devant moi pour montrer que je n'avais pas d'arme. « Restons en paix, dis-je. Vous n'avez rien à craindre de nous. » J'avais parlé avec hardiesse, mais sans être intimidé. « Prenez place avec nous autour de notre feu. »

Il y eut un silence. Je sentais que tous me regardaient. « Qui êtes-vous ?, demanda l'un des étrangers.

— Je vous le dirai lorsque vous m'aurez dit vous-même la raison pour laquelle vous repoussez notre offre de paix en refusant de vous asseoir autour de notre feu. » Voyant que personne ne répondait, j'ajoutai : « Peut-être pensez-vous que nous sommes indignes de vous offrir ainsi de partager notre compagnie et notre repas ? »

Le premier guerrier répondit de mauvaise grâce : « Mais nous ne voulons de mal à personne. Rhoedd s'est simplement aperçu qu'il y avait des étrangers près du lac. Et notre chef nous a envoyés voir ce qu'il en était, car il a été troublé d'apprendre la présence d'envahisseurs.

— Qui est votre chef ?, demandai-je.

— Cynfarch de Dun Cruach, répondit le guerrier.

— Vous vous êtes aventurés bien au nord, dit Llew. Où est votre chef ?

— Il nous attend dans le vallon près de la rivière, répondit le guerrier.

— Amenez-le, dit Llew. Nous allons l'accueillir ici. »

Le guerrier n'émit aucune protestation. « Amenez-le ici, ordonnai-je. Dites-lui que Llew et Tegid l'attendent.

— Mais nous ne sommes pas…

— Allez ! », répliquai-je, laissant résonner ma voix dans le silence de la clairière. « Revenez ici avec votre chef, ou bien ne revenez pas ! »

Sans ajouter un seul mot, les trois guerriers disparurent de la même manière dont ils étaient venus. Nous les entendîmes s'éloigner en hâte à travers les taillis, et, une fois qu'ils furent définitivement partis, Llew poussa un soupir de soulagement.

« Ils étaient tellement prêts à nous attaquer !, dit il.

— Ils avaient peur.

— Pensez-vous que Cynan soit avec eux ?

— C'est ce que nous allons bientôt savoir. » Je me penchai vers la vasque près du feu. Le récipient était brûlant, et les herbes macéraient. « Le cataplasme est prêt. Laissez-moi voir votre blessure. »

Je retirai la vasque loin des flammes. « Ôtez le bandage et plongez votre membre blessé dans l'eau.

— Mais elle est bouillante !, fit remarquer Llew.

— Il faut qu'elle le soit pour qu'elle puisse vous faire du bien. Le contact du cataplasme brûlant chassera le poison de la plaie. »

Llew s'exécuta à contrecœur sans cesser de se plaindre. Lorsque la mixture devint trop froide pour rester efficace, je le fis à nouveau réchauffer sous les flammes. Llew s'en plaignit à nouveau. Il était d'ailleurs encore en train de protester lorsque nos visiteurs revinrent.

Cette fois, ils s'avancèrent à cheval jusqu'au campement — sept hommes avec leurs armes et boucliers prêts à servir. « Pour qui vous prenez-vous, pour ainsi commander des guerriers qui ne sont pas sous vos ordres ?, demanda fermement une voix sévère à travers les arbres. Levez-vous donc et laissez-moi vous voir.

— Cynan ! » Llew fit un bond en renversant la vasque. J'entendis le sifflement de la vapeur qui se renversa sur les braises.

« Alors, c'est donc vrai ! », s'exclama Cynan. J'entendis le grincement du cuir de la selle lorsqu'il fit un bond pour descendre de cheval. « Mes guerriers m'ont rapporté que Tegid et Llew avaient installé leur campement de l'autre côté de la crête, mais je ne voulais pas le croire. Je suis donc venu voir moi-même, et vous êtes là, devant moi ! »

Il y eut pendant un moment un grand désordre. J'entendis les chevaux s'ébrouer, puis frapper le sol, et les hommes, aussitôt, qui se mirent à parler avec excitation. Et ce fut un grand rire sonore, et Cynan se retrouva debout devant nous. « Bienvenu, mon frère !, s'exclama Llew. Notre foyer est bien modeste, et notre logis est dépourvu de toiture, mais tout ce que nous possédons est à vous. Quel plaisir de vous voir, Cynan !

— Et moi, quelle joie de vous… » Cynan avait dû avancer la main pour saisir celle de Llew, et il avait découvert sa blessure. « *Clanna na cù !*, dit-il le souffle coupé. Qu'est-ce qui vous est arrivé, l'ami ?»

Cynan se retourna vers moi. « Tegid, mais vous… » Je sentais monter le feu de sa colère. « Qui vous a fait cela ? Vous n'avez qu'à prononcer son nom et vous serez dix fois vengé… Cent fois vengé ! »

Llew fit cette seule réponse : « Meldron.

— Je le tuerai, jura Cynan.

— Meldron a contracté une dette de sang qui dépasse toute imagination, dis-je. Mais pas à cause de ce qu'il nous a fait. Car cela ne représente qu'une partie infime de ses exactions. » Et je me mis à raconter à tous l'ampleur du massacre, celui des bardes assassinés sur le tertre sacré.

Cynan et ses hommes avaient écouté en silence, stupéfaits. Lorsque j'eus terminé mon récit, c'était comme si tous s'étaient fondus dans la nuit. Je n'entendis plus rien, si ce n'est la présence du feu qui crépitait, et les mouvements de la brise nocturne sifflant dans les branches des sapins.

Lorsqu'il se remit finalement à parler, la voix de Cynan n'était plus que rage et désespoir dans sa gorge nouée. « C'est encore pire que ce que vous pensez, dit-il. Meldron a imposé la guerre à tous les seigneurs de Llogres. Il a donné l'assaut aux principales citadelles occupées par les Cruins et les Dorathis. Beaucoup furent tués, et plus encore ont dû s'enfuir dans les forêts et les collines.

— Quand cela s'est-il passé ?, demandai-je.

— Nous l'avons appris juste avant Beltain. Certains sont venus chez nous chercher refuge, et ils nous ont avertis que Meldron avait envoyé des soldats vers Caledon afin qu'ils testent les points faibles du territoire.

— Ah, voilà donc pourquoi vous vous déployez si haut vers le nord, fit remarquer Llew.

— Absolument, confirma avec tristesse Cynan. Nous avons arpenté les vallées et les rivières pour savoir s'ils avaient l'intention de nous attaquer en passant par ces régions désertiques que nous ne contrôlons pas.

— Avez-vous détecté le signe d'une présence ?, demandai-je.

— Aucune… jusqu'à ce que Rhoedd vous ait découverts, il y a deux jours, répondit Cynan.

— Mais pourquoi avez-vous attendu deux jours avant de revenir ici ?, demanda Llew.

— Notre camp se trouvait à une journée de cheval, expliqua Cynan. J'avais ordonné à mes hommes de revenir aussitôt s'ils découvraient une trace, quelle qu'elle soit, d'étrangers sur le territoire.

— Si Rhoedd était venu nous parler, nous l'aurions accueilli amicalement, dit Llew. Il aurait pu y avoir des blessés.

— À présent, je le regrette, répondit Cynan un peu piteux. Mais si vous aviez été des espions de Meldron, vous n'auriez malheureusement pas hésité à massacrer mes hommes… même sous des dehors pacifiques. Nous ne savions pas que c'était vous.

— En tout cas, Cynan, je suis heureux que vous soyez là. Asseyez-vous avec vos hommes parmi nous, et partagez notre repas, dit Llew. Nous n'avons qu'un peu de viande et un peu d'eau, mais vous êtes les bienvenus.

— Nous avons quelques provisions avec nous, du fait que nous sommes venus à votre camp sans savoir. Accordez-nous de contribuer nous aussi à ce repas, proposa joyeusement Cynan.

— Je ne dirai pas non… », répliqua Llew ; et aussitôt Cynan donna ordre à deux de ses hommes de commencer à préparer le repas.

Alors, nous nous assîmes, et pendant que les autres hommes partirent chercher de l'eau et du bois et firent le nécessaire afin d'agrandir le camp, Cynan et Rhoedd nous tinrent compagnie et commencèrent à nous raconter tout ce qui s'était passé en Albion depuis notre dernière entrevue à Ynys Sci. J'écoutais le récit de Cynan évoquant les tribus et les clans dont Meldron s'était rendu maître et qu'il avait vaincus, et ne pouvais m'empêcher de hocher la tête avec stupéfaction.

« Cynan, dis-je, comment Meldron a-t-il pu accomplir tous ces méfaits aussi rapidement ? Lorsque nous avons quitté Sycharth, il n'avait à sa suite qu'une centaine d'hommes. Comment s'y est-il pris pour vaincre des clans qui disposaient d'un nombre de soldats bien plus nombreux, tous mieux armés ?

— La réponse est toute simple, dit Cynan avec dureté. Il a fait alliance avec les Rhewtanis.

Les Rhewtanis sont un clan querelleur qui domine la zone septentrionale de Llogres. Ils ont longtemps inquiété à la fois Prydain et Caledon, jusqu'à ce que Meldryn Mawr mette un terme à leurs constantes agressions par une série de défaites cinglantes. Il semble étrange qu'ils aient fini par faire alliance avec Meldron en aidant et en se mettant au service du propre fils de leur plus vieil ennemi. Je me demande ce que Meldron a bien pu leur promettre pour s'assurer leur soutien.

« Les Rhewtanis…, répétai-je. Y en a-t-il d'autres encore ?

— Je n'en ai pas entendu parler, répondit Cynan, mais on dit que certains parmi les chefs vaincus se sont ralliés à lui plutôt que d'affronter la défaite et la mort. Du reste, ajouta-t-il d'un ton féroce, tout chef agissant ainsi n'est plus digne de porter ce titre. »

Nous discutions ainsi de tout ce qui s'était passé en Albion en attendant que le repas soit servi. Nos visiteurs contribuèrent plus que largement à leur part en prenant abondamment dans leurs provisions, de sorte que le repas devint une véritable fête entre amis. « Je ne vous mentirai pas en vous disant que vous étiez bien les dernières personnes que je m'attendais à trouver ici !, dit Cynan en se tapant sur la cuisse.

— Après que Meldron eût attaqué le tertre sacré, raconta Llew, nous fûmes faits prisonniers. Nous fûmes laissés à l'abandon dans une barque jetée à la mer jusqu'à ce que mort s'ensuive. » Il évoqua la tempête en mer puis notre longue marche vers l'intérieur des terres avant d'arriver ici — négligeant d'ailleurs de mentionner le nemeton et le Cylenchar dans son compte rendu.

Cynan et ses hommes écoutèrent le récit avec intérêt. Lorsque Llew eut fini, il dit : « Quand même, c'est étrange. Nous avions décidé de retourner chez nous lorsque Rhoedd pensa avoir vu quelqu'un qui se cachait dans les arbres. » Il s'adressa ensuite à Rhoedd : « Dites à nos amis ce que vous avez vu.

— J'ai vu quelqu'un qui semblait nous observer de l'autre côté de la rivière, commença Rhoedd. J'en fis part à lord Cynan et lui demandai l'autorisation d'aller voir de plus près. Je remontai alors la piste jusqu'aux grandes chutes d'eau. Finalement, n'ayant pu détecter aucun nouveau signe, je décidai d'abandonner mes recherches. Je m'apprêtai à revenir lorsque je vis soudain quelqu'un sur les rochers surplombant la chute d'eau.

— Avez-vous pu distinguer de qui il s'agissait ?

— Hélas non, Seigneur, répondit Rhoedd. Mais il portait une cape de couleur verte. J'en suis sûr.

— Donc, vous avez repris votre poursuite ?

— Effectivement. Ce n'était pas facile de trouver un chemin qui contourne les chutes... et je serais d'ailleurs encore en train de chercher si je n'avais pas croisé une biche qui courait vers une fissure au milieu des rochers. Je la suivis et trouvai finalement un sentier. Il conduisait ici, jusqu'à cette crête. De là, j'aperçus le lac et descendis vers la rive pour faire boire mon cheval. Mon idée, c'était en fin de compte de revenir par où j'étais arrivé. Si je ne vous avais pas vu de l'autre côté du lac, nous nous serions comme prévu mis en route pour retourner à Dun Cruach. Le reste, vous le connaissez.

— Si et si et encore si..., fis-je remarquer. On dirait que vous avez eu de la chance au-delà du raisonnable...

— Je le pense également, admit Rhoedd. Je n'ai jamais aperçu l'homme qui m'a dirigé jusqu'au sentier. Je sais pertinemment que je ne l'aurais pas trouvé tout seul.

— En effet, répondis-je, pas plus que vous n'auriez pu voir votre mystérieux guide à moins qu'il décide de se montrer. Car c'était le gardien de ces lieux qui vous a conduit ici.

— De qui s'agit-il, Seigneur ?, demanda Rhoedd.

— Il ne s'agit pas d'un homme, répondis-je. C'est l'un de nos ancêtres. » Je racontai l'épisode avec le Cylenchar, et la manière dont nous avions été épiés puis finalement acceptés par le Gardien du Vallon Caché.

Cynan et ses hommes étaient fascinés, et nous parlâmes de cela — et de tout ce qui s'était passé en Albion — jusque tard dans la nuit. Les petits chantres de l'aube naissante avaient déjà entonné leurs gazouillis lorsque nous partîmes en bâillant nous coucher.

Au lever du jour suivant, Cynan dit : « Si vous souhaitez rentrer avec nous, vous êtes les bienvenus. Il y a tout ce qu'il faut à Dun Cruach pour vous accueillir.

— Je vous remercie beaucoup, Cynan Machae, répondis-je. Mais notre place est ici.

— Ici ? Mais pourquoi ? Il n'y a rien ici. » Puis il se retourna vers Llew : « Vous êtes blessés. Vous avez besoin de nourriture et de repos. Vous trouverez l'un et l'autre à Dun Cruach.

— Nous vous remercions encore une fois, répondit Llew. Mais ainsi que Tegid vous l'a dit, nous devons rester.

— Et que ferez-vous si Meldron vous découvre ?, demanda Cynan en pesant ses mots. Vous êtes blessés. Vous ne pouvez même pas tenir une épée. Revenez avec nous. Nous vous protégerons. »

Llew ne se sentit pas offensé. Il éconduit une fois encore les paroles directes mais bien intentionnées avec une réponse des plus aimables. « Ce n'est pas votre rôle de me protéger, mon frère. Il s'agit plutôt de nous protéger réciproquement.

— Mais comment ? », s'enquit Cynan. Le refus de Llew lui restait un peu sur le cœur, mais piquait tout autant sa curiosité.

« Écoutez… », dit Llew en parlant à voix basse, de sorte que tous se rapprochèrent pour entendre. Je pouvais imaginer Cynan et ses hommes pendus à ses lèvres. « Tegid a eu une vision… une vision de cet endroit précis. Il a vu une imposante forteresse sortir des eaux du lac. Il s'agit d'une île…

— Une île ?, s'exclama surpris l'un des auditeurs.

— Mais il n'y a aucune île, fit remarquer un autre.

— Taisez-vous ; laissez-le finir, intervint Cynan.

— Mais c'est tout à fait vrai, avoua Llew, il n'y a aucune île… encore. Il s'agit d'une île qui doit être construite de mains d'hommes. Une île édifiée à partir de nombreux crannogs, une citadelle constituée de plusieurs forteresses : elle s'appellera Dinas Dwr. Et Dinas Dwr sera un refuge et un port pour tous les habitants d'Albion.

— Et tout cela, vous l'avez vu ? » La question était pour moi ; je sentis la main de Cynan se poser sur mon bras.

« J'ai vu tout cela, oui », répondis-je en prenant sur moi pour ne pas céder à l'envie d'en dire plus. Mais c'était Llew qui avait commencé, et je préférais le laisser terminer son récit comme il l'entendait. « Exactement comme Llew vous l'a rapporté.

— Dinas Dwr…, réfléchit Cynan. Dinas Dwr… Oui, c'est un joli nom.

— Avec une forteresse bâtie au nord, poursuivit Llew, le sud sera plus en sécurité. Nous serions alors comme deux frères d'arme combattant chacun sur son territoire, et chacun palliant les faiblesses de l'autre, chacun protégeant l'autre, épaule contre bouclier, bouclier contre épaule. »

Les guerriers comprirent aussitôt la sagesse d'un tel projet. Llew l'avait rendu vivant à leur esprit par de simples images, et ils acclamèrent à haute voix leur approbation du projet. « Meldron cherchera à nous attaquer là où nous sommes les plus faibles, admit Cynan. Je suis, me semble-t-il, un guerrier valeureux... mais pour autant, je ne peux pas me battre sur deux fronts en même temps.

— Nous nous chargerons de défendre le nord, proposa Llew. Qu'en dites-vous, frère ?

— Eh bien, admit Cynan, c'est un plan qui me paraît bon.

— Je vous demande votre soutien, Cynan », dit Llew avec une ferveur paisible ; il n'y avait dans sa voix aucun ton de supplication. « Ensemble, nous pourrons faire que cette vision se réalise. »

Cynan se tut pendant un moment. Puis il se releva, et plein d'enthousiasme s'écria : « Qu'il en soit ainsi ! Que la Terre et les Étoiles en soient témoins, je m'engage dans tout ce à quoi un homme peut s'engager afin de vous aider dans cette tâche immense ! »

Je me levai et tendis mes mains, prêt à déclamer — la main gauche au-dessus de ma tête, paume vers le ciel ; l'épaule droite bien haute et la main serrant fermement mon bâton : » *Le Roi d'Or en son royaume frappera de son pied le Rocher de la Dispute*, proclamai-je conformément aux paroles prophétiques de la banfàith. *Le Ver au souffle ardent revendiquera le trône de Prydain ; Llogres sera privé de son souverain. Mais heureux sera Caledon !* »

Les guerriers acclamèrent ces mots avec solennité, et reprirent le serment de leur seigneur avec leurs propres mots. Puis chacun se mit à parler aussitôt, d'une voix pleine d'excitation. Et je perçus dans les accents de leur enthousiasme ma vision qui prenait forme concrète, ma foi qui devenait chair.

Après avoir écouté pendant un moment leur flot de paroles avides, je me levai, et, prenant mon bâton de marche avec moi, je me retirai dans les forêts avoisinantes. Je voulais me retrouver seul avec mes pensées, afin de réfléchir à ce que Cynan nous avait dit : la défaite des Cruins et l'alliance de Meldron avec les Dorathis ; Llogres était déjà tombé sous leur joug. Meldron et les Rhewtanis, c'était vraiment une alliance mortelle.

Je réfléchis à tout cela, mais ne pus y maintenir mon attention. J'entendais le mouvement des branches au sommet des arbres, et sentais des odeurs de pluie dans le vent. Je ne pouvais pas voir le ciel, mais je savais qu'il était clair et que le soleil rayonnait d'une lumière chaude. Il allait pleuvoir avant la tombée de la nuit, et pourtant, pour ceux qui s'étaient rassemblés autour de notre feu rudimentaire, l'avenir s'annonçait sans nuages.

J'écoutais la voix des hommes remplis d'une ardeur complice, qui discutaient leurs plans ; la camaraderie d'hommes d'honneur est une force particulièrement efficace. L'alliance de Llew et de Cynan, reposant sur la confiance et le respect mutuel, allait être redoutable. Et quiconque chercherait à la briser par la traîtrise ou la violence trouverait également devant elle une alliance mortelle.

Ainsi, la Prompte et Forte Poigne se manifestait décidément dans toute sa puissance : des forces depuis longtemps assoupies étaient à nouveau prêtes à agir ; des esprits favorables se rassemblaient autour de nous, des puissances ancestrales nous venaient en aide de manière inattendue.

Heureux sera Caledon... Qu'il en soit ainsi !

XVI

UN VOL DE CORBEAUX

« Je vais revenir dès que ce sera possible, promit Cynan. Et je vais ramener hommes, outils et provisions en nombre et quantité suffisants pour l'édification d'une citadelle comme il n'en existe aucune à Caledon !

— Je donnerais beaucoup pour pouvoir me mettre de nouveaux vêtements et trouver une bonne poignée de chaume pour couvrir ma tête et me protéger de la pluie, lui dit Llew. Et je dois admettre que je n'aurai ni l'un ni l'autre si vous ne partez pas ! »

Au moment même où il prononça ces mots, la pluie qui nous avait harcelés pendant deux jours s'arrêta soudain. Les chevaux secouèrent la tête, faisant tinter leur harnais dans leur impatience à reprendre la route.

« Très bien, nous allons partir. Mais je laisse ici Rhoedd avec vous, et suffisamment d'armes pour vous trois.

— Nous pouvons nous prendre en charge nous-mêmes, protesta doucement Llew. Nous n'avons pas besoin de quelqu'un à notre service. Si vous rencontrez Meldron sur la route, le concours de Rhoedd vous sera bien utile.

— En tout cas, il est sous vos ordres, insista Cynan. Ne soyez pas têtus !

— Très bien, j'accepte », répondit Llew en lui souhaitant bon voyage. Les hommes attendaient déjà à l'entrée du chemin. Je les entendis s'exclamer lorsque Cynan prit place à leur tête ; puis ce fut le piétinement sourd des sabots lorsque les cavaliers firent faire un demi-tour à leurs chevaux pour disparaître au milieu des arbres.

« Eh bien ! », dit Llew revenant vers moi, alors que j'étais toujours appuyé sur mon bâton, nous avons un cheval, plus un guerrier sous nos ordres. Un bon début pour la constitution de notre armée…

— Moquez-vous tant que vous voulez, dis-je, de grands rois ont commencé avec moins que cela.

— Puisque vous le dites, je veux bien vous croire, répondit-il avec une clarté dans la voix que je ne lui avais pas entendue depuis longtemps. En ce qui me concerne, je suis bien content que Rhoedd soit ici. Et puis entre nous, Tegid, ça a l'air d'être un dur à cuire. Je suis sûr qu'il est assez valeureux pour affronter dix soldats en même temps. »

Rhoedd se mit à rire. « Cynan vous a donc prévenu ! », dit-il avec entrain. Mais est-ce qu'il vous a également parlé de mon mauvais caractère ! »

C'est ainsi que commença notre vie commune au cœur de la forêt, une convivialité dont nous allions profiter pendant toute la saison chaude. La présence de Rhoedd s'était révélée être une véritable aubaine : infatigable, plein de ressources, habile, ingénieux, il nous assista en toutes choses et améliora le confort rudimentaire de notre campement.

La plupart des journées, Llew et Rhoedd les passaient à chasser ou à pêcher, partant tôt le matin ; puis ils employaient le reste de la journée à collecter des racines et autres plantes comestibles qui constituaient notre nourriture. Nous nous baignions dans le lac au début de la soirée, puis mangions près du feu lorsque la nuit était déjà bien avancée. Je prenais alors ma harpe et je chantais, lançant vers le ciel, par-dessus la fumée aux senteurs de chêne, mes notes d'argent. C'était de cette façon que nous remplissions nos journées en attendant le retour promis de Cynan.

Un jour, Rhoedd apparut, haletant, sur le bord du lac où j'étais en train de faire une provision d'eau potable. Avec Llew, il était parti pour la chasse peu de temps auparavant. Je répondis à son appel et me retournai pour l'attendre alors qu'il arrivait en courant vers moi.

« Que s'est-il passé ? Llew est blessé ?

— Non, lord Llew est indemne, répondit Rhoedd. Il m'a envoyé vous chercher, car nous avons aperçu des hommes sur le chemin qui borde la rivière, au pied des collines.

— Combien ?

— Six… peut-être plus. Ils étaient trop loin… Ils seront en tout cas là avant midi. Llew est en train de surveiller la piste. »

Je récupérai mon bâton de marche, et Rhoedd me guida le long de la côte menant au sommet de la crête — ayant au préalable fait un détour par le camp afin de prendre les lances et les boucliers supplémentaires que Cynan nous avait laissés. Nous marchâmes avec hâte le long du chemin de crête, vers l'ouest, pendant un temps, puis redescendîmes un long sentier abrupt où nous retrouvâmes Llew accroupi derrière un amas de rochers, un peu plus bas sur le versant.

« Ils sont déjà presque sur nous, dit Llew. Je pense que Rhoedd et moi nous pourrons les surprendre, mais nous aurons besoin de votre aide, Tegid. Il faut que l'on soit sûr qu'ils ne sortent pas de ce vallon.

— Des espions à la solde de Meldron — c'est à cela que vous pensez ?

— À quoi d'autre ? Cynan nous a bien prévenus qu'ils allaient passer cette zone au peigne fin. »

Nous discutâmes de l'éventualité d'une embuscade, et mîmes au point un plan par lequel nous pourrions maîtriser les envahisseurs. « Il y a un endroit, vers l'est, où la vallée devient plus encaissée, dit Llew. Les rochers descendent à pic juste au bord de la rivière. Leurs chevaux ne leur seraient d'aucun secours.

— Et plus encore à l'est ?, voulut savoir Llew.

— Encore plus à l'est, la vallée débouche sur une large plaine.

— Le meilleur endroit, ce sont donc les défilés », confirma Rhoedd.

Nous reprîmes en grande hâte la direction de la crête et suivîmes la piste vers l'est jusqu'à ce que trouvions l'endroit recherché. Nous choisîmes une position qui dominait le sentier le long de la rivière, et nous installâmes pour attendre. L'heure du midi bientôt passa, et nous n'avions toujours perçu aucun signe d'approche de nos visiteurs. Llew était de plus en plus impatient.

« Pourquoi sont-ils si longs à se manifester ? Qu'est-ce qu'ils fabriquent ?

— Peut-être ont-ils pris un autre chemin…, suggérai-je. Ou peut-être ont-ils fait une pause pour abreuver leurs chevaux… »

Llew envoya Rhoedd en éclaireur, en le mettant en garde afin qu'il reste discret. Le fait d'attendre le retour de celui-ci ne nous rendit pas moins nerveux que l'attente des envahisseurs eux-mêmes. Llew passait le temps en frappant légèrement l'extrémité de sa lance contre un rocher — on aurait dit le son de deux os frappés l'un contre l'autre.

Puis le bruit s'arrêta. « Qu'est-ce qui peut bien les retenir !, laissat-il échapper soudain.

— Écoutez ! »

Quelques instants plus tard, nous entendîmes Rhoedd arriver sur la piste ; il s'accroupit devant nous, complètement essoufflé. « Je suis descendu jusqu'à la vallée, dit-il lorsqu'il put à nouveau parler. Et je les ai trouvés. Ils sont en train d'établir un campement.

— Quelqu'un vous a-t-il vu ?

— Non.

— Est-ce que vous les connaissez ?

— Ils n'appartiennent à aucune tribu ni aucun clan que je connaisse. Je n'ai pas du tout l'impression qu'ils soient du nord. » Il fit une pause, puis d'un ton moins dédaigneux par égard pour nous : « Il me semblait qu'ils venaient du sud.

— Meldron…, murmura Llew. Combien d'hommes avez-vous vus ? »

Rhoedd répondit : « Ils étaient six.

— Si ce sont des Llwyddis, dis-je, il y a une chance que nous les connaissions. Je pourrais alors leur parler.

— Pourquoi donc ? », intervint Llew, surpris. « Après ce qu'ils ont fait à nos savants frères, qu'auriez-vous encore à leur dire ? »

Je me retournai vers Rhoedd. « Amenez-nous à l'endroit où vous les avez vus. »

La piste était mauvaise et escarpée, mais nous marchâmes en hâte et sans nous faire remarquer ; nous avancions en rampant aussi près du sol que possible. « Dites-moi ce que vous voyez, dis-je en effleurant l'épaule de Rhoedd.

— Il y a six hommes… avec leurs chevaux, répondit Rhoedd. Cela se présente comme je vous l'avais dit.

— Faites-moi une description détaillée ! », le pressai-je.

Rhoedd avait sans doute lancé un regard interrogateur vers Llew, car celui-ci répondit : « Faites comme il vous dit ; dites à Tegid ce que vous voyez.

— Eh bien, il y a donc six hommes, reprit doucement Rhoedd. Il y a six chevaux avec eux… trois rouans à la robe rousse, un autre jaune, un gris, et un noir. Ce sont de bons chevaux. Les hommes sont… euh, ce sont des hommes…

— Blonds ou bruns ? Comment sont-ils vêtus ?

— La plupart sont bruns ; bruns et barbus — barbe et chevelure tressée. Ils portent de longues capes, en dépit de la chaleur ; n'ont avec eux aucune arme, mais j'aperçois des lances et des épées enveloppées sur leurs chevaux. Trois hommes au moins ont un bouclier.

— Ah, voilà qui est plus précis, soufflai-je. Continuez… Quoi d'autre ?

— Ils portent des brassards et des bracelets… qui sont en or et en argent. L'un des hommes porte un brassard en or et une broche,

174

en or également, sur sa cape. Il possède l'allure d'un héros guerrier, le seul à porter un torque ; mais c'est un torque en argent, pas en or. Ils portent tous un tatouage sur le bras qui manie l'épée — le dessin d'un oiseau... peut-être un faucon, ou un aigle, je ne parviens pas à distinguer. Ils ont l'air d'avoir fait un long voyage, car ils paraissent épuisés et mal à leur aise, et ils ont un visage émacié.

— Magnifique !, m'exclamai-je. Il y a un barde qui dort en vous, Rhoedd !

— Il va être difficile de les capturer tous en même temps, dit Llew. Nous avons cinq lances à notre disposition et nous sommes trois ; je pense que nous serons capables d'en arrêter trois avant qu'ils puissent atteindre leurs armes.

— Et les trois autres ?, demandai-je.

— Il nous faudra les combattre à deux contre un, concéda Llew. Cependant, si nous frappons vite, nous pouvons réussir à les maîtriser.

— Et si nous attendions la tombée de la nuit, dit Rhoedd, nous aurions plus de chance... Nous pourrions les surprendre pendant qu'ils dorment.

— Mais ils auront leurs armes auprès d'eux, prêtes à servir, fit remarquer Llew. Un guerrier ne dort jamais sans son arme dans un pays étranger. De plus, ils vont sans doute poster une sentinelle pour la nuit. Je dirais qu'il vaut mieux y aller maintenant... »

Llew et Rhoedd se mirent ainsi à discuter sur la meilleure manière d'organiser les premiers mouvements d'attaque. En les entendant parler, je me sentis de plus en plus perturbé — non par la peur... plutôt par un sentiment vague de faire fausse route.

« Tegid, prenez cela, dit Llew en me mettant un couteau dans la main. S'il y en avait un qui essayait de s'échapper... »

Je laissai tomber le couteau comme s'il m'avait brûlé les mains. « On ne peut pas faire cela, dis-je. Ce n'est pas juste.

— Je ne pense pas qu'aucun ne s'aventurera par ici, me rassura Rhoedd. C'est simplement pour votre propre défense.

— Ce n'est pas de cela qu'il veut parler..., dit Llew. Tegid, que voulez-vous dire ?

— Nous n'avons pas le droit d'attaquer des hommes non armés. C'est sans doute quelque chose que ferait Meldron, mais c'est lâche.

— Bien. Et que proposez-vous de mieux, Tegid Tathal ?, dit Llew alors que je le sentais commencer à s'énerver.

— Souhaitons-leur la bienvenue.

— "Souhaitons-leur la bienvenue !", reprit Llew sèchement. Savez-vous, Tegid, que c'est là quelque chose que Meldron ne ferait jamais ?

— Seigneur et Barde, intervint Rhoedd, si nous leur souhaitons la bienvenue et qu'il s'avère que ce sont des espions, nous serons morts avant la tombée de la nuit.

— Oui, mais Rhoedd, mon ami, si nous les attaquons et qu'il s'avère que ce sont des hommes pacifiques, nous serons alors des assassins.

— Que suggérez-vous ?, demanda Llew.

— Accueillons-les comme des étrangers autour de notre feu. » Et disant cela, j'empoignais mon bâton de marche et me levai.

Llew se releva aussitôt et posa sa main sur mon bras. « J'irai le premier », dit-il ; et il se mit à avancer à quelques pas devant moi de manière à ce que je puisse le suivre sans trébucher ni tâtonner maladroitement, et donc paraître à mon désavantage devant ces étrangers.

Nous sortîmes des bosquets et avançâmes tous les trois à découvert, d'un pas large et assuré, jusqu'au camp des étrangers. « Salut à vous, amis !, lança Llew. La paix soit avec vous, et avec votre seigneur, quel que soit le nom qu'il porte. »

Notre brusque apparition les surprit. J'entendis le bruit métallique d'ustensiles rejetés précipitamment puis un frémissement de pas alors que les étrangers se ruaient pour saisir leurs armes et s'affairaient pour nous faire face. Puis ce fut le silence pendant quelques courts instants, le temps pour eux de décider la manière dont ils devaient réagir à notre approche.

« Salut à vous, répondit enfin lentement l'un des étrangers. Vous nous avez surpris…

— C'est vrai, reprit Llew. Pardonnez-nous si nous vous avons fait peur. Cependant, si vos intentions sont pacifiques, tout ira bien pour vous. Si en revanche vous venez semer la discorde, allez plutôt la semer ailleurs. Si vous n'y voyez rien à redire, j'aimerais connaître le nom de votre chef et la raison qui vous amène ici.

— Nous acceptons très volontiers vos vœux de bienvenue, répondit l'étranger. Nous ne sommes porteurs d'aucune intention malveillante, mes amis, et souhaitons simplement traverser ces terres sans porter ombrage à aucun de ses habitants. Et nous nous sentirions nous-mêmes très honorés si vous nous donniez le nom du seigneur de ces lieux, afin que nous puissions lui rendre hommage conformément à son rang. »

Llew ne répondit pas, et je dus prendre moi-même la parole : « Vous semblez connaître l'art du discours, mon ami. Comment se fait-il donc que vous ayez omis de répondre à la question qui vous était posée ? Peut-être avez-vous vos raisons pour ne pas dévoiler le nom de votre seigneur.

« —Je ne vous ai pas répondu, répliqua tristement l'étranger, parce que ce nom, précieux parmi les noms, m'a rendu amer. Si je le cache, c'est pour mieux l'oublier moi-même. Je vous le dis en vérité, je préférerais ne l'avoir jamais entendu. »

Je finis par comprendre qui étaient ces hommes, et quel était le motif de leur venue. « Laissez de côté votre amertume et votre tristesse, dis-je. Même si vous ne le savez pas, c'est la Prompte et Forte Poigne qui vous a amenés ici. Si vous voulez rendre hommage au seigneur de ces lieux, c'est lui qui vous a accueilli, et c'est lui encore qui se trouve devant vous, et qui vous tend la main en signe de paix.

— Je ne connais pas ces lieux, et ne m'attendais pas à être accueilli par quiconque, encore moins avec une telle bienveillance. Si mes discours ou mon attitude vous ont offensé, je vous en demande pardon, Seigneur. Là n'était aucunement mon intention.

— Je vois que vous êtes homme à savoir ouvrir votre cœur, répondit tranquillement Llew. Et je ne perçois aucune insulte ni dans vos paroles ni dans vos manières. Je vous le répète, donc, vous êtes ici le bienvenu. Nous avons établi notre campement au-delà de cette crête ; il est d'un confort modeste, mais il est à votre entière disposition. Venez donc vous y reposer. »

Les étrangers acquiescèrent, et nous commençâmes à remonter le long de la piste. Llew demanda à Rhoedd d'ouvrir la marche, et les six étrangers suivirent tout en conduisant leurs chevaux. Llew et moi-même fermions la marche.

« Pourquoi leur avez-vous dit que j'étais le seigneur de ces lieux ?, s'enquit Llew dès que les autres furent assez loin devant pour ne pas nous entendre.

— Parce que vous l'êtes.

— Comment vont-ils réagir lorsqu'ils apprendront que je ne suis le seigneur que d'une vaste clairière perdue au milieu de la forêt ?

— Savez-vous qui sont ces hommes ?

— Non. » Il se tut pour se concentrer sur ce qu'il avait vu et entendu. « Et vous, le savez-vous ?

— Oui.

— Comment se fait-il ?

— Leur venue m'a été annoncée.

— Allez-vous finir par m'expliquer, ou devrais-je me poser la question jusqu'à la fin de ma vie ?

— Ce sont les Corbeaux.

— Des corbeaux... quoi des corbeaux ?

— *Heureux sera Caledon*, dis-je en répétant les paroles prophétiques de la banfàith, *les Corbeaux s'envoleront en masse vers ses innombrables vallons, et le chant des corbeaux sera son propre chant.*

— Six guerriers, observa Llew avec humeur, ce n'est pas vraiment ce qu'on appelle "se poser en masse".

— Leur nombre va augmenter, dis-je. Vous verrez.

— Je vais vous le dire, moi, ce que je vois ! », s'exclama Llew en prenant soudain un ton accusateur. Et, s'arrêtant de marcher, il se retourna pour me faire face. « Vous voulez absolument rendre tout conforme à votre prophétie en lui faisant dire ce que vous voulez. Mais vous savez pertinemment que cela n'est pas possible, et vous continuez malgré tout avec entêtement à me mettre au centre de celle-ci.

— Votre entêtement n'est pas moins remarquable à vouloir absolument la nier, fis-je remarquer. La prophétie, c'est à vous qu'elle fut délivrée. L'awen du Chef des Bardes, c'est à vous qu'il fut transmis.

— Certes ! » Ce dernier mot fut lâché comme un sifflement plein de rage. « Et ça aussi on m'en a fait cadeau ! »

Je n'avais pas besoin de voir pour comprendre qu'il brandissait devant moi son moignon.

« Je ne suis pas venu ici pour être roi de quoi que ce soit. Je suis venu rechercher Simon, fit-il d'un ton brusque ; et dès que je pourrai trouver un moyen de le faire, je le ferai. C'est la seule chose que je compte faire. »

Il se retourna brusquement et commença à gravir le coteau. J'entendis au-dessus de nous, dans les hauteurs, le cri rauque d'un corbeau. Aussitôt, ma vision intérieure se réveilla. L'image d'un corbeau perché sur le dossier d'un trône en bois de cerf se présenta à mon esprit. Puis je vis d'autres corbeaux encore — beaucoup d'autres, en masse, tournoyant autour du trône, tournoyant et montant en flèche. Plus ma vision se prolongeait, plus je voyais les corbeaux se rassembler, à la manière dont le font ces oiseaux — c'est-à-dire que le premier en attire de plus en plus à lui, jusqu'à ce qu'une nuée immense vienne remplir le ciel, mille corbeaux, avec leurs ailes noires reluisantes dans la lumière du soleil, et leurs yeux meurtriers, noirs et luisants.

« Llew !, lançai-je. Réglons ceci dès maintenant pour en être débarrassé. »

J'entendis le bruit de ses pas s'interrompre, et puis reprendre alors qu'il rebroussait chemin et se dirigeait vers moi. « Et comment ?

— Vous acceptez ?

— Oui, j'accepte, déclara-t-il. Que suggérez-vous ?

— Les guerriers qui sont venus à nous, commençai-je, ils vont donc nous servir de cobayes.

— De quelle manière ?

— Je vous ai dit qu'il s'agissait du Vol des Corbeaux dont la venue nous a été annoncée.

— Encore votre prophétie !

— Oui, encore ma prophétie. La prophétie, c'est notre voie. Gofannon, le Cylenchar, et à présent les Corbeaux — ce sont les lumières qui bordent notre route. Grâce à eux, nous savons que nous sommes sur le bon chemin. »

Il ne répondit pas, et je dus le presser un peu. « Si vous obtenez une preuve que c'est bien la prophétie qui est en train de se réaliser, êtes-vous prêt à renoncer à vos doutes et à suivre la route qui s'ouvre devant vous ? »

Llew prit son temps pour réfléchir. « C'est une question difficile, finit-il par dire.

— Plus difficile que de devenir roi en ne possédant plus qu'une main ?

— Non, pas plus difficile, j'imagine.

— Alors, pourquoi vous inquiétez-vous ?

— Bon, eh bien d'accord, dit-il la voix étouffée par le fait de devoir céder malgré lui. Mettons à l'épreuve cette prophétie, une fois pour toutes. Et dites-moi maintenant ce que vous pensez concernant ces hommes ; qui sont-ils, selon vous ? »

Je répondis sans hésitation, faisant confiance à la vision qui m'avait submergé. « Les Rhewtanis.

— Eh bien, c'est parfait !, éructa Llew. C'était juste ce qu'il nous fallait !

— Mais ce ne sont ni des espions ni des traîtres. Ce sont des hommes honorables. Qui considèrent précisément l'honneur plus important que leur propre vie. Ils ont en effet choisi, lorsque leur chef, plein de vilenie, a contracté une alliance honteuse avec Meldron, de vivre en déserteurs plutôt que de rester au service d'un traître.

— Ils ont abandonné leur maître, et cela ne me paraît pas être signe qu'on peut leur faire confiance.

— Ne dites pas qu'ils ont abandonné leur chef, répondis-je. Dites plutôt qu'ils recherchent un seigneur qui soit plus digne de leur propre loyauté.

— Rhewtanis…, murmura Llew d'un air songeur. C'est très intéressant. Mais ça n'est pas suffisant. Quoi d'autre ?

— Vous vous apercevrez que le guerrier qui s'est adressé à vous est le chef de l'armée, et que ceux qui sont avec lui sont les meilleurs soldats de la tribu. Si vous leur dites qui vous êtes, et ce que vous avez l'intention de faire ici, ils s'engageront à vos côtés.

— Ah, c'est mieux... », répondit Llew, que je sentais peu à peu réagir devant le défi. « Cela me satisfait davantage... mais cela n'ira pas sans difficultés...

— Quelque chose de moins difficile ne pourrait vous satisfaire, dis-je en me remettant à réfléchir tout en conservant à l'esprit l'image des corbeaux. De cette manière, dis-je enfin, vous saurez que nous sommes sur la bonne voie : les Corbeaux, ce sont eux.

— Ça, vous me l'avez déjà dit.

— Oui, mais eux, ils ne l'ont pas entendu. Et c'est pourtant leur véritable nom, expliquai-je. Si vous le leur demandez, ils vous le diront : "Nous sommes les Corbeaux." Alors maintenant, êtes-vous d'accord ? »

Llew inspira profondément, et je savais dès lors qu'il était prêt à se plier à l'expérience. « Eh bien d'accord. Faisons ce que vous avez dit. »

XVII

DE GRANDS PROJETS

Les étrangers étaient en train de planter, au milieu des arbres, des pieux pour leurs chevaux lorsque nous les rejoignîmes au campement. Llew attendit qu'ils aient fini, puis les invita à venir s'asseoir avec nous. Les six hommes se mirent d'eux-mêmes en rang, puis s'assirent par terre autour du feu.

« Je devine que vous devez être des hommes de bien, habitués à davantage de confort, dit Llew. Et pourtant, il se pourrait bien qu'une nuit à la belle étoile en compagnie d'hommes d'honneurs soit plus à votre gré qu'un appartement royal en compagnie de traîtres...

— On ne saurait mieux dire !, répliqua le chef des guerriers. Nous préférons vivre comme des proscrits plutôt que de nous asseoir à la table de mauvais maîtres et de vils comploteurs.

— Nous ne sommes pas différents, affirma promptement Llew. Nous aussi nous avons abandonné nos foyers et nos semblables plutôt que de supporter l'injustice et servir les desseins honteux de scélérats. »

Les guerriers firent quelques mouvements un peu mal à l'aise. Leur chef hésita, puis demanda : « Nous connaissez-vous donc, Seigneur ?

— Oui, je vous connais, répondit Llew avec conviction. Je suis convaincu que vous êtes des guerriers rhewtanis.

— Vous dites vrai, reprit le chef guerrier. Nous sommes les Corbeaux des Rhewtanis.

— *Clanna na cù !* », murmura Llew.

J'entendis une claque, et devinai que l'homme venait de se donner une tape sur le bras avec la main ouverte. « Jadis, ce geste était une marque d'honneur... »

Tous portaient un tatouage bleu sur le bras droit — celui qui manie l'épée, avait dit Rhoedd, le motif d'un oiseau...

« ... mais nous avons fini par le prendre en haine. C'est devenu un geste de disgrâce. » Le guerrier donna une seconde tape sur son tatouage ; sa voix s'était peu à peu remplie d'amertume. « Nous nous l'arracherions volontiers, si le nous pouvions.

— Non, répondit Llew, cela doit rester une marque d'honneur. Car vous avez renoncé au titre et à la considération plutôt que de servir un roi déloyal. Meldron a peut-être acquis la considération de votre roi par la ruse, mais vous, vous ne l'avez pas laissé vous dérober votre honneur. C'est pour cette raison que vous êtes ici les bienvenus. »

En entendant prononcer le nom de Meldron, les étrangers murmurèrent de stupeur.

« Qui êtes-vous donc, Seigneur, pour connaître toutes ces choses ?, demanda le chef, perplexe.

— J'ai pour nom Llew, et l'homme qui est avec moi, c'est Tegid ap Tathal, le chef des bardes de Prydain. »

À cette révélation, les guerriers poussèrent des cris d'exclamation. Le chef dit : « Mais nous avons entendu parler de vous !

— Nous avons entendu dire que vous étiez morts !, ajouta un autre guerrier.

— Pas aussi morts que certains pourraient l'espérer, rétorqua Llew.

— Il se dit aussi que vous êtes le roi de Prydain, affirma le guerrier en prononçant ses paroles sur le ton du défi.

— Je l'étais..., admit Llew. Mais je ne le suis plus. Meldron s'est arrangé pour que je ne puisse plus prétendre à ce titre.

— Qu'êtes-vous venu faire ici, Seigneur ?, demanda un autre guerrier.

— Nous sommes venus chercher refuge, et allons rester ici pour construire une forteresse », répliqua Llew, expliquant ensuite rapidement son projet de faire alliance avec les Galanae, dans le sud.

« Alors vous allez avoir besoin d'hommes pour vous prêter main forte, déclara fermement le héros des guerriers rhewtanis. Nous allons rester, si vous voulez bien de nous. »

Les paroles du guerrier s'élevèrent comme une promesse. Et pendant qu'il parlait, ma vision intérieure s'affina. Il y eut un froissement de vêtements lorsque les guerriers se levèrent l'un après l'autre pour s'adresser à nous. « Je suis Drustwn », dit une voix basse, pleine de solennité. Je vis un homme au large cou, à la mine sombre, plein d'assurance et de confiance en lui-même.

« Je suis Emyr Lydaw », dit un autre guerrier ; et dans mon regard intérieur, je vis un homme à la chevelure blonde portant un immense carynx de cuivre rejeté par-dessus son épaule et retenu par une large sangle de cuir brun.

« Je suis Niall », dit un troisième d'une voix claire. Je vis alors un guerrier noir, avec de petits yeux vifs et intelligents, et une bouche prête à rire.

« Je suis Garanaw », dit le quatrième guerrier d'une voix éclatante comme l'étincelle sur l'acier ; c'était un homme bouillant de vitalité, aux épaules larges et puissantes, portant une barbe et des cheveux brun-roux.

« Je suis Alun Tringad », dit le cinquième ; sa voix était pleine de vie et de fougue. Devant mon esprit se présenta l'image d'un homme maigre, avec de longs bras et de longues jambes, un front noble et haut, des yeux bleus, aussi prompt au combat qu'à l'amusement.

« Et moi, je suis Bran Bresal », dit le meneur d'une voix chaleureuse, car il était fier de ses hommes. Il se présenta devant mon regard intérieur comme un homme de grande taille avec une longue chevelure noire et une barbe soigneusement tressée, une toison de poils noirs sur les bras et sur le dos des mains. Il regardait fixement Llew de ses yeux noirs et fermes. « Nous vous demandons l'hospitalité, Seigneur », dit-il en étendant les bras pour inclure ses hommes dans sa requête.

J'avançai de quelques pas et répondis, en levant la main au-dessus de ma tête : « Votre venue m'a été annoncée, et l'hospitalité vous est trois fois accordée. Que tout se passe au mieux dans vos rapports avec nous, et que tout se passe au mieux dans nos rapports avec vous. Puissiez-vous trouver parmi nous ce que vous cherchez. » Je rabaissai ma main. « J'aurais voulu que nous fut servie la coupe de bienvenue, mais il n'y a pas de coupe, pas plus que de bière afin de les remplir.

— Votre accueil est un élixir en lui-même, dit Bran Bresal. Notre compagnie saura rester discrète. Et nous participerons à tout, comme il se doit.

— Nous participerons, je crois, plus que largement, Drustwn !, ajouta l'un des hommes.

— Oui, plus que largement, confirma Bran. Là où il y a de l'ouvrage, vous nous trouverez toujours prêts.

— Nous vous remercions, vraiment, répondit Llew. Mais la tâche peut attendre ; à présent, reposez-vous et mettez-vous à votre aise. Vous devez être fatigués par votre voyage. »

Bran répondit : « Fatigués, oui, et bien sales également. Pouvoir prendre un bon bain serait une bénédiction, Seigneur.

— Votre vœu sera exaucé, dit Llew. Rhoedd a du savon, et il va vous montrer l'endroit où nous nous baignons. »

Les six guerriers descendirent au lac en compagnie de Rhoedd et nous laissèrent seuls pendant un moment. « Eh bien ?, dis-je lorsqu'ils furent partis. Reconnaissez-vous à présent la véracité de la prophétie ?

— N'y a-t-il vraiment rien que vous ne sachiez ?, demanda-t-il.

— Répondez-moi, insistai-je. Aurez-vous enfin confiance dans le chemin qui s'ouvre devant vous ?

— Oui, j'aurai confiance, frère », répondit Llew, qui ajouta : « Mais je souhaiterais obtenir quelque chose de vous en retour.

— Vous n'avez qu'à parler ; ce que vous désirez, je vous le donnerai si cela m'est possible.

— Nous éviterons de parler désormais de la question du titre royal.

— Mais Llew, c'est…

— J'insiste, Tegid. Nous n'en parlerons plus jamais. Compris ? »

Je pensais préférable de laisser de côté ce sujet pour l'instant, et ne pas insister davantage. Il avait fait le premier pas sur la voie qui nous était ouverte, et cela me suffisait.

— Très bien, accordai-je. Je ne parlerai plus du titre de roi.

— Les Corbeaux…, chuchota Llew d'une voix douce. Qui l'aurait pensé ?

— Écoutez ! », dis-je.

Nous fîmes le silence, et le son qui avait frappé mon oreille — d'abord discontinu et incertain — se transforma peu à peu en un chant : les guerriers avaient commencé à chanter alors qu'ils descendaient vers le lac.

« *Heureux sera Caledon*, dis-je. *Les Corbeaux s'envoleront en masse vers ses innombrables vallons…*

— *Et le Chant des Corbeaux sera son propre chant.* » Llew termina la phrase. Et effectivement, alors que les guerriers arrivaient près du rivage, leurs voix résonnèrent, puissantes et belles, dans l'air calme du soir, remplissant le vallon de sonorités nouvelles et pleines de vigueur. « Ils chantent bien, ces Corbeaux. »

Je partis avec Llew rejoindre les hommes au bord du lac ; après qu'ils eurent pris leur bain, Llew leur montra l'endroit où nous allions construire la citadelle. Ils étaient fascinés par l'idée du crannog, et promirent de participer à sa construction. Je suis convaincu qu'ils auraient même entamé les travaux sur-le-champ si je n'avais fait remarquer que nous ne disposions pour cela d'aucun outil.

Par bonheur, ce manque ne nous gêna pas bien longtemps. Les premières livraisons arrivèrent au bout de trois jours, apportées par Cynan lui-même, accompagné d'un détachement de plus d'une vingtaine d'hommes. Il amenait avec lui huit chariots tirés par des bœufs, remplis d'outils, de provisions et autres réserves ; et puis aussi sept chevaux — cinq juments et deux étalons qui peu à peu pourraient constituer un haras — et quatre chiens de chasse, pour former progressivement une meute. En ce qui concerne le détachement d'ouvriers, onze d'entre eux étaient maçons, dont quelques-uns avaient amené leur femme et leurs enfants.

« Ils resteront ici avec vous jusqu'à ce que la citadelle soit construite, expliqua Cynan après les salutations d'usage. J'ai fait part de vos projets à mon père. Il considère que c'est là une idée merveilleuse — "C'est une belle idée, une idée merveilleuse", a-t-il dit ; et il a pris l'engagement de tout faire pour vous soutenir jusqu'à ce que vous puissiez subvenir vous-mêmes à vos besoins. Il a grand désir de protéger votre bonne volonté, et souhaite établir une alliance solide dans le Nord. » Puis Bran s'approcha, et il se tut. « Et j'ai bien l'impression que ce jour-là n'est pas loin d'arriver.

— Voici Bran Bresal, dit Llew en s'adressant à Cynan, le meneur des Corbeaux. Lui et ses hommes se proposent de nous aider à édifier Dinas Dwr. »

Je remarquai alors que Llew négligea de préciser que Bran et ses hommes étaient rhewtanis. « Laissons d'abord Cynan apprendre à les connaître, expliqua-t-il plus tard. Pourquoi voir toujours tout en noir ? » En cela, pensai-je, Llew faisait montre d'une sagesse pleine de subtilité.

Cynan et Bran se saluèrent mutuellement. Puis Cynan ordonna que la coupe fût amenée, et dit : « Buvons à la santé des nouveaux amis et des idées merveilleuses !

— Cynan, vous êtes extraordinaire !, s'exclama Llew en éclatant de rire. J'aurais eu grand plaisir à faire venir une coupe de bienvenue pour vous, mais nous n'avons pas de bière, comme vous le savez…

— Vraiment ?, répliqua Cynan, songeur. Alors comment se fait-il que je voie une cuve toute pleine de mousse là-bas, chez vous ? »

Le prince au torque d'argent avait apporté sa propre cuve de bière, et avait donné des instructions à ses hommes afin qu'ils l'installent près du foyer. Alors même que Cynan continuait à parler, j'entendais le son de la tasse qui plongeait dans la cuve pour remplir la coupe. « À nous tous, s'exclama Cynan. *Báncaraid gu bráth !*

— *Sláinte môr !* », reprîmes-nous tous en cœur, alors que la coupe écumante passait de main en main.

Cette nuit-là, nous fîmes un repas exceptionnel, et alors que les flammes montaient très haut, je me mis à chanter *La Bataille des Arbres* : un chant d'union et de cause commune, un chant prompt à stimuler les hommes. Et le matin suivant, les travaux commençaient.

Les maçons rassemblèrent leurs outils et leur matériau dans le pré qui dominait l'endroit que j'avais choisi pour édifier la citadelle. Avec Llew et Cynan, nous discutâmes le projet avec le chef du chantier — un homme appelé Derfal, qui était le maître-maçon du roi Cynfarch. Pendant que nous parlions, ses hommes se mirent à préparer le terrain pour y édifier ensuite des cabanes. Les guerriers, eux, furent commis à l'équarrissage des troncs d'arbres — pour les cabanes, mais aussi pour les navires. Nous aurions besoin de six à huit solides embarcations à coque large pour transporter des pierres et des troncs d'arbres pour assurer les fondations au fond de l'eau.

Les premiers jours ne virent guère plus, en guise d'activité, que des bœufs traînant des troncs d'arbres depuis la forêt jusqu'au pré. Puis les cabanes des maçons furent rapidement construites, et les embarcations commencèrent à prendre forme. Une fois ces dernières terminées, elles furent mises à l'eau et les travaux commencèrent pour de bon ; notre campement au milieu des forêts, jadis si calme, se transforma en un centre d'activité fiévreuse et bruyante, en un joyeux chambardement.

Du matin jusqu'à la nuit, la forêt résonna du bruit scandé des haches et du beuglement des bœufs. Le camp s'affairait sous les voix des femmes qui s'étaient mises à cuire le pain et à griller la viande pour nourrir les ouvriers toujours affamés. Les rivages du lac résonnaient du rire des enfants et de l'aboiement des chiens. L'air frissonnait sous l'ardeur d'entreprendre ; les accents innombrables de la joie flottaient au-dessus du vallon. Je marchai de tous côtés, attentifs à tous les bruits, et j'avais le sentiment d'entendre la joie elle-même qui s'exprimait. Heureux Caledon, pensai-je…

De longs piliers de bois furent préparés, cinq troncs de chênes, soigneusement choisis, taillés en pointe et façonnés, et puis encore cinq. Avec grand soin, et le concours d'une main-d'œuvre importante, ils furent mis à l'eau et amenés jusqu'au site choisi, au centre du lac, puis implantés au fond, dans la vase, de manière à ce que les sommets fassent saillie à la surface. Puis les maçons et leurs aides firent la navette sans relâche avec leurs embarcations, transportant d'inépuisables charges de pierres depuis la rive jusqu'au site, au milieu du lac. Les pierres furent déversées tout autour de chaque étayage de bois afin de les stabiliser.

Les cinq étayages verticaux furent reliés entre eux par les cinq derniers rondins, qui furent arrimés à la section sous-marine des piliers, formant ainsi une sorte d'hexagone immergé. Pour terminer, une robuste structure en réseau fut aménagée avec des branches de chêne le long des cinq côtés de l'hexagone. Une plate-forme fut alors formée, recouverte d'abord d'une couche de pierres, puis d'une couche de terre. Sur cette dernière plate-forme, les premières structures d'habitation en rondins de bois allaient être érigées.

À ce crannog allait en être ajouté un autre, puis un troisième, d'autres encore... jusqu'à ce qu'il y ait une vingtaine de petits crannogs, tous reliés entre eux par des ponts et des passerelles, et entourés par de solides palissades de bois. À peine le premier crannog fut-il fini de construire que l'on entamait la construction du second.

Tout cela se passait sous le regard vigilant de Llew. Il était toujours en compagnie des maçons, travaillant dur à leurs côtés pendant le jour, et en tête-à-tête avec Derfal pendant la nuit, à discuter le travail du jour suivant. Cynan également prenait beaucoup de plaisir, car il considérait vraiment le travail de conception de Dinas Dwr comme s'il s'agissait de sa propre responsabilité. Je crois que c'était la première fois qu'il avait une vraie tâche à accomplir, substantielle et importante. Son père, sans aucun doute, était un souverain compétent, et non le genre d'homme à trop placer sa confiance dans les gens qui l'entouraient ; Cynan ne pouvait pas tenir de fonction conséquente qui aurait pu l'occuper dans le palais paternel, et c'est la raison pour laquelle l'entreprise de Llew devint d'autant plus la sienne — et il s'y consacra entièrement comme seul Cynan pouvait le faire.

Maffar s'écoula dans une brume de sueur et d'efforts. *Rhylla,* la saison des semailles, fut accueillie avec soulagement, avec ses jours et ses nuits plus fraîches. Nous avions l'intention de travailler aussi longtemps que le temps se maintiendrait au beau fixe, et nous eûmes droit, du reste, à plusieurs belles journées avant que le froid glacial et les vents de *sollen* viennent mettre un terme à nos activités.

Cynan, qui était resté aussi longtemps qu'il le pouvait, nous annonça qu'il s'apprêtait à retourner vers le sud. « Les moissons vont bientôt commencer, et l'on va avoir besoin de moi pour collecter le tribut dû au roi, expliqua-t-il. Mais je vais revenir avant la période des neiges avec suffisamment de provisions pour vous permettre de passer le *sollen*.

— Vous êtes un véritable ami, un frère », lui dit Llew alors que Cynan et ses compagnons montaient sur leurs chevaux sellés ; Cynan prenait quatre guerriers avec lui, et les autres devaient rester. « Attendez que les jours redeviennent clairs. Nous pourrons survivre, assurément, jusqu'au *gyd* grâce à ce que vous nous avez déjà apporté la première fois. »

Cynan écarta la proposition sans faire de commentaire. « Et je vous rapporterai des nouvelles du monde situé au-delà de ce vallon qui est le vôtre, dit-il.

— Alors partez, répondit Llew, et faites bon voyage. Revenez quand vous le souhaitez. »

Lorsque Cynan fut parti, nous redescendîmes vers le lac. J'entendais le faible martèlement des haches pendant que les ouvriers taillaient et façonnaient les troncs d'arbres. J'entendais le pas sourd et lent des bœufs qui tiraient les rondins jusqu'à la clairière où était entreposé le bois. J'entendais s'ébattre les enfants qui jouaient au bord de l'eau.

Nous nous assîmes sur des pierres au milieu des copeaux qui sentaient le pin, et observions tout ce qui avait déjà été accompli : deux crannogs étaient terminés — l'un d'eux supportant deux imposantes bâtisses et un entrepôt —, et un troisième était en chantier ; un enclos à bestiaux au milieu du pré, pour les bœufs et les chevaux ; deux cabanes d'ouvriers pour les outils et le matériel, et trois grandes bâtisses au bord du lac. C'était un bon début.

« Nous avons bien travaillé, dit Llew. À présent, cela ressemble à quelque chose. J'aurais tant aimé que vous puissiez voir, Tegid.

— Mais je l'ai vu, répondis-je. J'ai vu absolument tout.

— Tel que ce sera, sans doute. Mais…

— Tel que ce sera… Et tel que c'est déjà. » J'effleurai mon front du bout des doigts. « Depuis que nous sommes ici, mon pouvoir de vision s'est encore accru.

— Vraiment ?

— Il s'exerce quand il le veut — comme l'awen —, et je n'ai aucune influence sur lui. Parfois, il survient de lui-même, mais souvent, c'est un mot précis qui semble l'appeler. Ou bien un son. Je ne peux jamais savoir à quel moment il s'activera. Et pourtant, à chaque fois, j'ai l'impression de voir davantage. »

Les nuits très fraîches de rhylla amenaient avec elle les brumes venues du lac, et les journées âpres, sous une lumière dorée, s'embrasaient à la lueur du soleil couchant. Mais les journées ensoleillées diminuèrent et devinrent de plus en plus grises, comme un feu qui devient cendre… comme le feu de samhain qui marque le changement d'année : si éclatant, si ardent lorsqu'il s'embrase au sommet d'une colline, tenant à distance la nuit chargée de soucis grâce à sa lumière si belle. Mais les flammes diminuent et finissent par se transformer en cendres grises — grisaille des journées pluvieuses, interminables, jusqu'à ce que les ténèbres rampantes les ramassent et les emportent au loin.

Après samhain, je ressentis souvent l'hiver qui peu à peu envahissait l'atmosphère. Le pelage des chevaux et des bœufs changeait, plus lisse, plus épais et plus long. Les guerriers allaient à la chasse, à la pêche, ils débitaient du bois en vue de la saison des neiges. Les femmes mettaient à conserver la viande, en en faisant à fumer une partie et en salant le reste ; elles firent cuire le pain noir, si dur, qui allait nous aider à passer l'hiver. Les enfants couvrirent leurs bras et leurs jambes hâlés par le soleil avec de chaudes mantilles de laine et des jambières. Les ouvriers enduisirent de graisse leurs outils, le soir, et allèrent les déposer, enveloppés, dans les cabanes au bord du lac, afin qu'ils ne rouillent pas.

Nous déménageâmes notre campement, jusqu'alors situé au milieu des arbres, jusqu'aux bâtisses qui avaient été construites au bord du lac. Nous étions un peu moins d'une trentaine de personnes, et donc nous étions bien au large dans ces quatre grands bâtiments… jusqu'à ce que les premiers chercheurs d'abri arrivent.

XVIII

LE DÉFI

Cynan revint à l'occasion de la première lune de samhain ; amenant avec lui sept nouveaux guerriers et cinq chariots remplis de provisions — de la nourriture en grain, et des semis : avoine, orge et seigle — et de quelques produits ou objets de luxe, comme le miel, le sel, des herbes, des vêtements tissés, du cuir tanné. Il apporta également des lances toutes neuves, ainsi que des épées et des boucliers en nombre suffisant pour tous les guerriers. Et comme pour être certain que nous n'allions pas tomber dans la fatuité des riches, il amena aussi avec lui une trentaine d'Eothaelis épuisés — les survivants d'une tribu, mourant de faim, les pieds en bouillie, qui avaient résisté à Meldron — lequel exigeait otages et tribut — et avaient vu leur roi, leur armée, leurs familles massacrés, leur caer incendié, et tout leur bétail mis en fuite.

« Je ne savais pas quoi faire avec eux... », expliqua Cynan, légèrement déconcerté. « Ils erraient, complètement perdus, à travers la lande. Ayant froid, ayant faim... et avec les enfants, oui... ne sachant où aller.

— Vous avez bien fait, dit Llew.

— Ils n'ont ni armes, ni provisions... ils seraient morts de froid très vite, poursuivit Cynan. Si j'avais pu prévoir, j'aurais apporté davantage de grain. Mais à présent... je ne peux pas...

— Ne vous en faites pas, frère, dit Llew pour le rassurer aussitôt. C'est pour eux, et pour leurs semblables, que nous construisons Dinas Dwr. Faites-les donc venir, je vous y invite. »

Les Eothaelis se tenaient à l'écart, ne sachant pas de quelle manière ils allaient être accueillis. Llew, Cynan et moi-même, nous allâmes leur parler : il y avait huit hommes et quinze femmes, le reste des réfugiés étant constitué d'enfants, de plusieurs nourrissons encore dans les bras de leurs mères. Llew leur assura qu'ils n'avaient absolument rien à craindre : on allait leur donner de la nourriture et des vêtements, on allait prendre soin d'eux, et s'ils le décidaient eux-mêmes, ils pourraient rester. Ils se montraient encore quelque peu perplexes devant la chance qui leur souriait.

Puis un nourrisson se mit à pleurer — une sorte de petite mélopée braillarde — et fut immédiatement calmé par sa mère. Les cris stimulèrent soudain ma vision intérieure, et je vis alors une masse informe, des gens débraillés, complètement épuisés, sur leurs gardes, mal à leur aise, la peur suintant de leurs yeux tristes. Légèrement en avant des autres se tenait un homme au visage émacié, comme taillé dans un silex, le bras enveloppé dans un morceau de chiffon sale, imprégné de sang ; il semblait être le meneur du groupe — ce qui restait, en fait, d'une famille de trois clans. « Il n'est pas juste que nous soyons traités avec tant de disgrâce. Nous ne sommes pas des parias, répondit l'homme émacié d'une voix pleine d'indignation. Nous avons été agressés alors que nous n'avions provoqué personne ; notre citadelle a été détruite, notre peuple massacré, notre bétail mis en fuite. Nous, nous avons échappé à la mort... mais la mort elle-même aurait mieux valu pour nous que la disgrâce.

— Mais vous êtes les bienvenus, répondit Llew. Où voyez-vous de la disgrâce ? ... À moins que vous estimiez l'hospitalité que nous vous offrons moins précieuse que votre honneur...

— Nous sommes eothaelis, rappela l'homme sur un ton glacial. Nous ne sommes pas n'importe quel peuple, pour être ainsi traités quasiment comme du bétail. »

Llew se pencha vers moi en m'effleurant légèrement le bras. « Dites lui, vous. J'aurais l'impression de me répéter encore... »

Les Eothaelis forment une tribu indépendante. Ils vivent — ou du moins ils vivaient — dans la partie méridionale de Llogres, fermement accrochés à leurs côtes rocheuses comme une moule à son rocher. Alors qu'ils sont réputés pour savoir défendre avec férocité le réseau serré de leurs petites tribus, ils n'ont pas en revanche la réputation de posséder de grandes richesses, ni en or ni en bétail, pas plus qu'ils n'ont la réputation d'être particulièrement habiles en technique de combat. Toujours est-il que je ne parviens pas à saisir ce que Meldron espérait obtenir en les attaquant. Quelques navires, peut-être, et quelques vaches squelettiques.

Les Eothaelis avaient commencé à marmonner de manière sinistre entre eux. Je levai mon bâton de marche en l'air puis vins ensuite frapper brusquement son extrémité sur le sol. « Écoutez donc, hommes à l'esprit lent !, m'exclamai-je soudain. Écoutez la parole du chef des bardes de Prydain ! »

Ils firent aussitôt silence, n'osant pas maugréer devant un barde. Llew avait essayé de les rassurer ; j'allais essayer quant à moi une technique plus directe.

« Honte à vous ! Auriez-vous des manières aussi peu courtoises, seriez-vous des hôtes aussi ingrats, pour ainsi rejeter l'offre d'amitié que nous vous faisons ? Vous arrivez devant nous fourbus et les mains vides, et nous ne vous rejetons pas. Nous vous offrons au contraire la chaleur de notre foyer, si vous voulez bien l'accepter... Pourquoi restez-vous plantés là comme des captifs ? »

Je levai mon bâton, et pointant le meneur du groupe, demandai autoritairement : « Quel est votre nom ?

— Iollan », répondit sèchement l'homme au visage émacié ; puis il ne desserra plus les lèvres.

« Écoutez-moi donc, Iollan des Eothaelis. Suivez votre propre conseil. Nous vous avons offert notre accueil. À vous de décider à présent si vous l'acceptez ou si vous y renoncez. Vous seul pouvez choisir. Si vous choisissez de rester, vous serez traités avec tous les égards. Si en revanche vous choisissez de partir, vous partirez comme vous êtes venus : seuls et avec vos seuls moyens. »

Iollan se renfrogna mais ne répondit rien.

« Tête de mule..., murmura Cynan.

— Laissons-les réfléchir entre eux », dit Llew en s'éloignant.

Nous le suivîmes, Cynan et moi, mais nous n'avions pas fait dix pas que l'homme nous rappela : « Nous acceptons votre offre — le repos et la nourriture. Nous resterons, mais seulement jusqu'à ce que nous ayons récupéré des forces pour reprendre la route. »

Llew se retourna. « Très bien. Vous êtes libres de faire ce que bon vous semble. Nous n'exigeons rien de vous. »

Nous les conduisîmes jusqu'aux bâtisses construites dans le pré, et fîmes le nécessaire pour leur hébergement. J'avais l'intention de leur donner un logement qui soit uniquement pour eux, mais Llew m'en dissuada. « Non, il est préférable de les loger avec nous ; car de cette manière ils s'intégreront très vite. Personne ne doit se sentir étranger à Dinas Dwr. »

En conséquence, nous dispersâmes les réfugiés entre nous, en aménageant un endroit pour en installer deux ou trois dans chaque bâtiment. En une seule journée, notre effectif avait doublé, et les quatre bâtiments nous offrirent moins de confort qu'auparavant. Mais lorsque les vents glacials mugiraient sous les toits de rondins, la nuit, nous nous tiendrions bien chaud du fait de la proximité de nos compagnons.

Sollen arriva, froid et humide, mais supportable. Nos logis étaient douillets, le feu dans les cheminées brûlait haut et fort. Plus d'une fois, nous nous rassemblâmes tous, le soir, dans le plus grand bâtiment, je prenais ma harpe et je chantais. J'entonnais les chants que l'on avait chantés depuis les origines de ce royaume des mondes : *La Légende des oiseaux de Rhiannon* ; *La Fontaine de Mathonwy* ; et aussi *Manawyddan et le Tylwyth Teg* ; ou encore *Cwn Annwn*, et *La Légende de la Roue d'Argent d'Arianrhod*, et tant d'autres… Je chantais le départ progressif du froid sollen, et les jours commencèrent peu à peu à s'allonger.

Quand enfin le gyd se mit à cajoler les petites pousses vertes dans la campagne, nos hôtes ne parlaient plus de leur départ éventuel. Ils s'étaient totalement intégrés à la vie du camp, et leur méfiance — due à un mélange d'orgueil et de crainte — avait été remplacée par une décision tout aussi résolue de porter eux aussi la charge de travail nécessaire pour poursuivre l'implantation de la citadelle. Ils étaient avides de se montrer à la hauteur de l'accueil que nous leur avions réservé, et leur gratitude se manifesta par une participation acharnée au labeur : préparer les surfaces planes de la vallée en vue d'en cultiver le sol, transporter à la rame les innombrables charges de pierres pour les fondations du crannog, prendre soin des bœufs et des chevaux, débiter du bois, labourer le sol, faire la cuisine, conduire les troupeaux, entretenir les terres.

En quelque endroit qu'il se trouvait quelque chose à faire, l'un des Eothaelis était là pour le faire, avec entrain, et de bonne grâce, inlassable. Tous travaillaient plus dur que des esclaves. Et d'ailleurs, si nous en avions fait nos esclaves, nous n'aurions jamais osé leur imposer des efforts semblables à ceux qu'ils entreprirent d'eux-mêmes.

« Ces gens ne sont pas comme nous, Cynan », déclara un beau jour Llew, alors qu'il faisait une pause pour observer les champs fraîchement labourés. « Je n'ai jamais vu un peuple s'impliquer si durement à la tâche. C'est une humiliation de les voir aussi pleins de zèle.

— Eh bien alors, nous devons travailler nous-mêmes encore plus durement, répondit Cynan. Il n'est pas convenable de voir les nobles tribus de Caledon surpassées par quiconque. »

Alun Tringad, qui se trouvait non loin de là, entendit ce qui venait d'être dit et proclama à voix haute : « Inutile d'essayer de surpasser les Eothaelis, à moins que vous ayez en tête de vouloir également distancer les Rhewtanis — ce qui est proprement impossible. »

Cynan se redressa pour répliquer au défi qui concernait les Rhewtanis : « Si les hommes de Llogres étaient aussi durs à la tâche qu'ils sont vantards, je vous croirais volontiers. En l'occurrence, je n'ai encore rien vu qui soit susceptible de me décourager.

— Vraiment, Cynan Machae ?, rétorqua Alun. Dans ce cas, ouvrez donc vos yeux ! Est-ce que ce champ s'est labouré tout seul ? Est-ce que ce bois s'est débité tout seul ? Est-ce que tous ces troncs d'arbres se sont abattus tout seuls, ont-ils donc roulé d'eux-mêmes jusqu'au lac ?

— Je crois seulement qu'il me sera plus facile de voir un champ se labourer tout seul, du bois se débiter tout seul, des troncs d'arbres s'abattre tout seuls et rouler d'eux-mêmes jusqu'au lac, plutôt que de voir une charrue, une hache, ou encore un fouet dans votre propre main, Alun Tringad ! »

Quelques guerriers, qui avaient assisté à cet échange de répliques, cessèrent toute activité pour regarder ; ils se mirent à rire ouvertement après la dernière réplique de Cynan. L'un d'eux interpella Alun, et l'encouragea à faire en sorte que Cynan ravale ses paroles.

« Frère, vous m'avez blessé avec vos discours plein d'agressivité, confessa Alun sur un ton conforme à la gravité prétendue de l'offense. Je ne vois qu'un moyen de sauver mon honneur : je mets en compétition une journée de mon propre travail contre une journée du vôtre ; une compétition qui vous fera regretter amèrement vos paroles inconsidérées.

— Si ce n'est pas un moyen détourné de me soumettre, répliqua Cynan, j'accepte de mettre en jeu le résultat d'une journée de travail ; et nous verrons qui de nous deux est le meilleur. » Il se retourna vers moi. « Demain, nous allons l'un et l'autre travailler aux champs, débiter du bois, charrier des troncs d'arbre. Du lever au coucher du soleil nous travaillerons. Et c'est vous qui jugerez qui d'entre nous a le mieux travaillé.

— L'arrangement vous convient, Alun ?, demandai-je.

— Totalement, répliqua Alun d'un ton enjoué. Si vous en aviez décidé pour sept couchers et sept levers du soleil — et même pour sept fois sept ! — je n'y verrais toujours rien à redire. Mais soit, une seule journée suffira... Je n'ai aucune intention de faire mourir Cynan d'épuisement — je sais trop comment il ménage ses efforts... »

La répartie de Cynan fut cinglante. « Je vous sais gré pour toutes vos prévenances, Alun Tringad, mais vous n'avez pas à vous inquiéter pour moi. Même lorsque j'aurais labouré mes dix arpents de terre, j'aurais encore largement le temps de me reposer pendant que vous en serez encore à atteler vos bœufs…

— Qu'à cela ne tienne !, dit-il en criant. Nous serons tous là demain pour assister à ce prodige. Et nous verrons qui de nous est le plus digne de siéger aux côtés des Eothaelis. »

Cette nuit-là, alors que nous nous installions pour le souper, les paris furent pris pour savoir lequel, de Alun ou de Cynan, aurait le dessus. Les Rhewtanis clamaient hautement leur parti pour Alun, tandis que les Galanae soutenaient Cynan. Les deux groupes se rassemblèrent respectivement autour de leur héros, les encourageant par des exclamations et des nobles prières. Je remarquai que les Eothaelis ne prirent pas part aux paris avec les autres, mais qu'ils participèrent néanmoins à la liesse collective, glorifiant tour à tour Cynan, puis Alun au gré de leur humeur.

Les deux concurrents dormirent profondément cette nuit-là. Ils se réveillèrent le matin suivant, au lever du jour, et se dirigèrent vers l'enclos à bœufs pour choisir leurs bêtes et les atteler à la charrue. Tout le monde suivait, riant et s'exclamant afin d'encourager l'un ou l'autre des deux héros. Les enfants gambadaient devant, sautillaient dans l'atmosphère calme et claire, faisant résonner toute la vallée de leurs cris pleins de gaieté.

S'interpellant sur le ton bon enfant de la moquerie, les deux adversaires se mirent à la tête de leur attelage, et l'affrontement put commencer. Cynan réussit à atteler ses bêtes avant qu'Alun ait eu le temps de harnacher son premier bœuf. Tout en sortant son attelage de l'enclos, Cynan apostropha Alun par-dessus son épaule : « Habituez-vous dès maintenant à ne voir que mon dos, frère. C'est l'angle de vue qu'il vous sera donné d'apprécier toute la journée !

— Le spectacle de votre dos n'a rien de particulièrement exaltant, Cynan Machae ! Et d'ailleurs je n'aurai pas beaucoup l'occasion de l'admirer… sauf quand vous vous courberez pour m'embrasser les pieds, après la défaite. »

Cynan quitta l'enclos à bétail en gloussant. Il conduisit son attelage jusqu'à un lopin de terre qui avait été apprêté la veille pour le labourage ; il plongea profondément le soc de sa charrue dans le sol encore non travaillé et prit en main la baguette de saule.

« Allez, hue ! hue !, s'exclama-t-il ; et j'entendis le claquement de la baguette de saule, et la plainte, douce comme un soupir, de la charrue qui creusait son sillon. Je sentis les odeurs pleines d'une bonne terre bien noire, puis entendis le faible gémissement d'une des bêtes. Tout ceci concourut à réveiller ma vision intérieure. Je vis les bœufs ployant sous le joug. La charrue avançait tout en vibrant ; Cynan tenait le manche et appuyait sur le soc de tout son poids pendant que les bœufs continuaient à tirer la charrue sur la surface herbeuse. Une large entaille s'ouvrait au milieu de l'herbe au fur et à mesure du passage du soc.

Cynan traça un profond sillon, bien droit, jusqu'à l'autre bout du champ. Puis il fit faire demi-tour à ses bêtes et recommença sous les applaudissements de la foule rassemblée. Il termina le tracé du second sillon alors qu'Alun, ayant finalement attelé ses bœufs, arrivait près de lui pour commencer à labourer. « Prenez votre temps, mon ami, s'exclama Cynan, car le travail sera bientôt terminé.

— Continuez votre tâche, Cynan Machae, répliqua joyeusement Alun. Et pendant que vous en aurez terminé avec votre premier champ, j'en serai déjà, quant à moi, à mon deuxième. »

Tout le monde se mit à rire, mais ceux qui se trouvaient derrière Cynan commencèrent à faire monter les enchères en défiant les autres. Les partisans d'Alun répliquèrent au défi, et de nouveaux paris furent rapidement engagés.

Alun vint se placer à l'endroit où il avait l'intention de commencer à labourer : il installa le soc de la charrue, puis vint se placer devant l'attelage. « Braves bêtes ! », lança-t-il, suffisamment fort pour que tout le monde entende. « Regardez donc ce sol magnifique qui s'étend devant vous. Regardez ce beau ciel bleu et ce lever de soleil flamboyant. C'est un bon jour pour labourer. Vous allez accomplir des miracles aujourd'hui. Allez, montrons à ces traînards pleins de paresse comment on laboure un champ ! »

Puis il se pencha et ramassa une motte de terre, l'effrita dans ses mains et vint frotter la terre sur le museau des bœufs. Quelques-uns, parmi ceux qui regardaient, se mirent à rire, puis quelqu'un cria : « Alun, as-tu l'intention pour tracer ton sillon de leur faire manger la terre sur toute la longueur du champ ? »

Très sûr de lui, le Corbeau ne répondit pas ; il fit quelques pas pour se rapprocher encore des bêtes et chuchota quelque chose près de leurs oreilles, après quoi il prit place derrière la charrue. Il ne poussa aucun cri, n'utilisa aucun fouet, mais se contenta de claquements de langue. « Tchh ! Tchh ! », faisait-il pour encourager ses bêtes.

À ce doux commandement, les bœufs commencèrent, lourde-ment, à avancer. La charrue entaillait doucement la terre, et Alun Tringad marchait derrière, faisait des chuintements avec sa langue et fredonnait de douces paroles d'affection à l'adresse de ses bêtes. Il parvint ainsi à l'autre extrémité du champ, fit demi-tour, et recommença... tout cela avec infiniment moins d'efforts que tous l'auraient imaginé — et en tout cas avec assurément bien moins de peine que Cynan.

L'attelage d'Alun tirait sans relâche, tranchant profondément dans l'épaisseur de la terre et traçant l'un après l'autre de larges sillons. Cynan, de son côté, s'affairait comme il pouvait pour en terminer un nouveau ; il fit demi-tour avec ses bêtes, et avec force claquement de fouet, reprit sa tâche dans l'autre sens. La charrue dans les mains de Cynan glissait et sautait lorsque le soc heurtait des pierres ; les larges épaules de Cynan se tendaient alors qu'il luttait avec la charrue et les bœufs. Et j'avais l'impression qu'il poussait trop fort — comme s'il voulait engager sa propre force pour séparer la terre — et la terre résistait.

Alun, toujours en cajolant ses bêtes, semblait manier le soc sans difficulté dans la terre meuble. Son attelage tirait avec régularité et fermeté. Petit à petit, ils commencèrent à rattraper puis à dépasser l'attelage de Cynan.

Ils tracèrent sillon après sillon. Une terre très riche s'enroulait autour du soc en de longues spirales noires et continues. Des oiseaux se rejoignaient et faisaient des petits sauts au milieu des sillons nouvellement formés. Le soleil s'éleva plus haut dans le ciel et la journée devint chaude et éclatante. Cynan voyait son avance s'amenuiser, et il redoublait d'efforts. Il criait et claquait du fouet avec sa baguette de saule, conduisant son attelage avec de plus en plus d'autorité. Les deux bêtes vigoureuses baissaient la tête jusqu'à ce que leur museau touche quasiment le sol ; leur grande carcasse musclée se soulevait sous le joug de bois, entraînant la charrue récalcitrante.

Malgré la force et les efforts déployés, Cynan ne put empêcher l'attelage d'Alun de remonter régulièrement. Un pas après l'autre, celui-ci, doucement stimulé, arriva à hauteur de celui de Cynan, trimant sous l'effort... puis le dépassa.

Lorsque le dernier sillon fut tracé, et qu'Alun détela la charrue, les partisans d'Alun se mirent à pousser des cris ; il conduisit ensuite l'attelage hors du terrain fraîchement labouré, s'exclamant, faisant gaiement des signes de la main à toute l'assemblée. Cynan, les mâchoires serrées, le front bas, termina son ouvrage, libéra son attelage, et se précipita afin de rattraper Alun, lequel était déjà en train de disparaître dans la forêt, une hache à la main, avec un flot d'admirateurs descendant derrière lui.

« Le seul travail qui sera fourni dans la journée ne le sera que par Cynan et Alun », dis-je alors que les derniers badauds s'éloignaient précipitamment afin de rejoindre Cynan.

« Donnez-leur leur journée, répondit Llew. Ils l'ont bien méritée. » Il devint de plus en plus songeur. « Dans le monde d'où je viens, dit-il lentement, on accorde aux gens un jour de repos après leurs efforts... tous les sept jours. Dans les temps anciens, c'était même un présent jalousement gardé ; mais à présent, il n'est plus même considéré comme tel.

— Tous les sept jours..., repris-je tout en réfléchissant. C'est ici une pratique plutôt rare, mais qui ne nous est pas inconnue. Il y a des bardes qui ont défendu de telles idées parfois, et puis des rois qui ont passé des décrets allant dans ce sens pour leur peuple.

— Eh bien, passons nous-mêmes un décret semblable...

— D'accord, soit. Tous les sept jours le peuple de Dinas Dwr se reposera de son travail, approuvai-je.

— Parfait, nous allons prévenir tout le monde, dit Llew. Mais pas maintenant. Rejoignons d'abord Cynan, et encourageons-le pour qu'il gagne. »

Cynan avait fait une pause suffisamment longue pour prendre le temps de choisir une bonne et robuste hache dans l'entrepôt, près du lac. Nous le rejoignîmes alors qu'il conduisait ses bêtes, le long de la rive, sur la piste menant vers la forêt, le fouet dans une main et la hache dans l'autre.

« Bravo, Cynan ! », dit Llew, qui ne put s'empêcher d'ajouter : « Pourtant, je pensais bien que vous alliez finir largement devant Alun.

— Et moi, je pensais bien que je n'arriverais jamais jusqu'au bout. Je n'ai jamais conduit une charrue dans un sol plus revêche que celui-là. Vous avez vu la taille de ces pierres ? De vrais rochers ! Et ces deux bestiaux sont les plus têtus que j'ai jamais rencontrés !

— Ne vous inquiétez pas, frère, dit Llew. Vous rattraperez Alun bien assez tôt. À l'épreuve suivante, avec la hache, il ne fait pas le poids !

— Ai-je l'air de m'inquiéter à propos d'individus comme Alun Tringad ?, grogna Cynan. Qu'il débite tout ce qu'il veut, je l'éblouirai. Il aurait beau prendre un rythme cinquante fois plus rapide que le mien, je réussirais encore à abattre plus d'arbres que lui ! »

Lorsque nous arrivâmes à la clairière créée artificiellement par les ouvriers ayant ici coupé les arbres pour les besoins du chantier, Alun était déjà à la tâche et avait pris une bonne avance. Devant lui, un grand pin était penché, prêt à tomber. Ses partisans étaient tous présents dans la clairière, encourageant chaque coup de hache avec force exclamations.

Cynan choisit un arbre identique, cracha dans ses mains, se saisit de sa hache, puis avec aisance, dans un rythme régulier, il commença à tailler dans le tronc de l'arbre. Ceux qui l'avaient suivi l'encouragèrent à leur tour, et bientôt, la clairière ne résonna plus que du choc des haches contre les arbres et de l'écho des hourras et des exclamations.

Alun fut le premier à abattre son arbre... à la grande satisfaction de ses partisans qui applaudirent à la victoire de leur héros — lequel ne perdit pas un instant, et s'attela à la tâche d'élaguer les branches les plus hautes du pin. Dès qu'il eût fini, il trancha la cime de l'arbre, attacha l'extrémité d'une chaîne au tronc, puis l'autre extrémité à l'anneau de fer du joug.

Ensuite, d'un claquement de langue, il stimula ses bêtes pour qu'elles avancent de quelques pas. Le tronc se retourna sur lui-même, et Alun ordonna aussitôt aux animaux de s'arrêter ; il se dirigea à nouveau vers l'arbre et termina l'élagage des autres branches. Cette tâche terminée, il reprit en grande hâte la tête de l'attelage, qui emporta peu à peu le fût hors de la clairière sous les applaudissements des spectateurs.

« Ne vous en faites surtout pas, s'exclama-t-il lorsqu'il passa près de Cynan, je n'oublierai pas de vous laisser quelques arbres à abattre... les plus petits.

— Ne prenez pas cette peine, Alun Tringad », rétorqua Cynan en serrant les dents. Il souleva puissamment sa hache, et l'instrument vint faire une entaille profonde dans le bois. Il y avait déjà, à ses pieds, un tas non négligeable de copeaux. « C'est Cynan lui-même qui vous accueillera avec une bonne coupe de bière dans les mains lorsque vous aurez terminé.

— Êtes-vous prêt à parier dans quelles mains se trouvera alors cette coupe, frère ? », s'enquit Alun en s'arrêtant.

Cynan s'affairait sur sa hache. Un énorme copeau surgit brusquement de l'entaille : « On me traitera bientôt de voleur car je ne vous aurais laissé aucun travail, rétorqua-t-il.

— Laissez-les vous traiter comme bon leur semble, dit Alun. Deux brassards en or contre votre torque d'argent... d'accord ? »

Certains parmi ceux qui se trouvaient près de Cynan, et qui le connaissaient, se mirent à murmurer entre eux. Ils virent son regard d'azur s'obscurcir et son sourire se figer : « Votre or ne vaut pas le dixième de mon torque, répliqua-t-il sèchement.

— Eh bien, disons… trois brassards en or.

— Sept, renchérit Cynan, la moustache frémissante.

— Quatre !

— Cinq, c'est mon dernier mot, exigea Cynan, et deux bagues !

— Pari tenu ! », lança Alun ; puis il se retourna face à son attelage. « Tch ! Tch ! », fit-il d'un chuintement de langue. Les deux animaux s'ébranlèrent, entraînant derrière le fût de l'arbre.

Cynan retourna à sa tâche, et s'il avait jusque-là travaillé durement et avec grande détermination, il s'acharnait à présent, comme épris de vengeance, autant qu'il le pouvait. Son visage était en feu, et semblait illuminer sa chevelure rousse ; il était hérissé de la tête aux pieds.

« J'ai bien peur que le sort d'Alun ne soit définitivement réglé, observa Llew après avoir entendu le dernier pari. Cynan aurait sans doute accepté la défaite, mais jamais il n'acceptera de céder son torque. »

Au rythme sonore de la hache de Cynan, Llew me raconta comment l'un et l'autre s'étaient liés d'amitié à l'école militaire de Scatha. « C'est grâce à ce torque que les choses se sont passées, dit Llew. Il plaçait cet objet bien plus haut que sa propre vie, à peine plus haut qu'à présent, me semble-t-il. » Il se mit à rire doucement en pensant à tout cela. « Il était vraiment insupportable ! Arrogant, plein de suffisance… Je ne vous mens pas, Tegid, il n'y avait pas plus vaniteux que cet homme-là. »

Puis il y eut un craquement assourdissant, suivi d'un long gémissement, sourd, lorsque l'arbre s'inclina, puis s'écrasa sur le sol. Cynan s'en rapprocha sans perdre de temps, et se mit à élaguer les branches et les rameaux. Sous les acclamations et les encouragements de ses partisans, il attacha le fût de l'arbre derrière l'attelage, retourna le tronc, et finit d'élaguer, tranchant net la cime du pin alors que les bœufs commençaient déjà à s'ébranler.

Pendant que Cynan s'éloignait, Alun revenait déjà à la clairière et commençait à abattre un nouvel arbre. Mais très vite le rythme de la hache d'Alun fut rejoint par celui de Cynan, qui était revenu à la clairière en courant. Alun n'avait aucune idée de la tempête qu'il avait déclenchée, mais il allait bientôt le savoir. Car l'arbre suivant, c'était Cynan qui allait le faire tomber le premier ; celui-ci fut élagué puis étêté avant même qu'Alun n'eût abattu le sien.

Les partisans de Cynan lancèrent un cri joyeux lorsque le tronc fut emmené. Ceux d'Alun commencèrent à stimuler leur héros pour qu'il se dépêche, et la hache de celui-ci s'activa d'autant plus. L'arbre gémissait sous les coups de la lame, puis finit par tomber. Aussitôt le tronc fut élagué, étêté, puis emmené lentement par ses deux bêtes.

La compétition prenait une tournure intéressante. L'un après l'autre, les deux adversaires abattaient, élaguaient, étêtaient, puis acheminaient les fûts vers le rivage... n'arrêtant quelques instants que pour avaler deux ou trois gorgées d'eau avant de reprendre précipitamment leur course. Le soleil monta encore plus haut dans le ciel, répandant sa lumière sur la cime des arbres et au sein de la clairière. Les deux rivaux, ruisselant de sueur à cause de l'effort, se défirent de leurs siarcs et se mirent à équarrir les troncs d'arbre, s'affairant à leur tâche comme de vigoureux guerriers qu'ils étaient. Le torque de Cynan étincelait autour de son cou ; le corbeau couleur d'azur tatoué sur le bras d'Alun sembla prendre son envol alors que les muscles se contractaient sous la peau.

L'enjeu des paris doubla, puis tripla, d'abord dans un sens, puis dans l'autre, au fur et à mesure que l'un ou l'autre des deux adversaires semblait prendre le dessus. Même les Eothaelis, cette fois, furent entraînés à parier, et se joignirent à la fête. Llew, qui était à côté de moi, partit rejoindre les bruyants spectateurs, et je me retirai, un peu à l'écart, pour aller m'asseoir sur un amas de copeaux. J'étendis mes jambes devant moi et appuyai mon dos contre la souche d'un arbre.

La clairière résonnait des mille échos de l'assemblée en liesse. Les applaudissements se transformèrent en chants, et tout le monde vibrait devant les exploits des héros respectifs. Les cris du peuple me remplissaient les oreilles, résonnant de plus en plus fort à l'intérieur de ma tête comme les hurlements d'une armée victorieuse. Et dans ma vision intérieure, je vis Dinas Dwr, forte et puissante, flottant à la surface rutilante du lac. Je vis de riches prairies s'étendant tout au long de la vallée, et de larges sentiers de chasse serpenter à travers les forêts aux abords des coteaux de Druim Vran. Je vis un peuple courageux se lever pour revendiquer une place parmi les grands et les puissants de ce royaume des mondes.

Je m'éveillai de ma torpeur et me retrouvai seul avec moi-même. Les rayons du soleil ne me réchauffaient plus la peau... la clairière avait sombré dans l'obscurité. J'entendais, non loin de là, les sourdes exclamations de la foule qui redescendait le long du versant de la colline ; elle suivait Alun et Cynan qui menaient leurs attelages vers la rive du lac, où les troncs d'arbres qu'ils avaient taillés étaient mis en tas. Je m'apprêtai à me relever, et sentis quelqu'un agripper mon bras pour m'aider à me remettre sur pieds.

« Je croyais que vous étiez parti, dit Llew. Avez-vous dormi ?

— Non, répondis-je. Mais j'ai rêvé.

— Parfait. Eh bien, allons-y. Le soleil va bientôt se coucher, et le vainqueur va être désigné. Il ne faut pas qu'on rate cela. »

Nous marchâmes d'un pas preste le long du sentier bordant le lac, où tout le monde s'était rassemblé en attendant la proclamation des résultats. Bran Bresal avait décidé de se charger lui-même d'annoncer le verdict devant la foule. « Le jugement rendu à ce jour est fondé sur trois épreuves : le labourage, l'abattage du bois, et son transport sous forme de rondins élagués. Le concours s'est déroulé depuis le lever jusqu'au coucher du soleil. » Il fit une pause dès qu'il nous vit rejoindre l'assemblée impatiente, et ébaucha quelques pas en direction de Llew.

« Continuez, je vous en prie…, lança aimablement Llew. C'est un fort bon début. »

Mais Bran refusa de poursuivre, et dit : « Seigneur, c'est à vous qu'il revient de prononcer un jugement. C'était notre accord…

— Bon, très bien. » Llew grimpa sur le tas de rondins et prit place. « Le soleil est sur le point de se coucher ; le concours s'achève donc, dit-il d'une voix qui montait de l'obscurité. Deux champs entiers ont été labourés avec un nombre égal de sillons dans chacun des deux champs. Par conséquent, je déclare, pour cette première épreuve, les deux concurrents à égalité…

— À égalité !, s'exclama Cynan, qui voulait protester. Mon champ était rempli de racines et de pierres ! Il était de loin le plus difficile à labourer. La décision devrait pencher en ma faveur !

— Au début de l'épreuve, j'avais pris du retard, mais j'ai terminé premier, riposta Alun Tringad. Mon champ était tout aussi dur à travailler que le sien. C'est en ma faveur que devrait pencher la décision ! »

Les partisans respectifs des deux concurrents se mirent également à protester. Mais Llew tint ferme. « La décision ne prend en compte que la somme de travail effectué, et non sa difficulté. Le nombre de sillons est identique chez les deux adversaires, et par conséquent le travail est le même. Il faudra se retourner vers les autres épreuves pour les départager.

— Faites le compte des rondins chez l'un et chez l'autre ! », s'écria quelqu'un dans l'assemblée ; et aussitôt, la foule reprit en chœur : « Oui, les rondins ! Les rondins ! »

Peu à peu, les exclamations cessèrent. « Très bien, dit Llew, le nombre de rondins dans chacun des deux tas déterminera quel est le vainqueur. Bran, pouvez-vous compter… »

Le guerrier s'avança d'abord vers le tas de rondins de Cynan, et commença à compter à voix haute en touchant de la main chaque unité en même temps qu'il comptait : « Un... Deux... Trois... Quatre... Cinq... » La foule, silencieuse, observait en retenant son souffle pendant que Bran faisait le compte. « Neuf... Dix... Onze... Douze ! Cynan Machae a abattu, puis transporté douze fûts ! »

Aussitôt, les partisans de Cynan se mirent à pousser de grands cris d'approbation. Cynan cria quelque chose à Alun, mais le sens des mots se perdit dans le vacarme. Llew, toujours debout sur le tas de rondins, fit un geste pour demander le silence. Lorsque la foule se tut une nouvelle fois, il dit : « Douze rondins pour Cynan. À présent, nous allons compter les rondins transportés par Alun. »

Bran se dirigea vers le tas. « Un... Deux... », commença-t-il.

Mais le compte des rondins abattus puis transportés par Alun ne put être évalué, car au moment où Bran se penchait pour les dénombrer, l'écho terrible d'un *carynx* retentit... une sonorité puissante, interminable de cor de bataille qui se répandit depuis la crête comme le mugissement d'un taureau en alerte résonnant sur toute la surface du lac et à travers toute la vallée.

XIX

INVASION

Tous comme un seul homme, nous nous retournâmes vers la piste de crête. Le cor retentit une seconde fois, et les sons s'engouffrèrent à travers la vallée plongée dans un profond silence comme un frisson d'effroi. Aussitôt, ma vision intérieure s'illumina, et devant mes yeux se déploya l'image d'un ciel embrasé, rouge et or dans le soleil couchant, puis d'une armée sortant de la forêt — dont une partie était à pied, l'autre à cheval. C'était une armée forte d'une centaine d'hommes, avec leurs armes prêtes à l'attaque. Je voyais leurs boucliers étinceler sous la lumière déclinante. J'aperçus également leur chef, chevauchant à la tête de ses guerriers et protégé par une escadre de gardes du corps.

Llew ordonna aussitôt la prise d'arme, puis à ceux qui n'étaient pas soldats d'aller se réfugier vers les crannogs. Même s'il n'y avait pas encore de palissade, le peuple serait davantage à l'abri sur les îlots qu'à l'intérieur des bâtisses construites sur le rivage. Les Corbeaux se ruèrent donc vers les cabanes pour prendre leurs armes, et tous les autres se dirigèrent en hâte vers le lac. Cynan donna ordre aux guerriers d'aller chercher leurs chevaux, puis ce fut aussitôt un grand désordre, les guerriers couraient dans tous les sens, rassemblant leurs lances et leurs épées, jetant les harnais sur leurs montures. Des hommes couraient pour mettre à l'eau les barques, des femmes s'enfuyaient précipitamment en étreignant leurs nourrissons, des enfants hurlaient, les embarcations glissaient vers le lac.

« Nous les affronterons dans le pré !, s'écria Cynan en bondissant sur son cheval.

— À l'endroit où la rivière traverse la vallée, répondit Llew. Cela gagnera du temps pour permettre à notre peuple de rejoindre la citadelle. »

Garanaw apporta une épée à Llew et commença à la lui attacher avec une sangle à sa ceinture ; Llew le renvoya. « À vingt contre cent…, fit Llew lorsque je le rejoignis. Quelles sont nos chances, à votre avis, Tegid ?

— Je pense qu'il serait sage d'attendre pour savoir qui sont ces hommes et connaître la raison de leur venue », répondis-je.

Il arrêta de tirer sur sa sangle de cuir. « Qu'avez-vous vu ?

— Ce que vous avez vu vous-même, rien de plus : des guerriers qui se dirigent au galop vers notre camp. Mais ils se sont annoncés en faisant sonner le carynx, remarquai-je. Ce qui peut paraître étrange lorsque l'on cherche à surprendre un adversaire. »

Llew recommença à malmener sa sangle de cuir avec sa seule main valide. « C'est dans le seul but de nous faire peur. Ils préféreraient que nous nous rendions sans résister.

— Peut-être au contraire cherchent-ils à nous avertir de quelque chose. »

Cynan se retourna et dit, comme pour clore la discussion : « C'est un défi, et non un avertissement, déclara-t-il. Il faut donner l'offensive, dis-je, avant qu'ils ne puissent nous encercler.

— Se battre ou leur parler… c'est à vous de décider. »

Llew hésita, évaluant les conséquences de la décision qu'il lui fallait prendre. Cynan fit quelques mouvements, mal à l'aise. « Il nous faut ouvrir l'offensive, insista-t-il. Ils sont beaucoup plus nombreux que nous. Nous ne pouvons nous permettre de les laisser nous encercler.

— Bon, eh bien qu'allez-vous faire ?, demandai-je.

— Cynan a raison. Ils se dirigent vers nous toutes armes dehors. Il nous faut monter à l'assaut.

— Oui, absolument ! », répliqua Cynan. Il secoua fermement ses rênes. « Allez, hue ! » Il stimula les flancs de son cheval d'un coup de talon, et l'animal partit au galop.

Rhoedd arriva en courant, tenant par la bride un étalon rouan ; il plaça les rênes dans les mains de Llew, lui fit la courte échelle et le poussa sur le dos de l'animal ; puis il se saisit d'un bouclier avec lequel Llew pourrait protéger son bras mutilé, et lui donna enfin une lance au manche solide.

Bran Bresal, chevauchant une fougueuse jument à robe beige, s'approcha. « Partirez-vous avec nous, Seigneur Llew ?

— Bien sûr. »

Le cor appelant à la bataille laissa retentir son meuglement de taureau à travers la prairie. Les chevaux trépignaient, secouaient leur tête, faisant des mouvements nerveux sur la berge.

« Donnez-nous votre protection, Tegid ! », dit Llew.

Je dressai mon bâton vers lui. « Que votre lame soit légère et prompte comme l'éclair. Que votre lance frappe net. »

Bran fit avancer son cheval, Llew talonna le sien, et tous deux partirent au galop. Je me mis à faire quelques pas le long du rivage, jusqu'à l'endroit où les dernières personnes attendaient le retour des embarcations qui iraient les mettre en sécurité.

J'entendis des pas rapides sur la berge rocailleuse et me retournai au moment où Rhoedd, la lance à la main, me rejoignit. « Je dois rester avec vous, ronchonna-t-il sur un ton qui trahissait sa déception de devoir rester en arrière pour s'occuper d'un barde aveugle.

« Ne vous en faites pas, Rhoedd, dis-je en essayant de le réconforter. Nous restons ici, d'où nous pourrons observer tout ce qui se passe. »

Il me lança un regard étrange. Mais je ne me donnai pas la peine de lui parler de mon pouvoir visionnaire. Les embarcations revinrent pour prendre les derniers passagers, et l'un des hommes nous interpella afin que nous nous dépêchions.

« Dites-leur qu'ils peuvent partir. Nous restons ici. »

Rhoedd leur fit un signe en expliquant que nous avions décidé de rester sur le rivage. Puis il me rejoignit, et dit : « Que comptez-vous faire, Seigneur ?

— Suivez-moi. » Je pris mon bâton, fis demi-tour, dos au lac, et commençai à marcher en direction du pré. Rhoedd marchait à ma droite, jetant à la dérobée des coups d'œil furtifs en essayant de comprendre la raison pour laquelle je pouvais voir.

Llew, Bran et les Corbeaux traversaient le pré et progressaient en direction de Druim Vran. Cynan et l'armée des Galanae, quant à eux, avaient pris un peu plus au sud par rapport au Vol des Corbeaux. Les envahisseurs se dirigeaient vers la rivière. Ils avançaient lentement ; quelques guerriers à cheval ouvraient la marche, leurs armes prêtes à l'attaque. Les derniers avaient quitté la forêt.

« J'évalue leur nombre à deux cinquantaines d'hommes plus dix », dis-je.

Rhoedd fit une rapide estimation. « C'est exact », répondit-il en me lançant un nouveau coup d'œil étonné.

Les rayons du soleil sur le métal lancèrent sur mon regard des reflets dorés, puis le carynx retentit à nouveau, puissant comme le tonnerre, âpre comme une blessure.

Nos adversaires se précipitèrent devant eux en criant. Les chevaux traversèrent la rivière et gagnèrent la prairie, leurs sabots pilonnant le sol avec les sonorités creuses d'un tambour.

Les Corbeaux, à coups de fouet, lancèrent leurs chevaux au galop. Ils fonçaient tête baissée vers les envahisseurs. Filant à toute allure comme un seul homme — et Llew avec eux —, ils fondirent sur les terres fraîchement labourées, et les sabots de leurs chevaux projetaient en l'air des mottes de terre. La rapidité de leur charge était à couper le souffle. Ils fonçaient droit comme une lance vers son but, sans aucune hésitation.

La ruée ennemie finit par se regrouper, un peu comme un muscle qui se contracte, rassemblant ses forces avant l'assaut. Les lances pointaient en avant, étincelantes de cruauté, prêtes à tuer.

Je restai immobile, attendant l'affrontement.

Au dernier moment, Bran fit dévier les Corbeaux : il voulait éviter que ceux-ci affrontent les soldats ennemis, à présent regroupés pour les attendre, préférant les diriger vers une nouvelle cible. Les adversaires, tout en avançant, avaient vu les Corbeaux brusquement virer de bord, et ils savaient qu'ils allaient ainsi au-devant de la mort, car ils n'avaient plus le temps de se préparer à l'affrontement.

Survint alors un cri perçant, comme celui d'un aigle qui plonge vers sa proie pour la tuer. Un son inquiétant qui m'étonna : aigu comme une lame aiguisée à vous percer le cœur et les tympans. C'était Bran et ses guerriers, c'étaient leurs voix qui montaient, le cri de guerre, terrible, des Corbeaux.

Les premières lignes faiblirent. Les envahisseurs se dispersèrent ; leurs chevaux renâclèrent, expulsant leurs infortunés cavaliers ; quant aux fantassins, ils se jetaient à terre volontairement en essayant d'éviter le piétinement des sabots.

Le gros des lignes ennemies se dispersa devant la ruée des Corbeaux. Cynan, qui avait amorcé son attaque, repéra la brèche et s'y engouffra. Les soldats qui venaient à peine d'échapper aux Corbeaux voyaient à présent se profiler à grande vitesse devant eux une nouvelle cause de terreur.

Les fantassins firent demi-tour et retraversèrent le fleuve en courant. Mais les soldats de la cavalerie décidèrent quant à eux de rester sur leur position. Ils firent tourner leurs chevaux en pointant leurs lances, prêts à l'assaut. Puis ce fut l'affrontement. Le sol trembla. J'entendis un craquement, comme si un arbre se fendait en deux.

L'ennemi avait disparu. La force de la charge effectuée par Cynan les avaient tous mis en fuite.

« Hourra ! Hourra !, s'exclama Rhoedd en jetant en l'air sa lance. Nous avons réussi ! »

La charge des Corbeaux avait tranché net comme un couteau, et l'assaut de Cynan, avec sa lance, avait porté le coup final. Le cœur de son armée ayant été étripé, le chef ennemi avait sonné la retraite. Il aurait fallu que les deux moitiés de l'armée se regroupent pour pouvoir espérer retrouver une unité.

Mais Bran n'avait aucunement l'intention de le leur permettre. Car alors même que le cor s'efforçait d'appeler à la résistance, celui-ci avait organisé l'encerclement de l'ennemi. En se retournant, l'armée piégée se retrouvait ainsi une nouvelle fois confrontée à la rapidité d'attaque des Corbeaux.

Tous ceux qui se retrouvaient juste devant eux furent abattus. Ceux qui s'enfuyaient périrent sous les sabots des chevaux. La progression de l'ennemi avait cessé au moment où la ligne de front s'était effondrée et où son centre avait été détruit. À présent, les ennemis s'enfuyaient, traversant le fleuve, courant chercher un abri au milieu de la forêt. Le chef de l'armée cherchait encore à éviter la débâcle. Je le voyais lancer des ordres à son armée, qui cherchait vainement à se regrouper alors que les Corbeaux préparaient une nouvelle offensive.

Les échos du carynx retentissaient de temps à autre. Mais ce fut Cynan qui répondit à l'appel. Brûlant d'énergie, la chevelure comme une flamme, il brandit sa lance, et tous les guerriers galanae se précipitèrent comme une tornade, la cape au vent, les boucliers étincelant.

Je vis alors, postée à l'écart, une silhouette qui s'élança, sur un cheval pie, depuis un recoin caché de la forêt. Mon cœur se mit à battre sourdement dans ma poitrine comme un poing serré.

Un grognement s'échappa de mes lèvres. Je chancelai, agrippai mon bâton pour éviter de tomber. Rhoedd me saisit par le bras afin de me retenir. « Qu'avez-vous ? Vous sentez-vous mal ?

— Arrêtez !

— Quoi donc ? »

Je saisis fermement Rhoedd par le bras. « Il faut arrêter !

— Arrêter quoi ? La bataille… ?, demanda-t-il, surpris, alors que je commençai à courir vers le fleuve. Attendez ! »

Je trébuchai au moment d'arriver sur le terrain labouré ; je n'étais pas capable de courir aussi vite que je le voulais ; je criais en même temps : « Arrêtez, Llew, arrêtez ! »

Peut-être le spectacle d'un barde aveugle se précipitant comme un fou à travers un champ, se débattant au milieu des sillons, a-t-il retenu l'attention de quelqu'un. Je ne sais pas. Toujours est-il que j'entendis un cri, et puis Llew qui se retourna sur sa selle ; il ne me vit pas, mais son regard scruta l'ensemble de la prairie.

« Llew ! », hurlai-je.

Il me vit courir dans sa direction, cria quelque chose par-dessus son épaule à l'intention de Bran. Je pris une forte inspiration et me mis à hurler de toutes mes forces : « Calbha ! »

Je pense qu'il m'entendit, car il s'arrêta et se tourna de mon côté. « C'est Calbha ! », m'exclamai-je en désignant le cavalier solitaire avec mon bâton. « Calbha ! ». Puis je me remis à courir.

« Que se passe-t-il ? me lança Rhoedd.

— Il y a erreur… », m'écriai-je ; et nous nous précipitâmes tous les deux vers le fleuve.

Quelques pas rapides nous amenèrent sur l'autre rive. Nous nous hissâmes sur la terre ferme ; j'entendis alors le son interminable et chatoyant du carynx d'Emyr. Le cor retentit une seconde fois, et arrêta les Corbeaux dans leur course, lesquels restèrent immobiles, prêts à l'attaque.

Llew vint au galop me rejoindre. « Tegid !, cria-t-il. Êtes-vous certain de ce que vous dites ?

— C'est Calbha !, répétai-je en pointant à nouveau mon bâton vers le cavalier qui se rapprochait de nous. Regardez son cheval ! Son cheval ! Vous avez attaqué un ami ! »

Il pivota sur sa selle et regarda dans la direction que je pointais. « *Clanna na cù !*, s'écria-t-il. Que fait-il donc ici ?

— Arrêtez, Cynan ! »

Llew tira si brutalement sur ses rênes que le cheval se cabra et faillit tomber à la renverse en tournoyant pour s'arrêter. Llew lui donna une grande tape sur le garrot et partit à toute allure afin de suspendre l'attaque de Cynan. Bran lança son cheval pour aller à sa rencontre. Llew interrompit son élan suffisamment longtemps pour pouvoir interpeller le chef, puis lança à nouveau sa monture à vive allure. De son côté, Bran interpella Emyr, qui commençait à souffler dans son carynx avec toute la force dont il était capable.

Puis je portai le regard vers l'endroit où l'armée de Cynan montait à la charge de l'ennemi en fuite. J'entrevis comme l'éclair d'une chevelure rousse, puis ma vision intérieure se fondit dans l'obscurité. J'étais à nouveau plongé dans une cécité profonde. « Rhoedd !, hurlai-je. Où êtes-vous ?

— Ici, Seigneur, répondit une voix juste derrière moi.

— Rhoedd, je ne vois plus rien. Observez, et racontez-moi tout ce que vous voyez.

— Mais je croyais que…

— Faites ce que je vous dis ! Que voyez-vous ? » Il hésita. « Cynan continue-t-il à avancer ?

— Oui, Seigneur, il avance toujours. Non… attendez ! Ils sont en train de s'arrêter !

— Décrivez-moi ce que vous voyez, Rhoedd. Absolument tout… comme vous l'avez déjà fait.

— Cynan s'est redressé sur sa selle ; il se tourne de tous les côtés. Il est en train de crier quelque chose ; je vois ses lèvres bouger. On dirait qu'il donne des ordres à son armée. Les guerriers l'écoutent… et maintenant… lord Cynan commence à s'avancer, seul ; il guide son cheval et se dirige vers Llew, je pense… Oui, c'est cela.

— Et le cavalier ennemi… Celui qui chevauche un étalon pie… Que fait-il ?

— Il est resté sur son cheval et il attend.

— À quoi ressemble-t-il ? Pouvez-vous le voir ?

— Non, Seigneur, il est trop loin.

— Quoi d'autre ?

— À présent, Llew et Cynan avancent en direction l'un de l'autre. Llew est en train de faire un signe de paix avec la main… Il communique par signaux avec son armée. Les Galanae se sont arrêtés, et Cynan, à cheval, se dirige vers Llew.

— Et Bran ?

— Les Corbeaux se détournent de leur trajet, répondit Rhoedd après quelques instants. Ils rebroussent chemin et se dirigent vers les victimes, sur les lieux de la bataille. » Il se retourna vers Llew et Cynan : « Les deux seigneurs sont à présent arrivés à l'endroit où les étrangers les attendent.

— Amenez-moi près d'eux, ordonnai-je en saisissant sa manche. Conduisez-moi. Vite ! »

Rhoedd avança à grands pas ; je le tenais fermement par son siarc. « Ils partent ensemble à cheval à la rencontre de l'étranger. Cynan tient sa lance bien droite. L'étranger les attend. »

Le sol commençait à remonter, de plus en plus abrupt jusqu'à la crête. Rhoedd s'arrêta soudain. « Un guerrier ennemi… mort. » Il se pencha vers le corps. « Oui, Seigneur : mort. »

Nous continuâmes, à pas pressés. J'invitai mon guide à poursuivre ses descriptions. « La rencontre a eu lieu. Je crois qu'ils sont en train de discuter…

« — Oui, eh bien ? … Rhoedd ? » Il s'était arrêté sur place. « Que se passe-t-il ? Dites-moi…

— Je n'en crois pas mes yeux, Seigneur, répondit-il d'une voix incrédule.

— Je vous écoute ! Que se passe-t-il ?

— Tous les deux…, là…, ils… ils se…, bafouilla-t-il.

— Eh bien !

— Ils tendent les bras l'un vers l'autre… et ils s'étreignent ! »

Je sentis soudain mon cœur soulagé. « Allez, Rhoedd. Dépêchons-nous. »

Llew et l'étranger étaient descendus de cheval et étaient en train de discuter lorsque nous les rejoignîmes. « Ah ! Tegid… nous sommes là !, lança Llew pour me guider vers l'endroit où il se trouvait avec l'homme. Je fis quelques pas en me fiant au son de sa voix, et sentis son moignon m'effleurer le coude.

« Salut à Vous, Calbha !, dis-je. Si nous avions su que c'était vous, nous vous aurions épargné une bataille… et la vie de braves soldats.

— Je ressens vos paroles avec tristesse, Tegid Tathal… en tout premier lieu parce qu'elles sont vraies. Et j'en porte toute la responsabilité. Tout ce sang versé, j'en porte seul la faute. » Son remords était sincère ; nous avions devant nous un homme affligé. « Je suis profondément désolé. Même si je suis un roi sans royaume ni richesses, je vous jure sur l'honneur que je ferai tout pour vous offrir réparation — par les moyens que vous estimerez les plus convenables.

— Calbha, dit Llew. Ne parlons pas de réparation. Nous n'avons subi aujourd'hui aucune perte importante. »

Cynan prit la parole. « Nous n'avons perdu aucun homme… personne, même, n'est blessé.

— Songez plutôt à soulager la tristesse de votre peuple, ajouta Llew. La perte est de votre côté, et c'est nous qui sommes désolés d'en avoir été en partie responsables.

— Lord Calbha, dis-je. Vous êtes bien loin de chez vous…

— Je ne suis chez moi nulle part, marmonna-t-il tristement. Je ne possède aucune terre, aucun royaume. Mes terres ont été volées, mon royaume m'a été confisqué, mon peuple a été chassé. » Il se tut, la voix fêlée comme un chêne qu'on abat. « Ma reine… Mon épouse… est morte.

— C'est Meldron qui les a attaqués, expliqua Llew alors que j'avais déjà deviné ce qui était arrivé.

— Oui, Meldron nous a attaqués… comme il a attaqué toutes les tribus de Llogres, poursuivit le roi cruin. Nous avons résisté comme nous avons pu, mais la puissance de son armée est supérieure, en nombre et en armes. Beaucoup l'ont rejoint. Ceux qu'il n'a pas réussi à enrôler ont établi des pactes forcés avec lui. Nous avons pu tenir bon pendant un temps, mais cela s'est révélé inutile.

— Qu'est-ce qui vous a donné l'idée de venir par ici ?, demandai-je.

— Nous avons entendu dire qu'un abri sûr existait dans le nord, à Caledon.

— Alors pourquoi donc êtes-vous venus les armes au poing ?, hurla brusquement Cynan, exaspéré. *Mo anam !* »

La réponse de Calbha ne fut qu'un gémissement. « Aaah... J'avais peur... J'ai agi sans réfléchir.

— Stupidement, oui ! », murmura Rhoedd, qui était venu me rejoindre.

Bran vint à son tour nous rejoindre, et Llew le salua. « Huit morts, annonça le chef de l'armée. Et six blessés... qui sont en train de recevoir des soins.

— Je suis seul responsable de cette effusion de sang, murmura Calbha. J'éprouve une grande honte.

— Combien avez-vous d'hommes et de femmes avec vous ?, demanda Llew.

— Trois cents... sans compter les enfants.

— Trois cents !, répéta Rhoedd stupéfait.

— Sont-ils tous ici avec vous ?, reprit Llew.

— Oui, répondit Calbha. Ils attendent dans la forêt.

— Rassemblez-les et conduisez-les au bord du lac. C'est là que nous les accueillerons.

— Qu'allons-nous faire avec tant de personnes ?, s'exclama Rhoedd à voix haute. Trois cents...

— Pas seulement des Cruins, s'empressa d'ajouter Calbha. Nous avons rencontré d'autres tribus sur la route, les Addanis et les Mereridis. Ils avaient perdu leur chef et n'avaient plus aucune protection. Il y a également les Mawrthonis, les Catrinis et les Neifionis qui errent dans les collines alentour... Nous les avons aperçus. » Il se tut sous l'emprise de l'immense désastre qui le submergeait. « Tout Llogres est sens dessus dessous... aucun endroit n'est fiable, aucun foyer d'habitations n'est sûr. »

La prophétie de la banfâith me revint à l'esprit : *Llogres sera privé de souverain...*, pensai-je.

« Écoutez bien ce que je vous dis, énonça Calbha d'une voix lugubre. Lorsque Meldron en aura terminé avec Llogres, il se retournera vers

Caledon. Il n'y a pas de limites à sa soif de sang. Il a l'intention de se rendre maître de tout Albion. »

Après avoir dit cela, le roi des Cruins remonta sur son cheval et retourna dans la forêt pour rassembler son peuple. Et c'est ainsi que le peuplement de Dinas Dwr commença.

XX

LE GRAND CHIEN RAVAGEUR

Calbha disparut dans la forêt, et nous retournâmes vers le lac pour attendre l'arrivée de ses gens. Bientôt, ils commencèrent à déferler vers nous depuis la forêt. Ils arrivaient par dizaines — des clans, des tribus, des familles, qui avaient survécu aux ravages complètement gratuits provoqués par Meldron. Épuisés, éreintés, exténués par le voyage, ils sortaient misérablement de leur cachette en se traînant. Mais le soleil couchant éclairait leurs visages défaits et remplissait leur regard de lumière.

« Rhoedd avait raison », fit remarquer Bran tout en observant les flots de réfugiés se rejoindre et se mêler pour former une véritable crue. « Ils sont trop nombreux. Comment allons-nous faire pour les nourrir ?

— La forêt regorge de gibier, observa Llew, et le lac est très poissonneux. Nous survivrons. »

Cynan n'en était pas si sûr. « Ils ne peuvent pas rester ici, dit-il sur un ton de reproche. Non… Laissez-moi parler. J'ai bien réfléchi, et il me paraît évident que nous n'avons pas les moyens de les entretenir.

— J'ai déjà dit à Calbha qu'ils pouvaient rester…, répondit Llew.

— *Clanna na cù*, maugréa Cynan. Un jour…, deux au maximum. Ensuite ils devront partir. Je ne dis pas cela de gaieté de cœur, frère, mais il le faut — parce qu'il faut bien que quelqu'un le dise : si louable soit votre générosité, elle se révèle tout aussi imprudente.

— Vous avez terminé ?

— Croyez-moi, vraiment ; s'ils restent, nous mourrons de faim. C'est aussi simple que cela.

« — Eh bien si nous devons mourir de faim, dit Llew avec fermeté, nous mourrons de faim tous ensemble… D'accord ? »

Cynan ouvrit la bouche pour parler. Je ne pouvais pas le voir, mais je l'imaginais secouant la tête, ou passant avec irritation ses grandes mains dans sa chevelure rousse ébouriffée.

« Tout se passera bien, frère », lui dit Llew. J'entendis le claquement léger d'une main tapant sur une épaule. « C'est pour cela que cet endroit a été prévu. Trois cents ! Imaginez tout le travail qui peut être fait, avec tant de bras ! Vous verrez, Dinas Dwr sera bâtie avant que le jour ne se lève !

— Si elle ne croule pas d'abord sous son propre poids », marmonna Cynan.

Plus tard, une fois que nous eûmes installé les nouveaux arrivants pour la nuit — ils étaient placés au sein d'une vingtaine de campements le long du rivage —, nous nous assîmes dans un silence résolu, avec Calbha et ses chefs de guerre au visage sombre, tout autour du foyer, sur le crannog. Nous nous étions retirés ici afin de discuter en paix sans avoir à craindre d'être entendus. Nous mangeâmes du pain et de la viande, les coupes passaient de main en main, et nous attendions tous que Calbha nous annonce ce que nous voulions entendre par-dessus tout — même si cela était pénible et lui transperçait le cœur.

La coupe transitait tranquillement de l'un à l'autre, lorsque enfin, la langue de Calbha se délia. Il commença à parler, plus à son aise, et nous lui facilitâmes la tâche en l'amenant tant que nous pûmes au sujet qui nous intéressait.

« Meldron a massacré les bardes de Caledon et de Llogres, dis-je. En cela, il a même surpassé en horreur lord Nudd, qui, lui, s'était contenté de tuer les seuls habitants de Prydain.

— Et il avait l'intention de nous exterminer nous aussi, ajouta Llew. Comme vous pouvez le voir, j'ai perdu à cause de lui une main, et Tegid l'usage de ses yeux.

— Meldron est fou, grogna Calbha. Il s'empare des terres et vole le bétail ; et ce qu'il ne peut pas emporter, il y met le feu. Il taille dans le vif aux seules fins de détruire, et ne laisse derrière lui que des cendres. J'ai vu des têtes de soldats empilées jusqu'à hauteur de mon menton, des mains entassées à hauteur de ma ceinture. J'ai vu des enfants à qui on avait coupé la langue… » Sa colère montait ; il demanda d'une voix ferme : « Qu'avaient-ils donc fait de mal pour qu'on les traite de la sorte ? »

Il n'y avait rien à répondre, et nous ne répondîmes d'ailleurs pas, nous contentant de siroter silencieusement notre bière en écoutant la douce palpitation des flammes. « Racontez-nous ce qui est arrivé », demanda Llew avec calme.

Calbha but une dernière gorgée, essuya ses moustaches sur la manche de son siarc, et commença son récit : « Ils survinrent sans prévenir. J'avais chargé des hommes de sillonner tout notre territoire, mais je suppose qu'ils furent tués, car aucun d'eux n'est jamais revenu. J'avais posté des sentinelles. Le jour même où vous êtes partis, j'ai pris la précaution d'organiser un tour de garde continu ; si je ne l'avais pas fait, ils nous auraient aussitôt écrasés. À présent, je regrette de ne pas vous avoir davantage écoutés — car si nous avions ouvert l'offensive contre Meldron, comme vous l'aviez suggéré, nous aurions pu le mettre hors d'état de nuire avant qu'il ne rassemble ses forces.

— À combien de guerriers s'élève son armée ?, demanda Bran.

— Il y avait deux cents cavaliers, et trois cents fantassins. » Calbha fit une pause, puis, d'une voix pleine de rancœur, il ajouta : « La plupart des cavaliers étaient rhwtanis. Ceux-là, ainsi que leur seigneur, étaient sous la tutelle de Meldron. Je suis désolé de vous faire cette réponse, mais vous m'avez interrogé…

— Là où règne une grande injustice, répondit Bran, tous les hommes doivent endosser une part de déshonneur. Ce fardeau, je le porte et je le connais bien. »

L'un des chefs de Calbha prit la parole : « Mais savez-vous ce que c'est que de voir votre propre fils broyé sous les sabots des chevaux, lorsque les Rhewtanis donnent l'assaut ? » La voix de l'homme était comme une blessure ouverte.

« Je suis absolument désolé, répondit doucement Bran Bresal.

— Nous sommes tous absolument désolés », grogna Calbha. Il but une nouvelle gorgée, puis continua son récit : « Nous défendîmes l'entrée, les remparts pendant toute la journée — je n'étais pas assez fou pour aller les affronter sur le champ de bataille. Ils avaient pour eux la force du nombre, et je savais que nous n'aurions aucune chance en nous engageant au-dehors. Mais je pensais que nous pouvions au moins les tenir à distance. Nos pertes étaient légères, nous avions encore largement des provisions, et ils n'étaient pas en mesure d'ouvrir une brèche dans les remparts, en dépit du nombre de chevaux qu'ils possédaient.

« Nous avons résisté de cette manière pendant trois jours, et aurions pu le faire encore plus longtemps. Mais Meldron porta l'offensive sur de petites propriétés et fit de leurs occupants ses prisonniers. Il amena ces otages devant Blár Cadlys et commença à les massacrer les uns après les autres devant les portes. Même ainsi, il ne se contentait pas de les tuer directement. »

Sa voix devint rauque : « Il fit chauffer à blanc plusieurs tiges d'acier dans un grand feu. Puis il prit les tiges ardentes et les plongea pour les éteindre dans la chair des prisonniers. Certaines victimes furent transpercées à la gorge, d'autres en travers du ventre. Des hurlements... des hurlements... Est-ce vous pouvez imaginer ce que cela veut dire de mourir de cette façon ? Est-ce que vous pouvez vous représenter... ?

— Qu'avez-vous fait, alors ?, demanda doucement Llew.

— Que pouvais-je faire ?, demanda le roi cruin. Je ne pouvais pas accepter que mon peuple souffre un tel martyre. Je donnai des ordres pour que l'on donne l'assaut. Nous courions le risque de tous nous faire tuer — je le savais et m'en repentais à l'avance —, mais au moins nous mourrions les armes à la main. »

Cynan fit l'éloge de cette décision : « Mieux vaut mourir dans l'honneur, comme des hommes, plutôt que de se laisser massacrer comme des bêtes.

— Jamais une bête ne fut massacrée aussi ignominieusement !, s'exclama Calbha. N'imaginez pas qu'il se contenta de torturer les hommes seulement. Les femmes et les enfants aussi...

— Qu'avez-vous fait ?, demanda Llew.

— Nous avons donné l'assaut !, éructa l'un des chefs militaires de Calbha. Et Mór Cù nous a abattus comme de jeunes arbres.

— Mór Cù ?, reprit Llew. Pourquoi appelez-vous Meldron le "Grand Chien" ?

— Parce que ce Meldron est comme un chien enragé, répondit l'homme, qui sillonne tout le territoire en dévorant tout sur son passage... c'est un Grand Chien Ravageur !

— Nos pertes furent lourdes, reprit Calbha. Nous ne pouvions pas résister face à eux... ils étaient trop nombreux, et ils avaient l'intention de nous exterminer.

— Comment avez-vous réussi à vous échapper ?

— Ce fut bientôt le crépuscule ; il faisait trop sombre pour continuer à combattre. C'est ce qui nous sauva. Alors j'ai rassemblé tous ceux qui pouvaient marcher ou monter sur un cheval et, protégés par l'obscurité, nous prîmes la fuite. » Calbha se tut. Puis il reprit la parole, faisant des efforts pour ne pas infléchir le ton de sa voix : « Le Grand Chien ne voulait même pas nous abandonner au déshonneur de la fuite. Il se mit à notre poursuite à travers la nuit, nous donnant la chasse à la lueur des torches. Ils nous traquèrent comme des animaux et tuèrent tous ceux qui tombèrent ; les plus chanceux furent tués à coups de lance ; ceux qui eurent moins de chance furent déchiquetés par les chiens. »

La voix de Calbha n'était plus qu'un murmure à peine audible, sec : « Mon épouse, ma bien-aimée... ne fut pas parmi les victimes les plus chanceuses... »

Le vent s'engouffra sur le lac. J'entendais les vaguelettes clapoter le long de la palissade du crannog. J'étais ému par le récit des malheurs de Calbha — mais j'avais le cœur dur comme une pierre.

Un long moment se passa avant que le roi cruin reprenne la parole : « Je ne sais pas comment chacun a pu passer l'épreuve de la nuit, dit-il en reprenant un peu contenance. Mais au lever du jour, nous nous rassemblâmes en tremblant et nous rendîmes compte que le Grand Chien n'était plus à nos trousses. S'il n'avait pas renoncé à nous poursuivre, aucun de nous n'aurait survécu. » Il ravala sa salive avec un effort.

« Vous avez fait route vers le nord, dit Llew pour continuer à le faire parler.

— Oui, vers le nord. Il n'y avait plus aucun lieu sûr à Llogres. Mais je pensais qu'en essayant de nous cacher dans les collines désertes de Caledon, nous pourrions nous échapper. Nous voyageâmes de nuit afin d'éviter les éclaireurs de Meldron ; nous procédâmes ainsi pendant plusieurs nuits jusqu'à ce que nous soyons sûrs que nous étions bien à Caledon. Et c'est à cette occasion que nous fîmes des rencontres — les membres de tribus et de clans, qui ou bien s'étaient enfuis, ou bien s'étaient réfugiés dans les collines et les vallées plutôt que d'attendre passivement d'être agressés. »

Lorsque Calbha fit à nouveau silence, Llew lui demanda : « Comment avez-vous su qu'il fallait venir ici ?

— Les Catrinis et quelques autres avaient entendu parler d'un endroit au nord de Caledon où nous pourrions trouver asile. Nous avons donc décidé de nous mettre à la recherche de cet endroit.

— Mais alors, pourquoi nous avez-vous attaqués ? », demanda fermement Cynan. Il y avait un peu de ressentiment dans sa voix, mais plus encore, il y avait de la curiosité. « Si vraiment c'était un asile que vous recherchiez, c'est là une étrange façon de procéder... »

À ces mots, les lieutenants de Calbha se mirent à protester, considérant qu'une telle question était une atteinte au respect et à la dignité de leur roi. Mais la réponse de Calbha les fit brusquement taire : « C'est entièrement ma faute, et je le regrette, dit-il. Je me suis déshonoré, et mon peuple avec moi. J'en garderai grande honte pendant longtemps. » Puis il se redressa, et sa voix devint grave : « Je vous demande de nous accorder le *naud.* »

La demande d'accorder le naud était la façon la plus solennelle d'implorer le pardon et l'absolution, et seul un roi pouvait l'accorder. Llew répondit avec le tact qui convenait. « J'entends votre demande, et je l'aurais volontiers satisfaite... Mais je ne suis pas roi, et n'ai donc aucun droit d'accorder le naud à quiconque. Vous avez commis une erreur, frère. Mais personne ici ne vous condamne.

— Les hommes de mon clan... mes compatriotes... gisent cette nuit dans le froid, sous la terre !, fit brusquement Calbha. C'est le sang de ces hommes d'honneur qui me condamne !

— Seigneur Calbha, dis-je. Nous vous avions promis la paix et vous avons en réalité fait la guerre. Nous ne sommes pas moins fautifs ; cette erreur, nous la partageons. »

Le roi cruin prit son temps avant de répondre. « Merci, Tegid Tathal, finit-il par dire, mais j'ai bien conscience de mon erreur. J'avais bien vu le campement, et puis les chevaux, mais j'étais très inquiet de l'accueil que vous nous réserveriez. J'avais peur, et j'ai attaqué par peur. » Il se tut quelques instants, puis ajouta : « J'avais perdu tout espoir.

— Mais maintenant, vous êtes là, dit Llew. C'est terminé.

— Terminé..., acquiesça tristement Calbha. Je ne suis plus digne d'être roi.

— Ne dites pas cela, Seigneur !, gémit l'un des lieutenants. Qui d'autre que vous aurait été capable de nous mettre en sécurité ?

— N'importe quel lâche vous aurait rendu ce service, Teirtu, répondit Calbha.

— Vous n'êtes pas un lâche, Seigneur !, proclama le lieutenant.

— Nous sommes tous des lâches, Teirtu, répondit calmement Calbha, sinon Meldron n'aurait pas pu devenir si puissant. Nous lui avons procuré grâce à notre lâcheté ce que nous aurions dû protéger grâce à notre courage. »

Nous passâmes la nuit à la belle étoile, ainsi que les nombreuses nuits qui suivirent. Beaucoup de temps nous fut nécessaire pour bâtir les édifices devant servir de refuge à notre clan, qui prenait de l'importance. Car nous allions être de plus en plus nombreux. Comme Calbha nous l'avait dit, il y avait des tribus qui erraient sans abri dans les collines voisines. Albion était sens dessus dessous ; les hommes se déplaçaient à travers tout le territoire, à la recherche d'un abri et d'un peu de réconfort. Les clans du sud de Caledon et de Llogres étaient comme des moutons devant le Grand Chien Ravageur. J'avais peu d'espoir qu'ils pussent trouver le chemin vers Dinas Dwr, la citadelle-refuge du nord.

Pendant toute la période du maffar — la Saison du Soleil —, ils arrivèrent. Les Mawrthonis, les Catrinis et les Neifionis que Calbha avait aperçus en venant ici. D'autres suivirent : les Dencanis, les Saranae et les Vyniis, venus du sud-est ; les Ffotlae et les Marcantis, venus des plaines fertiles du centre ; les Iucharis, venus de la côte est ; enfin, les Goibnuis, les Taolentanis et les Oirixenis, venus des hautes collines du nord de Llogres.

Nous interrogeâmes chaque tribu et chaque clan qui arrivait, et nous écoutions chaque fois le récit de leurs malheurs. Chaque fois le même : Meldron, le Grand Chien Ravageur, sévissait dans tout le territoire avec l'intention de massacrer. La mort et l'extermination arrivaient avec lui, et ne laissaient plus derrière lui que des ruines.

Beaucoup nous répétèrent qu'ils avaient entendu parler de notre refuge au nord. Lorsque nous leur demandions comment ils avaient su nous retrouver, tous avaient répondu que quelqu'un le leur avait dit. L'information s'était donc, apparemment, transmise de bouche à oreille ; les hommes qui erraient sur les terres avaient eu vent de la nouvelle, et avaient suivi. Nous tînmes conseil entre nous pour décider de ce que nous devions faire. C'était une question de temps ; Meldron ne tarderait pas à connaître lui aussi la nouvelle, et il viendrait nous massacrer.

« Nous ne pouvons pas éternellement nous cacher, dit Cynan. Tôt ou tard, il viendra. Mais si nous organisons un réseau de signaux de feu tout au long de la crête, nous pourrons au moins être prévenus de son approche. » Nous suivîmes le conseil de Cynan.

Finalement, ce ne furent pas les signaux de feu qui nous avertirent de l'arrivée de Meldron. L'alerte fut donnée par les survivants d'un petit clan vivant sur la côte est — cinq frères et leur mère mourante —, lesquels vinrent nous informer que des navires remplis de soldats faisaient voile vers Ynys Sci.

XXI

ATTAQUE SUR SCI

Mon regard intérieur me permit de les voir : trois trentaines de guerriers, debout sur le rivage, observaient les navires qui pénétraient en glissant dans la baie. Un front menaçant de nuages noirs et bas arrivait de l'est ; le vent faisait claquer nos capes. Mais la baie, à l'abri, restait lisse comme du plomb fondu. Je tournai mes yeux privés de vue vers le ciel, et parvins à distinguer, au-dessus de moi, une claire étendue bleue étincelante. Je sentais dans l'air qu'il allait pleuvoir ; et j'entendais au large de la baie le déferlement des vagues sur la côte rocheuse.

Quatre navires, à voiles carrées, à la solide mâture, s'approchaient. Les voiles couleur sang gonflaient sous le vent, et les lents vaisseaux devançaient de peu la tempête menaçante. Nos chevaux, sentant l'imminence de l'orage, s'ébrouaient et se cabraient, agitant la tête et talonnant le sable. Deux hommes et quatre jeunes garçons allaient les reconduire à Dinas Dwr, où attendait lord Calbha. Là où nous étions, les chevaux n'étaient d'aucune utilité, et de plus, si notre plan échouait, Calbha aurait besoin d'eux.

Nous étions au soir du troisième jour depuis notre départ de Dinas Dwr. Et les navires avaient fait voile depuis le sud de Caledon afin de nous rejoindre.

« Trois jours à cheval, en suivant la crête, vous seront nécessaires pour rejoindre cette côte, nous avait dit Cynan en tapant avec le bout d'un bâton sur le sol, où il avait improvisé quelques explications. C'est là que les navires accosteront pour vous rejoindre. » Il tapa sur le sol à nouveau. « Quatre navires, c'est tout ce que nous avons, ajouta-t-il comme un avertissement.

— Ce sera suffisant, déclara Llew sans hésiter.

— Nous ne serons pas en mesure de prendre les chevaux avec nous.

— Les chevaux ne nous seraient d'aucune utilité, répondit Llew.

— Notre force est réduite, comparée à l'armée de Meldron, fit remarquer Bran. Il a sous ses ordres au moins un demi-millier d'hommes...

— Si les informations de nos observateurs sont fiables..., dit Calbha avec scepticisme. Ils ne sont pas même tombés d'accord sur le nombre de navires qu'ils ont vus.

— Peu importe l'importance des moyens mis en œuvre par Meldron, rétorqua Llew avec véhémence. De toute manière, nos effectifs ne changeront pas.

— Mais s'ils viennent nous rejoindre sur le champ de bataille...», insista Calbha. Le roi s'était mis à protester parce qu'il avait été décidé qu'il resterait en arrière pour veiller sur le peuple de Dinas Dwr.

Llew secoua lentement la tête. « Un jour, nous rencontrerons Meldron sur le champ de bataille — et alors, il sera temps de rivaliser en nombre. Mais pas maintenant. Un effectif supérieur en nombre ne profitera aucunement à Meldron, pas plus que cela nous aiderait nous-mêmes. » Il se releva, se frotta les mains pour en ôter la poussière. « L'occasion de votre vengeance, vous l'aurez, Calbha, soyez sûr. »

Ainsi prit fin le conseil de guerre.

Cynan nous avait aussitôt quittés avec quatre guerriers pour rejoindre en hâte Dun Cruach, plus au sud, et accueillir les navires de son père. Nous passâmes les jours suivants à préparer des armes et des chevaux pour notre voyage jusqu'à la côte, attendant le jour du départ et réconfortant lord Calbha, blessé dans son orgueil parce qu'il ne faisait pas partie de l'expédition.

Trois jours plus tard, dès le lever du jour, nous nous mîmes en route, et longeâmes sur nos chevaux la rive étendue du lac lisse comme du verre, avant de nous enfoncer dans la vallée silencieuse. Les ténèbres profondes où j'étais immergé furent, de temps à autre, et sans jamais prévenir, tout enluminées d'images éclatantes du monde qui nous entourait : des hommes et des chevaux avançant dans de profondes et vertes vallées... une brume argentée qui se répandait le long des versants depuis le haut chemin de crête... les rayons du soleil qui brillaient sur le métal étincelant... des guerriers vêtus d'une cape rouge tenant au poignet de ronds boucliers blancs... les reflets bleus du lac, et un ciel plus bleu encore moucheté de tâches grises... l'aube naissante, aux nuances bistrées sous la voûte du ciel, et les étoiles brûlant comme des feux de camp sur la vaste et sombre plaine...

Puis j'entendis l'appel rauque des aigles s'élançant vers le ciel au gré du vent. J'entendis le martèlement étouffé des sabots sur la piste, et le léger cliquetis du harnachement des bêtes ; et puis les plaisanteries badines des hommes qui s'armaient dans la bonne humeur pour la confrontation imminente.

C'était un plan risqué — comme du reste n'importe quel plan, du fait, hélas, de notre position d'infériorité. Seule la surprise pouvait plaider en notre faveur. Jamais plus nous n'aurions l'occasion de prendre Meldron de cette façon, entre autre parce que cela éveillerait son attention sur le fait que Llew et moi étions encore vivants pour lui créer des ennuis. Nous avions une chance, mais une seule. Mais si tout allait bien, cette chance unique pouvait suffire.

Llew connaissait bien l'île. Les six années qu'il avait passées sous la tutelle de Scatha l'avait préparé à une telle entreprise. Il savait où nos navires pouvaient accoster sans être vus ; il savait quelles collines et quelles vallées nous maintiendraient en sécurité ; il savait quelle était la manière la plus efficace d'attaquer le caer. Notre plan reposait sur cette connaissance parfaite de Sci par Llew. Et Cynan, de son côté, connaissait l'île presque aussi bien.

Pendant notre progression le long de la crête, j'essayai — comme je l'avais fait déjà plusieurs fois — de voir un peu dans l'avenir, d'ôter le voile du futur pour avoir un aperçu de ce qui pouvait nous attendre lorsque nous affronterions Meldron. Mais aucune image ne se présenta ; pas plus la vision intérieure que la prédiction. Alors j'abandonnai tout effort. Une telle connaissance ne viendrait que lorsque le Dagda le permettrait, et pas avant. Eh bien soit !

Nous observions à présent les navires de Cynfarch qui pénétraient dans le petit golfe — l'une de ces innombrables criques sans nom que la mer avait découpées dans la roche dure des promontoires du nord. Il fallait donner un nom à cet endroit, pensai-je tout en écoutant le clapotis des vagues et le grondement distant de l'orage transportés par le vent qui se levait peu à peu : Cuan Doneann, la Baie de la Tempête.

Llew était en train de discuter près du rivage avec Bran. Il s'approcha ; ses pas crissaient sur la plage de galets. « Je ressens de plus en plus d'estime pour cet homme, Tegid, dit-il en venant se placer près de moi.

— Il sera un excellent chef de bataille à vos côtés, répondis-je. Sous son commandement, le Vol des Corbeaux va prendre son essor. Et Bran le conduira partout où vous le guiderez, frère. »

Il écouta ces mots sans faire de commentaires. « Avez-vous déjà un peu repéré les lieux, par ici ?, se contenta-t-il de demander.

— Pas encore, avouai-je. Mais si une idée me vient, soyez sûr que je vous en ferai part aussitôt.

— Pensez-vous qu'il s'agit d'une folle entreprise ?

— Oui, je le pense, répondis-je. Mais à quoi bon… Nous ne pouvons pas rester sans rien faire s'il existe une chance, même la plus minime, de nous sauver.

— J'espère qu'il n'est pas déjà trop tard…, marmonna Llew d'un air sombre.

— Que voulez-vous me faire dire ? Dites-le moi vous-même, ce sera plus simple ! » J'étais plus agressif que je ne l'aurais voulu, essentiellement pour contrecarrer les doutes que je sentais poindre dans la voix de Llew. Les doutes, l'incertitude, l'hésitation sont tous une forme de peur.

« Je souhaite seulement que vous disiez vrai, reprit Llew. Qu'allons-nous trouver, à votre avis ?

— Que je dise vrai ? Eh bien, je vais vous le dire, le vrai : je n'en sais rien ! Tant que nous ne serons pas arrivés à Sci, nous ne saurons pas ce que nous allons y trouver !

— Calmez-vous, frère, rétorqua Llew piqué au vif. Je posais seulement une question…

— Eh bien je vous dirai autre chose, dis-je en tâchant de m'adoucir un peu.

— Oui ?

— Si nous réussissons, il se passera un bon moment avant que Meldron ose attaquer à nouveau quelqu'un. Alors, cela vaut la peine de tenter le coup, je crois. »

L'orage éclata au-dessus des eaux, et nous entendîmes l'écho se propager le long du promontoire. « La navigation va être difficile, dit Llew après s'être tu un moment.

— Cela joue en notre faveur, car ainsi, ils ne penseront pas à chercher un navire appareillant au milieu d'une tempête… »

Puis un cri retentit depuis la rive. « Venez, dit Llew, il nous faut embarquer maintenant. Il vaut mieux qu'on ne nous voie pas traîner derrière. »

Nous nous dirigeâmes vers la berge et avançâmes dans l'eau jusqu'au navire — Llew avec sa lance et son bouclier, et moi mon bâton de frêne. Les hommes affluaient derrière nous, se dirigeant par flots entiers vers les navires, et se hissaient à bord. La traversée allait être difficile, mais nos embarcations flotteraient vers le large comme des oiseaux des mers avant que la tempête n'éclate.

Oui, comme des oiseaux des mers ! La mer se soulevait et se déchaînait, les voiles se tendaient, prêtes à craquer, les mâts grinçaient, mais la proue des navires fendait les vagues écumantes, par à-coups puissants. Ce jour-là, et jusqu'à la fin de la nuit suivante, interminable, agitée, nous réussîmes à braver la colère de la haute mer.

Avec le jour naissant, nous fûmes en vue de notre destination : les falaises d'Ynys Sci, brillant d'une couleur verte et argent, se profilaient au-dessus de la mer d'ardoise. Nous ne mîmes cependant pas le cap vers les terres, préférant baisser les voiles et attendre la nuit. Le soleil progressait si lentement qu'il semblait rivé au ciel. Alors que les navires restaient comme englués dans les flots, les hommes dormaient de façon intermittente, ou restaient assis, aiguisant avec indolence le tranchant de leur épée. Au-dessus, des traînées de nuages filaient à toute allure à la rencontre de l'horizon.

Enfin, à demi dissimulé sous la couverture grise et loqueteuse du ciel qui s'effilochait, le soleil s'enfonça derrière la lisière du monde afin d'entamer son voyage à travers les royaumes inférieurs. Ce fut l'invasion de la nuit, qui se rassembla à l'est pour se déployer ensuite sur les ondes. Dès que nous fûmes protégés par l'obscurité, Llew donna le signal, et les voiles furent hissées à nouveau.

Nous approchâmes d'Ynys Sci par l'est, et accostâmes dans une crique que Llew connaissait. Les guerriers se glissèrent hors des embarcations, et s'efforcèrent de regagner le rivage en progressant d'un pas mal assuré dans la nuit. Les vagues étaient dangereuses, la côte hérissée d'embûches — des blocs éboulés des falaises abruptes parsemaient le littoral de la crique —, et les embarcations, une fois le dernier homme débarqué, reprirent le large. Nous nous regroupâmes sur la plage étroite et commençâmes notre ascension en nous faufilant à travers les crevasses jonchées d'éboulis. Dès que nous fûmes parvenus au sommet, nous progressâmes rapidement vers l'intérieur des terres afin de rejoindre notre position avant l'aube.

Nous avancions sans même bénéficier de la lueur de torches, et nous avancions vite ; plus d'un homme trébucha sur la piste obscure et pleine d'embûches. Llew ouvrait la marche, trouvant son chemin, infaillible, sur ce sol inhospitalier, et trois colonnes de guerriers suivaient, marchant avec hâte, devançant le soleil à travers la nuit pour rejoindre l'endroit convenu.

La piste accidentée fit bientôt place à des collines aux pentes douces, et le froissement discret des pas dans l'herbe fut la seule trace sonore de notre passage. Nous marchions au pas, traversant les collines, ou des petits cours d'eau, à travers la partie extrême de l'île, au relief accidenté, et nous arrivâmes à destination dans les temps prévus. Alors que les hommes se reposaient dans la vallée, attendant le coucher du soleil, nous nous mîmes, avec Llew, Cynan et Bran, à gravir la colline jusqu'à son sommet, d'où nous pûmes dominer les lieux habités par Scatha : un petit groupe de bâtiments pour les soldats plus quelques maisonnettes — les cuisines, des greniers à grains, des cabanes et entrepôts — tous regroupés autour d'une grande bâtisse au toit élevé.

J'étais assis en tournant le dos à la colline tandis que les autres s'étaient allongés sur le ventre ; nous fixions d'un regard inquiet une ligne située au-delà de la crête, et nous attendions, dans la lumière du jour déclinant qui illuminait le panorama, à nos pieds.

« Il est là-bas, il n'y a aucun doute, dit Bran. La cour d'entraînement est remplie de chevaux. Ils sont près de deux cents, pour autant que je puisse évaluer.

— *Clanna na cù !*, jura doucement Cynan. Ça n'est qu'un chien plein d'arrogance. Fichons-lui sa raclée sans plus tarder !

— Doucement, doucement, frère… s'exclama prudemment Llew. Pensons d'abord à Scatha et aux siens. Se frotter maintenant à Meldron ne les aiderait pas.

— Mais il ne se méfie pas, et nous sommes prêts à l'attaque. Il ne peut en aucun cas fuir, et ne peut non plus faire appel à plus d'hommes que ceux qui sont déjà là. Une bonne leçon, maintenant. C'est le moment où jamais.

— Nous irions plus probablement vers notre propre mort, dit Llew. Réfléchissez, Cynan, ils sont cinq fois plus nombreux que nous. Ils nous écraseraient sur place.

— Une telle occasion ne se représentera jamais plus, grogna Cynan.

— Écoutez, dit Llew, je méprise Meldron tout autant que chacun des hommes qui sont ici. Mais nous faire massacrer par simple dépit n'aurait aucun sens. Il y a des centaines de gens à Dinas Dwr qui attendent notre retour. Nous allons exécuter notre plan comme il a été prévu, d'accord ? »

Cynan acquiesça de mauvais gré, puis ajouta : « Et que fait-on s'il a déjà massacré tout le monde ?

— Je ne vois aucun signe d'une lutte quelconque…, commenta Bran. Je n'ai pas l'impression que là-bas on se soit battu.

— À moins qu'il ait tué tout le monde sans même avoir à combattre, fit remarquer Cynan. Il en serait capable… »

Je me couchai sur le côté pour pouvoir prendre part à la discussion. « Meldron est venu ici chercher quelque chose, suggérai-je. Et il est toujours là.

— Ce qui veut dire qu'il n'a pas encore trouvé ce qu'il cherchait ? C'est bien ce que vous voulez dire ?, demanda Cynan tout en réfléchissant. Nous ne serions donc pas arrivés trop tard… » Je l'entendis changer de position. « Llew, allons-nous… Llew ? »

Il ne répondit pas. J'entendis un froissement à côté de moi, puis un bruit de pas, rapide et léger, qui s'éloignait. Ma vision intérieure s'éclaira, et je vis Llew se lever puis marcher à grands pas vers la crête de la colline. Saisissant sa lance dans la main droite, il levait l'arme au-dessus de sa tête en un geste de défi silencieux. L'embrasement rouge et or de l'aurore rayonna sur sa silhouette qui sembla irradier la lumière des Héros. Il resta immobile un moment, puis se retourna et redescendit lentement le long de la colline auprès de son armée qui l'attendait.

« À quoi pensez-vous, frère ? », lui demandai-je en le rejoignant. Il eut une longue hésitation, et je le vis poser son front sur le manche de la lance. « Llew ?

— Je suis en train de penser que je vais sans doute me retrouver face à mon ami, aujourd'hui, répondit-il. Simon — Siawn — était jadis mon ami, la personne qui m'était la plus proche — nous mangions ensemble, nous vivions dans le même appartement… je n'aurais jamais imaginé que les choses finiraient ainsi. Je vous le dis franchement, Tegid, je ne comprends pas.

— C'est bien de déplorer la perte d'un ami, dis-je pour le calmer. Ayez de la peine, oui, mais ne vous y trompez pas. Ces hommes, là-bas, sont devenus méchants à cause de la cupidité. Leur monstruosité infeste toute la terre d'Albion par le sang des innocents qu'ils ont massacrés. Le mal qu'ils ont fait les a rendus mauvais, et nous devons y mettre un terme. Aujourd'hui, c'est le premier jour de notre combat. »

Llew répondit d'une voix douce : « Oui, je sais… je sais… et cela me rend malade. C'est comme un couteau qui me transperce le ventre, Tegid. Simon était mon ami !

— Pleurez sur votre amitié, mais ne pleurez pas sur Siawn Hy. Sachez qu'il a été contre vous dès le premier instant où vous êtes arrivé ici. Il a toujours agi pour lui seul. Lui ainsi que Meldron sont des bêtes enragées qui doivent être supprimées. »

J'entendis des pas derrière nous et reconnus la démarche de Cynan. Llew se redressa. « C'est l'heure…, dit Cynan. Les navires

227

vont bientôt entrer dans la crique. Nous devons nous mettre en position.

— Allez avec vos hommes, dis-je. Nous vous rejoindrons plus tard.

— Nous n'avons pas le temps de…

— Juste un moment, Cynan, s'il vous plaît.

— Très bien. » Cynan s'éloigna.

« Qu'y a-t-il ?, demanda Llew une fois que celui-ci fut parti.

— Je pensais seulement à une chose, répondis-je, les Pierres Musicales.

— Oui, eh bien ?

— Si Meldron les a fait venir jusqu'ici, alors il faut tenter de les récupérer. Cela me rend malade de savoir que Meldron détient en sa possession le Chant d'Albion, et qu'il en fait l'usage qu'il en fait. Nous devons reprendre ces pierres et les installer à Dinas Dwr, où elles seront sous notre garde. »

Avant que Llew pût répondre, un cri retentit : c'était Bran, qui était resté au sommet de la colline : « Ils arrivent !

— Il nous faut partir, Tegid. » Il fit un mouvement pour s'éloigner, mais je tendis le bras et le saisis par la manche de son siarc. « Qu'y a-t-il encore ?, dit-il avec impatience.

— Les Pierres Musicales, répondis-je avec un peu d'insistance. Il faut les récupérer.

— Oui, oui…, admit-il d'un air empressé. Si cela est possible. Mais si tout se passe bien, nous n'aurons pas à engager les hostilités. L'occasion de retrouver les pierres ne se présentera peut-être pas — et d'ailleurs, Meldron ne les a probablement pas apportées jusqu'ici.

— Il les garde toujours avec lui.

— Comment le savez-vous ?

— Je connais Meldron, répondis-je.

— Écoutez, Tegid, il n'est plus temps de discuter. Vous auriez dû en parler plus tôt. Maintenant, il faut y aller. Les navires sont déjà en train de pénétrer dans la baie.

— Mais si les Pierres Musicales sont à Ynys Sci ?

— Eh bien nous les récupérerons si nous le pouvons, promit Llew. D'accord ?

— Parfait », dis-je un peu soulagé. Puis nous rejoignîmes les autres.

L'armée était divisée en deux : une partie devant être conduite par Cynan, l'autre par Bran. Llew et moi-même irions avec Bran jusqu'au hameau, pendant que Cynan conduirait ses hommes jusqu'à la baie, au pied du caer de Scatha.

Sur un signe de Bran, nous nous mîmes en route. Llew savait parfaitement jusqu'à quel point nous pouvions nous approcher sans être vus. Les collines situées derrière le caer nous protégeraient quasiment sur l'ensemble du parcours, et à l'approche des habitations il y avait des champs de hautes céréales à travers lesquelles nous pourrions progresser sans être observés.

Nous avançâmes en silence. La tourbe, épaisse et humide, étouffait nos pas, et nous descendîmes à pas feutrés le coteau jusqu'au champ d'orge, le cœur battant la chamade dans nos poitrines. Nous pénétrâmes dans le champ en nous baissant, évoluant au milieu des rangées, rentrant la tête, courbant le dos, alors que les feuilles frémissaient à notre passage.

Nous étions accroupis parmi les tiges cassantes, l'odeur de la terre humide et de l'orge sec dans les narines ; nous étions à l'affût de tous les bruits qui auraient pu manifester que nous avions été découverts. Mais aucun cri d'alarme n'accompagna notre approche, et nous pûmes prendre position en bordure du champ pour attendre.

Nos propres navires n'avaient pas traîné. Avec seulement deux hommes d'équipage chacun, les bateaux avaient contourné le cap est pour rejoindre, au sud, la baie qui servait de port unique à Ynys Sci. Ils allaient rejoindre celle-ci à l'aube, arborant leur sombre voile dans la lumière du matin, avec, sur leurs flancs, une armée de pics dressés et solidement arrimés.

Nous n'avions plus qu'à attendre que les sentinelles de Meldron aperçoivent les navires et donnent l'alarme.

XXII

LE SAUVETAGE

Il y eut d'abord les cris — assourdis et peu distincts. Ce fut la première alerte, au moment où l'un des observateurs, pendant sa ronde, découvrit l'invasion de la baie par nos navires, alerte qui fut aussitôt relayée par un cri plus proche.

La majeure partie de l'effectif de l'armée adverse devait être campée à l'extérieur du hameau, car la réponse fut immédiate. Dans un bruit métallique précipité, les hommes s'emparèrent de leurs épées, lances et boucliers, puis il y eut un bruit de pas rapides en direction du sommet des collines. Quelques instants plus tard, ce fut un véritable raz-de-marée de soldats qui se déversa depuis chaque maison du village pour aller rejoindre leurs frères d'arme rassemblés sur les hauteurs qui dominaient la baie.

« Espérons que nous n'avons pas surévalué la vanité de Meldron…, chuchota Llew.

— Sur ce sujet, il serait difficile de se tromper, répliquai-je. Écoutez plutôt ! »

Au moment où je disais ces mots, le son impressionnant du carynx retentit en un mugissement sinistre. « Eh bien, dit Llew, à nous deux, Meldron ! Que la fête commence ! »

Tapis au milieu du champ, nous attendions. Le cor retentit à nouveau, résonnant au milieu des collines alentour et rejoint par le hennissement des chevaux et les cris d'excitation des hommes. Les ténèbres de mon regard intérieur se ranimèrent et m'offrirent le spectacle éclatant de plusieurs rangées de chevaux qui ne tenaient plus en place, rivés à leurs pieux dans l'arrière-cour des appartements de Scatha, puis d'innombrables guerriers, la cape flottant au vent, aux armes rutilantes, qui accouraient vers leurs tertres.

« Est-ce que vous le voyez ?, demandai-je.

— Non, répondit Llew en me lançant un rapide coup d'œil. Et vous ? »

Je secouai la tête. « Non, Meldron n'est pas avec eux. »

Les cavaliers se regroupèrent en masse dans la cour. Le carynx laissa résonner à nouveau son appel sinistre, puis j'entendis le son creux des sabots tambourinant alors que les chevaux s'élançaient au galop.

C'était ce qu'on attendait. Après que Bran eut en silence donné le signal, Niall avança à pas furtifs sans n'être plus couvert par les plants d'orge, puis traversa tout aussi discrètement la courte distance qui séparait le champ de l'édifice le plus proche, qui se trouvait être un grenier à blé. Il fit une courte pause, puis disparut au coin de l'entrepôt. Peu de temps après, il réapparut et nous fit signe d'avancer.

Par groupes de trois ou quatre nous traversâmes le terrain à découvert qui séparait le champ de l'entrepôt. La cour était vide ; il n'y avait plus de chevaux, et pas un guerrier à l'horizon.

Bran émit un nouveau signal, et en moins de temps qu'il en faut pour le dire, nous nous précipitâmes pour traverser la cour vide et rejoindre le corps d'habitation. Une déambulation rapide le long de la muraille nous conduisit jusqu'à l'entrée des appartements. Bran et Niall étaient les premiers, Llew et moi parmi les derniers. Nous fîmes le tour pour rejoindre précipitamment le coin du bâtiment tout proche et nous heurtâmes avec ceux qui avaient été tout droit.

Ils attendaient là sans bouger, en train de fixer quelque chose.

« Que se passe-t-il ?, dit Llew en tentant de se frayer un chemin jusqu'au premier rang de la foule. Pourquoi vous êtes-vous arrêtés ? »

Je suivis tant bien que mal Llew ; lui-même marchait aux côtés de Bran, puis comme chacun, resta figé sur place. Je tendis le bras et vins agripper son épaule. Il tourna légèrement la tête vers moi, ses traits se révulsaient en un rictus de dégoût.

« Llew ? »

Mon regard intérieur se porta vers la source de cette affliction : des rangées de lances à moitié plantées en terre se succédaient, et sur la pointe de chacune d'entre elles était empalée la tête d'un jeune garçon. Meldron avait assassiné les petits guerriers mabinogis de l'école de Scatha et avait exhibé leurs têtes devant les bâtiments — terrible parodie d'une assemblée de soldats. Les corbeaux étaient passés par là, et les orbites creuses nous regardaient d'une manière insistante et accusatrice.

Llew détourna les yeux de l'horrible spectacle et se dirigea vers le porche. Mais Bran le rattrapa par le bras et le fit s'arrêter. Il fit signe aux Corbeaux de le rejoindre et s'engouffra dans les appartements, l'épée serrée fermement dans sa poigne de fer, le bouclier tendu et prompt à servir.

Les Corbeaux emboîtèrent le pas, puis d'autres se pressèrent pour entrer, s'engouffrant aussi vite que possible dans la grande salle afin d'affronter ceux qui se trouvaient à l'intérieur.

Meldron, lui, n'était pas là. Les deux soldats qu'il avait laissés sur place furent rapidement maîtrisés — deux coups de lance assénés avec fermeté les réduisirent au silence. Nous portâmes ensuite notre attention sur leur prisonnier.

Rabaissant la pointe de sa lance, Llew s'agenouilla devant un corps dénudé gisant sur le sol maculé de sang. « Boru ? »

À ma grande surprise, l'être qui n'avait plus que l'apparence d'un cadavre se mit à ouvrir les yeux ; ses lèvres esquissèrent un faible sourire. « Llew… » La voix n'était qu'un souffle grinçant et rauque. « Vous êtes là, enfin… »

« Il est vivant. Qu'on apporte de l'eau… », commandai-je. Niall s'exécuta aussitôt.

Je me mis à genoux près de Llew pendant que Bran commençait à couper les lanières de cuir qui immobilisaient les mains et les pieds de l'homme. Il avait été attaché, puis torturé. De longs lambeaux de chair avaient été taillés à vif sur son ventre, ses cuisses et son dos. Ses cheveux étaient totalement roussis, signe qu'on avait maintenu sa tête dans les flammes ; et toute une partie de son corps était carbonisée, ce qui montrait à l'évidence qu'on l'avait fait griller au feu de la cheminée.

« Boru… écoutez-moi, si vous le pouvez…, dit Llew. Nous n'avons pas beaucoup de temps ; Meldron va revenir. Dites-nous où est Scatha. »

L'homme fit les plus grands efforts pour parler, mais ne parvint pas à se faire entendre. Niall revint en apportant une coupe pleine d'eau. « Faites sortir les hommes et attendez-nous dehors », lui dit Llew. Puis il se retourna vers Boru. Bran lui souleva délicatement la tête, et Llew pencha la coupe. L'infortuné Boru avala une gorgée d'eau, eut un spasme et faillit s'étouffer. Lorsqu'il fut calmé, Bran reposa sa tête sur le foyer de la cheminée.

« Scatha… elle… » Il se mit à tousser, et la toux se transforma aussitôt en suffocation.

« Oui, Scatha…, chuchota Llew, où est-elle, Boru ?

« … je savais que vous alliez revenir… aah…» Boru se mit à sourire une nouvelle fois dans un rictus de douleur atroce. Une langue noire se glissa entre ses lèvres fendues. Llew humidifia ses doigts et fit tomber quelques gouttes sur la langue de Boru.

« Où est Scatha ? Et ses filles ? Boru, savez-vous où elles se trouvent ? »

Boru agita péniblement ses paupières parcheminées, et tout son corps meurtri se raidit. Cette dernière crise le libéra, et il soupira si profondément que je crus qu'il avait rendu l'âme. Mais Llew parvint à la retenir encore un peu. Plaçant sa main unique et son poignet mutilé de chaque côté du visage de Boru, il se pencha tout près de lui et dit : « Vous êtes à présent la seule personne qui puisse encore nous aider. Dites-moi, Boru, Scatha est-elle vivante ? »

Ses paupières s'efforçaient de rester ouvertes, ses yeux étaient extraordinairement brillants. « Llew… vous êtes enfin là…

— Où est Scatha… et ses filles, Boru ? Sont-elles ici ? Sont-elles vivantes ? »

Boru se raidit, sa langue noire articulait avec peine. « Les grottes… les grottes près de la mer…», dit-il de sa voix rauque qui semblait venir d'outre-tombe, car au moment précis où Boru prononçait ces mots, ses yeux s'obscurcirent et ses muscles se relâchèrent ; il abandonna enfin la petite emprise qui lui restait sur la vie, et celle-ci le quitta définitivement dans un souffle.

« Repose en paix, mon frère », dit Llew avec douceur, puis il reposa la tête meurtrie et brûlée de Boru délicatement sur la pierre du foyer.

« Les grottes littorales, dit Bran. Vous connaissez ?

— Oui, il y a des grottes sur la côte ouest de l'île. Avec des chevaux, nous y sommes allés quelques fois.

— Est-ce loin d'ici ?

— Non, dit Llew, mais il faut prendre nos chevaux si nous voulons y arriver avant Meldron. »

Bran fit une inspection rapide des lieux, et revint le visage livide comme de la cendre.

Llew le dévisagea. « Qu'avez-vous trouvé ? »

En guise de réponse, le chef militaire fit un signe afin que nous le suivions. Il nous conduisit jusqu'aux appartements de Scatha, à l'autre extrémité de la grande salle. Govan était là, étendue sur des peaux de moutons, à l'endroit de sa couche, son manteau repoussé à hauteur de ses hanches. Elle avait été violée ; puis lorsque ses agresseurs se furent lassés d'un tel divertissement, ils lui avaient tranché la gorge. Sa peau était blanche comme la toison de laine sur laquelle elle reposait, hormis à l'endroit où son sang s'était rassemblé puis coagulé. Sa tête était tirée sur le côté, ses yeux vitreux fixaient le plafond.

Llew se mit à gémir et vint s'appuyer sur moi.

« Le corps est froid, commenta doucement Bran. Elle était déjà morte avant que nous arrivions. »

Llew fit un geste pour s'avancer vers elle. J'agrippai son bras pour le retenir. « Il est trop tard. Essayons plutôt de sauver ceux qui peuvent encore l'être. »

Il dégagea son bras et fit quelques pas vers la couche. D'une main tremblante il redressa les jambes de Govan, d'abord la droite, ensuite la gauche, puis tira sur sa cape pour les recouvrir. Il replia ses bras en travers de sa poitrine, redressa délicatement sa tête, et effleurant du bout des doigts ses paupières, les abaissa. Il fit une courte pause, plongeant les yeux vers elle, et lorsque à nouveau il s'éloigna du corps, Govan semblait dormir — si ce n'était le sang et la méchante entaille qui lui traversait le cou.

Sans dire un mot de plus, il sortit à grands pas de la chambre et se dirigea vers la sortie des appartements. Bran le rattrapa sur le seuil. « Il vaut mieux y aller seul, fit-il remarquer. J'irai, moi.

— Vous ne savez pas où se trouvent les grottes, dit Llew. Nous irons ensemble. » Il se retourna vers Niall, qui attendait sans bouger à l'extérieur, non loin de là. « Ramenez les hommes vers le rivage et attendez l'arrivée des navires. Nous vous rejoindrons là-bas.

— Mais comment nous rejoindrez-vous ? », demandai-je. Nos bateaux, la coque toute hérissée de lances, avaient pénétré dans la baie afin de déloger l'armée de Meldron qui occupait le corps d'habitations. Et lorsque l'ennemi était arrivé aux abords de la baie afin de contrer l'invasion simulée, nos navires avaient alors poursuivi leur route et contourné l'île, comme s'ils recherchaient un endroit convenable pour débarquer nos soldats. Meldron — c'est ce que nous espérions — se mettrait à leur poursuite, ce qui nous donnerait du temps pour libérer les prisonniers. Le détachement de Cynan avait pour mission d'attendre à l'affût jusqu'à ce que l'ennemi s'éloigne, et ensuite de détruire la flotte de Meldron. Une fois leur tâche accomplie, les deux détachements devaient se rejoindre à l'endroit où ils avaient été débarqués ; c'est là que nous devions retrouver notre propre flotte qui aurait entre-temps fait le tour de l'île.

Meldron, donc, avait bien été attiré hors de la baie, comme nous l'avions prévu — mais à l'endroit où il se trouvait, Llew devait se rendre lui aussi aux fins de retrouver Scatha et ses filles. Nous ne pouvions pas les récupérer sans être vus, et nous ne pouvions pas prendre ce risque.

« Vous ne pouvez pas traverser l'île en plein jour ; c'est trop dangereux, et la distance est trop importante.

— Nous n'avons pas le choix », interrompit Llew en s'élançant vers la cour. Il jeta un coup d'œil en direction de la baie et de la fumée qui s'élevait de la plage, où Cynan avait mis la flotte de Meldron à feu et à sang. « À moins que l'on puisse arrêter Cynan ! »

Nous nous précipitâmes vers les falaises qui surplombaient la baie. Six navires s'enfonçaient lentement dans les flots, les voiles étaient en flammes, les coques défoncées. Cynan et ses hommes n'étaient plus là ; ils avaient accompli leur tâche et quitté les lieux.

« Trop tard, dit Llew. Nous aurions pu utiliser l'un de ces navires.

— Allez vers les grottes et attendez-nous là. Nous vous enverrons un bateau à la tombée de la nuit. »

Bran et Llew quittèrent la baie précipitamment. Je me retournai alors vers les Corbeaux. « Niall, vous reconduirez les hommes jusqu'à la crique afin d'attendre les navires, dis-je. Quant à vous, Garanaw, Emyr, Alun et Drustwn, venez avec moi. »

Niall et les guerriers partirent, et le reste des Corbeaux me raccompagna jusqu'au hameau. Garanaw et Drustwn soulevèrent le corps mutilé de Boru. J'ôtai ma cape et l'étendis sur le sol ; Emyr et Alun enveloppèrent le corps. Alors que Garanaw et Drustwn sortaient le cadavre de Boru des appartements, je conduisis Emyr et Alun jusqu'à la chambre de Scatha. Nous enveloppâmes le corps de Govan dans de la laine et sortîmes de la pièce pour suivre Garanaw et Drustwn, qui déjà faisaient route à travers le champ d'orge. Sur la colline qui surplombait le caer, les Corbeaux creusèrent une tombe peu profonde dans la terre à l'aide de leurs épées. Nous étendîmes les deux corps côte à côte dans la tombe, que nous recouvrîmes rapidement de tourbe.

Je jetai un coup d'œil vers la baie, mais ne pouvais la voir depuis l'endroit où nous nous trouvions. Pas plus que je ne pouvais voir quelque trace que ce soit de l'armée de Meldron. Je me retournai vers les collines, tachetées de gris et de vert par l'ombre d'un nuage glissant au-dessus d'elles ; le mouvement nous dissimulerait. Sur ce dernier tableau, la cécité reprit ses droits et les ténèbres recouvrirent l'image.

Nous refîmes le chemin à travers les collines, puis le long des falaises que nous descendîmes pour rejoindre la petite crique rocheuse où nous avions accosté au point du jour. Là nous retrouvâmes le reste de l'armée, et nous nous rassemblâmes sur les galets pour attendre. Drustwn trouva un rocher sec d'où nous pouvions dominer, et nous nous y assîmes ensemble.

« Cynan devrait déjà être revenu, à l'heure qu'il est », dit Drustwn après quelques instants. Il se releva pour arpenter le rivage avec impatience.

Le vent se maintenait en pleine mer, et les vagues déferlaient en soupirant sur les rochers. Nous attendîmes.

Drustwn revint se placer près de moi. « Il a dû se passer quelque chose, dit-il. Ils devraient être là depuis longtemps. »

Alors qu'il disait ces mots, une image me parvint à l'esprit : un navire, passant lentement le long de la côte rocheuse. Au même instant, un cri nous arriva depuis la rive : « Une voile à l'horizon ! »

Drustwn partit comme une flèche. Il remonta de quelques pas sur les galets puis revint aussitôt. « C'est un navire ennemi », dit-il.

Je tentai de conserver l'image de ce navire, mais elle se dissipa avant que j'aie pu en distinguer davantage. Les guerriers, sur le rivage, entonnèrent un cri de défi alors que le navire pénétrait dans la crique, et ils se tinrent prêts au combat. Saisissant mon bâton de marche, je me relevai et appelai Drustwn pour qu'il vienne vers moi. « Dites-moi ce que vous voyez », dis-je.

Pendant que je disais ces mots, les cris de défi s'élevant du rivage se transformèrent en hourras de bienvenue. « C'est Cynan !, s'exclama une voix.

— Oui, oui ! C'est Cynan !, confirma Drustwn. Il s'est emparé d'un navire ennemi. » Puis arriva un second cri depuis le rivage alors qu'un autre navire était en vue. « Encore un ! Il s'est emparé de deux navires !

— Faites embarquer les hommes, dis-je. Et vite ! Nous avons quelque chance de mener à bien l'opération de sauvetage… »

Drustwn ordonna aux hommes de monter à bord, puis il me prit par le bras et me guida ; nous marchâmes dans l'eau jusqu'au bateau le plus proche. Il m'aida alors à grimper à bord et donna des directives afin que le navire reprenne aussitôt la mer. Dès qu'il rebascula par-dessus bord pour rejoindre le rivage, on fit pivoter les deux navires, qui furent alors lancés vers la haute mer.

Cynan vint à notre rencontre. « Où est Llew ?

— Il est parti à la recherche de Scatha », répondis-je. Puis je lui racontai l'horrible spectacle que nous avions trouvé au hameau. Il y avait des jeunes garçons de son propre clan dans les victimes trouvées à l'école de Scatha.

« Meldron, je le tuerai, jura Cynan lorsque j'eus fini. Je lui arracherai le cœur, ce cœur noir, de mes propres mains.

— Comment avez-vous fait pour revenir dans la baie ?

— La chance a été avec nous, répondit Cynan. Les navires — il y en avait huit — étaient tout près ; les meilleurs de la flotte. Nous n'avions qu'à attendre que notre propre flotte s'éloigne de la baie et que Meldron la prenne en chasse. Puis nous avons ouvert des brèches dans les coques et mis le feu aux voiles. » Il donna quelques tapes sur la rambarde avec la main. « Tous, à l'exception de ces deux-là. Ils sont plus grands et plus rapides que tous les nôtres. Je n'ai pas pu résister à l'idée de les garder.

— Vous avez fort bien fait », dis-je. Puis je lui racontai où Llew et Bran étaient partis.

Entendant cela, Cynan fit rapidement un demi-tour sur lui-même et cria ses ordres au timonier pour qu'il mette le cap vers la côte ouest de l'île. « Le Grand Chien a mordu à l'hameçon..., dit-il en se retournant vers moi. Peut-être que dans sa hâte à rattraper notre flotte, il ne pensera pas à regarder en arrière.

— Et si cela arrive ?

— Eh bien, avoua Cynan avec ruse, il ne verra que deux de ses propres navires donnant la chasse aux envahisseurs. Le temps qu'il réalise n'avoir donné aucun ordre pour les prendre en chasse, nous serons déjà loin. »

Si la brève expédition le long de la côte pour accéder à la baie située au pied du caer de Scatha parut longue, le transit depuis la baie jusqu'à la côte ouest de Ynys Sci parut, lui, interminable. Chaque moment qui passait augmentait mon angoisse. Plus nous approchions, plus j'étais agité. J'essayais de faire le vide dans ma tête pour tenter de découvrir la raison de ce trouble. Mais je n'eus pas de réponse, et m'enfonçai encore plus profondément dans une inquiétude maussade.

Le cri de Drustwn, une fois encore, me fit brutalement reprendre mes esprits. « Là-bas ! Je les vois ! Là !, hurla-t-il depuis la rambarde. Llew ! Bran ! Ils sont là ! »

Au cri soudain du Corbeau, mes ténèbres se dissipèrent et mon regard intérieur réapparut. Agrippant l'un des cordages du mât, Drustwn était debout en travers du bastingage, agitant sa main libre comme un fou. Je tournai mon regard absent vers les terres et me mis à scruter la ligne du rivage.

L'escarpement de la côte était constitué d'éboulis de rochers déchiquetés, entrecoupé par des criques dangereuses. Plusieurs d'entre elles n'étaient guère plus grandes que de simples trous creusés dans la roche, mais d'autres contenaient des grottes suffisamment imposantes pour y dissimuler un navire entier. Avançant péniblement vers nous avec de l'eau à hauteur de poitrine, Llew apparut, tenant Goewyn dans ses bras. Bran était dans son sillage, avec Scatha juste derrière lui.

Des acclamations s'échappèrent des poitrines de tous ceux qui étaient rassemblés le long du bastingage. Mais elles furent aussitôt étouffées, car sur les falaises, au-dessus des silhouettes à bout de forces, se dessina une ligne de soldats ennemis. Instantanément, une cinquantaine, voire plus, de guerriers, se mirent à dévaler les rochers pendant que ceux qui étaient restés sur la crête de la falaise jetaient violemment leurs lances en direction des silhouettes qui fuyaient en tous sens sur la grève.

« Plus près ! », cria Cynan. Le timonier répliqua quelque chose, mais je ne pus entendre. Cynan n'y fit pas attention. « Plus près ! », hurla-t-il en martelant la rambarde avec ses poings.

Les lances arrivaient comme des éclairs depuis les falaises, et s'abîmaient dans la mer. Cynan se pencha par-dessus le bastingage aussi loin qu'il put et fit porte-voix avec ses deux mains : « Nagez !, hurla-t-il d'une voix qui résonnait à travers les vagues. Nagez, c'est votre seule issue ! »

Les lances continuaient à s'abattre de toutes parts depuis les hauteurs, faisant un arc dans les airs avant de retomber en frappant la surface de l'eau. Et le premier soldat ennemi avait maintenant rejoint le rivage et avait plongé dans la mer dans une poursuite effrénée.

Les guerriers qui se trouvaient à bord commencèrent à encourager Llew et Bran par des cris. Llew, tenant Goewyn serrée tout contre lui, trébucha et s'enfonça dans l'eau ; Goewyn et lui furent aussitôt trempés. Il se releva aussitôt, saisit Goewyn plus fermement et se remit brusquement à avancer.

« Ils n'y arriveront jamais ! », hurla Cynan, le visage rouge et les mains frappant la rambarde.

Il avait à peine prononcé ces mots que le bateau se mit à faire une embardée avec un bruit sourd et creux. La quille avait cogné contre un rocher. Aussitôt des hommes sautèrent sur la rambarde munis de longues perches et commencèrent à pousser, s'efforçant de maintenir le vaisseau à distance du récif. Dès les premiers signes de notre difficulté, des cris retentirent depuis les falaises. Certains parmi les ennemis les plus agressifs lâchèrent leurs lances sur nous. Les projectiles ne purent nous atteindre, mais peu s'en eut fallu.

Cynan passa violemment une jambe par-dessus la rambarde et sauta dans l'eau. Les Corbeaux plongèrent dans les vagues derrière lui, et d'autres encore qui appartenaient à son détachement suivirent aussi. Un premier homme rejoignit Llew et l'aida à transporter Goewyn jusqu'au navire. Les autres suivirent Cynan pour aller à la rencontre de l'ennemi qui s'efforçait d'avancer vers eux dans l'eau. Bran vit ses hommes qui se dirigeaient vers lui ; il se retourna, et fit raccompagner Scatha à bord.

Llew et Niall atteignirent le navire et soulevèrent Goewyn jusqu'à la rambarde ; elle fut aussitôt hissée à bord. Llew suivit. Je me précipitai en direction de Llew qui venait de s'agenouiller aux côtés de la jeune femme.

Goewyn n'était qu'à demi consciente. Elle était allongée comme une loque trempée contre la coque, et respirait par saccades, avec un rythme rapide. Tout un côté de son visage était trempé, pâle ; elle avait des marques rouges en travers de la gorge, et ses bras, les paumes de ses mains ratissées par mille égratignures, comme si elle s'était traînée parmi les ajoncs.

Scatha rejoignit le navire, leva ses deux bras vers les hommes qui attendaient pour la réceptionner, puis elle fut à son tour glissée à bord. Elle avait elle aussi les bras et les mains tout écorchés, mais je ne distinguai aucune autre marque ou blessure. Elle s'agenouilla près de Llew. Quelqu'un lui présenta une cape qu'elle déplia pour en recouvrir Goewyn. « Vous pouvez nous laisser à présent, je m'occuperai d'elle », dit-elle à Llew.

Il se releva et se tourna vers moi. Avant qu'il ait pu dire un mot, le souffle puissant et agressif d'un carynx retentit depuis les hauteurs des falaises. « C'est Meldron ! », cria quelqu'un. Il avait aperçu les navires et avait abandonné sa poursuite des envahisseurs pour revenir en arrière. Un simple coup d'œil lui avait suffi pour comprendre. Le cor retentit une fois encore, et des centaines de guerriers rejoignirent leurs frères d'armes en dévalant parmi les rochers.

« Faites faire un demi-tour à ce navire ! », cria Llew.

Les hommes poussèrent de tout leur poids sur leurs perches, et la proue s'ébranla lentement en s'éloignant de la crique.

Cynan et les Corbeaux engagèrent le combat face à l'ennemi. Les épées taillaient dans le vif, les lances pénétraient dans les chairs, le choc des armes résonnait distinctement parmi les rochers. Des images se succédèrent devant mon regard intérieur : l'éclat du soleil sur l'ombon des boucliers, sur la lame des épées ; le sang rouge qui entachait la couleur verte de la mer ; les cadavres qui flottaient, les membres sans vie agités par les mouvements de la marée ; les vagues ourlées d'une écume blanche s'agitant autour des jambes des combattants…

L'ennemi se déchaînait sur les hauteurs de la falaise. Des mouettes blanches poussaient des cris en tournoyant dans l'air azur. Niall invita les guerriers à suspendre le combat. Aussitôt Emyr fit sonner le carynx et Cynan leva son épée avant de rejoindre le navire. Quelques instants plus tard, les hommes restés à bord se penchaient au-dessus de la rambarde et tiraient leurs frères d'arme de la mer.

Mon regard intérieur s'embrasa à la vue d'un homme à dos de cheval, bouillant d'une colère noire : c'était Meldron, furieux de constater que l'on avait confisqué ses vaisseaux, grinçant les dents de rage en réalisant qu'il avait été floué, et que ses ennemis étaient en train de lui échapper.

Et je vis autre chose encore… Siawn Hy, assis confortablement sur le dos d'un cheval. Tout comme Meldron, il était en train d'observer notre navire qui s'éloignait hors de leur portée. Mais contrairement à Meldron, il n'était pas furieux ; il souriait. Et c'était un sourire froid, et cruel — sauvage au-delà de toute imagination. Je le vis se pencher en avant et adresser quelques mots à Meldron, lequel se retourna en considérant Siawn attentivement.

La langue de vipère de Siawn s'agita encore, et le visage de Meldron s'illumina. Il pivota sur sa selle et lança un mot vers son armée. Lorsqu'il fut à nouveau de face, le rictus de colère de Meldron avait disparu, et ses traits étaient redevenus calmes ; une légère lueur de malice luisait dans ses petits yeux.

Un cavalier sortit brusquement de la masse des guerriers : de grande taille, avec les épaules larges. Il portait sur la tête un casque de bronze ; son bouclier était d'une forme oblongue, il portait une épée sans fourreau le long de sa cuisse. Avant même de pouvoir distinguer son visage, je savais qui était cet homme… je le reconnaissais à sa manière de chevaucher sa monture.

Paladyr !

XXIII

FUITE

« Paladyr !, cria Llew. Tegid ! C'est Paladyr !

— Oui, je l'ai vu », répondis-je. Grâce à mon regard intérieur, je vis Meldron se retourner vers son favori. Paladyr fit faire un demi-tour à son cheval et s'éloigna du bord de la falaise.

« Où est-il parti ?, questionna Llew. Voyez-vous quelque chose, Tegid ?

— Non », répondis-je, le ventre serré par la crainte.

Cynan, dont le bras tailladé dégoulinait d'eau et de sang, arriva près de nous. « Où sont les autres ?, demanda-t-il.

— Boru est mort, dit Llew, et tous les jeunes membres de l'école avec lui. » Il baissa la voix. « Govan est morte, elle aussi. Mais je ne crois pas que Scatha le sache.

— Et Gwenllian ?

— Je ne sais pas, répondit Llew. Scatha nous a dit qu'elles avaient été faites prisonnières lorsqu'elle avait refusé de rejoindre l'armée de Meldron. Elle et Goewyn ont pu s'échapper.

— Peut-être Gwenllian a-t-elle pu s'échapper, elle aussi ?», suggéra Cynan plein d'espoir.

Après ce que venait de dire Cynan, je fus comme brusquement frappé de terreur. Je vacillai sur mes jambes, et dus saisir la rambarde fermement afin de garder l'équilibre, tenant ma tête avec l'autre main.

Llew m'avait vu et il m'avait saisi par le bras pour m'empêcher de tomber. « Qu'y a-t-il ?» Voyant que je ne répondais pas aussitôt, il me secoua par l'épaule. « Tegid, qu'est-ce qui ne va pas ? Qu'y a-t-il ? Qu'est-il arrivé ?»

J'ouvris la bouche pour parler, mais seul un gémissement en sortit. Qui devint une véritable plainte. Je ne pouvais pas m'en empêcher, même si je voulais.

« Regardez ! », hurla Bran. Llew et Cynan se retournèrent vers les falaises. Paladyr était revenu, et restait sans bouger au bord de l'à-pic ; il portait quelque chose en travers des épaules.

« Qu'est-ce que c'est ? Qu'est-ce qu'il transporte ?, demanda Cynan.

— Non… ! », chuchota Llew, la voix brisée par la douleur.

Paladyr déposa son fardeau sur le sol et le secoua de haut en bas. Même si je savais déjà ce qu'il transportait, l'accablement s'empara de moi.

« *Mo anam !* », jura Cynan.

Llew poussa lui aussi un juron entre ses dents serrées ; Bran maudit Meldron et tous ceux qui étaient avec lui ; Scatha regardait sans un mot, prise d'horreur : sa fille était debout, titubant sur le bord de la falaise, près du favori de Meldron.

Sur la crête, au-dessus de nous, Paladyr avait saisi l'encolure du manteau de la banfàith dans ses mains, et l'avait déchiré de haut en bas. Les mains de la jeune femme étaient attachées par les poignets, et elle se débattait faiblement. Paladyr la frappa au visage de son poing. Sa tête rebondit en arrière et ses genoux cédèrent. Elle tomba contre son bourreau.

« Gwenllian ! », cria Scatha.

Les autres pouvaient détourner leur regard, mais moi, je ne pouvais pas interrompre ma vision intérieure. Le moindre geste se présentait devant ce regard fixe et imperturbable, et je me mis à regretter encore de n'être plus aveugle à ce moment-là.

Paladyr saisit Gwenllian dans ses bras et, avec sa force herculéenne, il leva lentement la jeune femme au-dessus de sa tête. La jeune femme se mit à frémir sous l'étreinte et lança des coups de pieds dans le vide, mais il la tenait bien haut ; faisant alors quelques pas plus près encore du bord de la falaise, il la projeta dans le vide.

Le hurlement de Gwenllian fut bref, car son corps vint aussitôt heurter les rochers. Sous l'impact, sa colonne vertébrale se brisa, ses bras et ses jambes furent sauvagement désarticulés. Le corps, blanc sur les noirceurs de la roche léchée par la mer, hésita, roula, puis glissa dans la mer, laissant derrière lui une traînée luisante et rougeâtre.

« Gwenllian ! », hurla Scatha ; et le cri perçant se transforma en sanglot.

Je pris ma tête entre mes deux mains et serrai fortement pour chasser cette terrible vision, mais mon regard intérieur s'orienta vers le haut de la falaise, et je vis Paladyr fixer d'un air sinistre le fond du précipice. Meldron adressa quelques mots à son favori, lequel se retourna pour répondre à son seigneur. Puis Paladyr se pencha, ramassa la cape de sa victime, puis la tendit à bout de bras pour que nous la voyions. Puis il la laissa glisser le long de ses mains, et elle tomba dans la mer. Meldron fit faire un demi-tour à son cheval et se retira. Mais Siawn Hy ne suivit pas. Il restait sur son cheval et fixait, en contrebas, les navires. Lorsqu'il s'aperçut que nous l'observions, il se mit à sourire et, lentement, leva sa lance impudemment pour nous saluer.

Alors il se retira, lui aussi, et je ne vis plus que l'image d'un beau corps féminin flottant sans vie, balancé par le reflux de la mer… une chair blanche comme le lait, meurtrie et brisée… une chevelure rousse et bistrée dérivant au milieu des algues au gré des courants légers… de larges yeux verts, éteints, des lèvres entrouvertes, la bouche béante et remplie d'eau de mer…

L'image s'estompa dans les ténèbres comme une fumée noire, et je sombrai à nouveau dans la cécité.

Laissant l'ennemi à sa rage folle sur les falaises, nous fîmes faire un demi-tour aux navires réquisitionnés et fîmes voile le long de la côte ouest d'Ynys Sci. Vers la tombée du jour, nous étions en vue de notre propre flotte. Au début, ils commencèrent à fuir devant nous, mais les navires de Meldron étaient plus rapides, et lorsque nous les rejoignîmes, ils nous reconnurent enfin. Nous efforçant de rapprocher les navires — coque contre coque au milieu des vagues —, nous fîmes transiter les guerriers sur les vaisseaux les plus légers et mîmes le cap vers le continent.

Llew installa Scatha et sa fille sous l'abri aménagé contre le vent, devant le mât, et me demanda de raconter ce que nous avions vu au moment de la mort de Govan. Je fis le récit sinistre des souffrances qu'elle avait endurées, évoquai son enterrement. Goewyn agrippa son manteau et le plaqua contre son visage pour pleurer amèrement. De son côté, Scatha supporta la perte de sa fille sans larmes et avec grande dignité.

« Merci, Tegid Tathal, dit Scatha avant de se retourner vers sa dernière fille pour la consoler. À présent, laissez-nous. S'il vous plaît. »

Nous eûmes un bon vent, qui souffla sans relâche à travers le détroit, et au point du jour, nous arrivâmes aux abords d'une petite crique protégée sur la côte nord de Caledon. Là, nous accostâmes ; pour nous reposer autant que pour préparer la dernière phase de notre projet.

Lorsque les hommes furent installés, Bran, Cynan, Llew et moi-même nous rassemblâmes un peu à l'écart, sur un petit monticule herbeux dominant la plage de sable blanc. Le murmure de la mer qui flue et qui reflue était comme un chant très mélancolique.

« La dette de sang est très lourde, et Meldron la paiera, affirma Cynan sans ménagement. Il devra attendre longtemps avant de pouvoir sortir de cette île. Nous devrions, selon moi, l'affronter dès maintenant afin de détruire ses forces à la racine.

— Je suis d'accord, dit Bran. Le frapper maintenant, pendant que la majeure partie des forces qui le soutiennent ne sont pas là. Nous ne retrouverons jamais une pareille occasion. »

Cynan et Bran argumentèrent sur la justesse de ce projet, et Llew écouta leurs conseils. Puis je sentis ce dernier m'effleurer doucement le bras. « Eh bien Tegid ? Qu'en dites-vous ?

— Qu'y a-t-il à ajouter après ce qui vient d'être dit ? Nous avons asséné à Meldron un camouflet cinglant. Maintenant, cela va de soi, il faut qu'on en finisse. »

Llew avait senti une désapprobation dans ma réponse, et il demanda : « Qu'y a-t-il, Tegid ? Qu'est-ce qui ne va pas ?

— Ai-je dit que quelque chose n'allait pas ?

— Non, certes, mais je le sens… » Il me poussa légèrement du bout de son moignon : « Alors, qu'y a-t-il ? Ne nous laissez pas deviner…

— Les Pierres Musicales…, commençai-je.

— Ah oui…, dit-il avec irritation. Où est le problème ?

— Donner l'assaut contre la forteresse de Meldron… c'est très bien, répondis-je. Mais c'est se donner du mal pour rien si l'on ne récupère pas les pierres avant.

— Vous avez dit qu'il les transportait partout avec lui, fit remarquer Llew.

— J'ai dit que je croyais qu'il en était ainsi… Mais puisque nous ne pouvons pas poursuivre des recherches à Sci, fouillons la forteresse. »

Bran interrompit la discussion : « Ces Pierres Musicales dont vous parlez, elles doivent avoir une grande valeur. Mais je n'en ai jamais entendu parler. »

Cynan reprit : « Racontez-lui, barde. Je connais déjà cette histoire, mais j'aimerais bien l'entendre à nouveau. »

J'acquiesçai, et fis une petite pause pour rassembler mes idées.

« Bien avant que le soleil, la lune et les étoiles fussent placés sur leur orbite éternelle, bien avant que la vie se mît à battre sur la terre, bien avant le commencement de toutes choses qui existent et qui existeront, le Chant d'Albion était chanté. Ce Chant soutient notre royaume des mondes, et grâce à celui-ci, tout ce qui existe persiste dans son être. Le Chant est le trésor unique de ce royaume des mondes, qui ne doit pas être souillé par des créatures à l'esprit vil ou par des serviteurs indignes. »

Une fois que j'avais commencé, les mots vinrent à mes lèvres automatiquement, et ils s'égrenèrent selon le style chanté des bardes :

« Meldryn Mawr, le Grand Roi, comme tous les puissants rois de Prydain avant lui, se fit le protecteur du Chant pendant la longue période de suprématie de notre clan. Dans les grandes profondeurs de la citadelle construite sur les hautes montagnes de Findargad, le phantarque d'Albion, l'Être Suprême, dormait de son sommeil enchanté, en sécurité derrière les remparts d'un Roi Véritable.

« Mais le Ver au souffle fielleux mordit profondément, et de la morsure s'épancha la corruption. Le trône de Prydain fut en proie à la décadence et à la décrépitude. Le pouvoir de justice déclina ; le Défenseur chancela, et l'ennemi du Chant saisit l'occasion. Le phantarque fut assassiné afin de faire taire le Chant, mais sa force était la force du Chant d'Albion lui-même, et son influence persista. Bien que le phantarque, Bardes parmi les Bardes, succombât, le Chant fut sauvé. »

Bran se déclara lui-même perplexe sur la façon dont tout cela avait pu se passer. « J'ai eu la même réaction en entendant moi aussi ce récit, ajouta Cynan. Mais écoutez la suite. » Puis, s'adressant à moi : « Continuez.

— Mais vous connaissez cette histoire, dis-je. Continuez vous-même…

— Très volontiers », répliqua Cynan. Je sentis une certaine ferveur dans sa voix. « Voilà donc ce qui se passa, dit-il. Grâce à de puissants sortilèges, le phantarque relia le Chant aux pierres mêmes qui étaient en train de l'achever. Au moment précis où la vie lui échappait, le Grand Sage insuffla le Chant précieux aux pierres qui allaient former sa propre tombe. Il le fit afin que le Chant d'Albion ne fût pas perdu. » Il conclut en disant : « Ma mémoire a-t-elle été fidèle ?

— Mot pour mot, répondis-je.

— Pardonnez-moi, reprit Bran, mais il y a quelque chose que je ne comprends pas. Si Meldron avait pour but de faire taire le Chant, pourquoi continue-t-il à garder jalousement ces pierres ? Ne devrait-il pas plutôt chercher à les détruire, puisqu'il en a maintenant la possibilité ?

— Vous êtes perspicace, Bran, remarquai-je. Vous avez touché là le cœur du problème.

— Éclairez-moi si vous le pouvez…», reprit le chef militaire.

Je m'apprêtai à proposer une réponse, mais Llew prit la parole : « Tout ce qui est arrivé, c'est à cause de Siawn Hy, dit-il. Il n'appartient pas à ce monde. C'est un étranger, ici, comme je le suis moi-même. Mais contrairement à moi, Simon — c'est le nom qu'il porte dans notre monde — ne crut pas en la puissance du Chant d'Albion. Il crut qu'en réduisant le phantarque au silence, il pourrait usurper le pouvoir à son profit — et d'ailleurs, il réussit à persuader Meldron dans ce sens.

— Ainsi, pendant un temps, le Chant fut réduit au silence, dis-je. Et si le Chant ne l'avait pas empêché de fuir, le Cythrawl, Créature des Enfers, serait aujourd'hui en liberté. Le Chef des Bardes, Ollathir, au prix de sa vie, chassa ce monstre infernal… mais sans pouvoir l'empêcher de convoquer lord Nudd, prince de l'uffern, et sa horde démoniaque — lesquels purent assouvir leur haine destructrice sur le peuple de Prydain qui avait osé agir pour protéger le Chant. Nous passâmes par des épreuves sans nombre ; mais l'ennemi fut finalement vaincu devant les portes de Findargad. »

Cynan ne put se taire plus longtemps. « Llew accomplit des exploits dignes d'un héros devant les remparts !», s'exclama-t-il ; puis il raconta comment celui-ci avait trouvé les Pierres Musicales et comment, inspiré par l'awen du Chef des Bardes, il les avait utilisées pour sauver Albion. « Et c'est ainsi que Nudd et ses viles coranyids furent reconduits vers Annwn.

— Après la bataille, nous collectâmes les fragments des pierres enchantées, expliqua Llew. Et Meldron s'en empara.

— Nous ne savions pas à ce moment-là ce qu'il préparait ; sinon, nous ne l'aurions pas laissé faire, dis-je. Mais Meldron avait compris quelle était la puissance de ces pierres, et il projette à présent d'user de leur puissance pour se proclamer Roi Suprême d'Albion.

— Il n'en est pas question tant que je serai en vie, jura Bran. Moi vivant, jamais il ne sera notre Grand Roi !

— Je suis d'accord, ajouta Cynan. Nous ne prendrons aucun repos avant d'avoir pu libérer les Pierres Musicales des griffes du Grand Chien !»

Nous discutâmes ce sujet, et bien d'autres encore ; puis Bran et Cynan retournèrent vers leurs hommes. Une fois qu'ils furent partis, je dis : « Vous n'avez pas donné votre opinion concernant l'assaut de la forteresse du Grand Chien : Cynan l'a donnée, Bran aussi : mais vous n'avez donné aucun assentiment. Seriez-vous contre ?

— Non, reconnut-il. C'est l'occasion où jamais. Meldron est coincé sur Ynys Sci... il a de quoi s'occuper pour réparer sa flotte.

— Nous aurons tout le temps de reconquérir les pierres et de retourner à Dinas Dwr avant qu'il puisse mettre à flot une carcasse fiable, dis-je. Pourquoi donc hésiter ?

— Je n'hésite absolument pas, Tegid, répondit-il d'un ton irrité. Je pense seulement que toute cette discussion à propos des pierres est sans fondement.

— Ah bon, et pourquoi ?

— Nous avons déjà suffisamment de problèmes sans avoir à rajouter celui des Pierres Musicales. Et de toute façon, Meldron les transporte avec lui, où qu'il aille — c'est vous-même qui l'avez dit. C'est une perte de temps et nous n'arriverons à rien de cette manière.

— Mais auriez-vous peur que nous les trouvions ?

— Ai-je dit que j'avais peur ?, coupa-t-il brusquement. Allez-y donc... prospectez partout où vous vous voudrez, si cela peut vous faire plaisir !

— Llew, dis-je en essayant de le calmer. Il faut le faire. Nous ne serons pas tranquilles tant que nous n'aurons pas récupéré les pierres, et...

— Tegid, nous ne serons pas tranquilles tant que Simon ne sera pas réexpédié d'où il vient ! »

Il disparut comme une flèche et resta à l'écart de moi tout le reste de la journée. Cette nuit-là, alors que les flammes des feux de camp bondissaient très haut, je me mis à chanter *Pwyll, prince de Prydain*, un récit plein de noblesse. Scatha et sa fille dormirent dans l'un des navires, et nous dormîmes à la belle étoile. Nous nous levâmes avant l'aube, et alors que le soleil entamait sa course à travers l'azur du ciel, nous amorçâmes notre expédition vers le sud de Prydain.

Maffar, la Belle Saison, nous agrémenta d'une mer calme et de vents réguliers. Nos navires fendaient les airs comme des mouettes, frôlant la surface vitreuse et verte de la mer. Nous bivouaquions la nuit dans des criques le long de la côte, et reprenions la mer le jour suivant. Nous croisions sur la côte des habitations désertes et des champs laissés à l'abandon, et de temps à autre l'un de nous entrevoyait la silhouette spectrale d'un loup bondissant à travers les collines. On pouvait voir des faucons, des renards, toutes sortes d'oiseaux, d'autres créatures encore, mais des traces d'occupation humaine, nous n'en voyions aucune.

Prydain était resté un territoire à l'abandon. Meldron, au lieu de faire tout ce qui était en son pouvoir pour faire revivre la noble terre de notre peuple, avait au contraire aggravé l'œuvre de désolation entreprise par Nudd et ses coranyids. Car il avait étendu la dévastation dans des lieux que le détestable Nudd n'avait jamais pu atteindre ; à présent, c'était Llogres et Caledon qui étaient à feu et à sang sous ses terribles griffes.

C'est à cela que je pensais. J'y avais d'ailleurs longuement réfléchi à diverses reprises. Pourquoi Nudd, dans toute sa perfidie, avait-il uniquement donné l'assaut à Prydain ? Pourquoi Caledon et Llogres avaient-ils échappé à l'agression ? Prydain était-il de quelque manière plus vulnérable que les deux autres royaumes ?

Peut-être la raison avait-elle quelque chose à voir avec le phantarque et le Chant ? Ou peut-être y avait-il encore quelque autre motif à découvrir ?

Quoi qu'il en soit, la dévastation de la terre me laissa tout aussi dévasté. Je ressentais le grand vide laissé par tous ces foyers, par toutes ces habitations désertées. Je ressentais le poids du chagrin laissé par tous les morts de Prydain — pour lesquels nous n'avions pas pris le deuil, qui étaient restés sans sépulture, dans l'anonymat, reconnus seulement par le Dagda. Alors que notre expédition touchait à sa fin, je sombrai dans une profonde tristesse comme je n'avais jamais connu auparavant. Le gâchis, la cruauté, l'avidité, l'angoisse et l'affliction ne pouvaient être affrontés que dans la douleur…

Scatha, dans son chagrin, aspirait à un peu de réconfort de ma part. Mais je ne pouvais rien lui dire. Comment aurais-je pu soulager sa perte alors que tout le peuple de Prydain implorait de moi un mot de consolation que j'étais incapable de prononcer ? Face à une tâche si monstrueuse, je restai muet. Je n'étais pas en mesure de prononcer quoi que ce soit qui pût compenser le désastre ou atténuer la perte.

Chagrin et tristesse : trois fois Albion sera plongée dans une douleur intense, avait dit la banfàith. Ah, Gwenllian, comme tu avais raison !

XXIV

LA VALLÉE DE LA DÉSOLATION

« Laissez-moi m'en charger, dit Cynan. Je vous le propose volontiers. »
Llew s'apprêtait à faire de nouvelles objections, mais Bran intervint : « Le risque est important, mais Cynan a raison, c'est exactement le genre de stratégie qui peut réussir.

— Et si elle échoue ? », demanda Llew.

Bran haussa les épaules. Cynan reprit : « Alors vous pourrez attaquer le caer. Mais si ce plan réussit, vous aurez épargné de nombreuses vies. »

Llew se retourna vers moi : « Qu'en pensez-vous, Tegid ?

— Pourquoi prendre par la force ce qui peut-être accompli discrètement ? », dis-je ; puis je me retournai vers Cynan : « Mais n'y allez pas seul. Prenez Rhoedd avec vous.

— Très bien, dit Llew qui se laissa fléchir. Puisque rien ne l'empêche, vous pouvez aussi y aller. Nous vous attendrons ici. S'il y a des problèmes, ressortez. Vous connaissez le signal…

— Oui, je le connais… je le connais…, répondit Cynan pour le rassurer. Nous en avons parlé au point que même les chevaux doivent le connaître. Tout se passera bien, frère. Si les pierres sont là-bas, je saurai les trouver. »

Cynan et Rhoedd prirent leurs armes et nous leur souhaitâmes bonne chance. Llew et Bran les observèrent sans se montrer alors que les deux hommes se mirent à grimper vers Caer Modornn. Mon regard intérieur ne daigna pas m'offrir ses services et j'en fus réduit à prendre appui sur mon bâton de marche et à attendre. La journée était chaude, l'air calme. Je sentais les puissantes odeurs de la terre, celles des feuilles en décomposition, du bois pourrissant et du sol détrempé. Nous étions une dizaine à nous être dissimulés dans un recoin rempli d'arbustes au bord de la rivière, en contrebas de Caer Modornn — assez près pour voir sans être vus ; le reste de l'effectif était campé à peu de distance, totalement hors de vue.

« Ils sont arrivés aux portes, rapporta Bran quelques instants plus tard. Les gardes leur ont résisté. Et il y a des hommes sur les remparts.

— Cynan est en train de leur parler, dit Llew. C'est un bon signe. Il serait capable d'attendrir des pierres.

— Les portes s'ouvrent, ajouta Bran. Et des hommes sont en train de sortir. Trois..., non... quatre hommes. Celui-là... vous le voyez ?, demanda Bran en s'adressant à Llew. La silhouette noire en train de parler avec Cynan ?

— Oui, je le vois, répondit Llew.

— C'est Glessi. Un chef rhewtani... enfin, c'*était* un chef rhewtani. Il semble qu'il ait trouvé son maître en Meldron. Je n'en suis pas surpris ; il a toujours été louvoyant comme une couleuvre.

— Et maintenant, que se passe-t-il ?, demandai-je.

— Ils continuent à discuter, répondit Llew. Celui qui s'appelle Glessi semble réfléchir. Il croise ses mains en travers de sa poitrine... se caresse la barbe. Il cherche à prendre une décision. Cynan continue à discuter... Je serais curieux d'entendre ce qu'il raconte. » Il fit une pause, puis ajouta : « En tout cas, quoi qu'il dise, les choses ont l'air de marcher. Ils sont en train de se diriger vers le caer. Ça y est ! »

J'entendis une petite tape donnée sur une épaule ou un bras. « Ça y est, il a réussi !, s'exclama Llew. Il est à l'intérieur !

— Il n'y a plus qu'à attendre, fit Bran. Je vais commencer moi-même à faire le guet. »

Llew se leva et me reconduisit vers le bord de la rivière, et nous nous assîmes en compagnie des Corbeaux. Nous étions installés au milieu des aubépines et des branches de saules. Quelques hommes étaient assoupis, d'autres bavardaient doucement. Je sombrai une fois encore dans les pensées tristes qui m'avaient envahi depuis le moment où nous avions accosté à Prydain, il y a six jours.

Un morne voyage vers le sud, le long de la côte ouest, nous avait conduits jusqu'à Muir Glen, le large estuaire aux flots d'argent, à l'est des ruines de Sycharth, là où se trouvaient les chantiers navals de Meldryn Mawr. Depuis l'époque où je les avais visités pour la dernière fois, des taillis de bruyère et de bouleaux avaient poussé, là où jadis, dans du solide bois de chêne, des coques avaient été façonnées. Des tapis d'orties prospéraient là où des copeaux de bois s'amoncelaient jadis comme une couverture de neige épaisse.

Nous pénétrâmes dans l'estuaire et remontâmes la rivière aussi loin que possible, puis jetâmes l'ancre dès que la voie ne fut plus navigable. Nous installâmes le camp au centre d'une clairière, où nous laissâmes la plus grande partie de nos guerriers. Ne prenant avec nous qu'une quarantaine d'hommes, nous continuâmes, dès le matin suivant, à nous enfoncer dans la Vallée de Modornn, laissant notre flotte sous la garde du reste de l'armée.

Scatha n'avait pas le cœur à voyager avec nous ; elle resta donc au camp pour s'occuper de Goewyn, dont les blessures requéraient des soins. Pendant toute cette première journée, et les cinq jours qui suivirent, nous longeâmes vers le nord la rivière rutilante qui traversait le large vallon. Dès que nous approchâmes du hameau, nous laissâmes trente hommes à portée de voix, puis gagnâmes nos positions en contrebas du caer.

Meldron avait prévu de construire sa forteresse sur le site du vieux caer boisé qui desservait toute la région nord de Prydain. Caer Modornn n'avait toujours servi qu'en temps de guerre, et n'avait jamais formé un village. Et, même si en son temps j'avais pu conseiller à Meldron de ne pas occuper ces lieux, je comprenais maintenant pourquoi il insistait. Un roi qui aurait eu pour ambition de redonner vie à Prydain aurait trouvé plus d'intérêt à construire sa forteresse au sud, pour ouvrir une activité commerciale vers la mer.

Meldron, cependant, avait d'autres ambitions. Le Grand Chien Ravageur prétendait se rendre maître de toute l'Île du Puissant. Et Caer Modornn était dans une situation idéale pour une armée qui était prête à prendre d'assaut Llogres et Caledon. Oui ! Si j'avais pu prévoir ses intentions ! Si j'avais su jusqu'à quel point il était ancré dans sa traîtrise, jusqu'à quel point il était avide, je l'aurais abattu comme on abat un chien enragé !

Combien de guerriers reposaient maintenant sous la terre à cause de lui ? Combien de femmes, la nuit, pleuraient leurs maris disparus ? Combien d'enfants appelaient leur mère en pleurant ? Si j'avais su ce qu'il dissimulait au fond de son cœur, je l'aurais tué avec plaisir. En tout cas, que ce soit avec plaisir ou avec un profond regret, je l'aurais tué avant qu'il ait souillé nos terres pour les corrompre.

Depuis notre cachette, nous avions pu observer le caer et nous avions discuté afin de trouver la meilleure solution pour récupérer les Pierres Musicales. Cynan avait parlé en faveur d'une simple mais audacieuse supercherie : avancer jusqu'aux portes et demander l'hospitalité due aux soldats errants.

« Ils ne me connaissent pas, avait-il dit. J'irai moi-même, seul avec Rhoedd. Ils ne se méfieront pas, uniquement pour deux soldats qui se présentent aux portes. Nous ne représentons pas une menace pour eux...

— Je n'aime pas beaucoup cela... », avait objecté Llew, qui pensait que c'était imprudent, voire téméraire.

« Mais c'est précisément la raison pour laquelle ça marchera, frère ; ils ne s'attendent pas à cela », avait dit Cynan. Puis nous avions encore discuté, et il avait gagné. Maintenant, nous attendions.

Le jour faiblissait lentement. Je sentais le souffle frais de la nuit sur ma peau, et les bruits de la vie nocturne, autour de moi, commencèrent à s'élever entre les branches, à sourdre sous la surface de la terre alors que la pénombre s'installait dans le soir. Puis j'entendis un bruit léger de pas et me levai.

« Je ne perçois rien, dit doucement Bran.

— Je vais vous relayer », dit Llew. J'entendis le léger froissement de ses vêtements alors qu'il se levait pour aller prendre position.

Bran prit la place de Llew à côté de moi alors que l'obscurité se faisait de plus en plus dense autour de nous. « Bientôt il fera complètement nuit », dit Bran au bout de quelque temps. Je réalisai alors qu'il était en train de m'observer, et j'avais l'impression de ressentir le déplacement imperceptible de son regard lorsque celui-ci effleurait mon visage.

« Oui ?, demandai-je. Qu'est-ce que vous avez envie de me demander ? »

Il émit un petit rire froid. « Vous savez que je suis en train de vous regarder, dit-il. Mais comment est-ce que vous le savez ?

— Il m'arrive parfois d'imaginer ce qui est en train de se produire, mais il m'arrive aussi de me tromper, dis-je. Pourtant, je vois parfois des choses, là-dedans... », et je touchai mon front du bout du doigt, « et je vois alors beaucoup plus de choses que j'aurais pu l'imaginer.

— C'est ce qui vous est arrivé à Ynys Sci, n'est-ce pas ?

— Oui », dis-je ; et je lui racontai la rencontre avec Gofannon dans le bosquet sacré. « Et depuis lors, dis-je, j'ai le sentiment que chaque fois que la vue est nécessaire, elle m'est aussitôt restituée. Mais elle s'active selon son bon vouloir, et je ne peux pas la commander moi-même. »

Nous passâmes le début de la soirée à bavarder. Puis Niall arriva avec du pain et de la viande séchée qu'il avait prélevés de nos provisions. Nous mangeâmes en continuant à discuter, puis Bran appela Alun Tringad afin qu'il prenne le relais au poste d'observation. Je pus dormir, mais d'un sommeil léger, alors que les hommes continuèrent à se relayer pendant toute la nuit.

Je fus réveillé par la voix chuchotée, mais pressante, d'Emyr. « Les portes sont ouvertes », dit-il. Je me levai aussitôt. Bran, lui, était déjà sur pied.

« Réveillez les autres… et dites à Llew qu'il nous rejoigne », s'écria Bran en s'adressant à Emyr. Il se précipita ensuite vers le poste d'observation, et je le suivis. J'entendis le craquement sec de quelques brindilles pendant que Bran rabaissait des branches pour pouvoir mieux observer.

« Que voyez-vous ?

— Les portes sont… », commença-t-il. Puis il reprit aussitôt : « Il y a quelqu'un qui avance. Il se dirige dans notre direction.

— C'est Cynan ?

— Je n'arrive pas à voir… il fait trop sombre, et l'homme est encore trop loin. Mais cela est possible. Il vient vers nous. » Il se tut, puis reprit : « Non, c'est Rhoedd, je crois. »

Nous attendîmes, et peu de temps après entendîmes un bruit de pas rapides. « Hey, par ici !, chuchota brusquement Bran. Où est Cynan ? »

La voix de Rhoedd répondit : « Lord Cynan va suivre dans peu de temps. Il m'a fait partir devant pour réveiller tout le monde et pour que l'on ouvre les portes. Il nous faudra peut-être partir très vite lorsqu'il arrivera.

— Et pourquoi ?, demanda Llew en prenant place près de moi. Qu'est-il en train de faire ?

— Nous avons trouvé l'endroit où se trouvent les pierres. Elles ne sont pas gardées, mais il y a une porte et elle est bloquée par des chaînes. Cynan va tenter de défoncer la porte et de les prendre.

— Il est fou ! Il ne parviendra jamais à les transporter tout seul, dit Llew. Il va falloir envoyer quelqu'un pour l'aider. »

On entendit un cri venant de la direction du caer. Un chien commença à aboyer avec rage puis se mit aussitôt à hurler. Nous entendîmes alors le grondement du carynx rompant le silence de la nuit.

« Bien, grommela Llew, voilà qui flanque tout par terre ! » J'entendis le léger bruissement de son épée qu'il retirait de son fourreau. « À présent, il faut y aller… Préparons-nous.

— Regardez !, dit Bran. Il y a quelqu'un qui vient. C'est Cynan, sain et sauf ! »

Quelque temps après, j'entendis les bruits de pas de quelqu'un qui redescendait la colline dans notre direction. « Vite, vite ! Courons !, s'écria-t-il lorsqu'il fut plus près de nous. Ils m'ont pris en chasse !»

Il n'en dit pas plus, et cela eût été du reste inutile. En effet, au moment même où il prononça ces mots, un grand vacarme explosa depuis le caer : aboiements de chiens, vociférations des hommes, entrechocs des armes.

« Par ici !», hurla Bran.

Je fus saisi au bras par une main. « Suivez-moi !», dit Llew.

Nous nous précipitâmes vers la rivière et plongeâmes la tête la première. Sans trop savoir comment, on pataugea péniblement mais on parvint jusqu'à l'autre rive. « Ils vont commencer par sonder les taillis, dit Bran. Si nous restons de ce côté, nous pouvons réussir à les semer.

— Allons vers le nord, dis-je.

— Nos hommes sont au sud, fit remarquer Rhoedd.

— À moins de vouloir provoquer une bataille, il est préférable de les attirer pour les éloigner de nos hommes, expliquai-je. Il sera bien temps pour nous de revenir par un autre chemin.

— Il s'agit pour l'instant de ne pas se faire prendre, dit Alun. Partons pendant qu'il est encore temps !

— Où sont les pierres ?, demanda Llew.

— Elles n'étaient pas là-bas, répondit Cynan en reprenant son souffle. Meldron a dû les prendre avec lui.

— En êtes-vous sûr ?

— Pourquoi croyez-vous que j'ai défoncé la malle, répliqua Cynan, haletant.

— Vous avez défoncé une malle ?

— Naturellement, reprit Cynan. Il fallait être sûr.

— Dépêchez-vous !, s'écria Bran. Vous parlerez plus tard !»

Pendant que l'ennemi fouillait les taillis derrière nous, sur l'autre rive, nous nous esquivâmes au milieu des broussailles en nous dirigeant vers le nord. Au début, tout semblait concourir à ce que nous les semions aisément, mais quelques poursuivants se mirent à traverser la rivière avec leurs chiens, lesquels retrouvèrent notre trace et donnèrent l'alarme en hurlant.

Il s'agissait donc de les prendre de vitesse. Nous forcions l'allure, gravissant les rochers, passant sous les arbres les plus bas, le visage fouetté, nos chemises et nos capes arrachées par les branches. Bran ouvrait la marche, imposant un rythme exténuant alors que le pas des poursuivants résonnait dans nos tympans. Trébuchant, tombant, butant sur chaque racine, sur chaque pierre, j'avançais dans le noir. Llew et Garanaw couraient à mes côtés, me ramassant lorsque je tombais et tâchant de me maintenir sur mes pieds... faisant tout pour que je puisse les suivre.

Progressivement, les sons qui nous suivaient diminuèrent : nous avions réussi à distancer nos poursuivants. Lorsque nous arrivâmes près d'un gué, Bran nous fit retraverser le Modornn et nous continuâmes notre fuite sur l'autre rive. Nous traversâmes la rivière deux fois, par sécurité, et lorsque nous retrouvâmes la tombée de la nuit, nous étions loin de la forteresse, perdus dans le nord. Nous nous arrêtâmes pour écouter mais n'entendîmes rien.

« Je pense qu'ils ont dû rebrousser chemin, dit Cynan. Nous pouvons nous reposer. »

Mais Bran ne l'entendait pas de cette manière. « Pas encore... », dit-il. Puis il nous conduisit jusqu'à un haut promontoire recouvert de bruyère qui dominait à quelque distance vers l'est ; là, nous pourrions surveiller la vallée tout en nous reposant. Nous nous assîmes au milieu des bruyères, nous étendîmes sur les rochers à attendre que nos forces reviennent.

« Eh bien, dit Llew après avoir laissé passer un moment, allez-vous enfin pouvoir nous dire quelque chose ? Que s'est-il donc passé là-bas ? »

Cynan se releva. « J'aurais voulu que vous me voyiez !, dit-il. Je me suis surpassé ! » Il demanda à Rhoedd de témoigner : « Je me suis surpassé, pas vrai ?

— C'est absolument vrai, Seigneur, répondit Rhoedd. Plus que cela.

— Racontez-nous vos exploits, incita Alun Tringad, afin que l'on puisse apprécier à quel point vous vous êtes surpassé...

— Et alors seulement, compléta Drustwn, nous pourrons vous applaudir en connaissance de cause.

— Encore que vous ne sembliez pas avoir besoin de nous pour cela », dit Emyr...

Cynan se redressa : « Écoutez donc plutôt, dit-il. Vous allez être stupéfaits.

— Allez, décidez-vous !, s'écria Llew.

— Nous partîmes donc, Rhoedd et moi, en direction du caer, commença-t-il. D'un pas léger... deux guerriers errants, personne ne pouvait savoir qui nous étions exactement, hein !

— Oui, d'accord..., dit Alun, on le sait, on vous a vu... Dites-nous plutôt ce qui s'est passé lorsque vous êtes entrés à l'intérieur de la citadelle.

— Nous partîmes donc, Rhoedd et moi, en direction de la citadelle, répéta Cynan avec insistance. Et me voilà, réfléchissant à ce que je pourrais bien dire aux gardes pour qu'ils nous laissent entrer dans la citadelle. On marchait, on marchait, et je continuais à réfléchir...

— On le sait déjà, s'énerva Alun. Ils ont ouvert les portes et vous ont laissés rentrer. Et après ?»

Cynan fit comme s'il n'avait rien entendu. « On marchait, on marchait, et je continuais à réfléchir. À un moment, je dis à Rhoedd : "Tu sais, Rhoedd, ces hommes-là ont l'habitude de mentir. J'imagine que Meldron et sa bande leur mentent du matin au soir."

— Une remarque particulièrement astucieuse, lord Cynan, dit Rhoedd en se tournant vers moi. Particulièrement astucieuse...»

Les Corbeaux commencèrent à grommeler, mais Cynan les ignora et poursuivit. « "Et donc, dis-je à Rhoedd, je vais leur raconter la vérité. Je vais leur dire exactement ce qui est arrivé à Meldron, et ils en seront tellement stupéfaits qu'ils nous inviteront à entrer et à nous asseoir avec eux autour d'une table pour pouvoir entendre notre récit." Et c'est ce que j'ai fait.

« Alors on marche jusqu'aux portes, hein, et on est tout près maintenant ; ils nous épient. "Halte !, s'écrie-t-on depuis les remparts. Qui êtes-vous ? Qu'est-ce que vous fabriquez par ici ?" Alors moi je leur dis : "Je suis Cynan ap Cynfarch, et j'arrive juste d'Ynys Sci. J'ai des nouvelles de votre seigneur Meldron."

— Et qu'est-ce que le garde a répondu ?», demanda Garanaw. Les Corbeaux commençaient à être pris par l'histoire.

« Et qu'est-ce que le garde répond ?, gloussa Cynan. Eh bien il dit : "*Notre* seigneur Meldron ?" Alors moi je dis : "Hey, serais-tu en train de me dire qu'il existe un autre seigneur Meldron en ce royaume des mondes !" Est-ce que je l'ai pas dit comme ça, Rhoedd ?

— Parfaitement, Seigneur, exactement comme ça, affirma Rhoedd. Mot pour mot...

— Alors notre homme, il se met à réfléchir un instant, et puis il appelle ses collègues à son secours... pour l'aider à réfléchir, je suppose... Et nous, on attend, fiers comme Artaban, sans bouger ne serait-ce que le petit doigt. Alors les portes s'ouvrent, et quatre soldats viennent vers nous. Il y en a un avec des grandes moustaches...

— Il s'appelle Glessi, compléta Bran.

— Oui, c'est ça..., confirma Cynan. Et ce Glessi prend son air renfrogné, se frappe la poitrine, et : "C'est quoi ces histoires sur Meldron ?", dit-il... "Et d'abord, qui êtes-vous ?" Il n'étouffe pas sous les bonnes manières, notre bonhomme. Alors je lui dis que j'apporte des nouvelles de son seigneur et qu'il n'a pas d'autre choix que de m'accueillir correctement. "Qu'est-ce que voulez ?", dit-il.

— "Ce que je voudrais ?, dis-je. Je voudrais une boisson bien fraîche et un repas chaud, et aussi un endroit près du feu pour dormir, un bon lit… c'est ça que je voudrais." Il se renfrogna encore plus — notre bonhomme, c'est un renfrogné de première —, et il dit : "Bon, si vous venez de la part de Meldron, je crois qu'il vaut mieux vous laisser entrer." Et alors, qu'est-ce qu'on a fait après, Rhoedd ?

— On avance sans peur et sans reproche, répondit Rhoedd d'un air radieux, savourant sa part du récit.

— Et ensuite, que s'est-il passé ?, demanda Llew.

— Eh bien, ils se sont précipités pour aller chercher des coupes, nous avons trinqué et bavardé un moment. "Alors, quoi de neuf à Sci ?", ont-ils demandé ; alors je leur ai répondu : "Il fait beau ; l'air est très agréable." Alors ils ont dit : "Ah, tant mieux… Et Meldron, comment va-t-il ?" Alors je réponds : "Mes amis, que je dis, vous avez de la chance d'être ici où vous êtes, et de ne pas être à l'endroit où se trouve ce soir votre seigneur…

« — Que voulez-vous dire ?, demandent-ils.

« — Je vais vous dire la vérité, annonçai-je. Les nouvelles de Sci ne sont pas bonnes pour Meldron. Il a été attaqué. Six de ses navires ont été coulés, et deux confisqués. Ça va lui prendre du temps pour réparer ne serait-ce qu'un seul d'entre eux pour pouvoir quitter l'île."

— Et qu'ont-ils répondu à cela ?, demanda Niall.

— Ce qu'ils ont répondu ? Ils ont dit : "C'est terrible ! C'est la catastrophe !" Et qu'ai-je répondu ? "Oui, oui, c'est absolument terrible. Nous avons réussi à nous enfuir et nous sommes venus aussi vite que possible." » Cynan se mit à rire, et les Corbeaux à sa suite. « Et ils nous ont remerciés de les avoir prévenus, hein Rhoedd ?

— Oui, c'est vrai, seigneur Cynan. Ils nous ont remerciés.

— Alors nous avons eu droit à notre dîner, et nous avons bu encore — je m'assurais bien que les coupes continuaient à circuler, n'est-ce pas — et je ne les ai pas quittés des yeux pour surveiller leurs gestes et leurs allées et venues. Je leur dis que j'avais un petit besoin pressant, et avec Rhoedd, on s'est éloignés. On a fait un petit tour dans les parages, mais il faisait nuit à cette heure-là, et je ne pouvais pas voir grand-chose. Mais je découvris un entrepôt près des appartements, dont la porte était fermée par une chaîne. Lorsque je suis revenu, j'ai pris Glessi à part et lui ai dit : "Meldron doit avoir un grand trésor pour qu'il ait besoin d'un si vaste entrepôt…"

— Vous avez dit ça ?, demanda Bran.

— Oui, j'ai dit ça, s'exclama Cynan. Et notre Glessi ne se méfie pas quand il a bu ; et c'est quelqu'un qui aime se vanter. "Un trésor !, s'écria-t-il. Ce ne sont pas moins que les Pierres Musicales d'Albion ! Elles sont quelque chose de particulièrement rare, douées d'un grand pouvoir... d'une valeur inestimable. Et la première de leurs vertus, c'est de rendre invincible au combat." C'est ce qu'il m'a dit, et plus encore. Bref, je n'avais plus qu'à attendre qu'ils s'endorment ; ensuite, avec Rhoedd, je quitte le foyer, nous nous dirigeons à pas furtifs jusqu'à l'entrepôt, et nous y pénétrons. Là, on découvre la malle : elle est en bois, et fermée avec des courroies et des chaînes en fer.

— Alors, qu'est-ce que vous avez fait ?, demanda Drustwn.

— Dis-le lui, Rhoedd.

— Lord Cynan m'a demandé d'aller ouvrir les portes. Il a dit : "Rhoedd, je crains que ça fasse beaucoup de bruit. Il faut être prêts à courir." Alors j'ai été jusqu'aux portes et je les ai ouvertes, puis je suis venu vous réveiller.

— Alors je le vois courir aux portes, poursuivit Cynan. Et lorsqu'ils les ont ouvertes, je m'empare de la malle. Oui, elle est très lourde... mais je ne peux pas m'empêcher de penser qu'elle n'est pas aussi lourde qu'elle le devrait. Je la saisis dans mes bras et je sors, puis je la soulève avec effort et la projette contre le réservoir d'eau qui se trouve dans la cour. Ça a fait un de ces bruits !

— Et alors, demanda Llew, qu'avez-vous vu ?

— J'ai vu que la malle ne s'était pas rompue. J'ai dû la projeter encore une fois. Alors je la soulève, elle retombe, ... et crac ! la malle se retrouve en mille éclats. Me voilà donc à quatre pattes en train de fouiller parmi tous les morceaux. Et qu'est-ce que je trouve ?

— Oui, qu'est-ce que vous trouvez ?, dit Alun avec impatience. Allez mon gars, accouchez !»

Mais Cynan n'était pas pressé. «Donc, je me mets à la recherche des Pierres Musicales. Je cherche, je cherche, mais je ne vois rien. Ou plutôt, qu'est-ce que je vois ?

— Cynan, enfin !, s'écria Llew, venez en au fait !

— Eh bien, je vois qu'il y a du sable, déclare Cynan. Rien que de la terre et du sable qui viennent du bord de la rivière... voilà ce que je vois ! Les pierres n'étaient pas dans la malle. Tenez... Voyez vous-mêmes. » J'entendis un mouvement puis le léger crépitement produit par du sable qui tombe sur la pierre.

« C'est cela qu'il y avait dans la malle ?, demanda Llew.

— Rien de plus », confirma Cynan.

Llew me prit la main et l'étendit, paume vers le ciel. Puis il y déposa un peu de cette matière sèche et granuleuse. Je portai ma main contre mon visage et reniflai. Cela sentait la terre et le bois. Enfin je me débarrassai du sable en secouant la main et posai la langue sur l'extrémité d'un de mes doigts : de la vase.

« Voilà donc toute l'histoire, conclut Cynan. J'aurais préféré que cela se termine mieux, mais c'est comme ça...

— Peut-être les pierres sont-elles dissimulées dans un autre endroit, suggéra Bran.

— Non, dis-je. Ce n'est pas au Caer Modornn qu'on les trouvera. Rejoignons les navires et retournons au camp.

— Il n'est plus possible de prendre le chemin que nous avions emprunté pour venir, dit Llew. Il va nous falloir contourner le caer par l'ouest.

— Eh bien qu'à cela ne tienne !, dis-je. Nous pourrons passer en revue le pays pour voir comment se porte Prydain sous le règne de Meldron. »

Nous fîmes donc le tour par l'ouest en nous éloignant de la rivière, et une fois que le caer fut hors de notre vue, nous prîmes la direction du sud et arrivâmes rapidement jusqu'à un village — qui n'était constitué en réalité que d'une poignée de modestes cabanes de terre et de branchages posées à côté du filet nauséabond d'un cours d'eau peu profond. Pourtant, plus de soixante-dix personnes habitaient dans cet amas serré de masures malodorantes — les hommes du clan des Mertanis, dont le roi et tous les notables avaient été assiégés puis tués. Soixante-dix misérables vêtus de loques et affamés. Sous le prétexte de leur prêter assistance, Meldron en avait fait ses esclaves.

Un chien efflanqué aboya lorsque nous entrâmes dans le hameau, alertant les habitants qui sortirent de leurs cabanes dès que nous approchâmes. Stimulée par les jappements du chien, ma vision intérieure revint, et je pus voir l'endroit où nous étions arrivés. Des enfants à moitié dévêtus, nu-pieds et le regard exorbité, se cachaient derrière leurs parents qui courbaient l'échine. Tous portaient les signes de l'épuisement et de la dureté des gens dont l'existence est devenue un fardeau qu'ils ne peuvent plus supporter.

Cynan s'adressa au chef du village, un homme nommé Ognw, qui raconta qu'ils étaient forcés de travailler la terre, mais sans pouvoir tirer un quelconque bénéfice de leurs efforts. « Meldron nous prend tout, se plaignit-il alors que tous les habitants grondaient de façon sinistre derrière lui. Il ne nous laisse que les restes. Rien de plus.

— Mais vous pouvez tout de même chasser dans les bois, fit remarquer Bran. Vous n'avez aucune raison d'avoir faim.

— Oh, pour sûr, nous avons la permission de chasser, répondit amèrement Ogwn, mais nous n'avons ni lances ni poignards.

— Pourquoi donc ?, demanda Cynan.

— Les armes nous sont interdites, murmura le chef. Avez-vous déjà essayé de capturer un cerf en vous aidant de vos seules mains ? Ou un sanglier ?

— Nous ne mangeons pas de viande, dit spontanément l'un des hommes de l'assistance. Uniquement du blé moisi et du lait caillé. »

Un homme qui n'avait plus qu'un seul œil nous raconta comment le roi envoyait des soldats pour confisquer la récolte aussitôt qu'elle était faite. « Ils disent qu'on va nous donner tout le blé dont nous aurons besoin dès que nous le demanderons, fit l'homme sur un ton railleur. Et pour demander, ça nous avons demandé ! Mais nous n'avons reçu que ça… » Et il se mit à cracher sur le sol.

« Deux d'entre nous sont allés trouver le roi pour demander un peu de viande, ajouta Ognw. Trois jours plus tard, leurs corps nous sont revenus, prêts pour être enterrés. Ils nous ont dit que nos trois compatriotes avaient été attaqués par un animal sauvage.

— Mais il n'y a pas d'animaux sauvages, dit l'homme borgne. Seulement Meldron.

— Meldron prend tout pour lui, nous dit une femme. Il s'accapare tout, et ne nous laisse rien. »

Nous partîmes et poursuivîmes notre état des lieux. Plus nous approchions de Caer Modornn, plus les villages étaient rapprochés les uns des autres. À chaque communauté que nous traversions, nous constations le même effroyable dénuement, la même misère, nous entendions le même récit des sévices endurés : les exigences du roi, les désirs du roi, les bassesses du roi alimentaient leurs souffrances. Meldron avait transformé la vaste et prospère Vallée de Modornn en une Vallée de la Désolation. La population gémissait sous le poids de la détresse.

Nous écoutions leurs appels pleins de désespoir, et je compris ainsi avec la plus parfaite clarté comment Meldron avait si bien réussi à négocier avec les rois de Llogres. Ceux qui étaient plus faibles que lui, il les attaquait ; ceux en revanche qui étaient plus puissants, ils les courtisait et arrivait à ses fins grâce à des présents somptueux, à des alliances très favorables et des accords commerciaux. Tout cela, bien sûr, aux dépens de la population.

Même les Llwyddis, le propre clan de Meldron — et le mien aussi ! — n'échappèrent pas aux tortures de leur cruel seigneur. Le sort qui leur fut réservé ne fut pas meilleur que celui du bétail qu'ils menaient paître sur les collines boisées. Grâce à ma vision intérieure, je pouvais voir mes propres frères de sang, et je ne pouvais pas les reconnaître !

« Dites-nous ce que nous avons fait de répréhensible, supplia l'un des hommes qui avait servi fidèlement Meldryn Mawr et enduré les sévices de Nudd et toutes les privations imposées à Findargad. « Dites-nous ce que nous avons fait pour mériter cela. Notre bétail est mieux traité que nous le sommes... et si quelqu'un s'aventure à effleurer ces bêtes, il doit aussitôt en répondre devant Meldron. »

Une femme, les joues terriblement creuses, qui tenait cramponné à sa poitrine un nourrisson chétif et complètement nu, tendit une main vers nous. « Seigneur, par pitié, aidez-nous. Nous sommes tous ici en train de mourir. »

Cynan se retourna vers Llew : « Eh bien, allez-vous enfin donner des ordres, frère, ou c'est moi qui le fais ?

— Je vais le faire, répondit Llew. Et de grand cœur. »

Llew se retourna vers les Corbeaux : « Drustwn, Emyr, Alun !, s'écria-t-il. Amenez le bétail. Qu'il soit abattu pour nourrir ces gens ! Vous, Garanaw et Niall, apportez du bois et préparez un feu ! » Puis il s'adressa à la population : « Aujourd'hui, vous allez festoyer jusqu'à ce que vous n'en puissiez plus ! »

Mais les gens furent horrifiés. « Non !, hurlèrent-ils. Si Meldron découvre cela, il nous tuera !

— Meldron ne découvrira rien du tout, dit Cynan en les rassurant. Il est parti et ne reviendra pas de sitôt. Et lorsqu'il reviendra, vous pourrez lui dire que c'est Llew et Cynan qui ont abattu ces bêtes aux seules fins de le contrarier. »

Le bétail dispersé alentour fut rassemblé ; le feu allumé. Trois vaches furent sacrifiées, et le reste du troupeau fut conduit vers les villages des alentours. Partout, quelques bêtes étaient sacrifiées pour nourrir les gens. Et pourtant, même s'ils s'en réjouissaient, ils craignaient toujours la colère de Meldron, et cela jeta une ombre noire au tableau des réjouissances.

« Nous ne devrions pas traîner ici trop longtemps..., conseilla Bran. Nous avons fait tout ce qu'il fallait pour ces gens.

— J'aimerais pourtant faire plus, dit Llew. Puis il se retourna vers moi. Pensez-vous que nous puissions les prendre avec nous ?

— S'ils acceptent de venir. Mais je ne pense pas qu'ils voudront quitter leurs masures. »

Cynan n'était pas d'accord. « Ils ne voudront pas partir ? Si vous étiez l'esclave de Meldron, resteriez-vous un moment de plus si quelqu'un vous offrait la liberté ?

— Eh bien allez-y, proposez-leur », répondis-je.

Cynan et Llew s'exécutèrent ; ils firent leur offre de liberté à tous ceux qui voulaient l'accepter. Mais aucun des hommes ne voulut se joindre à nous ; tous préféraient rester dans leurs cabanes, aussi démunis fussent-ils — et Dieu sait qu'ils l'étaient ! En dépit de nos arguments, en dépit de notre insistance, nous ne parvînmes pas à les convaincre que nous ne nous retournerions pas contre eux comme l'avait fait Meldron. Nous ne parvînmes pas à leur démontrer que c'était la vie que nous leur offrions, et non la mort vivante qu'ils connaissaient.

Le refus d'abandonner leur état de servitude m'attrista plus que tout au monde. Tout mon être ressentit une douleur plus acérée que la lame d'un ennemi. J'étais prêt à en pleurer. Meldron les avait tellement intimidés et embrouillés qu'ils ne pouvaient plus penser ou sentir comme des êtres humains. Ils n'arrivaient pas à comprendre que nous leur offrions le retour à la liberté et à la dignité. Comment auraient-ils pu comprendre, en effet ? De tels mots avaient fini par perdre toute signification pour eux.

Nous refîmes la même offre au village suivant. Nous fûmes éconduits de la même manière. Sans dire un mot de plus, le chef nous avait amenés jusqu'au sommet d'une colline, derrière le village, où se trouvait un cairn de dimensions réduites. Nous nous demandâmes pour quelle raison il agissait ainsi, mais notre visite là-haut provoqua l'arrivée d'une volée de corbeaux qui poussaient des cris rauques dans le ciel, et nous nous aperçûmes que le cairn n'était pas constitué de pierres entassées, mais d'un nombre incalculable de crânes. Plusieurs d'entre eux conservaient encore des lambeaux de chairs séchés par le soleil et des touffes de cheveux emmêlés. Les oiseaux avaient cependant accompli leur tâche, et les os parfaitement nettoyés reluisaient sous le soleil.

La vue de ce spectacle m'était épargnée, mais je n'avais pas besoin de voir pour ressentir la violence de l'outrage. Llew m'en fit la description avec quelque soin, puis se retourna vers le chef. « Qu'est-il arrivé ici ?, demanda-t-il doucement.

— Meldron a estimé que la récolte n'était pas assez importante, et nous a accusés d'en garder une partie en cachette pour nous, expliqua le chef. Ne parvenant à trouver le blé qu'il disait que nous avions dissimulé, il commença à massacrer le peuple. Et il nous a laissé ça, pour qu'on n'oublie pas.

— Et à présent, dit Cynan, n'allez-vous pas venir avec nous ?

— Et donner une nouvelle excuse à Meldron pour qu'il continue à nous massacrer ?, répondit l'homme. S'il nous rattrapait, cette fois il ne raterait personne…

— Avec nous, vous serez en sécurité », dit Bran.

L'homme ricana amèrement : « Pas un homme ne sera en sécurité tant que Meldron vivra.

— Tout cela m'écœure, déclara Cynan. Partons d'ici. »

Llew acquiesça malgré lui. « Nous ne pouvons rien faire de plus pour eux ; et si nous nous attardons encore ici, nous nous mettrons de plus en plus en danger nous-mêmes. »

Nous quittâmes donc le village des Llwyddis et établîmes notre campement dans la forêt, non loin de Caer Modornn. Dès que le jour se leva, nous contournâmes la forteresse et fîmes route vers l'estuaire où nous attendaient nos navires. Nous rejoignîmes notre armée où nous l'avions laissée et fîmes route ensemble vers la crique. Le soleil avait beau rayonner chaque jour de tout son éclat, il ne parvenait pas à nous réchauffer, ni à alléger nos esprits ; Prydain était devenu triste et lugubre comme un marais. La pensée des atrocités perpétrées par Meldron nous avait profondément aigris, et même sous la lumière éclatante du jour, notre route nous semblait sombre et pénible.

Nous hissâmes les voiles dès que nous fûmes à bord, et quittâmes Prydain à la marée descendante. Nous avions la triste conscience que nous n'avions accompli que bien peu des actions que nous avions prévues. Gwenllian, Govan, Boru et tous les jeunes garçons de l'école de Scatha étaient morts. Les Pierres Musicales n'étaient toujours pas en notre possession. Mais malgré tout, nous avions sauvé Scatha et Goewyn. Et à la vérité, nous avions ainsi porté un coup à Meldron qu'il ne serait pas prêt d'oublier.

Cela aurait pu être tout de même une raison d'être satisfait. Ce n'était pas pour autant la jubilation, mais bel et bien le chagrin qui accompagna notre retour vers Caledon. Nos cœurs étaient chargés du poids mort des souffrances dont nous avions été les témoins dans le royaume de Meldron. Chacun parmi nous pleurait sur les malheurs de cette terre disgraciée, et chacun, sur le mode qui lui était propre, jurait vengeance.

XXV

DINAS DWR

Pendant ce temps-là, à Caledon, isolé dans le grand nord, un royaume, discrètement, se reconstituait. Un gland sort de terre, enfonce profondément sa première racine dans l'humus, sa svelte tige, qui deviendra souche, s'élance au ciel, des branches se forment, de tendres feuilles apparaissent en petites touffes luisantes... et voilà, c'est un chêne, imposant comme une montagne. Telle était Dinas Dwr, un vrai chêne des montagnes ; jeune et encore vert, mais gagnant peu à peu en force. Dans la lointaine et secrète Caledon, à Dinas Dwr, nous étions en train de devenir un véritable peuple.

La tâche était impressionnante : les terres qu'il fallait apprêter pour pouvoir les cultiver ; le bétail qu'il fallait nourrir pour nous constituer des réserves, ou qu'il fallait élever pour former des troupeaux ; des bâtiments qu'il fallait édifier pour loger la population qui ne cessait d'augmenter ; le minerai de cuivre et de fer qu'il fallait extraire des collines pour que les forgerons aient de quoi produire ; les enfants, qu'il fallait éduquer, et les soldats qu'il fallait entraîner. Nous eûmes alors des artisans pour rendre notre vie plus belle, et de nouveaux chefs de tribus pour prendre les commandes de la communauté.

Nous ouvrîmes la terre, y semâmes du seigle et de l'orge ; les silos furent pleins... Nous en construisîmes d'autres, qui se remplirent également. Le bétail engraissait, il avait un pelage bien luisant, nourri à l'herbe riche des prairies ; et le cheptel augmentait. Au milieu des collines, nous exploitâmes la roche, riche en minerai ; nous faisions fusionner le cuivre et le fer, parfois l'or, pour les artisans et les forgerons. La cité sur les eaux s'agrandissait au fur et à mesure que les maçons, sans discontinuer, agrandissaient les crannogs sur le lac. Il y eut de nouveaux chefs de clans, qui tous attachaient grande importance à la justice et à la loyauté ; nous leur donnâmes le pouvoir et fûmes en retour assurés de leur fidélité.

Plus que jamais les luttes orageuses grondaient derrière notre haute muraille de protection. Et s'écoulant des hauteurs de Druim Vran comme un terrible raz-de-marée se déversait un flot interminable d'exilés. Chaque période d'affrontements apportait son lot de réfugiés qui espéraient trouver un asile fiable contre les exactions sanguinaires qui ravageaient le pays. C'est ainsi que nous avions des nouvelles du vaste monde, et ces nouvelles n'étaient pas bonnes.

Je savais que Meldron avait dû arpenter tout le pays à la recherche de la moindre information nous concernant. Et d'ailleurs, il m'arrivait parfois, à l'occasion d'un embrasement subit de mon regard intérieur, d'entrevoir, comme à travers la couverture orageuse de quelques nuages, le visage rageur du Grand Chien lui-même. Je voyais son regard haineux scruter les lointains horizons, la tension de sa mâchoire quand il serrait les dents de dépit, et devinais que quelque part le sang allait couler, que les flammes allaient accomplir leur œuvre de dévastation.

Un jour, nous allions nous retrouver face à lui sur un champ de bataille. Ce jour était-il proche ou encore éloigné dans le temps, je ne pouvais pas le savoir. Tout ce que je savais, c'est que tant que nous restions cachés au sein de notre vallée derrière les hauts remparts de Druim Vran, nous ne serions pas inquiétés. Peut-être étions-nous ici protégés par quelque puissance qui nous préservait du regard fouineur de Meldron... Peut-être la Sûre et Prompte Poigne nous protégeait-elle avec son *Llengel*, la couverture dissimulante des Mathonwys ? Qui sait ? En tout cas, bien que je sois resté continuellement à l'affût de chaque révolution advenant sur le cours du temps et des saisons, je ne pus distinguer clairement aucun signe.

Pendant cette période, j'occupais la fonction de Chef du Chant pour les nombreuses tribus de notre clan. Je chantais souvent, mais uniquement à l'occasion des jours consacrés. Ce n'était pas particulièrement difficile, mais plus les saisons passaient, plus je me sentais mal à l'aise. J'avais en effet le sentiment que, en tant que dernier représentant des bardes, ma position était périlleuse. S'il m'arrivait quelque chose, ou si nous étions attaqués et que je devais périr dans la bataille, la grande et merveilleuse histoire d'Albion serait perdue, le vaste ensemble des connaissances concernant notre royaume des mondes partirait en fumée. J'en vins à me considérer moi-même comme une torche exposée aux courants d'air : il suffisait d'une malencontreuse rafale, du hasard d'un coup de vent, et l'esprit, l'âme même de notre peuple serait soufflé et perdu à jamais.

Je n'aimais pas repenser à tout ce que nous avions déjà perdu du fait du massacre de nos frères savants. J'étais barde... le Chef des Bardes de l'Île du Puissant. Si le déclin que je craignais pouvait être enrayé, j'avais à charge de nous faire recouvrer la prospérité.

C'était alors la saison du gyd, au moment où la chaleur de cette douce saison répand ses bienfaits sur tout le pays, et je décidai de créer une école de bardes. J'avais longuement ruminé cette idée, puis je m'étais décidé à en parler à Llew. Je le rencontrai un matin alors qu'il observait le talentueux Garanaw, lui-même en train d'instruire une poignée de jeunes garçons attentifs au maniement de la lance.

« C'est une vraie perle, ce garçon, dit Llew en parlant de Garanaw. Si vous le voyiez ! Savez-vous, Tegid, comment les enfants le surnomment déjà ?, demanda-t-il. "Garanaw Braichir" — Garanaw au Long Bras. Son habileté à manier la lance me rappelle Boru. »

Scatha avait réouvert son école de jeunes soldats l'année précédente. Avec Bran, elle avait choisi les jeunes garçons les plus dignes et les plus capables afin qu'ils rejoignent l'école, et avec les Corbeaux elle avait commencé à les instruire.

« Nous aurons besoin de soldats », avait dit Llew. Il avait prononcé ces mots d'une manière distraite, mais une image de champ de bataille noyé dans la fumée était apparue devant mon regard intérieur. Dans le noir et dans la fumée, j'avais le sentiment qu'une bataille — que je ne pouvais voir — était en train de faire rage. Que cette image traduise un événement en train de se passer, ou un événement encore à venir, je n'avais aucun moyen de le savoir.

« Oui, nous aurons toujours besoin de soldats, répondis-je en secouant la tête pour me libérer de l'image. Mais nous avons également besoin de bardes. Peut-être plus encore que de soldats.

— Oui, c'est vrai. » Même si je ne pouvais pas le voir, je savais qu'il s'était retourné vers moi pour m'observer ; je sentais son regard. « Eh bien soit, frère barde, exprimez-vous. Qu'avez-vous en tête, Tegid ?

— Scatha et Bran sont en train d'entraîner de jeunes bras à manier l'épée, dis-je. Je dois de mon côté entraîner de jeunes gosiers à chanter nos chants. Nous avons besoin de chefs militaires, c'est vrai. Mais nous avons besoin de chanteurs talentueux également !

— Calmez-vous, frère, interrompit doucement Llew. Vous souhaitez créer une école de bardes, c'est cela ? Il n'y a qu'à le dire...

266

« — Eh bien, je le dis. Et j'ai même l'intention de commencer dès maintenant. J'ai déjà trop attendu.

— Alors c'est parfait. »

Nous fîmes ensuite demi-tour et commençâmes à marcher en direction du lac. De nouvelles cabanes avaient surgi le long du rivage ; plusieurs artisans — dont un tailleur de pierre, un orfèvre sur bronze et un menuisier — avaient installé leur atelier au milieu des premiers locaux d'habitations que nous avions construit au bord du lac.

« Dinas Dwr, dit Llew en savourant les mots. Cela prend forme, Tegid... Des soldats, des bardes, des artisans, des fermiers. » Il parlait alors que nous passions au milieu des habitations. « Cela prend forme. Dinas Dwr a tout pour faire un royaume digne de ce nom.

— La seule chose qui lui manque, c'est un roi », fis-je remarquer. Mais Llew ne répondit pas.

Nous marchâmes encore un peu ; j'entendis un bruit de rames alors qu'une barque provenant du crannog s'approchait du rivage. Je sentis l'attention de Llew se détourner au moment où l'esquif toucha le bord. J'entendis le frottement de la coque de bois sur les galets, et devant mon regard intérieur apparut l'image de l'être qui se trouvait à bord de la barque : c'était une femme, vêtue d'un large manteau de couleur jaune pâle. Les rayons du soleil faisaient briller sa chevelure et lui imprimaient leurs propres nuances. Elle portait autour du cou un collier composé de petits disques en or, chaque disque contenant une fine pierre bleue.

« Salut à toi, Goewyn », dis-je avant que Llew ou elle-même eussent parlé. Je la vis arborer un large sourire alors que ses yeux passaient rapidement de Llew à moi.

« Bonjour, Goewyn », dit Llew. Je m'étonnai du ton morne avec lequel il avait accueilli la jeune femme.

« Je ne crois pas le moins du monde que vous êtes aveugle, Tegid Tathal, me dit-elle gaiement en venant se placer devant moi. Je crois plutôt que vous feignez d'être aveugle.

— Comment cela ?, demandai-je. Pourquoi userais-je d'une ruse aussi absurde ?

— Mais ce n'est pas le moins du monde absurde, insista-t-elle. Si un homme que l'on suppose aveugle est en réalité capable de voir, il voit alors bien davantage que quiconque... parce qu'il peut observer réellement la manière dont les autres le regardent. Puisqu'ils le croient aveugle, les hommes ne prennent pas la peine de déguiser leurs actions. Lui les voit tels qu'ils sont et les prend pour ce qu'ils sont. Et au bout du compte, l'aveugle est la personne la plus sage de toutes…

— C'est astucieux, assurément, admis-je. Mais hélas, ce n'est pas mon cas. Vous pouvez en être sûre.

— Mais c'est que je n'en suis pas sûre…, répondit plaisamment Goewyn. Bonjour, Llew. Je pensais vous trouver sur le champ d'entraînement avec Garanaw.

— Nous l'avons observé, dit Llew. Mais Garanaw n'a besoin de l'aide de personne, encore moins d'un soldat qui n'a plus qu'une main. »

Il avait pris un ton cassant et dédaigneux. Goewyn prit congé de nous puis s'éloigna. Je me tournai aussitôt vers Llew. « Pourquoi avez-vous essayé de l'éconduire ?

— Quoi ? L'éconduire ? Je n'ai pas essayé de l'éconduire.

— Elle vous aime. »

Llew se mit à rire, mais le son de sa voix n'avait rien d'agréable. « Vous avez trop pris le soleil. Goewyn, je l'aime bien… elle est un plaisir pour les yeux, elle est d'une compagnie charmante…

— Alors pourquoi la découragez-vous ainsi ?

— Eh, le barde… de quoi vous mêlez-vous donc ! » Il avait dit cela avec une certaine amabilité, mais une brusque nuance de dureté dans sa voix l'avait trahi.

« Croyez-vous qu'elle soit gênée par le fait qu'un de vos bras soit un brin plus long que l'autre. Elle vous aime vous, et pas votre main droite.

— Vous dites n'importe quoi.

— À moins que ce soit le fait qu'elle ait été maltraitée par les loups de Meldron…

— Qui vous a dit cela ?, fit-il brusquement.

— Elle-même… l'hiver dernier. Elle se remettait lentement des mauvais traitements que lui avait fait subir Meldron. Vous l'avez sauvée ; vous avez été témoin de son état… du moins elle supposait que vous saviez. Elle est donc venue me trouver pour me demander si c'était pour cette raison que vous la repoussiez…

— Arrêtez, Tegid, vous vous enfoncez…

— Vraiment ?

— Oui, vraiment. »

Je sentais la rage qui le brûlait intérieurement lorsqu'il s'éloigna, plein d'irritation. Son refus d'admettre avait été net autant que vigoureux… ce qui prouvait que ce que j'avais dit était vrai. Et la vérité avait profondément remué quelque chose de douloureux à l'intérieur de lui-même.

Je continuai à cheminer lentement autour du lac. Sur les versants boisés de la crête, je savais que j'allais trouver deux ou trois bouleaux isolés au milieu des pins, qui pourraient former le premier des multiples lieux d'enseignement à venir. Alors que je marchais, frappant doucement du bout de mon bâton sur le sol irrégulier qui s'étalait devant moi, j'intimai les différentes classes des Frères Savants de comparaître à mon esprit, et je commençai par la classe la plus basse : les Mabinogi.

Ceux que j'allais choisir deviendraient *cawganog* et *cupanog*, et je commencerais à leur inculquer la Grande Faculté de Mémorisation, en quoi consiste l'art authentique des bardes. Peut-être allais-je découvrir un élève chez qui l'awen luirait déjà comme une braise — ce serait merveilleux. Tous ceux qui seraient capables de maîtriser les lois de la pensée deviendraient filidh, puis brehon, gwyddonis, et enfin, derwyddis. Parmi les derwyddis seraient ensuite choisis les penderwydds, les Chefs des Bardes — un pour chacun des trois anciens royaumes d'Albion. Et un jour, parmi les trois Chefs Bardes de Prydain, Llogres et Caledon, émergerait un phantarque — le Chef parmi les Chefs, qui dans sa pièce secrète, doit chanter le Chant d'Albion qui soutient le royaume des mondes.

Cette pensée me rendit songeur : allait-il y avoir à nouveau un phantarque ? Le Chant d'Albion allait-il à nouveau pouvoir être chanté à Domhain Dorcha ? Le Chant qui attise le feu de la vie allait-il pouvoir à nouveau briller comme une lumière au milieu des Ténèbres ?

Je fis une pause au bord du lac. Le soleil me réchauffait le visage et la nuque ; la brise, effleurant la surface de l'eau, venait souffler dans mes cheveux ; le gazouillis des oiseaux frappait comme un cristal à mes oreilles. En cet endroit protégé, nous étions en sécurité. Et pourtant, cette sécurité n'allait plus durer bien longtemps, si la prophétie de la banfàith se révélait exacte. Et jusque-là, elle ne s'était jamais trompée...

Eh bien soit !

Il commençait à fraîchir au milieu des sveltes bouleaux blancs. Je restai sans faire un mouvement, les jeunes branches s'agitaient légèrement au-dessus de ma tête. Les nouvelles feuilles frémissaient comme des plumes, et dans mon regard intérieur, je voyais la lumière tachetée évoluer au milieu des troncs effilés et s'agiter au-dessus de l'herbe épaisse et verte des taillis. C'est ici, pensai-je, que nous allons commencer. Ici, dans ce bosquet, je vais donc rétablir l'art des bardes d'Albion.

Une lourde tâche m'attendait, un simple sentier, pour une lointaine destination. Je commencerai dès demain en me mettant à la recherche des jeunes êtres qui s'embarqueraient avec moi pour faire ce voyage... au milieu des oghams, des arbres, des oiseaux, des animaux ; au milieu de la tradition du bois et de l'eau, de la terre et de l'air, des étoiles ; au milieu de toutes sortes de légendes : celles d'Anruth, de Nuath, d'Eman, des Dindsenchas, des Cetals, des Grands Discours ; au milieu du Bretha Nemed, des Lois du Privilège et du Pouvoir ; au milieu des Quatre Arts de la Poésie, des Lois Bardiennes, du Taran Tafod, de la Langue Secrète ; à travers tous les rites sacrés de notre peuple. Peut-être trouverais-je un jeune dans lequel les *Imbas Forosnai*, les Lumières de la Prédiction, brûlent avec éclat — peut-être un nouvel Ollathir...

J'étais dans le bosquet, et, prenant mon temps, accomplis un rite purificateur : je cueillis trois branches fines de trois bouleaux et les tressai ensemble bout à bout à l'intérieur d'un cercle de feuilles. Puis je pris ce cercle et le fis rouler en formant un cercle solaire tout autour du bosquet — trois fois ; puis je plaçai le cercle au centre du bosquet. Je sortis ma bourse, qui contenait le Nawglan, et versai une partie du Neuf Sacré au centre du cercle de bouleaux ; je versai le Nawglan dans la forme aux trois bandes du *Gogyrven*, les Trois Bandes de la Vérité. Tout en faisant cela, je prononçai les mots purificateurs.

> Dans le sentier abrupt de notre appel commun,
>   Qu'il soit aisé ou pénible à notre chair,
>   Qu'il soit clair ou obscur à diriger nos pas,
>   Qu'il soit lisse ou rocailleux sous nos pieds,
> Accorde-nous, ô Sage et Bienveillant, tes précieux conseils,
>   De crainte que nous chutions, et nous fassions fausse route.

> À l'abri de ce bosquet,
>   Sois pour nous notre guide et notre destin ;
> Par l'autorité des Douze :
>   Le Vent des bourrasques et des rafales,
>   Le Tonnerre des flots tempétueux,
>   Le Rayon éclatant de la lumière solaire,
>   L'Ours des sept combats,
>   L'Aigle du haut rocher,
>   Le Sanglier de la forêt,
>   Le Saumon de l'étang,
>   Le Lac du vallon,

La Floraison de la colline aux bruyères,
Le Savoir-Faire de l'artisan,
Le Mot du poète,
Le Feu de la pensée dans le sage.

Qui soutient le gorsedd, si ce n'est Toi ?
Qui compte les âges du monde, si ce n'est Toi ?
Qui commande la Roue du Ciel, si ce n'est Toi ?
Qui précipite la vie dans la matrice, si ce n'est Toi ?
Ainsi, Dieu de Toute Vertu et de Toute Puissance,
Purifie-nous et protège-nous de ta Forte et Prompte Poigne,
Conduis-nous en paix jusqu'au terme de notre voyage.

Après avoir prononcé ces mots, je me levai, quittai le bosquet, et rejoignis le lac. Alors que je sortais de la forêt et que j'avançais en longeant le sentier près du rivage, j'entendis un léger remous derrière moi. Pensant qu'il s'agissait d'un poisson ou d'un crapaud, je ne fis pas attention et continuai à marcher, en cherchant à me repérer avec mon bâton. Mais au moment d'arriver à hauteur de la première cabane construite au bord du lac, j'entendis une nouvelle fois le même bruit… une sorte de plouf ! juste au bord de l'eau.

Je m'arrêtai. Je me retournai doucement, puis appelai : « Venez ici ! »

On ne fit aucune réponse à mon appel, mais le bruit d'une respiration atteignit mes oreilles. « Venez ici, dis-je une nouvelle fois. Je souhaiterais vous parler. »

J'entendis le bruit légèrement mouillé d'un pied nu marchant sur la pierre. « J'attends, dis-je.

— Comment avez-vous su que j'étais là ? », entendis-je. La voix était claire et sûre d'elle-même, ferme, mais teintée aussi d'une nuance de respect ; celui qui parlait était un jeune garçon.

« Je te le dirai, repris-je, si tu me dis d'abord pourquoi tu me suivais. Marché conclu ?

— Marché conclu !, répliqua la jeune silhouette.

— Très bien. »

Le jeune garçon respira profondément, fit une pause, puis dit : « Je vous suivais afin de voir si vous alliez chanter. » Avant que j'aie pu répondre quoi que ce soit, il ajouta : « Maintenant, à vous !

— J'ai deviné que tu étais derrière moi parce que je t'ai entendu », répondis-je. Puis je me retournai rapidement et recommençai à tapoter du bout de mon bâton le sentier couvert de petits galets.

L'enfant n'accepta pas ma réponse. Il trottina jusqu'à me rejoindre, et protesta : « Mais je ne faisais pas de bruit !

— C'est vrai, admis-je, tu ne faisais pas de bruit. Mais j'ai de très grandes oreilles.

— Elles ne sont pas si grandes que cela !

— Suffisamment pour entendre l'enfant bruyant que tu es…

— Je ne suis pas bruyant !», protesta à nouveau mon jeune compagnon. Puis, sans même prendre le temps de respirer, il me demanda : « Est-ce que ça vous fait mal aux yeux, le fait d'être aveugle ?

— Oui… tout au début. Mais plus maintenant, dis-je. Mais je ne suis pas aussi aveugle que tu l'imagines.

— Alors pourquoi tapotez-vous toujours sur le chemin avec votre bâton ?» En dépit de son impertinence, il ne voulait pas me manquer de respect.

« Pourquoi me poses-tu tant de questions ?

— Comment parviendrai-je à connaître quoi que ce soit si je ne pose pas de questions ?, s'exclama-t-il.

— Pourquoi voulais-tu m'entendre chanter ?

— Je ne suis pas le seul à poser beaucoup de questions !», ronchonna le jeune garçon.

Je me mis à rire, et il parut content de voir qu'il avait réussi à me faire rire. Il se mit à gambader un peu, puis s'arrêta ; j'entendis le bruit sourd de quelques galets lancés dans l'eau. « Comment t'appelles-tu, mon garçon ?

— Gwion Bach, répondit-il gaiement. Comme dans la chanson…

— À quel clan appartiens-tu ?

— Au clan des Oirixenis de Llogres. Mais nous ne sommes pas aussi nombreux qu'auparavant », dit Gwion. Je sentais une certaine fierté dans sa voix, dépourvue de toute tristesse. Il était probablement trop jeune pour comprendre ce qui était arrivé à son clan, et ce que cela voulait dire.

« Eh bien salut à toi, Gwion Bach. Moi, je m'appelle Tegid Tathal.

— Je sais… Vous êtes même le Chef des Bardes, dit-il. Tout le monde le sait…

— Pourquoi voulais-tu m'entendre chanter ?

— Je n'ai jamais entendu de barde, jusqu'à ce que je vienne ici, expliqua-t-il.

— Et est-ce que tu as aimé ce que tu as entendu ?

— J'aime la harpe.

— Et les chants ?

— Ma mère chante mieux…

— Alors il vaut peut-être mieux que tu retournes voir ta mère.

— Elle n'est plus avec nous, murmura-t-il. Elle a été tuée lorsque les assaillants ont mis le feu à la citadelle. »

J'arrêtai brusquement de marcher. « Je suis désolé, Gwion Bach. Je n'aurais pas dû te parler comme je viens de le faire.

— Je comprends », répondit-il. En l'entendant prononcer cette simple phrase, je sentis ma vision intérieure se déployer pour montrer un petit garçon avec des cheveux noirs et bouclés, frêle, mais vif comme une pensée, avec deux grands yeux noirs et un visage où se lisaient toutes les pensées fugitives. Huit ou neuf printemps, pas plus. Mais faisant preuve d'une intelligence et d'une assurance qui correspondait à celle d'un garçon deux fois plus âgé.

« Dis-moi, Gwion Bach, dis-je. Aimerais-tu apprendre ces chants ? »

Il ne répondit pas aussitôt, mais prit le temps de réfléchir : « Est-ce que j'aurais une harpe pour moi tout seul ?

— Si tu réussis à apprendre à en jouer… oui, bien sûr. Mais cela est très difficile et tu devras t'entraîner beaucoup.

— D'accord, je m'entraînerai, répondit-il comme s'il me faisait une offrande exorbitante.

— Qui est ton père ? Il faut que je lui demande s'il m'autorise à t'éduquer pour que tu deviennes barde.

— Mon père s'appelait Conn, mais il a été tué aussi. » Son visage se ferma au souvenir de son chagrin ravivé.

« Qui donc s'occupe de toi, maintenant ?

— Cleist, répondit-il simplement, et sans plus d'explication. Est-ce que vous me voyez à présent ? »

Sa question me déconcerta. « Oui, dis-je. En un certain sens. Parfois, il m'arrive de voir… pas avec mes yeux, mais à l'intérieur de ma tête. »

Il tourna la tête en levant le menton, en signe de perplexité. « Alors, si vous me voyez, qu'est-ce que je tiens dans ma main ?

— Tu es en train de tenir une branche en argent, dis-je. Une branche de bouleau. Tu m'as vu les couper dans le bosquet, et tu t'en es coupé une pour toi. »

Voyant cela, il serra très fort les yeux et se posa le pouce au milieu du front. Quelques instants plus tard il rouvrit les yeux et annonça : « Moi, je ne peux pas vous voir… Est-ce que vous m'apprendrez comment on peut y arriver ? »

Sa petite figure était si sérieuse, si confiante que je ne pus m'empêcher de rire une seconde fois. « Je t'apprendrai des choses bien plus extraordinaires, Gwion ap Conn.

— Si Cleist est d'accord ?

— Bien sûr, si Cleist est d'accord. »

Nous marchâmes ensemble au milieu des cabanes, et Gwion me conduisit à la maison où il habitait avec plusieurs parents oirixenis. Il fallait que je demande à parler à Cleist ; et nous allions discuter comme il se devait. En fait, je savais déjà que j'avais trouvé mon premier mabinog. Ou plutôt, c'est lui qui m'avait trouvé.

XXVI

EAUX MORTES

Dans la chaleur de midi, des guêpes bourdonnaient, paresseuses dans l'ombre des bosquets. Gwion et ses deux compagnons — Iollo de Taolentani, plein de malice, et le timide et souriant Daned de Saranae — s'assirent sur leur rondin de bouleau, arrachant l'écorce fine comme du papier et s'efforçant de se souvenir de l'ogham des arbres. Les paupières baissées, je somnolais tout en écoutant la leçon psalmodiée de mes trois mabinogis.

« *Beith* pour le bouleau !, entonnaient-ils, *Luis* pour le sorbier !, *Nuinn* pour le frêne !, *Fearn* pour l'aulne !, *Saille* pour le saule !, *Huath*... euh... pour le chêne...

— Non, attendez... Arrêtez-vous, dis-je en relevant la tête. Huath pour le chêne ? C'est ça ? »

Il y eut un silence, puis Daned fit une nouvelle tentative : « Huath, c'est pour le gui ?

— Non, mais tu brûles... Réfléchissez. Qu'est-ce que ça peut être ?

— L'aubépine ?, proposa Iollo sans être sûr.

— Bravo. Continuez...

— Huath pour l'aubépine !, *Duir* pour le chêne !, recommencèrent-ils.

— Depuis le début, ordonnai-je. Allez, recommencez !

— Encore ?, protesta Gwion. Il fait trop chaud pour réfléchir. Et puis d'abord, j'en ai assez des arbres. Je veux qu'on parle d'autre chose. »

Une autre fois, j'aurais insisté pour qu'ils terminent leur récitation ; mais Gwion avait raison : il faisait trop chaud pour réfléchir, trop chaud pour bouger. Depuis l'*Alban Heruin*, la Lumière la Plus Haute, les jours étaient devenus d'une chaleur étouffante. Le soleil semblait s'écouler d'un ciel blanc comme du métal en fusion d'une chaudière, faisant périr la moindre parcelle de verdure. L'air était lourd, sec et immobile : pas un souffle de vent ne venait rider la surface du lac, pas une feuille ne frémissait aux branches.

« Parfait..., avais-je fini par dire. De quoi est-ce que vous voulez parler ?

— Des poissons !, répliqua Gwion.

— D'accord, récite-moi l'ogham des poissons, dis-je.

— Penderwydd, s'il vous plaît, dit Iollo, on est vraiment obligés ? »

Je me taisais pour réfléchir, et Gwion profita de l'occasion : « Je veux que vous nous parliez des saumons », se hâta-t-il de dire.

Pressentant un piège, je dis : « Ah, vraiment ?

— Vraiment, répondit-il avec le plus grand sérieux. Pourquoi n'y a-t-il pas de saumons dans notre lac ?

— Mais tu connais déjà la réponse à cette question, dis-je. Ou du moins tu devrais la savoir.

— Parce que ce sont des poissons d'eau de mer, proposa Daned.

— Voilà !

— Mais nous avions des saumons dans notre rivière, à Llogres, insista Gwion. Et nous étions loin de la mer.

— Iollo, dis-je, quelle est la différence la plus importante entre une rivière et la mer ?

— Les rivières et tous les cours d'eau, c'est de l'eau douce, et la mer, elle, a de l'eau salée. » Il se mit à réfléchir un instant : « Mais alors comment se fait-il qu'on puisse trouver des saumons dans la rivière ?

— C'est une bonne question. »

Gwion sentit que la discussion commençait à dévier. Il essaya de la ramener vers sa première préoccupation : « Mais pourquoi n'y a-t-il pas de saumons dans notre lac ?

— Parce que le lac n'est relié à aucun cours d'eau, expliqua Iollo, et donc les saumons ne peuvent pas venir.

— Mais il y a bien une rivière, insista Gwion. Elle se trouve sur l'autre versant de Druim Vram. Une rivière souterraine, qui passe en dessous de la colline et se jette dans le lac.

— N'ai-je pas raison, Penderwydd ?, s'enquit Daned.

— Parfaitement, dis-je.

— Je vais lui montrer, proposa Gwion en bondissant sur ses jambes — un peu trop précipitamment à mon goût. Puis-je, Penderwydd ? »

276

J'hésitai. Gwion retint son souffle. Assis sur mon tertre recouvert de tourbe, mon bâton de marche en travers des genoux, je me souvins d'une journée semblable, tout aussi chaude et indolente au milieu d'un bosquet verdoyant et ombragé — j'étais assis sur un rondin identique, abattu par la stupeur, m'efforçant de ramener à la mémoire quelques fragments insaisissables de la réalité, ne parvenant à trouver ni le sommeil ni l'assentiment d'Ollathir.

« Eh bien soit !, finis-je par dire. Essayons de trouver la solution à cette énigme. Allons au lac ! Gwion, c'est toi qui vas nous guider ! »

Le jeune garçon bondit aussitôt. « Vous entendre, c'est obéir, Grand Sage !

— Alors allons-y ! » Les trois enfants se précipitèrent hors du bosquet et se mirent à courir sur le sentier jusqu'au lac. Les feuilles des bouleaux frémissaient encore sous leurs cris de petits fauves qu'on vient de relâcher, lorsque j'entendis que l'un d'entre eux revenait vers moi au pas de course. Je sentis aussitôt deux petits bras m'entourer la taille et une tête toute en sueur se presser contre mon ventre. Gwion ne prononça pas un mot, mais son étreinte était suffisamment éloquente. Je passai mes doigts dans ses cheveux humides de sueur, et il repartit à nouveau en flèche.

Saisissant mon bâton de marche, je me mis à descendre le long du chemin battu par de nombreux voyageurs qui séparait le bosquet du lac. Je fis une pause au milieu de la piste pour profiter de la lumière intense ; je la sentais comme une flamme sur mon visage et sur mes bras. La chaleur me vidait de ma force autant que de ma volonté ; et cela me paraissait extrêmement étrange.

Alors que je restais en contemplation sans bouger, j'entendis un cri qui venait du lac, puis, en réponse, le plongeon d'un des trois garçons dans l'eau. Ma vision intérieure, stimulée par le bruit, s'embrasa, et je découvris alors l'image d'un autre jeune visage… féminin, celui-là, décharné à cause de la faim, pâle à cause de l'épuisement sous la crasse et la sueur, mais présentant un front droit, des yeux clairs illuminés d'une intense détermination. Je connaissais ce visage. Je l'avais déjà vu…

« Penderwydd !, cria Gwion. Venez nager avec nous ! »

Je m'avançai jusqu'au bord du lac et m'assis dans les rochers. Je retirai mon siarc et mes buskins, puis restai sans bouger. Le contact de la fraîcheur de l'eau sur mes pieds brûlants me fit un bien extrême. Gwion me vit planté avec de l'eau jusqu'aux chevilles et m'encouragea bruyamment à venir les rejoindre.

Et pourquoi pas ? Je me débarrassai de mes breecs et m'avançai dans l'eau. Un véritable délice. Je me glissai dans l'eau jusqu'au cou, sentant sur le fond les nombreux galets ronds comme des petites masses froides sous les pieds. « Par ici ! là, notre Maître ! », s'esclaffaient mes petits mabinogis.

Alors je plongeai sous l'eau, puis me mis à nager en me dirigeant au son de leurs voix.

Nous nous amusions comme des fous, nos voix résonnaient dans l'air immobile et calme. De temps à autre, nos cris étaient relayés par d'autres — exubérants, déchaînés, heureux : c'étaient les vociférations des petits guerriers qui nous rejoignaient en courant dans l'eau froide. Garanaw, en suivant notre exemple, avait autorisé sa bruyante progéniture à venir faire un plongeon dans le lac.

Nous nous déplaçâmes donc un peu plus loin du rivage pour laisser de la place aux petits guerriers en herbe. « C'est plus froid ici ! », s'écria Iollo.

— Regarde ça ! », lança soudain Gwion.

J'entendis qu'il plongeait. Il fit surface un instant plus tard, en crachant devant lui de l'eau qui forma un grand arc. « Au fond, c'est encore plus froid ! », annonça-t-il.

— Je peux rester sous l'eau encore plus longtemps que toi ! », déclara Daned ; et le défi fut relevé par les deux autres. Tous trois commencèrent donc à plonger jusqu'au fond du lac, où ils s'accrochaient aux rochers pour s'empêcher de remonter trop vite à la surface. Les choses se passèrent ainsi pendant quelque temps, et je me contentai de mon côté de faire la planche, paresseusement, lorsque les cris de Gwion me ramenèrent soudain à leur jeu.

« Penderwydd ! J'ai trouvé quelque chose ! Penderwydd ! »

Je me mis à nager au son de la voix. « Qu'est-ce que c'est, Gwion ?

— Tenez », dit-il. L'eau n'était pas trop profonde pour moi, et je pus donc me remettre debout afin de prendre l'objet — un objet de métal — dans mes mains. « Je croyais que c'était une pierre », dit l'enfant.

Je retournai l'objet dans mes mains, effleurant du bout des doigts le bord et les côtés. Iollo et Daned se rapprochèrent de nous en nageant. « Une coupe ! », s'écria Iollo. Où est-ce que tu as trouvé ça ?

— Au fond, répondit Gwion.

— Lord Llew a trouvé un chaudron dans ce lac, lorsque nous sommes arrivés ici..., dis-je en m'adressant aux enfants.

— Comment est-ce que c'est arrivé là ?, demanda Daned avec curiosité.

— Jadis, cette région était habitée », répondis-je. Je sentais sous mes doigts la surface ouvragée de la coupe, glissante sur un côté, là où une mousse verte s'était déposée comme un pelage de loutre.

« Je vais en trouver une moi aussi ! », proclama Iollo.

Les plongeons commencèrent pour de bon. Et j'avais peur qu'ils finissent par se noyer en essayant de se défier à tour de rôle afin de trouver un nouveau trésor. Je pensais qu'il était peu probable que quelque chose de grande valeur puisse être trouvé, et effectivement, rien ne fut trouvé, jusqu'à ce que…

« Penderwydd !, hurla Iollo. Venez ! J'ai trouvé quelque chose… c'est en argent ! »

Il barbotta jusqu'à ma hauteur et se raccrocha à mes mains. « Qu'est-ce que c'est ?, demanda-t-il, impatient.

— Toi au moins, tu le vois. Tu ne sais donc pas ? »

Il posa l'objet dans ma main. Mes doigts passèrent et repassèrent sur l'étrange forme ; plat, de petite taille, dans un métal lisse, même s'il semblait y avoir des éraflures ou un motif gravé à la surface.

« On dirait un poisson, avança Gwion. Mais c'est tout plat, et il n'a pas de queue ni de nageoires.

— Il y a quelque chose écrit, ajouta Daned. Ici… » Je sentis aussitôt une petite main saisir mon doigt et le presser contre l'objet.

« Vous ne savez vraiment pas ce que c'est ?, demandai-je. Vous n'avez jamais rien vu de semblable ?

— On dirait une feuille d'arbre, dit Gwion.

— Mais c'est une feuille, justement, répliquai-je.

— Toute en argent ?, dit Iollo. Alors c'est très précieux !

— Oui, plus que tu ne penses, dis-je. Il s'agit d'une offrande faite à la divinité de ces lieux : une feuille de bouleau tout en argent fabriquée en l'honneur du seigneur de ce bosquet. »

La découverte de cette feuille d'argent leur redonna une nouvelle énergie, et la nouvelle ne tarda pas à se répandre parmi tous les petits guerriers qui se joignirent aussitôt à la pêche miraculeuse. Je les laissai à leur enthousiasme et regagnai le rivage. Je sortis de l'eau et m'étendis sur les rochers pour laisser le soleil me sécher.

« Tegid ! Vous voilà, enfin !

— Oui, Drustwn, me voilà…, dis-je en m'asseyant doucement.

— Llew m'a envoyé vous chercher », dit le Corbeau à la peau brune.

Je perçus un mouvement d'anxiété dans le ton de sa voix et demandai : « Que s'est-il passé ?

— Un messager est arrivé de Dun Cruach. Llew m'a demandé de vous trouver. Bran et Calbha sont avec lui.

— Nous irons plus vite si vous voulez bien me guider », dis-je tout en me rhabillant. Je saisis mon bâton de marche, et Drustwn me servit de guide tout le long de la rive ; il me tendit la main pour me faire monter dans une barque et, faisant un geste preste de ses larges épaules, il poussa, et l'embarcation commença à s'éloigner du rivage. D'un même mouvement, il sauta dans la barque et, saisissant la rame, commença à nous propulser au milieu des flots en direction du crannog.

Notre cité flottante s'était agrandie au fur et à mesure de notre nombre qui augmentait. Le crannog ressemblait à présent à une île, avec des arbustes et même des arbres qui poussaient au milieu d'un habitat serré ; des fourrés remplis de baies s'alignaient sur le remblai de terre à l'extérieur du mur de rondins circulaire. Un petit groupe de jeunes filles était en train de pêcher sur le bord du ponton ; j'entendis le bruit de l'eau lorsque leurs pieds en effleuraient la surface. Leurs aimables bavardages sonnaient aux oreilles comme un chant d'oiseaux.

Drustwn se laissa glisser de la barque lorsqu'elle toucha le quai. Je sentis sa main sur mon bras alors que je me levai — il ne me lâcha pas jusqu'à ce que mes pieds reposent fermement sur le plancher rudimentaire. Nous passâmes rapidement sous les portes afin de rejoindre la première cour, reliée aux nombreuses autres cours, que nous traversâmes également les unes après les autres jusqu'au bâtiment principal édifié sur des pierres mélangées à de la terre. Je sentis l'odeur de renfermé lorsque nous passâmes à hauteur des portes entrouvertes, et entendis un léger chuchotement de voix tout au fond du bâtiment, là où Llew et les autres s'étaient rassemblés.

Le messager, en tout cas, sentait l'odeur de cheval et la sueur. Il buvait à pleines gorgées la bière contenue dans sa coupe, qu'il descendait comme seul un homme mort de soif peut le faire. Llew m'effleura l'épaule avec l'extrémité de son bras mutilé au moment où j'arrivai près de lui — c'était un geste qui lui était devenu habituel. Lorsqu'il tenait conseil avec d'autres personnes, il voulait que je sois là, à ses côtés. Et il me caressait un peu l'épaule — comme pour offrir sa place à l'aveugle que j'étais. Mais c'était plus pour se donner confiance à lui-même, probablement.

« Ah ! Voilà Tegid !, dit-il. Je suis désolé de vous avoir dérangé dans votre enseignement, mais je pensais que vous aimeriez entendre ce qui va se dire ici.

— Salut à vous, Tegid, dit le messager.

— Salut à vous, Rhoedd, répondis-je en reconnaissant aussitôt sa voix. Vous avez fait vite. Votre message doit donc comporter quelque urgence.

« — Finissez votre coupe, dit Llew en s'adressant au messager. Vous pourrez ensuite nous parler. »

Rhoedd avala la dernière gorgée de la coupe de bienvenue et prit une profonde respiration. « Ah, merci, Seigneur. Je n'ai jamais goûté meilleur breuvage, et n'ai jamais eu aussi soif... »

À l'instant même où j'entendis ces mots, je vis dans mon regard intérieur un étang bordé d'ajoncs, d'un calme surnaturel. Il s'étendait dans l'obscurité derrière un soleil brumeux ; pas un souffle de vent n'effleurait la surface, pas un oiseau qui s'ébattait au milieu des feuilles asséchées. Des eaux mortes, sans mouvement, immobiles. Observant le tableau qui m'était offert, je découvris le squelette pourrissant d'un mouton en train de sombrer dans la fange sur le bord de cette mare stagnante.

« Remplissez à nouveau sa coupe, ordonnai-je. Il n'a rien bu pendant trois jours.

— Est-ce vrai ?, demanda Llew.

— Oui, Seigneur, c'est vrai », dit Rhoedd ; puis j'entendis couler bruyamment la bière dans sa coupe offerte. « Je n'avais de provisions d'eau que pour deux jours. »

Rhoedd but à nouveau en remerciant des yeux. Nous attendions alors qu'il engloutissait bruyamment le doux breuvage doré. « Je vous remercie encore, dit Rhoedd lorsqu'il eut assez bu. Je viens de la part de Cynan, qui vous envoie ses salutations.

— Ses salutations ?, s'interrogea Bran.

— Dites, vous êtes venu ici au grand galop pour nous apporter les salutations de Cynan Machae ?, demanda Calbha sans ménagements.

— Des salutations, reprit Rhoedd sèchement, ... et un avertissement. L'avertissement, c'est celui-ci : surveillez l'eau. »

Ces paroles eurent un effet de surprise, et un moment passa avant que les autres puissent parler. Mais moi, j'avais eu la vision de cette mare stagnante. « Le poison..., dis-je.

— Exactement..., dit Rhoedd. L'eau a été empoisonnée. Elle a été infectée, et celui qui boit de cette eau devient aussitôt malade. Certains en sont même déjà morts.

— De l'eau empoisonnée, dit Calbha d'une voix grave et compatissante. C'est d'une grande cruauté !

— Où encore ?, demanda Llew.

— Dans tous les villages de Galanae, c'est la même chose, dit Rhoedd. On ne sait pas jusqu'où l'infection s'est répandue... C'est la raison pour laquelle je ne me suis pas arrêté en chemin pour boire.

« — Mais notre eau est buvable, dit Drustwn. Vous ne vous en êtes pas aperçu ?

— Je vais plutôt vous dire ce que j'ai vu, répondit Rhoedd. J'ai vu des nourrissons gémir et se tordre en mourant ; et j'ai vu leurs mères se plaindre dans la nuit. J'ai vu des hommes — des hommes forts — perdre le contrôle de leurs intestins et s'écrouler dans leurs propres excréments ; et j'ai vu des enfants devenir aveugles à cause de la fièvre. C'est ça que j'ai vu. L'infection s'est répandue, très loin — je ne sais pas jusqu'où. Je n'ai pas osé boire l'eau que je trouvais le long de mon chemin.

— Bon… mais vous pouvez boire la nôtre sans crainte, lui dit Bran. L'infection n'est pas arrivée jusqu'ici.

— Mais que faut-il faire ?, demanda Llew. Quelle aide pouvons-nous apporter à Dun Cruach ? Peut-on leur apporter de l'eau ?

— Le roi Cynfarch ne demande aucune aide, dit Rhoedd. Il a seulement souhaité vous avertir du danger.

— Peu importe, dit Llew. Nous irons lui rendre visite. Et nous allons emporter avec nous le plus d'eau possible.

— Mais justement, nous ne pourrons pas en transporter beaucoup, remarqua Bran.

— Nous pourrons en transporter suffisamment pour leur permettre de venir s'installer ici, dit Llew. Nous partirons dès que les cuves seront prêtes. »

Bien que j'eusse conseillé de procéder autrement, il fut décidé que nous devions transporter l'eau jusqu'à Dun Cruach, puis ramener le peuple à Dinas Dwr. Cette décision ne me plaisait pas beaucoup. Je ne rechignais naturellement pas à offrir de l'eau à Cynan, loin de là ! Je n'avais pas davantage d'objection contre le désir de Llew, qui voulait aider. Mais l'idée de devoir quitter Dinas Dwr me rendait inquiet et mal à l'aise.

Llew voulut connaître la raison de ce sentiment. « Je ne pense pas qu'il soit sage d'abandonner ainsi Dinas Dwr », répondis-je simplement.

Les deux jours suivants, les chariots qui devaient transporter l'eau furent apprêtés, et les cuves remplies. La nuit qui précéda notre départ de Dinas Dwr, j'attendis que Llew ait quitté la grande salle, puis je vins le trouver à ses appartements. « Il ne faut pas partir demain, lui dis-je dès que j'entrai. C'est dangereux, en ce moment, de laisser ainsi Druim Vran…

— Bonsoir, Tegid. Qu'est-ce qui vous préoccupe ?

— Avez-vous entendu ce que je viens de dire ?

— Naturellement. Et je vous ai attendu toute la journée. »
J'entendis son léger bruit de pas sur les dalles alors qu'il se dirigeait à travers la pièce pour rejoindre la table. Il dut alors saisir
un grand pot, car j'entendis qu'il versait quelque chose dans des
coupes. Il se tourna vers moi, et je sentis l'effleurement de son
bras mutilé sur ma main. « Asseyez-vous — ici —, et dites-moi
ce que vous avez à dire. »

Il se baissa jusqu'à terre et s'assit sur une peau de mouton ; je
l'imitai en me plaçant face à lui, mon bâton de marche posé à mes
pieds. Llew prit sa tasse : « *Sláinte !*, s'écria-t-il.

— *Sláinte môr* », repris-je en levant ma coupe. Puis il effleura le
bord de ma coupe avec la sienne, et nous bûmes. La bière était
chaude et éventée ; elle avait un goût acide.

« Alors, qu'est-ce qui vous préoccupe ?, demanda-t-il après avoir
laissé passer un moment. Vous avez pu mettre en place votre école
pour bardes. Vous avez dit que l'endroit, ici, était sans danger ; que
ce vallon était sans risques.

— Ce vallon est sans risques. Rien ne peut nous arriver tant que
nous sommes ici, répondis-je. C'est même pourquoi nous ne
devons pas quitter cet endroit.

— Je ne comprends pas, Tegid. Nous avons mis le cap vers Ynys
Sci, nous avons même pénétré à cheval dans la citadelle de Meldron.
Vous n'avez alors rien dit... Rectifiez-moi si je me trompe, mais
vous nous avez même poussés à l'action.

— C'était différent.

— En quelle mesure ?, demanda-t-il. Pourquoi différent. Je veux
savoir. »

Je sentis mon ventre se serrer. Comment pouvais-je expliquer à
Llew quelque chose que je ne comprenais pas moi-même ? Je continuai : « Nous avons pris Meldron par surprise. C'est quelque chose
qui ne se reproduira pas.

— Ce n'est pas un argument.

— Meldron se doute que nous sommes cachés quelque part dans
Caledon. Il est en ce moment à notre recherche. Si nous partons, il
nous trouvera, et nous ne sommes pas encore assez forts pour
l'affronter.

— Vous me surprenez, Tegid... Nous partons seulement porter
de l'eau à Dun Cruach, et non donner l'assaut pour affronter
Meldron au corps à corps. Et puis, de toute façon, c'est le moins
que l'on puisse faire pour eux — après tout ce que Cynan et son
père ont fait pour nous.

— La dette envers lord Cynfarch et son fils n'est aucunement en cause. Vos sentiments vous honorent. Mais nous ne pouvons pas quitter le vallon maintenant.

— Mais c'est maintenant qu'ils ont besoin d'eau, insista Llew, aimablement, mais avec une agitation croissante. Maintenant... Pas au prochain lugnasadh ou que sais-je...

— Si nous quittons Dinas Dwr, les choses vont mal se passer, dis-je d'un ton catégorique.

— "Les choses vont mal se passer"..., répéta-t-il lentement. Que voulez-vous dire ?

— Je ne sais pas, admis-je. Un désastre...

— "Un désastre...", répéta-t-il. Vous l'avez vu ?

— Non, avouai-je. Mais je le sens dans toute ma chair.

— Il fait trop chaud pour discuter de tout cela, Tegid », dit-il. À ces mots, mon regard intérieur s'illumina.

Je vis de la poussière monter en tourbillonnant vers des nuages brunâtres depuis une terre desséchée, soulevée par des vents sauvages. Le soleil ne brillait pas, mais il était suspendu dans un ciel également brun, dans une lueur jaune pâle. Et il n'y avait pas âme qui vive ni dans le ciel ni sur la terre. Les paroles de la banfàith me revinrent à l'esprit : *La Poussière des Anciens s'élèvera jusqu'aux nuées*, commençai-je à réciter doucement, *l'essence même d'Albion est disséminée et disloquée au sein des vents ennemis.*

Llew resta silencieux pendant un moment. « Et cela veut dire ?, demanda-t-il enfin.

— Le règne de Meldron est en marche, dis-je. Sa profanation a commencé à corrompre la terre elle-même. Son pouvoir usurpé est un malheur qui gagne le pays, qui l'empoisonne, qui le tue. Et le pire est encore à venir. »

Il se tut à nouveau. Je pris ma coupe, bus une gorgée, puis reposai la coupe sur le sol.

« *Au Jour du Conflit, racines et branches s'intervertiront, et cette nouveauté passera pour un miracle...*, récitai-je.

— Eh bien ? Éclairez-moi..., dit-il d'un ton las.

— Les racines et les branches se sont inversées, vous voyez ? En Meldron, le roi et le pouvoir se sont inversés...

— Je suis désolé, Tegid... il est tard ; je suis fatigué, je ne comprends pas.

— Les paroles de la prophétie...

— Oui, je sais... la prophétie ! Et alors, qu'est-ce que cela signifie ?

— Le pouvoir, Llew. Meldron s'est emparé du pouvoir que seuls les bardes sont en droit de détenir. Il s'est proclamé roi lui-même, et prétend détenir le pouvoir. Il a inversé l'ordre des choses.

— Et c'est cela qui a empoisonné nos rivières ?, demanda Llew en faisant des efforts pour comprendre. Qui les a réellement empoisonnées ?

— C'est ce que je crois. Combien de temps pensez-vous qu'un tel impudent puisse régner dans le royaume des mondes sans empoisonner jusqu'à la terre elle-même ?, dis-je. La terre est vivante. Elle tire sa propre vie du peuple qui la travaille, tout comme le peuple tire sa vie du roi qui le gouverne. Si la corruption vient à souiller le roi, le peuple en souffre... oui, et au bout de compte, la terre en vient à souffrir aussi. C'est ainsi que les choses se passent.

— C'est là le fait de Simon, dit Llew en utilisant l'ancien nom de Siawn Hy. Tout ce qui est arrivé l'a été à cause de lui. C'est Simon qui a été dire à Meldron que le pouvoir pouvait être pris par la force. Et Albion est en train de mourir à cause de cela. »

Il n'attendit même pas que je réponde. « Si j'avais vraiment fait ce pour quoi j'étais venu, rien de tout cela ne serait arrivé.

— Cela ne sert à rien de dire les choses de cette manière, dis-je. On ne fait jamais que ce que l'on croit bon de faire, on fait ce qu'on peut.

— Raison de plus, maintenant, pour aider Cynan », répliqua-t-il.

Il n'avait pas changé d'avis. Je lui avais dit ce pour quoi j'étais venu le trouver, mais cela ne l'avait pas touché. « Très bien, dis-je. Nous irons. Nous porterons de l'eau à Dun Cruach, et nous devrons faire face à notre destin.

— En dépit de ce vous dites..., acquiesça aimablement Llew. Qu'allez-vous faire de vos mabinogis ?

— Goewyn s'en occupera.

— Bien, alors tout est dit. Nous partirons à l'aube. »

Nous nous séparâmes, et je le laissai se reposer. J'étais trop en colère et excédé pour pouvoir dormir ; et l'air était trop chaud, et trop calme.

XXVII

LA PIERRE DU GÉANT

Je restai éveillé dans mon bosquet, assis, complètement nu sur mon tertre de tourbe, à sentir la chaleur de la nuit sur ma peau... à écouter son calme étrange, à rechercher avec mon regard intérieur ce que j'aurais pu trouver jadis dans ma Coupe Divinatoire. Je cherchais l'entrée des chemins ombreux du futur afin de trouver la source de mon pressentiment. Mon regard intérieur me présenta plusieurs images ; toutes plus décourageantes les unes que les autres, offrant le tableau d'une dévastation : des enfants affamés, aux membres décharnés, au ventre ballonné ; des animaux aux carcasses bouffies gisant morts dans des cours d'eau empoisonnés, des villages silencieux ; des récoltes desséchées ; des corbeaux se pavanant, perchés sur les carcasses rutilantes des malheureuses victimes...

J'avais le sentiment que l'oppression s'était déployée comme une couverture étouffante sur le pays, épaisse, lourde, dense, immense : une couverture de peau, pourrissante, putride, qui étouffait tout ce qu'elle recouvrait.

Je me levai, le cœur lourd, puis me rhabillai. Je me mis alors à descendre le sentier qui conduisait au lac, où attendaient les chevaux et les chariots prêts pour le départ. Goewyn fut parmi les rares personnes à s'être rassemblées pour nous voir partir.

« Au revoir, Tegid. Ne vous inquiétez de rien pendant votre absence... Je prendrai soin de vos petits mabinogis », dit-elle en me saisissant les mains de ses mains chaudes.

« Merci, Goewyn.

— Vous avez l'air préoccupé. Que se passe-t-il ? » Elle ne relâcha pas mes mains, mais au contraire les serra encore plus fort. « Qu'avez-vous vu ?

— Rien... Je ne sais pas... Rien de bon, en tout cas, dis-je. S'il n'avait tenu qu'à moi, nous ne partirions surtout pas. »

Elle se pencha vers moi, et je sentis son souffle tiède sur ma joue pendant qu'elle m'embrassait. « Puisse votre voyage être paisible et puissiez-vous nous revenir sains et saufs », dit-elle.

Llew et Bran approchaient dans notre direction en conduisant leurs chevaux. Goewyn leur souhaita bon voyage, et voyant que Llew ne lui répondait par aucune parole aimable, elle s'éloigna.

« Vous et Alun, vous prendrez la tête des chariots, dit Llew en se tournant vers Bran. Je fermerai la marche avec Tegid, Rhoedd et les autres. »

Nous grimpâmes sur nos chevaux et le signal du départ fut donné. J'entendais le craquement et le grincement des roues en bois sur les galets, alors que les chariots commençaient à s'ébranler lentement le long du lac en direction de la crête. Nous attendîmes que le dernier chariot soit passé avant de prendre notre place en fin du convoi.

En tout, il y avait six chariots à bords surélevés, remplis de peaux et de cuves d'eau fraîche, l'ensemble accompagné par dix soldats que conduisaient Bran et deux Corbeaux. Le reste de notre groupe était resté à Dinas Dwr, sous le commandement de Calbha et de Scatha, pour garder les lieux.

Bien que le soleil ne fût levé que depuis peu de temps, l'air était déjà chaud. Nous suivions les chariots grinçants qui remontèrent la côte de Druim Vran, puis redescendirent, avec précaution et de grandes difficultés, le versant abrupt de la crête. Lorsque nous arrivâmes dans le vallon, de l'autre côté de la crête, nous étions tous trempés de sueur et épuisés, alors que le voyage venait à peine de commencer.

Nous longeâmes la rivière qui s'écoulait successivement vers l'est, puis vers le sud. Nos deux Corbeaux, Alun Tringad et Drustwn, en éclaireurs, avaient pris de l'avance sur le convoi de crainte que nous ne tombions sur quelques espions de Meldron. Mais nous ne rencontrâmes personne. Pas davantage de signe que ce fléau de Meldron aurait pu envahir le nord de Caledon. Les sources et les rivières s'écoulaient claires et pures ; les eaux des lacs semblaient fraîches. Pourtant, tenant compte de l'avertissement de Rhoedd, nous ne bûmes à aucune source le long du chemin.

Les deux premiers jours du voyage, je restai attentif à chaque bruit et à chaque odeur... à la recherche, sans doute, du moindre signe, même infime, du mauvais sort que je sentais se profiler au fur et à mesure que nous nous éloignions de Dinas Dwr. Cependant, nous voyageâmes sans encombre, même si mes craintes restaient tout aussi prégnantes.

Le quatrième jour, nous quittâmes le sentier de la rivière et rejoignîmes Sarn Cathmail, une ancienne piste qui relie les sombres forêts du nord aux plaines vallonnées couvertes de bruyère, au sud. Nos éclaireurs partaient au devant sur le territoire qui s'ouvrait ; et, bien qu'ils aient pris toutes les précautions, ils ne virent personne. Nous continuâmes donc notre voyage... avec mon pressentiment toujours plus présent.

Enfin, à la mi-journée, nous fûmes en vue de la borne indiquant que nous nous trouvions au centre de Sarn Cathmail. Carreg Cawr, la Pierre du Géant, est un énorme bloc noir aux reflets bleutés qui domine à trois fois la hauteur d'un homme les dalles de pierre de la piste. Comme toutes les dalles semblables à celle-là, elle est gravée de symboles purificateurs qui protègent la route et ceux qui l'empruntent pour voyager.

« Encore une journée, je pense, dit Llew. Tout se passe bien, en dépit de la chaleur. Tout est sec, ici... l'herbe est brûlée. »

Dès qu'il prononça ces mots, ma vision intérieure s'éclaira, et je vis la longue route couleur d'ardoise s'étendre devant nous au milieu d'une plaine verdoyante entourée de basses collines sous un ciel blanc et aride. Je vis les chariots lourdement chargés faire des embardées sur la piste, et, se dressant au-dessus d'eux, Carreg Cawr, noir sous l'intense lumière du soleil.

Les éclaireurs avaient déjà dépassé la Pierre du Géant et étaient partis en avant. Rien en effet ne les en empêchait. Bran et les soldats passèrent, puis, un par un, les chariots défilèrent à hauteur de la pierre dans un bruit fracassant. Mais lorsque à mon tour je m'approchai de la pierre, le pressentiment qui s'était emparé de moi dès avant notre départ fit place à un net sentiment de malaise et d'effroi.

Me rapprochant encore de la pierre, je tirai les rênes de mon cheval pour faire halte. Llew continua à avancer de quelque distance puis s'arrêta, quasiment au pied de la lourde masse. Il l'observa, suivant des yeux les vieux symboles. « Ces symboles, dit-il par-dessus son épaule en s'adressant à moi, savez-vous les déchiffrer ?

— Naturellement, répondis-je sèchement. Ce sont des symboles de protection. Ils sanctifient le *sarn*[1].

---

1. La piste (*N.d.T.*).

— Ça, je le sais déjà !, dit-il d'un ton irrité. Mais qu'est-ce qu'ils disent ?»

Sans même attendre la réponse, il pivota sur son cheval, leva les rênes, et partit au galop. Je restai un moment assis. J'entendais seulement le vent qui, de temps à autre, se faufilait à travers les hautes herbes des collines douces, et, au loin, le cri d'un faucon. Puis j'entendis brusquement Llew hurler.

Son hurlement était davantage dû à la surprise qu'à la douleur. J'avais entrevu le vacillement d'une ombre derrière la Pierre du Géant au moment où Llew s'était retourné sur sa selle. « C'était quoi, ça ? Vous n'avez rien entendu ?

— Non.

— Je viens d'être frappé par quelque chose... Comme une pierre... juste dans le dos... J'aurais pu...

— Chhht... Écoutez !»

Llew ne fit plus un bruit et j'entendis un léger son, comme quelque chose que l'on gratte, qui venait de la Pierre du Géant. Puis un faible tintement — comme le bruit des anneaux d'une chaîne en fer ; puis... plus rien.

« Il y a quelqu'un qui se cache derrière la Pierre du Géant », dis-je à Llew qui aussitôt s'arma en tirant sa lance placée derrière la selle.

Il se retourna vers la pierre. « Sortez de votre cachette, s'écria-t-il. Nous savons que vous êtes là. Sortez immédiatement. »

Nous attendîmes. Il n'y eut aucune réponse. Llew voulut à nouveau intervenir, mais je l'en dissuadai d'un signe de la main. « Écoutez-moi, dis-je en me tournant vers la pierre. C'est le Chef des Bardes d'Albion qui vous parle. Je vous demande instamment de vous montrer. Nous ne vous ferons aucun mal. »

Il y eut un moment de silence. Puis j'entendis un léger bruit de pas, lent, furtif, de quelqu'un qui se déplaçait dans l'herbe haute et sèche au pied de la Pierre du Géant.

Une frêle silhouette apparut, portant les restes d'un siarc en lambeaux et une cape verte. Et au côté de ce personnage mystérieux s'avançait un énorme chien couleur ardoise avec une rayure blanche en travers du poitrail. Je savais de qui il s'agissait, avant même que Llew s'écrie : « Ffand !»

Il bondit de sa selle et se précipita vers la jeune fille enguenillée. Le chien aboya et elle le fit taire d'un simple : « Twrch !»

«Ffand !, s'écria Llew. Ah ! ma petite Ffand !» Il la souleva dans ses bras et l'étreignit. Elle se mit à rire alors qu'il embrassait sa joue pleine de terre. « Qu'est-ce que tu fais... perdue toute seule ici ?, demanda-t-il en la relâchant.

— Mais je ne suis pas seule, répliqua Ffand. Twrch est avec moi. »
Elle caressa le dos du chien, qui lui arrivait jusqu'aux hanches.

« Twrch ! » Llew avança sa main non mutilée vers l'animal.

Twrch tendit le col et renifla la main de Llew. Reconnut-il l'odeur
de son ancien maître ? Parfaitement... car il commença à aboyer et se
redressa aussitôt — plaçant ses énormes pattes sur chacune des deux
épaules de Llew — et commença à lui lécher le visage. Llew retint la
tête du chien avec sa main saine, caressant le col de l'animal avec son
moignon... que Twrch se mit aussitôt à lécher. « Doucement ! Doucement ! Twrch ! » Llew regarda Ffand : « Qu'est-ce que tu fais par là ?,
demanda-t-il une nouvelle fois. Comment es-tu arrivée jusqu'ici ?

— Je vous cherchais, répondit Ffand.

— Tu me cherchais ?, s'étonna Llew, stupéfait.

— On a entendu dire que Llew établissait un nouveau royaume
vers le nord. Et Meldron est en train de fouiller la région. Alors je
suis venue à votre recherche, expliqua Ffand.

— Comme tu es raisonnable !, affirma Llew.

— Vous aviez dit que vous reviendriez pour le chien, s'exclama
Ffand avec humeur. Vous êtes revenus, mais vous ne nous avez pas
attendus. » Elle parlait avec un ton de reproche, puis se radoucit aussitôt : « Alors nous avons décidé de partir à votre rencontre.

— On ne vous a pas attendus ? Que veux-tu dire ?

— Lorsque vous êtes venus à Caer Modornn. »

Je descendis de cheval et allai à sa rencontre : « Il est vrai que
nous sommes venus à Caer Modornn, mais nous ne t'avons pas vue,
Ffand.

— Vous m'aviez oubliée !, s'exclama-t-elle avec indignation.

— Eh bien oui, admit Llew. J'en suis désolé. Si j'avais su que tu
nous attendais, nous ne serions jamais repartis sans toi.

— Et je n'aurais pas eu besoin de vous jeter des pierres », dit-
elle. Alors ma vision intérieure s'enflamma une nouvelle fois, et une
jolie jeune fille apparut devant mes yeux, avec de longs cheveux
bruns et de larges yeux marron ; sa peau était légèrement hâlée par
le soleil. À l'évidence, elle avait parcouru une longue distance, mais
— bien qu'un peu dépenaillée et maigrichonne — elle paraissait
forte et en bonne santé.

Elle avait grandi, depuis la dernière fois que je l'avais vue, même
si, sous différents aspects, elle était restée une enfant. Agile dans ses
mouvements et dans ses manières, elle semblait rusée comme une
créature des forêts. Et elle nous raconta en effet comment elle avait
vécu, après nous avoir libérés, toutes les années qui suivirent.

Il n'y avait jamais assez de nourriture, alors, avec Twrch, elle était partie dans la forêt pour se débrouiller toute seule avec son chien. Ils passèrent une grande partie de leur temps à chasser, et rapportaient tout ce qu'ils pouvaient attraper pour le partager avec les gens du village. « Même un lièvre ou un écureuil !, disait-elle. C'était la seule viande que nous pouvions avoir.

— Ffand…, dit Llew, tu es formidable ! Est-ce que tu as faim ?

— J'ai plus soif que faim, répondit-elle. L'eau est mauvaise par ici… »

Je revins vers mon cheval ; le sac à provisions était attaché derrière la selle. Je rapportai un morceau de fromage dur et deux ou trois petits pains d'orge que nous transportions avec nous. Elle accepta le tout avec reconnaissance. Puis je lui offris ma gourde remplie d'eau, qu'elle engloutit presque entièrement avant d'offrir le peu qui restait à Twrch ; le chien but les quelques gouttes, puis lécha la gourde.

Ffand rompit alors un morceau de pain et commença aussitôt à manger. Comme je m'y attendais, elle était affamée. Le chien s'assit à côté d'elle, se lécha les babines, mais sans davantage se plaindre.

« Ça ne m'étonne pas que Meldron ait si peur de vous, dit-elle en coupant un petit pain en deux avant de l'enfourner morceau après morceau dans sa bouche.

— Comment sais-tu que Meldron a peur de nous ?, demandai-je.

— Dès que vous êtes arrivés à Caer Modornn, dit-elle en mâchonnant gaiement, Meldron s'est mis à votre recherche. Il n'y a pas un seul être dans tout Albion qui n'ait été interrogé par la Horde de Loups de Meldron : Où est Llew l'infirme ? Où est Tegid l'aveugle ? » Elle avala puis ajouta : « Il a fait le vœu de vous anéantir. Il a dit que quiconque parviendrait à vous retrouver recevrait en récompense des terres et de l'argent… beaucoup d'argent.

— Donc, intervint Llew, tu t'es mise à ma recherche. »

Ffand prit la plaisanterie au sérieux : « Pas pour lui ! Pas pour Meldron ! Jamais ! », s'écria-t-elle en reprenant sa respiration, soudain horrifiée que Llew puisse penser cela d'elle. « Je suis venue vous avertir et vous rapporter Twrch. C'est un bon chien — c'est moi qui l'ai dressé — tous les rois devraient avoir un bon chien à leur côté…

— Je te remercie, Ffand, répliqua Llew avec chaleur. Un bon chien me sera utile — même si je ne suis plus roi désormais. J'ai l'impression qu'une fois encore je te suis grandement redevable. »

Le dernier chariot avait disparu derrière une colline. « Maintenant, il faut partir », dis-je. Je tournai la tête et jetai mon regard aveugle en direction du chemin dallé. « Il vaut mieux ne pas traîner ici.

— Tegid a raison, nous devons rejoindre les autres. »

« — Allez, viens, Ffand, tu pourras monter avec moi jusqu'à ce que nous ayons rattrapé les chariots. » J'avançai jusqu'à mon cheval, fis un geste rapide pour me mettre en selle, et descendis ma main vers la jeune fille.

Elle leva la tête vers moi et me fixa curieusement en se mordant la lèvre : « Est-ce que vous pouvez me voir ?, demanda-t-elle.

— Naturellement, répondis-je sans explication. Alors ne reste pas plantée là et donne-moi ta main. »

Je la tirai afin de l'installer derrière moi sur le cheval ; Llew remonta en selle et nous reprîmes notre route. Twrch trottinait en passant entre nous, d'abord à côté de Llew, puis à côté de Ffand et de moi... comme s'il voulait se partager allégrement entre deux maîtres.

Avant que ma vision intérieure s'obscurcisse à nouveau, je pus entrevoir le fier animal, le museau levé pour humer le vent, de longues pattes bondissantes et légères à proximité de Llew, comme s'il avait toujours bénéficié des plaisirs faciles d'une situation de privilège.

Puis l'image finit par s'éteindre et les ténèbres recouvrirent mon regard. J'en fus réduit à méditer la signification de ce qui venait d'avoir lieu. L'apparition de Ffand n'avait rien d'effrayant pour nous, bien évidemment. Et pourtant, mon sentiment d'appréhension était tout aussi manifeste ; il n'avait pas diminué. Je sentais toujours un pressentiment insistant au plus profond de moi. La Pierre du Géant se dessinait toujours au bord de la piste comme une sombre et mystérieuse masse, mais nous étions passés à sa hauteur sans que nous soyons inquiétés.

J'avais l'impression de sentir, à l'intérieur de ma poitrine et de mon ventre, un rythme bizarre. Puis le son fut plus net : quelque chose de lourd était en train de bouger, lentement, pesamment... comme des meules géantes en train de moudre. Je tirai sur les rênes et fis faire un demi-tour à mon cheval sur la route.

« Ffand, dis-je précipitamment. Regarde la borne, là-bas... La Pierre du Géant... Regarde-la et dis-moi ce qui se passe. Qu'est-ce que tu vois ?

— Je ne...

— Vite, dépêche-toi, fillette ! Qu'est-ce que tu vois ! »

Mon cri alerta Llew, qui s'arrêta et m'appela : « Qu'y a-t-il, Tegid ?

— Eh bien je vois la pierre..., continua Ffand. Je ne vois rien d'autre. Juste... » Elle fit une pause. « C'était quoi, ça ?

— Tu as vu quelque chose ?

— Non, j'ai *senti* quelque chose... là, dans mon ventre. »

Le cheval devenait de plus en plus ombrageux ; puis il se mit à hennir et s'agiter de tous côtés. « Continue à regarder la pierre... dis-je. Ne détourne pas les yeux, et dis-moi tout ce que tu vois.

— Eh bien, recommença-t-elle, ... elle est là. Comme je l'ai dit, elle est... » Elle retint brusquement son souffle : « Regardez !

— Quoi donc ? Ffand ! Dis-moi ce qui se passe !

— Tegid ! », cria Llew ; puis j'entendis le piétinement métallique des sabots au contact de la pierre alors que son cheval bronchait et se cabrait.

Le mien se mit à secouer la tête et à hennir de peur. J'enroulai les rênes autour de ma main et tendit au maximum. Ffand s'agrippa tant qu'elle put à ma cape.

« Parle, fillette ! »

Llew s'arrêta près de nous dans un grand bruit de sabots. « La pierre bouge, dit-il. Elle tremble, ou vibre très lentement. Et le sol, tout autour, est en train de se fissurer. »

J'entendis un grondement sourd qui ressemblait à un tronc d'arbre qu'on est en train de déraciner... puis le silence. « Quoi d'autre ? Y a-t-il encore autre chose ?

— Non, reprit Llew quelques instants plus tard. Il n'y a plus rien maintenant. »

J'entendis un nouveau grondement sourd et réalisai que le son venait de Twrch ; le chien grognait doucement et laissait sourdre de sa gorge un discret signe de menace. « Calme-toi, Twrch ! », réprimanda Ffand.

J'entendis quelque chose qui ressemblait au chant d'un oiseau... mais pas un sifflement, c'était plutôt un signal... quelqu'un qui émettait un signal en sifflant...

Twrch se mit à aboyer. J'entendis des griffes gratter les dalles de pierres, et Ffand crier : « Twrch ! Reviens ici !

— Dis-moi ce qui se passe !, hurlai-je. Je ne peux rien voir !

— C'est le chien, dit Llew. Twrch s'est mis à courir vers la pierre. Je ne vois pas...

— Regardez ! », s'écria Ffand. Je sentais son petit corps frêle trembler d'excitation. « Il y a quelque chose...

— Dis-moi ! Dis-moi ! »

Ce fut Llew qui répondit : « Il y a un animal. Un renard, je crois... Non... ses pattes sont trop longues et sa tête trop grosse. Peut-être un blaireau... » Il fit une pause : « Non, il est trop loin... Je n'arrive vraiment pas à voir ce que c'est. Mais l'animal est sorti de la base de cette pierre. »

Twrch aboya à nouveau. Le son venait de loin.

« À présent, l'animal l'a vu. Et il court pour lui échapper.

— De quel côté ?

— Il a bifurqué dans notre direction et s'éloigne de la pierre. Twrch est en train de le prendre en chasse. Il est près de le rattraper...

— Twrch !, hurla Ffand derrière moi. Non... !»

Elle mit son bras autour de ma ceinture, se pencha sur le côté et se laissa glisser du cheval. J'entendis ses buskins résonner sur les dalles alors qu'elle se précipitait à la poursuite du chien en hurlant : « Twrch ! Arrête ! Reviens ici !»

À quelque distance de là, j'entendis Twrch aboyer alors qu'il s'apprêtait à sauter sur sa proie ; puis ce fut un grondement féroce alors que la bête s'était retournée pour pouvoir se défendre. Le grondement se transforma en un jappement d'effroi — brutalement interrompu. Même à cette distance, j'entendis le craquement de son cou au moment où Twrch l'attrapa et le priva de vie.

« Eh bien, voilà qui est fait, dit Llew. Quel que soit cet animal, Twrch l'a tué. Allons voir...»

Nous quittâmes le sarn et avançâmes au trot de quelques pas pour déboucher sur un terre-plein de tourbe, où nous découvrîmes Ffand tenant le chien fougueux par son collier de chaîne. Twrch aboyait avec ardeur au moment où nous descendîmes de cheval, satisfait de son exploit.

« Non... !, gémit Llew. Oh non... !

— Qu'y a-t-il ?», demanda Ffand d'une voix qui se termina sur le ton de l'incertitude. Je devinai qu'elle avait le regard fixé sur l'animal mort gisant sur l'herbe devant elle, et qu'elle restait perplexe face à ce qu'elle voyait.

« Connaissez-vous ce genre d'animal, Llew ?, demandai-je.

— C'est un chien... une sorte de chien », répondit-il avec une nuance de crainte mêlée de regret.

XXVIII

DYN DYTHRI

« Un chien ? Vous en êtes sûr ?, demanda Ffand.

— Un *corgi*, je pense. »

En entendant prononcer cet étrange mot, ma vision intérieure se mit à se ranimer : l'image d'une créature bizarre, aux pattes courtes, avec un pelage touffu tacheté de roux, de jaune et de brun. Elle avait une tête disproportionnée avec des oreilles de renard, un museau court, sur un corps trapu, robuste et sans queue. Un animal étrange, qui ressemblait à moitié à un renard et à moitié à un blaireau, sans avoir, de l'un ou de l'autre, ni la finesse ni l'efficacité.

L'image s'estompa, mais me laissa le temps d'apercevoir le regard anxieux de Llew qui observait la Pierre du Géant.

« Je crois qu'il vaut mieux partir », dit-il mal à l'aise.

Au moment où nous remontâmes en selle, nous entendîmes le grincement creux de la pierre qui tremblait, et sentîmes la profonde pulsation tellurique dans nos entrailles. Le sol tremblait sous mes pieds. Les chevaux hennissaient. Je serrai fermement les rênes pour contrôler mon cheval, car le bruit mystérieux se fit alors plus fort et la pulsation rythmique plus prégnante.

Twrch grogna et courut vers la Pierre du Géant. Ffand cria en se précipitant après lui. Alors Llew, en selle à présent, lança son cheval à sa poursuite en criant : « Ffand ! Attends ! »

Mon cheval, sous moi, se cabra. Je le tirai fermement par les mors pour l'empêcher de lancer des ruades et de s'emballer.

Le tremblement venu des profondeurs s'arrêta.

« Attrape-le, Ffand ! », hurla Llew.

Mon regard intérieur resta dans le noir, et je me mis à maudire ma cécité. « Que se passe-t-il, m'écriai-je en le suivant. Dites-moi !

— Un trou… un passage s'est ouvert sous la pierre, dit-il. J'ai vu quelque chose bouger. Qui a disparu maintenant. Mais je crois que c'était une personne. »

Il descendit de cheval et poussa les rênes dans mes mains. « Tenez !, dit-il. Twrch va le mettre en bouillie. »

Avant que j'aie pu répondre quoi que ce soit, Twrch avait recommencé à aboyer sauvagement. Ffand criait, le réprimandait. Mais le chien ne fit pas attention à elle. Presque au même instant, j'entendis un cri venant de la direction de la pierre… une voix humaine, celle d'un homme. La voix appela à nouveau, en prononçant un mot que je ne compris pas.

Llew hurla après Twrch pour le calmer. « Retiens-le, Ffand !, ordonna-t-il. Quoi qu'il arrive, ne le laisse pas s'échapper. »

J'entendis un nouveau cri dans cette langue bizarre, et quelqu'un qui lançait un appel en réponse. Llew cria quelque chose que je ne compris pas. Puis… « Tegid, descendez ! », hurla-t-il.

Au même instant, l'air s'ébranla, et il y eut un rapide fracas de tonnerre. Je ressentis la pression des vibrations sur ma peau. Quelque chose me frôla l'oreille en sifflant.

« Twrch !, hurla Llew. Non… ! »

Le brusque coup de tonnerre retentit à nouveau. Ffand émit un cri perçant. Le grognement de Twrch devint sauvage et féroce, signe fatal. Llew cria pour l'arrêter.

« Twrch ! », hurla-t-il, la gorge serrée, pris de panique. « Twrch, non ! Arrête-le, Ffand ! »

Un troisième éclat de tonnerre retentit. J'entendis un homme crier. Et puis ce fut le grognement de Twrch, et le cri de Llew. Je courus en direction du son. « Llew !

— Twrch !, s'égosilla Llew.

— Llew ! Mais que se passe-t-il ? »

Mes oreilles bourdonnèrent et le bruit me fit mal à la tête. Je sentis l'odeur d'une fumée aigre. Llew se mit à hurler à tue-tête pour que Twrch s'arrête. Puis tout redevint calme et tranquille. Twrch grognait doucement, comme s'il était en train de ronger un os. Llew murmura quelque chose qui ressemblait à : « Il l'a fait… »

J'accourus pour rejoindre Llew : « Que s'est-il passé ?

— C'est un homme, un étranger… Dyn Dythr », dit-il pour signifier que l'étranger faisait partie de son propre monde. « Il avait une arme… un fusil…

— Un fusil peut faire un tel bruit ?

— Apparemment...» Sa voix était encore toute tremblante d'énervement et de peur. « Il était complètement effrayé. Il a commencé à nous tirer dessus...

— À "tirer" ?

— Euh pardon... à utiliser son arme, je veux dire... il a commencé à nous attaquer avec son arme. Et Twrch l'a tué.

— Dommage... l'étranger a fait preuve d'un manque de prudence inhabituel.

— Vous pouvez le dire..., confirma-t-il avec aigreur. Complètement insensé de...»

Avant qu'il puisse finir sa phrase, j'entendis un bruit, une sorte de grattement, qui venait de la direction de Carreg Cawr ; Llew se redressa. « *Clanna na cù !* Ils sont plusieurs !» Il se lança comme une flèche pour retenir le chien. « Twrch ! Reste ici ! Twrch !»

Puis il s'adressa vivement à moi : « Ne bougez pas, Tegid. Je vais leur parler.

— Il y en a combien ?

— Deux, dit-il. Non, attendez... trois. Il y en a un autre qui est en train de sortir...» Il fit une pause, puis je l'entendis prononcer un mot étrange : « Nettles !»

Ces sonorités particulières réveillèrent mon regard intérieur. Les ténèbres s'éclaircirent, se mirent à briller, et je vis que l'entrée d'une grotte s'était ouverte à la base de la Pierre du Géant. Plantés devant cette ouverture, il y avait trois hommes glacés par l'épouvante, de stature frêle, et vêtus d'habits étrangement ternes ; leurs cheveux étaient coupés ras, laissant voir une peau maladive, d'une pâleur gris-jaune. À l'évidence, l'étincelle de la vie n'était plus très active en eux.

Les Dyn Dythris restaient immobiles, la tête rentrée dans les épaules, les mains posées sur leur visage, avec des flots de larmes qui s'écoulaient de leurs yeux fatigués. Lorsque enfin ils osèrent regarder d'un œil inquiet à travers leurs doigts, ils eurent le souffle coupé en nous voyant, les mains hésitantes autour de leur visage blême, comme si leurs yeux leur faisaient mal. Leur mâchoire semblait relâchée par la surprise ; leurs bras et leurs jambes, épuisés, tremblaient. Ces étrangers sans nerfs étaient vraiment des créatures mornes et sans énergie.

« Nettles !», s'écria à nouveau Llew. L'un de ces hommes s'avança, et je compris que ce mot curieux était son nom. Il était plus petit que les autres, avait une figure toute ronde, quelques touffes éparses de cheveux couleur d'argent sur la tête qui semblaient flotter comme un nuage autour d'un pic de montagne aride. Sur son visage brillait une étrange parure : deux ronds de cristal entourés par deux cercles de métal qui tenaient ensemble grâce à deux barres d'argent.

L'homme, les yeux grands ouverts derrière ces ronds de cristal, regarda avec insistance Llew pendant un instant, puis, l'ayant reconnu, se mit à sourire. Un des hommes qui était avec lui — et qui continuait à trembler devant notre spectacle — se mit à murmurer quelque chose, et je me rendis compte que j'avais déjà entendu ce langage fruste : c'était la même langue qu'avait employée Llew lorsqu'il s'était avancé vers nous la première fois. C'était là le signe que nos visiteurs étaient des membres de son clan.

« Tegid ! C'est Nettles... le professeur Nettleton. Je vous ai parlé de lui, vous vous souvenez ?» Llew se détourna et se rapprocha du petit homme. Les deux autres hommes qui observaient tout cela semblaient se rétrécir comme s'ils allaient disparaître complètement.

Llew dit : « *Mo anam !*, Nettles ! Qu'est-ce que vous faites ici ? Vous n'auriez pas dû venir. » Il s'adressait au petit homme qui se contentait de le regarder d'un air complètement interdit, arborant un sourire timide et peu assuré. Alors Llew, se souvenant de son ancienne langue, adressa quelques mots à l'homme, qui lui répondit. Ils discutèrent un moment ensemble. Llew regarda les deux autres hommes qui eurent aussitôt un mouvement de recul ; puis il attira le petit homme jusqu'à l'endroit où je me trouvais.

« Voici Nettles. Il représente l'équivalent le plus proche de ce qu'est un barde dans notre monde. C'est lui qui m'a aidé.

— Oui, je me souviens », répondis-je. Mon regard intérieur présenta son image devant moi, et je vis qu'en dépit de son apparence chétive et peu agréable, ses yeux brillaient, trahissant l'intelligence vive d'un esprit sagace et pénétrant.

Avec de nombreuses interruptions et balbutiements, les deux hommes continuèrent à bavarder ; je tournai mon attention vers les deux autres qui continuaient à attendre en tremblotant près de la pierre. Ils avaient vu l'homme que Twrch avait tué — le cadavre gisait face contre terre tout près d'eux —, et ils en étaient bouleversés.

L'un des hommes — un peu plus grand que l'autre — avait l'air d'être le meneur. Il fit quelques pas hésitants vers le cadavre. Twrch grogna, son poil se redressa. L'homme revint aussitôt sur ses pas et le chien se calma.

Le petit homme jeta un regard vers le cadavre, puis adressa quelques mots à Llew qui lui répondit dans sa propre langue. Ils discutèrent un moment, puis Llew se tourna vers moi : « Je lui ai expliqué ce qui s'était passé. Je lui ai demandé s'ils avaient encore d'autres... hum... armes. Il dit qu'il n'en sait rien. »

Llew plissa les yeux et lança un regard vers les deux hommes qui attendaient devant la pierre. « C'est une catastrophe, frère, déclara-t-il tout net. Vous connaissez tous les problèmes qui sont survenus à cause de Simon... eh bien ces hommes-là sont pires. J'ai eu affaire à eux auparavant, mais ils ne m'ont pas reconnu. Le plus grand — Weston —, c'est le chef. Twrch a tué l'un de ses hommes. »

Dans sa langue un peu lourde, Llew s'adressa à Nettles, le petit homme, puis il me dit : « Il faut les surveiller, et les faire retourner dans leur propre monde au plus vite. Nettles est d'accord ; il a essayé de les empêcher, expliqua Llew, n'a eu de cesse de les dissuader de venir. Mais ils ont eu de la chance, aujourd'hui — ou plutôt, ils n'ont pas eu de chance. »

Je ne compris pas complètement ce que Llew disait, mais je savais qu'il parlait de l'arrivée des étrangers. Il était mécontent et voulait qu'ils retournent là d'où ils venaient... ça, je l'avais compris.

Un moment passa, puis Llew et le petit homme s'avancèrent jusqu'à l'endroit où les deux autres étrangers attendaient. Ils eurent un mouvement de recul à l'approche de Llew... et d'ailleurs il y avait de quoi, car même s'il n'avait qu'une seule main valide, il aurait pu les tuer tous les deux d'un simple coup.

En voyant Llew devant ces deux créatures, je réalisai combien celui-ci avait changé. Il avait de larges épaules, un dos puissant, des bras aux muscles saillants, des jambes longues et solides. Autant la Pierre du Géant le dominait de toute sa hauteur, autant lui dominait les frêles créatures qui reculaient devant lui.

Il s'avança devant eux, et je vis dans mon regard intérieur leur visage lâche tenaillé par la peur ; je les entendis parler dans leur fruste langage avec celui qui s'appelait Nettles.

Llew revint vers moi : « Nettles est en train de leur dire ce que... » Il s'arrêta brusquement et se retourna. « Attendez ! Où est Ffand ? »

Llew partit en flèche. « Elle a été blessée !, hurla-t-il. Cet imbécile a tiré sur Ffand !

— Quoi ?

— Par ici, Tegid ! Vite ! »

Ffand était toute recroquevillée dans l'herbe... un peu comme un vêtement jeté à même le sol. Une large tache rouge s'étalait sur son flanc.

« Elle saigne. C'est mauvais signe, Tegid. » Il sonda délicatement la plaie du bout des doigts. « La balle..., dis-je, je crois qu'elle a traversé. La blessure est nette, mais elle saigne de manière inquiétante. »

Je déchirai un morceau d'étoffe sur le bord de sa cape, le pliai en deux et pressai fortement sur la blessure. « Il faut faire un garrot, dis-je. On ne peut rien faire de plus jusqu'à ce qu'on arrive à Dun Cruach. »

Pendant que Llew maintenait le pansement sur la plaie, je tâchai de fixer celui-ci avec une autre bande d'étoffe prélevée sur sa cape ; puis je fis un nœud serré au-dessus de la blessure afin que le pansement tienne bien en place.

« J'espère que cela tiendra jusqu'à Dun Cruach. Il faut aller l'allonger sur un chariot, Tegid. Je vais m'occuper de ces... de ces intrus. » Il avait prononcé le dernier mot les dents serrées. « Pouvez-vous y voir quelque chose ?

— Oui, suffisamment. » Je me penchai pour prendre Ffand dans mes bras, et entendis des chevaux qui s'approchaient. Bran et Alun venaient d'arriver. L'apparition soudaine de ces deux Corbeaux, avec leurs tatouages bleus, leurs brassards, leur lance et leur bouclier, renforça les craintes des deux étrangers. Ils se prostrèrent contre la Pierre du Géant, dévisageant les guerriers avec de larges yeux pleins d'effroi.

« Nous avons entendu un son bizarre, expliqua Bran en jetant un regard vers les étrangers, et nous avons préféré venir voir ce qui se passait ici. »

Alun dévisagea les étrangers en fronçant les sourcils. « Dyn Dythris, murmura-t-il.

— Ne vous en faites pas, Alun, enchaîna froidement Llew. Ils ne vont pas rester longtemps. Ils vont repartir d'où ils viennent dès que possible.

— Vous allez le faire maintenant ?, demanda Alun en tournant les yeux vers la Pierre du Géant. Ici ?

— Non, répondit Llew. Le portique... le seuil est à présent fermé. Il va nous falloir trouver un autre endroit pour les renvoyer. » Il fit un signe de tête en direction des étrangers prostrés dans l'ombre de la pierre. « Amenez-les jusqu'aux chariots, Alun. » Puis, s'adressant à Bran : « Vous, occupez-vous de Ffand. Installez-la confortablement. Tegid et moi, nous vous rejoignons... nous avons d'abord quelque chose à faire. »

Je soulevai Ffand dans les bras et la donnai à Bran, qui posa la jeune fille inconsciente sur la selle devant lui, fit faire un demi-tour à son cheval, puis reprit son chemin. Alun, la lance à la main, avança son cheval jusqu'à l'endroit où restaient plantés les deux étrangers. Un geste rapide de la pointe de la lance fut suffisant pour les faire avancer. Tout le monde s'achemina le long de Sarn Cathmail ; nous attendîmes qu'ils soient tous hors de vue derrière les collines, et puis nous nous mîmes à la tâche pour enterrer le corps de l'étranger à l'ombre de Carreg Cawr.

Llew découpa la tourbe à l'aide de son épée et enroula l'épaisseur d'herbe. Puis il plongea son couteau dans la terre et fit une saignée, et nous sortîmes à pleines mains la terre qu'il avait ainsi détachée du sol ; Twrch nous aidait à creuser. Une fosse peu profonde prit forme sous nos mains ; lorsqu'elle fut prête, Llew se dirigea vers le corps. Il scruta dans l'herbe pendant un temps avant de trouver l'objet qu'il cherchait. Alors il se pencha et ramassa un objet bizarre : carré, de petites dimensions, avec un manche, très court, qui dépassait ; l'objet était d'une couleur noire avec une nuance bleue et un reflet métallique sur toute sa surface.

« C'est une arme... une arme à feu », expliqua-t-il. L'objet n'avait pas l'air très grand, ni puissant au point de faire du mal — du moins si l'on mettait à part le bruit terrible que nous l'avions entendu faire. Llew sembla briser l'objet pour l'ouvrir et le secoua pour en sortir plusieurs objets minuscules qui ressemblaient à des graines. Il les ramassa l'une après l'autre.

« Les balles », dit-il. Puis il plaça l'extrémité de l'une d'entre elles dans sa bouche, mordit pour ôter l'embout, qu'il recracha, et laissa se déverser une poudre noire de l'enveloppe de bronze qui restait. Il répéta l'opération avec chacun de ces petits objets, puis rejeta l'arme à feu dans la fosse. « Eh bien voilà, dit-il avec une satisfaction sévère... Celui-là, il a tiré sa dernière balle... »

Nous traînâmes le cadavre de l'étranger jusqu'à la fosse et le fîmes rouler dedans. La gorge de l'homme avait été attaquée férocement ; le devant de son siarc léger était maculé de sang. Twrch nous regardait en silence alors que nous replacions la terre, puis la tourbe.

Nous retournâmes à nos chevaux, et reprîmes la route en pressant l'allure afin de rejoindre nos compagnons. Cette nuit-là, nous campâmes parmi la bruyère près de Sarn Cathmail. Nous montâmes la garde sur les Dyn Dythris, de crainte qu'ils ne s'enfuient, et le jour suivant, nous reprîmes la route. Le paysage, peu à peu, se modifiait : le sol, déjà sec, était à présent craquelé, comme cuit par un soleil de plomb ; le peu d'herbe qui restait était fluette et d'un blanc décoloré. La bruyère était rousse et le ciel d'un jaune sale à cause de la poussière portée par les vents.

Nos éclaireurs revinrent au rapport, disant que les rivières et les sources marécageuses, plus en avant, étaient polluées. Peu de temps après, nous arrivions auprès d'un petit lac d'eau stagnante. L'eau était putride, et un dépôt noir flottait à la surface. Des nuées de mouches grouillaient près de la berge où des poissons morts, ventre en l'air, flottaient au soleil.

Nous continuâmes notre route, passant à côté de rivières, de mares, de lacs de toutes tailles, et en chacun de ces endroits, nous trouvions une eau noire et nocive, des berges couleur ocre couvertes d'une croûte infecte ; toute la végétation sur les bords de l'eau était desséchée, brûlée. Ici et là, les restes d'animaux empoisonnés reluisaient au soleil de façon sinistre, et non loin de là, les carcasses des oiseaux charognards.

Le paysage que nous traversions était calme, silencieux. Mais ce silence cachait la peste, et ce calme la passivité de la mort. L'air sentait la maladie, la pourriture et la corruption. La chaleur et la puanteur se combinaient pour nous agresser cruellement. Nos yeux nous piquaient, nos estomacs se retournaient. Nous chancelions sur nos selles à cause de la nausée. Même nos chevaux se sentaient mal à cause de l'air vicié : la bave coulait de leur museau, leurs muscles se contractaient, avaient des mouvements convulsifs et ils ne voulaient pas manger.

« Ça a encore empiré, murmura Rhoedd d'un air lugubre. Pire que lorsque je suis parti. À présent, même l'air est empesté ; ça ne sentait pas comme ça lorsque je suis passé la fois dernière.

— Avec le temps, observa Bran, tous les cadavres finissent par sentir… »

Rhoedd nous avait prévenus, mais la réalité était pire que tout ce qu'il avait pu nous dire. Car, sous ce ciel d'un jaune lugubre, on imaginait mal que le pays puisse jamais se remettre. Et à chaque pas, la souillure s'envenimait. La mystérieuse pollution avait pénétré au plus profond, suintant de toute part, répandant silencieusement son venin à travers tout l'Albion.

XXIX

LA RUINE

La lourdeur des chariots nous avait empêchés de voyager plus vite ; sinon, nous serions arrivés à Dun Cruach plus tôt. Bref, nous dûmes supporter encore deux journées d'une chaleur accablante, avec l'odeur de la mort dans les narines, respirant la poussière et la pourriture à chaque pas.

Le soleil était comme une brûlure dans le ciel, qui transformait la terre en cendres. La lumière blessante épargnait certes mon regard, mais l'air immobile et stagnant s'engonçait dans mes poumons comme de la laine, faisant de chaque respiration un supplice persistant. Nous avancions sans parler, la tête basse, démoralisés par toute cette impitoyable dégradation.

Le transport dans le chariot infligeait des secousses trop brutales, et nous décidâmes de nous relayer pour transporter Ffand chacun à notre tour. Elle ne pesait rien, et ne reprenait conscience que rarement. Nous lui donnions à boire et lui rafraîchissions le visage et la nuque avec des vêtements humides afin de la soulager, mais sa blessure était sérieuse, et elle ne pourrait pas supporter tout cela bien longtemps.

Nous arrivâmes à Dun Cruach à la tombée de la nuit — assommés par la chaleur, sur des chevaux titubant, et engourdis par les rigueurs du voyage. Mais la vue de la citadelle, avec ces gens qui sortaient par flots entiers pour nous accueillir, nous fit battre le cœur. Ils virent les cuves et s'y précipitèrent. En quelques instants, les chariots furent pris d'assaut, et l'atmosphère paisible se mit à frémir avec des cris d'allégresse et des hurlements de joie. Ffand, blottie sur la selle devant moi, remua un peu à cause du vacarme, mais ne se réveilla pas.

La voix de Cynan s'éleva au-dessus des autres. « Bienvenus, frères !, s'exclama-t-il avec grande joie. Nous n'aurons jamais accueilli des visiteurs à Dun Cruach avec autant d'impatience… même si nous ne pouvons le faire avec une coupe de bienvenue… Nous avons bu les dernières gouttes de bière hier…

— Salut à Vous, Cynan, dit Llew en descendant de son cheval. Nous sommes venus aussi vite que possible.

— Et on ne vous fera pas languir à la porte… ! », rétorqua Cynan. J'entendis le bruit assourdi de la grande tape que celui-ci avait l'habitude de donner sur l'épaule de Llew, puis comme je ne bougeais pas de ma selle, je sentis sa main effleurer mon genou. « Merci, mes amis. Ce que vous venez de faire, on ne l'oubliera pas…

— Ce n'est pas grand-chose en comparaison de tout ce que vous avez fait pour nous, répondit Llew.

— Qui est avec vous, Tegid ?, demanda Cynan. Ne me dites pas que vous êtes venu avec une fiancée ?

— C'est Ffand, dis-je. Nous l'avons trouvée sur le chemin.

— C'est elle qui nous a aidés, Tegid et moi, à nous échapper des griffes de Meldron, à Sycharth, compléta Llew.

— Ah bon !, s'exclama Cynan.

— Et elle est blessée », poursuivit Llew. Mais avant qu'il puisse en dire plus, Bran et Alun s'avancèrent vers nous pour demander ce qu'il fallait faire avec les étrangers. « Amenez-les moi ici, ordonna Llew.

— Des Dyn Dythris parmi nous ? », s'étonna Cynan. Il avait dû tourner le regard vers les chariots d'où Bran et Alun étaient en train de faire descendre les prisonniers. Il se tut, les observant des pieds à la tête : « Vous avez bien fait de les attacher, fit-il remarquer.

— C'était préférable, répondit Llew. Ce sont nos ennemis. L'un d'eux a blessé Ffand… et il est mort », dit Llew. Puis il expliqua comment nous avions fait pour capturer ces étrangers. « Nous allons les renvoyer dans leur monde dès que ce sera possible. En attendant, il faut nous assurer qu'ils ne s'échapperont pas. » Il se tut un instant, puis ajouta : « Même si celui qui a des cheveux bouclés comme un mouton… est supposé être un ami…

— C'est là une étrange façon de traiter un ami… Enfin, si vous estimez qu'il le faut, je vais faire préparer une pièce pour les maintenir sous bonne garde. Mon père n'a jamais utilisé de cachot. » Il lança quelques instructions à Bran et Alun puis, se retournant, nous empressa de le suivre vers les logements d'habitation. « Il fait beaucoup trop chaud pour rester ainsi en plein soleil. Il fait plus frais à l'intérieur. »

Cynan fit appeler quelques-uns de ses gens et leur ordonna de prendre Ffand avec eux, de soigner sa blessure, et de lui préparer un endroit où elle pourrait se reposer. « Je viens m'occuper d'elle dans quelques instants », dis-je en leur confiant la jeune fille.

Nous pénétrâmes dans les appartements pour venir saluer Cynfarch. Le roi nous accueillit froidement, presque avec colère, puis nous tourna le dos et commença à distribuer ses ordres pour qu'on établisse les rations d'eau.

« C'est difficile pour lui d'accepter votre aide, expliqua Cynan. Tout cela nous est tombé dessus tellement vite ! Nous n'avons pas eu le temps de nous retourner. Et beaucoup parmi nous sont morts empoisonnés. Nous avons bien essayé de creuser de nouveaux puits, mais il fait si sec…

— Nous sommes venus vous chercher pour vous ramener à Dinas Dwr, dit Llew. L'eau que nous avons apportée ici doit nous servir à tenir pour rentrer là-bas. Dans combien de temps pensez-vous être prêts à voyager ? »

Cynan se tut. « Nous pouvons partir dès maintenant, répondit-il enfin, mais je ne pense pas que Cynfarch viendra avec nous.

— Nous allons lui parler.

— Vous pouvez essayer…, répondit Cynan de bon gré. Mais n'espérez pas le faire changer d'avis. Tout ce que j'ai réussi à lui faire admettre, c'est d'envoyer Rhoedd à votre rencontre… Il n'a même pas accepté que je lui fasse demander de l'aide. Mon père peut parfois être très têtu.

— Peut-être va-t-il changer d'avis maintenant que nous sommes ici, suggéra Llew.

— Oui, peut-être…, admit Cynan. J'essayerai de lui parler encore une fois après le dîner. »

Le repas fut sinistre, ce soir-là. Cynfarch, gêné de ne pas pouvoir nous accueillir correctement, restait enfoncé dans son siège, silencieux, le visage renfrogné… un hôte plutôt sévère. Le peuple, en dépit du soulagement que procurait la présence d'eau potable, ne put pas surmonter la mélancolie de son seigneur. Au milieu des terres dévastées, Dun Cruach n'était plus qu'un endroit morne, désespéré.

« C'est encore pire que je ne pensais », soupira Llew lorsque nous pûmes enfin nous libérer de table. Nous restâmes un moment à l'extérieur, mais l'air était toujours brûlant, sans aucun souffle de vent pour le rafraîchir.

« Nous n'aurions pas dû venir, dis-je.

— Sans eau, ils auraient fini par mourir », fit remarquer Llew d'un ton aigre.

Cynan nous rejoignit. Il vit l'expression du visage de Llew et dit : « Si vous êtes en train de comploter pour liquider Meldron, je suis votre homme.

— Avez-vous parlé à Cynfarch ? Nous ne voudrions pas nous attarder ici plus que le temps nécessaire.

— Oui, je lui ai parlé, répondit Cynan de mauvaise grâce. Mon père préférerait mourir plutôt que de perdre son royaume.

— Mais son royaume, il est déjà perdu !, lança Llew en serrant les dents. C'est de sa vie, maintenant, qu'il s'agit !

— Cela, croyez-vous qu'il ne le sait pas ? »

Puis il y eut un long silence. Les deux hommes s'observaient l'un l'autre, et je sentais la tension et la colère contenues.

« Le ferait-il pour le salut de son peuple ?, demandai-je.

— Pour son peuple, c'est sûr. Mais pour cette seule raison.

— Alors il faut lui faire comprendre que si nous restons ici ne serait-ce qu'un jour de plus, le peuple mourra.

— C'est facile à dire, mais difficile de convaincre », riposta Cynan. Après un moment, il ajouta : « Mon père pense que la pluie va venir et que le fléau va prendre fin. Il se fait des illusions, je le lui ai dit. Mais il ne veut pas entendre.

— Nous devons aller lui parler, maintenant, suggéra Llew, et régler le problème une bonne fois pour toutes.

— Il est tard, et il n'est pas d'humeur à discuter, dit Cynan. Il vaut mieux attendre demain. »

Nous sombrâmes une nouvelle fois dans le silence, mal à l'aise, de mauvaise humeur les uns contre les autres. L'atmosphère devint lourde et embarrassante ; nous pensions tous à la tâche qui nous attendait, réfléchissant pour savoir s'il valait mieux essayer de parler à Cynfarch maintenant, ou attendre demain matin. Rhoedd nous sortit finalement d'embarras, et apparut juste à ce moment-là pour nous annoncer que Cynfarch souhaitait voir les étrangers. « Le roi désire qu'ils lui soient amenés immédiatement », dit-il.

Llew hésita. « Très bien… », dit-il lentement. Je me rendais compte qu'il ne voyait pas d'un bon œil le fait d'accorder la liberté, ne serait-ce qu'un court instant, aux étrangers. « Amenez-les. » Ils firent demi-tour et entrèrent dans le bâtiment. « Vous venez, Tegid ?

— Dans un instant, répondis-je. Je vais d'abord voir Ffand. »

Cynan appela l'une des femmes qui se trouvait à l'intérieur pour qu'elle me conduise, et je la suivis jusqu'à une autre bâtisse, non loin de là. « Elle est ici », dit la femme. Mon regard intérieur s'alluma au son de sa voix. Je vis Ffand assoupie sur un doux matelas de laine ; une femme était assise à côté d'elle, veillant avec un feu d'ajoncs. La pièce était chaude, et la jeune fille était nue sous une fine couverture jaune. Les femmes avaient utilisé un peu d'eau précieuse pour lui faire sa toilette et avaient recouvert sa blessure d'un linge propre. Elles lui avaient brossé les cheveux et les avaient tressés.

Je m'agenouillai près d'elle et prononçai son nom : « Ffand. C'est Tegid. M'entends-tu ? » J'effleurai sa petite épaule nue. « Ffand, m'entends-tu ? »

Elle remua et ouvrit lentement ses paupières. « Nous ne sommes pas dans la citadelle de Llew…, m'avisa-t-elle d'une voix fine comme une toile d'araignée.

— Non, c'est vrai. Nous sommes à Dun Cruach, le village de nos alliés, Cynan Machae et son père, le roi Cynfarch.

— Ah bon…, soupira-t-elle, extrêmement soulagée.

— Tu pensais que nous étions à Dinas Dwr ?

— On dit que Dinas Dwr est une forteresse enchantée, avec des murs de verre qui la rendent invisible, murmura-t-elle. C'est pour cela que Meldron ne peut pas la trouver. Je savais bien qu'ici, ça ne pouvait pas être Dinas Dwr. » Elle avait dit cette dernière phrase avec grand mépris. Puis elle ferma les yeux à nouveau comme pour ne pas laisser entrer une vision repoussante.

« Comment te sens-tu, Ffand ? Est-ce que tu as mal ? » Elle secoua la tête légèrement. « Est-ce que tu as faim ? »

Ses yeux s'ouvrirent faiblement à nouveau : « Est-ce qu'il était au service de Nudd ?

— Qui donc ?

— L'étranger… dit-elle d'une voix de plus en plus douce et calme. Est-ce que c'était pour ça qu'il se cachait sous la Pierre du Géant ? »

Je réfléchis un moment. « Oui, dis-je. Il était au service de Nudd. Et c'était pour ça qu'il se cachait sous la pierre.

— Alors je suis contente que Twrch l'ait tué. » Ella avala sa salive ; sa gorge faisait des efforts, mais sa bouche restait sèche. Je soulevai sa tête et pris la coupe. Elle but une gorgée, mais refusa de boire plus.

Je me levai. « Je vais revenir la voir dans un instant, dis-je. Faites-moi savoir si elle se réveille avant mon retour. »

Les femmes inclinèrent la tête puis recommencèrent à veiller, et je revins vers le premier bâtiment. Mon regard intérieur restait actif, et je pus donc entrer pour voir les étrangers, debout devant Cynfarch, chacun avec un guerrier à ses côtés qui le tenait fermement par le bras. Les étrangers restaient bouche bée, clignant des yeux devant la foule amassée autour d'eux. Je pris place près de Llew, qui, debout, s'était mis un peu sur le côté pour observer.

Cynfarch, une figure imposante en toute occasion, trônait, fier et autoritaire. Il regarda les étrangers avec une curiosité froide, puis leva la main et intima au plus grand des deux de se présenter devant lui. Celui-ci avala sa salive, et levant ses deux mains en signe de supplication, se mit à geindre pitoyablement dans sa langue abominable. Même sans en comprendre un mot, je devinais que le malheureux était en train d'implorer pour qu'on lui épargne la vie.

« *Rhoi taw !*», réprimanda Cynan. Son intervention fut suffisamment claire, car l'homme se tut dans un nouveau gémissement. « Noble Père, dit Cynan en se retournant vers le roi. J'ai fait venir les Dyn Dythris devant vous comme vous l'avez ordonné. Observez-les bien, Seigneur… vous voyez qu'ils ne sont pas de notre race.

— Il n'est pas difficile de s'en rendre compte, répliqua Cynfarch. Mais j'aimerais savoir pourquoi ils sont venus chez nous.

— Je vais le leur demander, proposa Cynan ; mais je ne pense pas qu'ils puissent parler notre langue.

— C'est possible, répondit le roi. Cependant, un homme doit répondre lui-même s'il le peut. Interrogez-les. »

Sur ce, Cynan se tourna vers celui qui s'appelait Weston et l'interrogea : « Quel est ton nom, étranger ? Et quelle est la raison pour laquelle tu es ici ?»

L'étranger se raidit en entendant Cynan s'adresser à lui. Il émit une sorte de miaulement et se mit à faire des gestes désespérément. Certains dans l'assistance commencèrent à rire, mais c'était un rire de malaise qui fut aussitôt étouffé. L'autre étranger fut comme pris de honte, et écarquilla les yeux, sous l'effet de la panique.

Cynan se retourna vers son père. « L'étranger, manifestement, n'a pas la faculté de comprendre, Seigneur.

— Cela ne m'étonne pas, il suffit de le regarder…, dit le roi d'un air songeur. Cependant je tiens à savoir pourquoi lui et ses comparses sont venus parmi nous. Y a-t-il quelqu'un qui pourrait se faire son interprète ?

— Je crois avoir la solution, dit Cynan en s'avançant dans la direction où Llew et moi attendions. Eh bien, frère, accepteriez-vous de servir d'interprète ?

— Il n'y a rien de bon à attendre de tout cela », murmura Llew en s'avançant de quelques pas. Ignorant l'étranger nommé Weston, il interpella le petit étranger aux cheveux blancs pour qu'il le rejoigne.

« Cet homme se nomme Nettles, dit Llew en s'adressant au roi. Je le connais ; il est mon ami. D'une certaine manière, il est comme un barde, et à ce titre on peut lui faire confiance, car il ne mentira pas. En cela, il n'est pas comme les autres. » Llew fit signe au petit homme pour qu'il vienne près de lui, et lui posa la main sur l'épaule. « Cet homme est un homme d'honneur… un homme de grande sagesse et de grande culture. Il s'est battu pour éviter que ceux qui l'accompagnent viennent jusqu'ici et je sais qu'il est d'accord avec ce que vous pensez de la situation. » Il se tut et regarda le petit homme avec affection. « Je comprends son langage. Demandez-lui ce que vous voulez, je suis d'accord pour servir d'interprète.

— C'est parfait, répondit le roi. Je voudrais savoir pourquoi ils sont venus dans notre monde, et ce qu'ils comptent y faire. »

À la grande surprise de toute l'assistance, l'homme à la chevelure de neige répondit sans hésitation dans une langue qui ressemblait beaucoup à la nôtre, mais que malheureusement je ne parvenais pas à saisir. « Que dit-il ?, demandai-je à Llew qui souriait un peu découragé en regardant le petit homme.

— Je n'en ai pas la moindre idée, répondit-il. Il parle dans une langue que l'on appelle le gaélique.

— C'est vous qui le lui avez demandé ?

— Mais non, répondit-il, il l'a fait de sa propre initiative. Il pensait que cela pourrait être utile. »

Avant que je puisse m'expliquer davantage, le roi prit la parole : « Cet homme semble parler avec droiture. Qu'a-t-il dit ?

— Permettez-moi de lui parler, noble Seigneur », dit Llew. Puis il se tourna vers le petit homme qui se trouvait près de lui, et ils discutèrent ensemble. Weston et l'autre étranger les dévisagèrent avec stupeur.

Puis le petit homme s'exprima d'une voix ferme. Lorsqu'il eut fini, Llew enchaîna : « Grand Roi, dit Llew, il dit qu'ils arrivent d'un endroit situé au-delà de ce royaume des mondes. Il dit qu'il ne ment pas lorsqu'il affirme que les hommes qui sont avec lui ne sont pas bons. Ils ont mis tous leurs efforts afin de pouvoir gagner l'entrée du royaume d'Albion, et y sont finalement parvenus, comme vous pouvez le voir. »

Llew rapprocha sa tête de celle de son ami, et ils discutèrent ensemble à voix basse. Weston tenta de s'avancer pour entendre ce qu'ils se disaient, mais le garde qui était près de lui lui agrippa le bras et le tira vers l'arrière.

Nettles reprit la parole, et Llew traduisit : « Ne vous laissez pas abuser. En dépit de leur apparence discrète et insignifiante, ils apportent avec eux une puissance terrible et malveillante faite pour corrompre et profaner. Ils ont peu conscience de ce qu'ils font, mais le peu qu'ils en ont ne réserve pas les meilleures intentions. Le fait qu'ils soient prisonniers est une bonne chose, car ce ne sont pas des hommes de parole. »

Le roi écouta gravement, puis tourna une nouvelle fois son attention vers Weston. L'étranger se mit à trembler sous le regard sévère de Cynfarch ; la sueur dégoulinait sur son visage et dans son cou. Lorsque enfin il ne put soutenir davantage le regard du roi, il brandit ses poings en direction de Nettles et se répandit en lamentations en s'adressant à lui dans son horrible langage.

Llew et Nettles s'entretinrent quelque temps. « Cet homme s'appelle Weston, dit Llew en s'adressant au roi. Il exige de savoir pourquoi il est retenu prisonnier. Il dit que vous n'avez aucun droit de le traiter comme vous le faites, et ordonne d'être libéré sur-le-champ. »

L'exigence de l'étranger provoqua la colère noire du roi, qui put ainsi se faire une opinion concernant les Dyn Dythris. « L'ignorance de cet étranger est manifeste, dit Cynfarch d'une voix qui grondait comme une menace. Ne sait-il pas que je suis le roi ! Ayant un devoir de justice, je l'exerce parce que c'est mon droit. Est-ce qu'il est vraiment incapable de comprendre cela ?

— Je crois qu'il ne reconnaît aucun homme en tant que roi, Seigneur, suggéra Llew. Je pense pouvoir dire avec certitude que ces étrangers n'ont ni considération ni respect envers la souveraineté... ni pour eux-mêmes ni pour les autres. »

Les yeux bleus de Cynfarch se plissèrent. « Là encore l'ignorance est manifeste. Aucun homme un tant soit peu intelligent ne se présente devant un souverain avec des exigences auxquelles il ne peut aspirer qu'après avoir prouvé son allégeance et sa loyauté.

— Père, fit remarquer Cynan, Llew nous a conseillé de renvoyer expressément ces étrangers vers leur propre monde sans tarder.

— C'est ce que vous pensez ?, dit Cynfarch en regardant Llew.

— Oui, c'est ce que je pense, répondit Llew. Le Chef des Bardes connaît la façon dont il faut s'y prendre.

— Eh bien qu'il en soit ainsi, si vous estimez que c'est la meilleure solution, dit le roi. Si le fait de repousser les Dyn Dythris vers leur propre royaume doit nous préserver de tout problème sans leur causer de mal pour autant, qu'il en soit ainsi. » Il leva ses mains en direction des gardes. « Emmenez-les. Je ne veux plus rien entendre. »

Les étrangers furent évacués sur-le-champ, alors que Weston se répandait en protestations bruyantes pendant que les soldats le traînaient hors de la salle. Le roi secoua lentement la tête et fronça les sourcils. Le comportement fruste des étrangers l'avait déconcerté.

Llew, voulant saisir l'occasion, intervint : « Lord Cynfarch, vous avez pu vous rendre compte de la situation : l'eau est empoisonnée ; des étrangers pleins d'arrogance envahissent Albion en toute impunité ; Meldron rôde partout dans Caledon en détruisant tout ce qui veut lui résister.

— Oui, la situation est très mauvaise, admit le roi.

— Et elle s'annonce pire encore, dit Llew. À Dinas Dwr cependant, il y a suffisamment d'eau pour tous, et de la nourriture ; et derrière les remparts de Druim Vran, nous sommes en sécurité. Je vous invite à remonter dans le nord avec nous pour vous mettre en sécurité... au moins jusqu'à ce que Meldron soit mis hors d'état de nuire.

— Mais comment Meldron sera-t-il mis hors d'état de nuire ?, demanda Cynfarch avec insistance, si personne ne lui résiste ?

— Nous allons lui résister, assura Llew. Lorsque l'heure sera venue, vous verrez que nous ne traînerons pas pour prendre les armes. Nous avons apporté de l'eau ; suffisamment pour le voyage qui doit nous ramener à Dinas Dwr. Mais nous ne pouvons plus attendre. Il faut partir dès maintenant. »

Le roi réfléchit à ce qui venait d'être dit. « J'ai bien entendu, répondit Cynfarch. Je vous ferai part de ma décision demain dans la matinée. »

Llew semblait souhaiter que les choses pussent aller plus vite, mais je devinai que le fait de presser davantage le roi risquait de le braquer. J'intervins d'une voix ferme : « Nous attendrons votre décision, Seigneur. »

Cynfarch se retira dans ses appartements, et tous ceux qui avaient assisté à l'audience partirent se coucher, nous laissant, Llew, Cynan, Bran et moi-même, conférer ensemble : « Comment pourrait-il refuser ?, se demanda Llew. Il n'y a plus d'eau. Vous ne pouvez pas rester ici plus longtemps.

— Et pourtant, nous ne pouvons pas partir sans que le roi n'ait au préalable donné son accord, dit Cynan. C'est ainsi. Il nous faut attendre jusqu'à demain pour connaître sa décision.

— Bon, très bien, conclut Bran. Je vais me coucher. » Il se leva ;
j'entendis ses pas s'éloigner vers un coin de la salle où devait se
trouver sa couche, une peau de veau posée sur un matelas de paille
à même le sol.

« C'est la solution la plus sage, dit Cynan. Venez, je vais vous
montrer où se trouvent vos lits. »

Nous nous levâmes et nous dirigeâmes vers la porte. Au moment
de sortir, nous fûmes alors abordés par l'une des femmes qui veillait
sur Ffand. « Seigneur Barde, dit-elle en s'adressant à moi, veuillez
me suivre sans tarder : l'enfant vous réclame. »

Nous rentrâmes tous les trois dans la pièce où reposait Ffand.
Aussitôt qu'elle nous vit, la femme qui se trouvait à ses côtés murmura : « Voici le barde, mon enfant, et Llew est avec lui. »

En entendant ces mots, mon regard intérieur s'accéléra, et je vis
la forme frêle de la jeune fille étendue sur sa couche, pâle sous la
faible lumière de la pièce. « Tegid ?, dit-elle.

— Oui, mon enfant, dis-je en m'agenouillant près de son lit. Je
suis là, Ffand.

— J'ai froid », dit-elle dans un filet de voix, presque sans souffle.

La pièce, sans ouverture, était malcommode et manquait d'air.
Ffand était prise de frissons. « Apportez une autre couverture », dis-je
en m'adressant à l'une des femmes.

Llew était à genoux près de moi. « As-tu mal, Ffand ? »

Elle inspira brusquement : « Non, fit-elle. Mais j'ai tellement
froid… tellement froid.

— Qu'est-ce que tu voulais me dire ?», demandai-je.

Il y eut un moment avant qu'elle pût parler à nouveau : « Où est
Twrch ?, demanda-t-elle.

— Il est dehors. Il t'attend. Il n'a pas quitté la porte de toute la
journée.

— Veux-tu que je te l'amène ?», demanda Llew.

Elle secoua la tête, d'un geste extraordinairement faible. « Qu'est-
ce qu'il va devenir, sans moi ?, murmura-t-elle.

— Ffand, dit Llew, tu vas bientôt guérir. Tu pourras alors
t'occuper de Twrch comme avant.

— Prenez soin de lui, dit la fillette d'une voix de plus en plus
faible. Il est tout ce que je possède.

— Ffand, écoute-moi…, reprit Llew en lui prenant la main.
Ffand ?»

Mais son âme, déjà, s'était échappée. Sans même un frémissement, sans même un soupir, Ffand était morte.

Llew s'assit et lui prit la main ; puis il se pencha au-dessus d'elle et l'embrassa sur le front. Il se releva rapidement et sortit. La femme, entre-temps, était revenue avec la couverture. Ensemble nous la dépliâmes et nous l'étendîmes sur le corps de Ffand. Puis je sortis à mon tour rejoindre les autres.

« ... et puis prenez aussi Bran et Alun avec vous, était en train de dire Llew. Je vais chercher les chevaux. »

Cynan disparut en hâte, et Llew se retourna vers moi : « Les Dyn Dythris s'en retournent dès ce soir ! Il faut que je sois présent pour en être sûr, dit-il avec colère.

— Mais nous devions...

— Dès ce soir !, cria Llew en disparaissant précipitamment. Et vous viendrez avec nous, Tegid ! »

XXX

À LA CROISÉE DES CHEMINS

La chaleur de la journée était peu à peu devenue d'une lourdeur suffocante ; même au plus profond de la nuit, on ne trouvait aucun soulagement. Cependant nous pressions l'allure — nous, c'est-à-dire Llew, moi-même, et quatre des soldats de Cynan qui montaient la garde, sur leurs chevaux, près des étrangers qui voyageaient dans deux chariots appartenant à Cynfarch. Cynan, en éclaireur, nous précédait, une torche à la main ; Bran et Alun, eux, fermaient le convoi.

Nous cheminions vers l'endroit où Sarn Cathmail, notre chemin venant du nord, croisait la piste conduisant vers les collines centrales de Caledon, à l'ouest — une croisée des chemins, donc. D'après Cynan, cette croisée des chemins était dominée par un tertre lui-même recouvert, en son sommet, de quelques bouleaux. L'endroit était sacré, et c'était depuis ce lieu que nous avions l'intention de renvoyer les Dyn Dythris dans leur monde.

Llew persistait dans sa volonté de réexpédier sans tarder les étrangers, et nous n'avions aucune raison de le contredire. Nous nous étions donc mis en route, espérant rejoindre la croisée des chemins avant l'aube, au moment précis de l'heure bleue ; le seuil séparant les deux mondes, à cet endroit sacré, resterait alors ouvert quelques instants...

La nuit était contre nous ; aucun clair de lune n'éclairant notre route, le voyage avait pris beaucoup plus de temps que prévu. Nous nous efforcions à présent de presser l'allure autant que nous pouvions afin d'arriver à temps.

« C'est très étrange, murmura Cynan. Je connais les environs... nous avons dû, à cause de l'obscurité, dépasser le tertre. » Il se tut, tira sur les rênes de son cheval pour l'arrêter, puis il se tourna vers moi : « Peut-être devrions-nous revenir sur nos pas. »

Émergeant de l'obscurité, Llew lui répondit : « Non, fit-il sèchement en arrivant à notre hauteur. Nous aurions aperçu le chemin de la colline… même dans le noir. Il faut continuer.

— Aperçu le chemin !, protesta Cynan. Je ne peux même pas voir ma main devant mes yeux ; *a fortiori* l'entrée d'un chemin devant nous ! »

Llew resta inflexible : « Nous devons continuer, Cynan. Je ne supporterai pas de les voir rester un jour de plus en Albion. »

Cynan soupira, mais il lança son cheval à l'allure supérieure.

Quant à moi, la lumière éclatante du jour ou la nuit la plus noire… je ne voyais pas la différence. Mon regard intérieur restait inactif. Ne voyant rien, j'écoutais, attentif à tous les sons qui me parvenaient à travers la nuit calme… Twrch trottinait sans bruit, reniflant de temps à autre la piste, la flamme de la torche crépitait, les chevaux avançaient en faisant tinter leurs sabots, les roues des chariots craquaient. Une fois, j'entendis un oiseau, réveillé par notre passage, qui émit un cri aigu au moment de s'envoler ; c'était un appel, comme un cri perçant, désincarné, disparaissant peu à peu dans le vide informe.

Quelque temps passa, puis nous descendîmes le long versant de la colline vers la vallée. Cynan s'arrêta pour essayer de se repérer. Les chariots cahotèrent, puis s'immobilisèrent derrière nous. « Je ne vois strictement rien, grommela Cynan. Tegid aura peut-être plus de chance pour trouver ce croisement dans la nuit.

— Si nous nous sommes trompés, nous n'avons pas pu aller bien loin, suggéra Llew. Connaissez-vous cette vallée ?

— Non, je ne la connais pas, répondit Cynan d'une voix crispée par la déception.

— Mais vous devez bien avoir une idée du lieu où nous sommes…, insista Llew.

— Je le pourrais, oui, si j'y voyais quelque chose ! », piaffa Cynan.

Llew resta silencieux un moment. La torche crépitait… comme si, à travers elle, la déception de Cynan était devenue audible.

« Eh bien ?, demanda Cynan.

— Nous continuons, dit-il. Ce sentier devrait nous conduire à Sarn Cathmail…

— Il *devrait* nous conduire… », confirma Cynan avec aigreur. Puis il ajouta : « Mais il se pourrait aussi bien qu'il ne nous y conduise pas… »

Llew fit un claquement de langue et lança son cheval. J'entendis le bruissement du cuir et le craquement des roues au moment où les chariots s'ébranlèrent une nouvelle fois. Je me mis dans la course et suivis les autres, tout en espérant que mon regard intérieur se réveille enfin et me révèle quelques bribes du paysage. Mais je continuai, comme les autres, à avancer dans le noir.

J'avais l'impression que nous avions passé beaucoup de temps à chercher vainement la piste ou le tertre. Personne ne parlait ; il n'y avait aucun bruit, si ce n'est le rythme régulier des sabots et un brusque cahot, parfois, des chariots. J'ai dû m'assoupir sur ma selle sans m'en rendre compte, car nous nous retrouvâmes soudain à franchir un petit mamelon, et j'entendis quelqu'un dire : « À l'est, là-bas, il fait de plus en plus clair. » Et presque au même moment, Cynan se mit à crier : « Le voilà ! »

Je me réveillai complètement, dans un sursaut. « Le voilà, ce tertre !, était en train de dire Cynan. Vous pouvez le discerner là-bas, au sud.

— À quelle distance ?, demandai-je en relâchant la bride pour m'approcher de Llew.

— Pas très loin, répondit-il. Si nous nous dépêchons, nous pouvons arriver à temps. » Il fit claquer ses rênes : « Allez, en route ! »

En un éclair de temps, nous nous précipitâmes en direction du tertre dans l'obscurité qui se dissipait de plus en plus. Je suivis le bruit provoqué par les sabots des chevaux et arrivai juste derrière Llew. « Sarn Cathmail ! », cria-t-il en sautant de son cheval. Il accourut vers moi et posa la main sur la bride de mon cheval au moment où j'arrêtai l'animal. « Vite, Tegid. Nous n'avons pas beaucoup de temps. »

Je me glissai jusqu'au sol, faisant un geste pour saisir mon bâton de marche derrière la selle alors que mes pieds se posaient sur le sol. « Conduisez-moi à l'endroit où les deux routes se croisent. »

Llew me conduisit précisément à l'endroit où une piste bien battue contournait le tertre pour traverser Sarn Cathmail ; là, prenant mon bâton et le levant vers les quatre points cardinaux, j'invoquai tour à tour chacun d'entre eux de façon à ce que le croisement soit instauré au titre de lieu sacré. Puis je courus vers le point de l'Orient, d'où provenait la nuit obscure. J'effleurai à cet endroit le sol avec l'extrémité de mon bâton, puis commençai à tracer un cercle en prononçant les paroles de plus en plus rapides du Taran Tafod.

« *Modrwy a Nerth… Noddi Modrwy… Noddy Nerth… Modrwy Noddi… Drysi… Drysi… Drysi Noddi… Drysi Nerth… Drysi Modrwy…* » Je répétai une fois, puis encore une autre… et sentis la présence de l'awen, stimulé par les paroles, s'embraser comme une flamme à l'intérieur de moi. Ma langue semblait touchée par le feu, et les mots de la Langue des Ténèbres se mirent à fuir comme des étincelles dans l'obscurité évanescente.

Je continuai à répéter ces paroles jusqu'à ce que je revienne à l'endroit d'où j'étais parti, tout en intégrant la croisée des chemins à l'intérieur du cercle ainsi parcouru. Puis, au moment précis où l'extrémité de mon bâton eut accompli un cycle entier, je sentis les poils de mes bras se hérisser, se redresser, ma peau fut prise de picotements à cause de toute cette puissance qui affluait autour de moi.

« Amenez les Dyn Dythris ! », m'écriai-je ; et j'entendis un bruit de pas rapides alors qu'ils s'approchaient.

« Vous voyez le cercle que j'ai tracé sur le sol ?, fis-je. Que cela vous serve de repère pour vous guider. Cynan, prenez deux hommes avec vous, et tous les trois vous allez marcher, chacun avec un étranger à vos côtés, en accomplissant trois cercles solaires consécutifs, expliquai-je tout en faisant le geste avec ma main.

— Maintenant ?, demanda Cynan.

— Oui, maintenant. Et vite. »

Cynan appela Bran et Alun, qui chacun prirent en charge les deux autres étrangers, et tous se mirent à arpenter le cercle que j'avais tracé. Lorsqu'ils eurent fini, je dis : « À présent, amenez les étrangers jusqu'au centre, là où les deux chemins se croisent. Vite !

— Voilà qui est fait !, confirma Bran quelques instants plus tard. Que voulez-vous que nous fassions, à présent ?

— Détachez-les afin qu'ils ne courent aucun risque de se faire du mal », ordonnai-je.

Dès que l'ordre fut exécuté, Cynan dit : « C'est fait.

— Maintenant, laissez-les seuls, et venez nous rejoindre à l'extérieur du cercle, répondis-je. Tenez vos lances prêtes à servir. »

Les hommes obéirent ; après quoi Llew demanda : « Et maintenant ?

— Maintenant, il n'y a plus qu'à attendre.

— Que va-t-il se passer ?, demanda Bran.

— Vous allez bientôt le savoir, répondis-je. Dites-moi ce que vous voyez. »

Nous attendîmes. J'écoutais attentivement, mais je n'entendais que la respiration des hommes.

Quelques instants passèrent ; Cynan grogna : « Il ne se passe rien…

— Il faut attendre, dit Llew.

— Mais c'est déjà presque le lever du jour, et…

— Silence… !»

Dès que j'eus parlé, l'un des étrangers se mit à bouger… j'entendis son pas sur les dalles. Alun Tringad retint son souffle : « Vous avez vu ?

— Quoi donc ?, demanda Llew. Je n'ai rien vu. »

Cynan s'animait de plus en plus : « Regardez ! », dit-il ; je le sentis m'agripper le bras à cause de l'excitation : « Quelque chose est en train de se produire ! »

Twrch se mit à aboyer avec insistance.

« Dites-moi ce que vous voyez ! Décrivez-moi !

— Je vois… de l'eau ! Cela ressemble à de l'eau… comme s'ils étaient recouverts par de l'eau, dit-il.

— Est-ce qu'ils s'enfoncent dans cette eau ?, demandai-je.

— Non, ils restent dans la même position ; ils n'ont pas bougé, me répondit Llew. Mais on dirait qu'ils changent de forme… comme un effet de vague. Ils n'apparaissent plus que comme un reflet dans l'eau. »

Je compris ce qu'il voulait dire. C'était l'heure bleue. Les Dyn Dythris se tenaient sur le seuil, mais il fallait qu'ils soient attirés afin d'effectuer la traversée et rejoindre leur propre monde.

« C'est parfait, dis-je. À présent, Cynan, vous et vos hommes, prenez vos lances et levez-les en l'air. À mon signe, vous vous mettrez tous à crier : "Étrangers, disparaissez vite !", comme si vous vouliez les chasser. Mais surtout, restez bien en dehors du cercle. Vous avez compris ?

— Absolument », dit-il ; et il appela les gardes afin qu'ils s'apprêtent à feindre une montée à la charge.

« Dépêchons ! », s'écria Llew.

Je levai très haut mon bâton, puis le rabattis prestement vers le sol : « Allez-y ! »

Poussant brusquement des hurlements sauvages, Cynan et ses guerriers faisaient des bonds tout en fixant les étrangers. J'entendis un cri confus, et le bruit de quelqu'un qui trébuche, puis tombe en émettant un grognement. « Que se passe-t-il ?

— Euh… eh bien ils disparaissent, dit Llew. La traversée commence. L'un d'eux a déjà disparu… je ne le vois plus. Évanoui ! Et maintenant, c'est Weston qui part… il… » Llew s'interrompit brusquement.

« Oui, Llew, qu'est-ce qu'il y a ? »

Il ne répondit pas, mais je le sentis commencer à s'éloigner. « Non, Llew, revenez !

— Nettles !, cria-t-il. Attendez ! »

Je projetai ma main en avant et attrapai le bord de sa cape alors qu'il était en train de partir comme une flèche : « Llew, arrêtez !»

Je le retenais fermement par son vêtement. Il essaya de se dégager : « Laissez-moi !

— Llew !, restez ici !»

Twrch aboyait éperdument.

Llew, d'un coup d'épaule, tira sur sa cape et se dégagea, puis il se précipita vers l'intérieur du cercle. Cynan le rappela. Bran hurla... mais il avait disparu.

Nous restâmes stupéfaits. Les trois étrangers s'étaient volatilisés... et Llew avec eux.

« Pourquoi est-il parti ?, demanda Cynan quand il retrouva sa langue.

— Je ne sais pas. Peut-être a-t-il vu quelque chose...

— Quoi donc ? Je ne comprends pas. Pourquoi aurait-il voulu nous quitter ?

— Je n'en ai pas la moindre idée. »

Nous attendîmes dans le silence malaisé qui suivit tout ce tumulte. Un vent doux se leva avec le point du jour. Cynan m'effleura doucement le bras. « Je crois qu'il est préférable de partir d'ici. » Il y avait une nuance de tristesse et d'émotion dans sa voix, qui sonnait étrangement à mon oreille.

« Oui, vous avez raison », dis-je.

Ne me voyant faire aucun mouvement, il m'effleura une nouvelle fois le bras. « Et sans trop tarder, dit-il. Il commence à faire jour.

— Oui, nous allons partir sans tarder. »

Il appela ses hommes, et tous commencèrent à se diriger vers les chevaux et les chariots. Je restai seul, m'efforçant de rester calme pour comprendre ce qui s'était passé. J'entendis des bruits de sabots sur le chemin derrière moi ; Bran était sur son cheval et m'amenait le mien ; il pressa les rênes dans mes mains.

« Venez, dit-il. Puisqu'il est parti...»

Empoignant mon bâton, je me hissai lentement sur la selle. Mes compagnons étaient déjà en train de partir. J'entendais le son creux des sabots sur la route, et le léger grincement des roues des chariots. Je restai un instant immobile, espérant que mon regard intérieur se réveille pour me laisser entrevoir quelque chose... mais tout resta plongé dans les ténèbres. Alors, soulevant les rênes, je fis faire un demi-tour à mon cheval et rejoignis les autres.

Au moment où je m'en retournai, j'entendis Twrch gémir doucement... un petit cri plaintif dû à la disparition de son maître.

Je n'avais pas besoin de le voir pour deviner que le chien attendait, immobile, en fixant l'endroit où il avait vu disparaître Llew ; il n'avait pas bougé.

Je le sifflai doucement. Ne l'entendant pas répondre, je l'appelai : « Allez, Twrch, viens ! »

Mais le chien ne bougeait pas.

« Twrch !, dis-je d'un ton plus ferme. Viens, mon chien ! »

Constatant que celui-ci refusait d'obéir, je fis avancer mon cheval et m'approchai de la croisée des chemins. Je mis pied à terre, et guidé par le gémissement du pauvre chien, je tendis les mains vers lui, agrippai son collier de chaîne et tirai. Le chien ne tint pas compte le moins du monde de mes efforts, et bien que ses pattes avant fussent soulevées de terre, Twrch resta fermement sur ses positions.

« Twrch, allez, viens ! », dis-je en secouant vivement son collier. L'animal entêté ne voulait pas céder. Je secouai une nouvelle fois son collier ; le chien se mit à japper tristement, mais ne bougea pas. « Twrch ! »

Je ne voulais pas brusquer l'animal, mais je ne parvenais pas à le faire avancer. Je ne pouvais tout de même pas le laisser ici. J'allais devoir utiliser une corde pour pouvoir le traîner. Je me retournai et appelai Cynan. Twrch aboya.

Je revins sur mes pas et me penchai vers le chien en tendant la main vers son collier. L'animal, rusé, avait dû deviner mon intention, car il fit brusquement un écart avant que j'aie réussi à le tenir. « Twrch, arrête ! … Viens, mon chien. »

Je fis un faux pas, butant sur une dalle, et tombai sur les genoux. Mon bâton m'échappa brusquement des mains ; alors je saisis le chien par une touffe de poils, et tins bon. Cherchant à tâtons à attraper le collier avec l'autre main, je me remis avec effort sur mes pieds. Twrch aboya encore, avec force, avec rage, et fit un bond en avant en m'entraînant avec lui.

Je m'affalai sur le sol, et le chien, gesticulant, se libéra. « Twrch ! », appelai-je en me relevant péniblement. « Ici, Twrch, mon chien ! Allez, viens ! »

J'avançai de quelques pas. Twrch se mit à aboyer avec force… une fois, deux fois… Le son semblait venir de loin. Puis je n'entendis plus que le bruit de mes propres pas sur les dalles de la croisée des chemins.

Je m'accroupis et commençai à tâtonner sur le sol à la recherche de mon bâton. J'entendis un son qui ressemblait à un souffle d'air, mais ne sentis rien. Instinctivement, je tendis brutalement mes mains en avant.

Mon bras rentra en contact avec un corps vivant.

Je me débattis. À ma grande surprise, le corps s'effondra et bascula sur moi, et une fois encore je m'étalai de tout mon long sur la route. Je me débattis contre mon agresseur, en lançant des coups de poings et des coups de pied... et n'atteignant ma cible qu'au hasard.

« Tegid ! », lança quelqu'un. Je projetai mon poing en direction du son. Une main me saisit au vol par le poignet et le retint fermement. « Tegid, Tegid, arrêtez ! »

La voix était celle de Llew. Et c'était Llew qui était penché au-dessus de moi.

« Llew, vous êtes donc revenu ! »

Il relâcha ma main, puis s'effondra sur les genoux à côté de moi en haletant. Il était tellement essoufflé qu'il dut laisser passer un moment avant de pouvoir parler normalement. Je me mis à le saisir et à le secouer.

« Llew ! Qu'est-ce que vous faites ? Et pourquoi vouliez-vous nous quitter ?

— Aidez... Aidez-moi... dit-il. Nettles... »

Ce n'est qu'à ce moment-là que je compris ce qu'il avait fait : « Nettles est avec vous ?

— Ouiii..., répondit Llew en tâchant de reprendre son souffle. J'ai... couru... après lui, ... et je l'ai... ramené... avec moi... »

Bran apparut près de moi. Il me prit par le bras et me tira pour me remettre sur mes pieds. « Qu'est-il arrivé ? », demanda-t-il, aussi stupéfait par la soudaine réapparition de Llew qu'il l'avait été par son départ plutôt brutal.

« Il a traversé le pont-épée qui sépare les deux mondes pour ramener les étrangers chez eux.

— Pourquoi donc ?

— Je ne sais pas.

— Où est Twrch ?, demanda Bran.

— Le chien a suivi son maître, répondis-je. Mais contrairement à lui, Twrch n'a pas pu revenir.

— Twrch m'a suivi ?, s'étonna Llew.

— Oui », dis-je un peu durement — car j'étais fâché après lui. « J'ai essayé de l'en empêcher, mais n'ai pas réussi à le retenir. Twrch a disparu. Et je ne pense pas qu'il soit capable de retrouver son chemin pour nous rejoindre. »

Un bruit métallique de sabots sur les dalles résonna derrière nous, et Cynan, tout en émettant un cri, se jeta au milieu de nous — comme pour séparer deux combattants — et nous agrippa fermement en faisant un geste pour nous séparer.

« Du calme !, s'écria Bran... Du calme, Cynan... C'est Llew !

— Llew !», s'exclama Cynan en remettant celui-ci sur ses pieds.

Le soleil était à présent bien visible au-dessus de l'horizon. Je sentais sur mon visage toute la chaleur de ses rayons. Puis je m'adressai à Cynan : « Serez-vous capable de retrouver le chemin du retour, maintenant ?

— Est-ce que je n'ai pas retrouvé le chemin jusqu'ici en pleine nuit ?, répliqua Cynan avec un rictus dédaigneux.

— Eh bien, conduisez-nous. Nous devrions déjà être partis. »

Cynan donna des ordres pour que l'on amène le cheval de Llew, et je fis demi-tour pour rejoindre Llew qui était penché au-dessus du corps tout frêle de Nettles. Il était en train de parler au petit homme dans leur fruste langage, mais se redressa aussitôt lorsque je lui touchai la main : « Il va bien. Il pourra voyager dans un des chariots.

— Et vous ?

— Je n'ai rien de cassé..., dit-il en posant sa main sur mon épaule. Je suis désolé, Tegid. J'aurais voulu vous prévenir, mais j'y ai pensé trop tard. »

Nettles prononça quelque chose dans sa langue hachée, et Llew lui répondit, avant de s'adresser à moi : « Je devais le faire, Tegid. Sinon, ils l'auraient tué. Weston aurait tué Nettles pendant le retour. Et en plus, je pense que Nettles nous sera très utile. Il sait beaucoup de choses qui peuvent nous aider.

— Très bien, dis-je. Tout s'arrange pour le mieux, cela ne fait aucun doute. Venez...

— Nous devrons lui apprendre à parler notre langue. Vous pouvez vous en occuper, Tegid. Après tout, c'est vous qui me l'avez apprise. Et Nettles apprendra très vite... il en sait déjà beaucoup. Comme je le disais...

— N'en dites pas plus maintenant, conseillai-je. À la vérité, je ne suis pas contre cette suggestion. Mais nous en parlerons plus tard. Maintenant, il faut partir. »

Le grondement, sur les dalles du sarn, des chariots qui revenaient, résonna comme un sombre coup de tonnerre à nos oreilles — raison pour laquelle nous n'entendîmes pas les cavaliers ennemis qui, déjà, fondaient quasiment sur nous.

XXXI

« TRAFFERTH »

«Allez ! Partez tous !», hurla Cynan. J'entendis le tintement un peu crissant d'une épée qu'on dégaine. « Éloignez-vous ! Je vais à leur rencontre !

— Combien sont-ils ?, criai-je.

— Une vingtaine, je pense, dit Llew. Peut-être plus, je ne sais pas.

— Partez !, insista vivement Cynan.

— Nous restons ensemble !», dit Llew. Bran et Alun appuyèrent la décision de Llew et les guerriers approuvèrent avec enthousiasme. « Mais, ajouta Llew, nous serons alors à un contre deux. Que suggérez-vous ?

— Nous avons les chariots, fit remarquer Cynan. Nous pouvons faire beaucoup de dégâts en les utilisant. Je vais en conduire un, et que Bran en conduise un autre.

— D'accord », dit Llew. Il donna rapidement un ordre à Bran, puis se retourna vers moi : « Tegid, prenez Nettles avec vous. Restez sur la route. Nous vous rejoignons dès que nous le pouvons.

— Non, je reste, dis-je.

— Vous pourriez prendre un peu d'avance et vous mettre à l'abri.

— Je reste. »

Llew n'avait pas le temps de discuter. « Eh bien restez », dit-il. J'entendis un claquement de cuir en travers du garrot d'un cheval, puis une confusion de voix d'hommes qui donnaient des ordres, un entrechoc de sabots sur les dalles, et enfin le cri des guerriers ennemis qui se rapprochait de plus en plus.

Quelqu'un accourut jusqu'à moi. « Tenez nos chevaux... », dit Alun Tringad en me poussant les brides dans les mains, juste avant de repartir aussitôt comme une flèche.

« Suivez-moi !, hurla Cynan. Pressons, pressons, vite ! »

Le martèlement des sabots habillés de métal retentit sur le sarn au passage rapide des guerriers. Mon regard intérieur s'alluma instantanément au contact du bruit, et je vis devant moi le chemin plat et deux chariots qui cahotaient dessus. Cynan conduisait le premier, fonçant à toute allure en direction d'un groupe serré d'une vingtaine — ou plus encore — de guerriers ennemis. Bran, debout dans le second chariot, se tenait à la gauche de Cynan, et c'était Alun qui conduisait, à la même vitesse que Cynan. Llew chevauchait à la droite de Cynan, entouré du reste des guerriers.

Une voix s'éleva près de moi : « *Trafferth ?* »

Je baissai rapidement les yeux et aperçus Nettles qui me regardait. Il répéta le même mot : « *Trafferth ?* »

Il essayait d'employer notre langue pour me parler. En dépit de sa prononciation approximative, je compris ce qu'il me disait : « Oui, répondis-je, "Ennuis". »

Je ne sais pas s'il me comprit, mais il hocha la tête et tourna les yeux en direction des hostilités. Mon regard intérieur se déplaça et j'aperçus les deux lignes de front lancées à toute vitesse l'une contre l'autre... mais je vis tout cela de haut, de très haut, comme avec le regard d'un faucon qui plane.

Je vis les cols au poil luisant des chevaux lancés au galop vers le lieu de l'affrontement, la tête plongée vers l'avant, les naseaux évasés, de petites taches écumeuses coulant de leur bouche. Je vis Cynan, la chevelure rouge comme un tison sur des épaules luisantes, les muscles tendus alors qu'il conduisait le chariot, avec près de lui une provision de lances prêtes à servir ; Llew, l'épée au côté, la lance brandie bien haut ; et Bran, droit comme un chêne au centre du second chariot, trois lances dans les mains, pendant qu'Alun, tête baissée, les rênes rassemblées dans ses poings, hurlait de vigoureuses paroles d'encouragement à ses hommes. Je vis les guerriers, âpres dans la lutte, la lance et l'épée à la main, les lames tranchantes, la pointe éclatante des lances reflétant la lumière, affilées dans la lumière éblouissante du matin. Les pattes des chevaux s'activaient si vite qu'elles en devenaient invisibles, se tendaient, se rassemblaient, martelant le sol de leurs sabots... avec un grondement sourd de tonnerre frappant la terre.

Les guerriers ennemis arrivaient à toute allure, toujours plus près, occupant l'espace en formant un large cercle pour tenter de nous cerner et de contrôler l'affrontement grâce à leur nombre supérieur. Ils tenaient des lances et de longs boucliers ; leurs chevaux portaient des plaques de métal sur leur poitrail, des jambières de bronze et une pièce ornementale sur le dessus de la tête, surmontée d'une sorte de longue corne. Plusieurs guerriers portaient des casques, également surmontés d'une corne, et l'un d'eux transportait un carynx de forme courbe qui lui traversait la poitrine et remontait jusqu'à son épaule comme un gigantesque serpent. Ils avaient tous le visage dur : une détermination féroce brûlait au fond de leurs yeux plissés. Selon toute apparence, nous avions devant nous des membres de la Horde des Loups de Meldron... ce qui voulait dire que le Grand Chien ne devait vraiment pas être très loin.

Les deux lignes de front se rapprochaient l'une de l'autre à vive allure. De plus en plus près. Je rassemblai mes forces intérieurement devant le choc imminent en serrant les dents.

Cynan et Alun dirigèrent leurs chariots vers le centre de la ligne ennemie, la coupèrent en deux, mettant en déroute les guerriers qui s'enfuirent de chaque côté afin d'éviter le chariot, et prirent finalement pour cible nos cavaliers. Mais Llew et les hommes qui l'accompagnaient restèrent bien en retrait, de manière à ce que l'ennemi ne puisse attaquer de front.

Les chariots amorcèrent une grande courbe, brinquebalant derrière les chevaux en projetant très haut des nuages de poussière. La ligne ennemie, divisée comme un serpent coupé en deux, s'enroula sur elle-même au moment où les deux moitiés séparées se retrouvèrent. C'est alors que les guerriers à cheval frappèrent.

Ouvrant une brèche en arrière de Cynan, les cavaliers foncèrent aussitôt droit sur l'ennemi en déroute comme un fer de lance. Le sol trembla sous le choc ; des chevaux furent soulevés, projetés, puis retombèrent en grognant sur leurs flancs. Les lances se cassaient, se brisaient en éclats. Les épées lançaient des éclairs.

Cynan et Alun dirigèrent leurs chariots au milieu de l'échauffourée, et se mirent à frapper des deux côtés. Dans leur hâte à faire le vide devant les chariots qui fonçaient sur eux, les ennemis refluèrent alors comme une vague qui se retire. Les hommes poussaient des cris perçants, les chevaux entraient en collision.

Bran, dressé sur son cheval, le bras tendu, précipita une lance dans la mêlée. Augmentée par la vitesse du chariot, la puissance du coup fut impressionnante : je vis un ennemi prêt à l'attaque carrément soulevé de sa selle alors que la lance, fracassant son bouclier, vint le transpercer de part en part.

Cynan chargea au milieu des rangées ennemies comme un taureau enragé qui fonce dans le brouillard. Les guerriers hurlaient en fuyant devant lui. La tête haute, braillant sauvagement, la lance prompte et mortelle dans une main, hurlant à tous vents son défi, il les faucha tous de sa lance au fur et à mesure qu'il passait... Et je vis plus d'un homme mourir écrasé sous ses roues.

En moins de temps qu'il en faut pour le raconter, la ligne ennemie fut décimée, et les guerriers mis en déroute. Alors les chariots firent aussitôt demi-tour et dirigèrent leur charge sur la seconde moitié de l'armée ennemie, qui s'était rassemblée, puis retournée pour passer à l'attaque. Une fois encore, la vitesse avec laquelle les chariots se déplaçaient et la férocité de l'assaut mené par Cynan et par Bran ne purent être contrées.

Les chariots frappèrent au cœur de l'ennemi qui s'avançait... frappèrent encore, disparurent dans la confusion des chevaux qui se cabraient, des corps qui se battaient, et apparurent à nouveau de l'autre côté, où ils firent halte, se retournèrent, et se préparèrent à frapper une nouvelle fois. La poussière disparut. Cinq hommes gisaient sur le sol, trois chevaux se débattaient dans la poussière, et cinq cavaliers tournaient en rond dans ce chaos infernal.

Llew et ceux qui l'accompagnaient n'en firent qu'une bouchée. Je vis l'étincelle des lames qui tranchèrent net, puis cinq chevaux qui se mirent à fuir sans cavalier le long du sarn. Je jetai un coup d'œil vers Nettles : il était agenouillé dans la poussière et se protégeait les yeux avec les mains ; ses épaules tremblaient.

Les ennemis encore restants se rassemblèrent pour une ultime charge. Cynan et Alun placèrent leurs deux chariots côte à côte. Cynan leva sa lance en l'air et cria, tout en fouettant ses chevaux pour les mettre au galop. Les bêtes se cabrèrent, puis foncèrent tête baissée, stimulées sous la pression. Alun poussa un long cri d'encouragement, et le départ des hommes fut comme une explosion — on les aurait dits propulsés par un lance-pierres. Llew et ceux qui l'accompagnaient firent demi-tour et rejoignirent les chariots à mi-course, les lances fendant l'air sur leur chemin.

C'en fut trop pour l'ennemi. Il y eut hésitation, l'attaque adverse se désintégra d'elle-même alors que les guerriers quittaient les rangs et fuyaient avant même que l'assaut fût donné. Ils s'enfuyaient, aussi loin qu'ils pouvaient, en courant sur le chemin par lequel ils étaient venus. Sur la vingtaine qui avait donné l'assaut, il n'en restait que six. Llew et ses guerriers leur donnèrent la chasse, projetant leurs lances après l'ennemi en déroute. Mais les lances ne purent atteindre leur but, et les six rescapés purent s'enfuir.

Cynan poussa un cri de victoire, sauta par-dessus le chariot qui n'était pas encore arrêté, et d'un rapide coup d'épée, trancha la tête du cadavre ennemi le plus proche de lui. Il ramassa la lance de l'homme, empala la tête sur sa pointe, puis planta la lance dans le sol.

Triomphant de joie et enfin soulagé, je me mis à entonner un chant de la victoire, à voix forte, pleine d'exaltation — comme pour faire résonner jusqu'aux collines les plus lointaines les échos de mon chant plein de défi. Je me retournai vers Nettles : « C'est fini ! Nous les avons écrasés ! »

Il baissa les bras et me regarda en clignant simplement des yeux : il ne m'avait pas compris, mais c'était sans importance. *« Gorfoleddu ! »*, lui dis-je, « Réjouissons-nous ! »

Le petit homme aux cheveux blancs se mit à sourire. *« Gorfoleddu ! »*, répéta-t-il une fois, puis deux autres fois pour lui-même en hochant la tête.

Bran et Alun furent les premiers à revenir. Llew et les cavaliers qui l'accompagnaient suivirent peu après, puis Cynan, qui se plaignit : « Nous devrions les poursuivre, dit-il. Ils vont faire leur rapport à Meldron.

— Cette fois-là, nous avons eu de la chance, dit Bran. Ils ne s'attendaient pas à nous voir utiliser les chariots. Mais cette chance ne se reproduira pas.

— Raison de plus pour finir ce que nous avons commencé, confirma Cynan.

— Bran a raison, dis-je. Il se pourrait que le gros de l'armée de Meldron soit campé juste au-delà de cette colline. Il nous faut absolument retourner à Dun Cruach pendant qu'il en est encore temps. »

Cynan ne fut pas davantage convaincu. « Qu'ils en appellent au Grand Chien lui-même. Cela ne me fait pas peur.

— Il y aura encore d'autres batailles, dit Llew. Jouissons pour le moment de la victoire qui nous a été donnée, et reportons la suite de notre combat à plus tard. Il y a des gens qui nous attendent, frère. Ramenez-nous chez nous. »

Nous remontâmes sur nos chevaux, fîmes demi-tour, et partîmes au galop. Je réussissais à suivre Llew qui ouvrait la route, et même avec Nettles derrière moi, je n'avais aucune difficulté à maintenir l'allure. Les chariots grondaient en roulant sur le sarn et nous faisions route vers Dun Cruach. La journée était d'une chaleur poisseuse, mais Cynan nous imposait une allure régulière à travers les collines arides et desséchées, et nous arrivâmes à Dun Cruach à l'heure où la lumière du soleil commençait à faiblir, formant un faible halo de cendre suspendu juste au-dessus de l'horizon, à l'ouest.

Dès que nous fûmes arrivés, j'appris que Ffand avait été enterrée plus tôt dans la journée. « Il fait si chaud, expliqua la femme qui s'était occupée d'elle. Nous ne pouvions pas attendre… et je ne savais pas quand vous étiez susceptible de revenir. Êtes-vous fâché, Seigneur ? »

Elle n'avait pas eu l'intention de faire des reproches, mais ses mots me furent comme des petites piqûres. « Non, lui répondis-je. Vous avez bien fait. J'aurais dû être là pour m'en occuper moi-même. »

Elle nous conduisit, Llew et moi, jusqu'à la tombe : un petit carré de terre à l'ombre d'une bâtisse. « C'est plus frais, ici, dit la femme. C'est le meilleur endroit que j'ai trouvé. »

Je la remerciai et elle nous quitta. Llew resta un long moment silencieux, fixant la terre fraîchement retournée. « Vous voyez comment les choses se passent, dit-il enfin. Nous, les étrangers, nous n'appartenons pas à cette terre, Tegid. Nous ne pouvons pas rester… nous ne pourrons jamais rester. »

Nous dînâmes tôt, puis Cynan rapporta les événements de la journée alors que les coupes remplies d'eau passaient de main en main dans la salle d'audience de Cynfarth. Ceux de notre camp qui étaient restés au caer afin de superviser les préparatifs pour notre retour, exprimèrent bruyamment leur mécontentement de n'avoir pas pu participer aux réjouissances. Et nous dûmes raconter plusieurs fois les faits afin que tous puissent partager notre joie. Et par conséquent, la nuit était déjà bien avancée avant que nous ayons pu trouver l'occasion de parler à Cynfarch.

« Lord Cynfarch, dit Llew en se tenant bien droit pour adresser la parole au roi, c'est un vrai plaisir d'être assis ce soir à vos côtés et de vous raconter nos exploits. Mais je ne peux m'empêcher de penser que nous avons tout de même perdu une journée, et que nous attendons toujours votre décision. Viendrez-vous avec nous à Dinas Dwr ? »

Le roi fronça les sourcils : « J'ai décidé… », dit-il laconiquement.

Llew resta silencieux, attendant la décision de Cynfarch. Mais la réponse royale n'allait jamais être connue. En effet, à ce moment précis, nous entendîmes le cri d'une sentinelle sur les remparts. Puis, peu de temps après, le son bref et strident d'un cor qui donnait l'alarme.

De telles sonorités éveillèrent mon regard intérieur. Je vis devant moi la palissade de bois… les soldats se crisper dans le clair de lune, comme sertis d'argent... les étoiles brillantes et nettes dans un ciel noir profond... la porte de la salle s'ouvrant en trombe et des guerriers se précipiter par un carré de lumière jaune pâle...

Je courus avec les autres et montai jusqu'aux remparts. Je ne vis qu'un paysage plongé dans la nuit... et vide — à l'exception de la lueur faible d'un feu de camp unique, au loin. Je me retournai alors vers le guerrier qui avait déclenché l'alarme, et m'apprêtai à ouvrir la bouche pour parler. Mais à ce moment précis, je perçus un mouvement clignotant dans le noir : c'était un autre feu.

Le guerrier leva un bras et pointa quelque chose dans le lointain. Je regardai dans la direction qu'il pointait, et vis que cette seconde lueur tremblante semblait se fissurer pour former une multitude de points lumineux, qui continuèrent à s'éloigner les uns des autres pour finalement former une longue ligne.

Bran apparut à mes côtés. « Qu'est-ce que c'est ?

— Meldron... répondis-je. Il nous a trouvés. »

D'un seul coup, le rempart se mit à grouiller de soldats. Llew et Cynan étaient debout derrière moi et observaient la ligne de lumière silencieuse et dansante en train de se former et de s'étendre à travers la plaine. Il y avait à présent des dizaines et des dizaines de lueurs brillantes, de petits traits tremblants de lumière, qui semblaient se multiplier comme par enchantement.

« Bon, il a décidé de frapper ce soir..., fit Cynan. Eh bien qu'il vienne. Nous allons lui préparer un accueil dont il se souviendra longtemps. »

Llew ne dit rien. Il fixa le rideau noir de la nuit comme s'il voulait l'arracher ; il avait le visage tendu par la concentration, les yeux rentrés, les sourcils renfrognés. Les muscles de ses mâchoires se contractaient.

J'étais plus consterné par son expression que par la vue de l'armée de Meldron qui se grossissait. « Llew ?», dis-je en lui effleurant le bras — c'était comme effleurer la racine déterrée d'un arbre. La sensation me troubla. « Llew !»

Il retourna son visage vers moi. Ses yeux luisaient étrangement dans le clair de lune et me fixaient, mais sans me voir.

« Llew, parlez ouvertement..., dis-je en reposant ma main sur son bras mutilé devenu rigide. Que voyez-vous ?»

Il ouvrit lentement la bouche... C'est alors seulement que je vis de minuscules filets de salive au coin de ses lèvres, et je compris ! Mon cœur s'activa à l'intérieur de ma poitrine. J'avais compris ce qui s'emparait de lui. J'avais compris... et en comprenant, je ressentis un mélange de crainte et d'espoir. Car j'avais déjà assisté à cela auparavant, et j'en connaissais l'origine.

Cynan avait vu, lui aussi, se produire ce changement chez Llew. « Que se passe-t-il, demanda-t-il ? Tegid, qu'est-ce qui ne va pas ? »

Llew commençait à frissonner. Il s'efforça de me rejoindre en essayant de s'agripper à moi avec sa main valide. Cynan le saisit par les bras et tenta de le contenir. « Tegid ! Aidez-moi ! Je ne parviens pas à le retenir ! »

XXXII

INCENDIE RAVAGEUR

Cynan lança ses deux bras autour des épaules de Llew et l'immobilisa avec une prise de lutteur. Le regard de Llew partit dans le vague. Un cri sortit brusquement de sa bouche haletante — puissant, nerveux, agressif — comme celui d'un loup fondant sur sa proie ou d'un aigle s'élançant vers le ciel. Il leva ses bras et repoussa Cynan d'un coup d'épaule, le projetant au loin comme s'il n'était qu'un morceau de tissu accroché dans son dos.

D'un même élan, Llew sauta du rempart et traversa la cour à toute allure en direction de la salle. Cynan s'apprêta à lui embrayer le pas pour se mettre à sa poursuite, mais je l'arrêtai par ces mots : « Attendez ! Laissez-le faire. Il ne peut pas vous entendre, et vous pourriez vous faire mal.

— Qu'est-ce qui lui prend, Tegid ? », demanda fermement Cynan alors que Llew disparaissait dans le corps de bâtiment. Il se retourna vers moi : « *Saethu du !* Mais qu'est-ce qui se passe ?

— Regardez ! », dis-je. Et au moment même, Llew ressortit précipitamment du bâtiment... tenant dans sa main valide une torche et un coffret de cuir sous son autre bras. Il s'arrêta devant la porte, la poussa et se faufila à l'intérieur.

« *Clanna na cù*, dit Cynan.

— Allez, dis-je. Rassemblez vos hommes et apprêtez-vous à le suivre ! » Cynan me fixa d'un air atterré.

« Allez, faites vite ! »

Cynan fit demi-tour et s'éloigna, hurlant ses ordres aux guerriers qui attendaient non loin de là. Du haut du rempart il s'élança dans la cour et réclama ses armes. Les mots résonnaient encore que déjà le cor retentissait. Les guerriers se retournèrent tous comme un seul homme et s'élancèrent depuis les remparts en direction des bâtiments. Au-dessus de toute cette agitation émergeait la figure de Bran Bresal, la lance au poing et armé de son bouclier.

« Bran !, criai-je. Venez ici ! » Quelques instants plus tard, le chef des guerriers se tenait juste au-dessous de moi. « Suivez Llew, mais laissez-le agir. Et faites tout ce qu'il vous dira ! Ne l'empêchez pas ! »

Il leva sa lance en signe d'obédience et partit à toute allure. Je réalisai que je n'avais aucunement besoin de le mettre en garde. Bran obéirait volontiers sans remettre en question aucune des directives que Llew lui imposerait.

Puis je me retournai une nouvelle fois pour observer l'armée de Meldron qui s'était encore rapprochée — la lueur de centaines de torches aux flammes éblouissantes s'étendait maintenant à travers toute la plaine —, et Llew, brandissant son flambeau, qui courait à la rencontre de l'ennemi.

La cour, à mes pieds, était plongée dans la confusion la plus totale : des guerriers courant de tous côtés, des voix hurlantes, des chevaux s'agitant sous la lueur blafarde de la lune, des armes scintillantes. La porte s'ébranla, et quelques instants plus tard, Bran en sortit précipitamment, une torche à la main.

Il courait rejoindre Llew. Je voyais la double traînée de feu s'éloigner jusqu'au moment où ils atteignirent l'endroit précis, au loin, où Llew s'arrêta et planta sa torche dans le sol. Il plaça le coffret de cuir sur ses épaules et commença lentement à marcher à reculons.

Cynan, armé et prêt pour le combat, me rejoignit sur les remparts. « Que fait-il ?, demanda-t-il. Serait-il devenu fou ?

— Non, dis-je. À présent, rassemblez vos hommes et tenez-vous prêts. »

Cynan fit un bond et disparut à nouveau. Je me retournai et me mis à observer Llew. Il avait cessé d'arpenter le terrain et s'était un instant immobilisé à l'endroit que ses pas avaient choisi ; puis il repartit précipitamment au lieu où il avait planté sa torche en flammes. Tenant toujours sur l'épaule son coffret de cuir, il commençait maintenant à reculer dans la direction opposée. Tout en l'observant, je finis par comprendre ce qu'il était en train de faire.

« Cynan !, hurlai-je en me détournant de la muraille. Faites venir le roi ! »

Cynan se trouvait au centre de la cour et donnait des ordres à ses hommes. Des chevaux avaient été sellés et des valets d'écurie les amenaient en courant devant les guerriers. Il arracha les rênes des mains d'un jeune qui accourait. « Cynan !, criai-je. Où est donc Cynfarch ?

— Il apprête son chariot, répondit de loin Cynan. C'est lui qui ouvrira la bataille.

— Envoyez quelqu'un lui dire de venir ici sur les remparts. Il faut que je lui parle immédiatement. Faites vite !»

Cynan posa la main sur l'épaule du guerrier le plus proche de lui, fit un signe de tête, et l'homme disparut dans le tumulte environnant. « Vous, venez aussi !», lui criai-je.

Je sentis soudain la présence de quelqu'un derrière moi. Je me retournai et m'aperçus que l'étranger Nettles attendait à mes côtés sur les remparts. Il leva un bras et désigna une direction dans la plaine. Là où il y avait quelque temps auparavant quelques centaines de torches allumées, il y en avait maintenant plus d'un millier. Et j'entendais une rumeur qui ressemblait à un orage lointain grondant à travers la plaine alors que les lueurs scintillantes s'approchaient de plus en plus.

Llew reposa promptement son coffret de cuir et courut aussitôt reprendre sa torche. Bran était à ses côtés, mais Llew ne semblait pas s'apercevoir de sa présence ; saisissant sa torche, il la porta vers le sol. Aussitôt des flammes se mirent à jaillir, s'éloignant de lui de tous les côtés pour former un large arc de cercle au milieu de l'herbe sèche.

Cynfarch, dressant fermement son épée, m'interpella depuis la cour, en contrebas. Au même moment, il y eut comme un mugissement provoqué par le vent, et la cour se mit à briller d'une lumière tremblante. Le roi, qui regardait par la porte ouverte, aperçut un rideau de flammes bondissant dans le ciel nocturne. Cynfarch considéra le spectacle qui évoluait devant lui et s'écria : « Mais qu'est-ce qu'il fait ?

— Il est en train de nous préparer un chemin, répondis-je. Il faut que l'on prépare notre départ.

— Notre départ ?» La bouche du roi se tordit, et il retint son souffle pour condamner la suggestion avec dédain.

« Nous partons, lui dis-je. Regardez !» Je tendis la main dans la direction des flammes : « Llew a placé un bouclier devant nous...

— Qu'est-ce qu'il a fait ?, s'écria Cynfarch en rugissant.

— Un bouclier de feu !, cria Cynan en réponse.

—Appelez-le tout de suite !, hurla le roi. Il a bafoué mon autorité.

— Il est sous l'influence de l'awen du penderwydd, dis-je au roi. La seule voix qu'il peut entendre est celle de la Prompte et Forte

Poigne. Appelez-le si vous voulez, mais je ne pense pas qu'il vous obéira. »

La silhouette de Llew se découpait sur les flammes, sa main levée au-dessus de sa tête, paume vers le ciel, dans la posture d'un barde en train d'implorer. Son image bougeait dans la lumière vibrante, donnant l'impression qu'il était en train de danser devant le feu.

Les flammes montaient, toujours plus haut, alors que le feu se répandait à toute allure dans l'herbe sèche. Du fait de la chaleur, il se forma un véritable incendie qui emporta les flammes toujours plus haut, toujours plus brûlantes.

Bran, la lance tendue à bout de bras, retourna vers les remparts et fit signe à l'armée d'avancer. Aussitôt — comme si chacun avait attendu ce signal toute sa vie —, les guerriers sortirent en trombe de la forteresse afin de rejoindre Llew. Brandissant très haut les torches rassemblées des différentes pièces et des entrepôts, ils s'élançaient à travers la porte et rejoignaient Llew près de la ligne de feu. Les cris des guerriers et l'embrasement toujours plus intense des flammes — les différents foyers se rejoignaient au fur et à mesure que les guerriers allumaient de nouveaux brasiers — finirent par illuminer la nuit.

« Cynfarch !, appelai-je. Il a fallu se décider pour vous. Rassemblez vos gens et vos bêtes, et tous les objets précieux que vous serez en mesure de transporter. Soyez prêt à partir, et faites vos adieux à cet endroit. »

Le visage du roi Cynfarch, plein de rage, s'assombrit. Mais Cynan, les yeux illuminés par les flammes, tapota sur l'épaule de son père et lui dit : « Votre colère est sans fondement comparé à son exploit. Soyons courageux, confiants dans notre force. Profitons du bouclier de feu créé par Tegid pour nous couvrir pendant notre départ.

— Pendant notre *fuite* !, hurla le roi avec colère. Il n'a aucun droit de faire cela ! Il n'a d'autorité ni sur moi ni sur mon peuple !

— L'autorité de Llew n'est pas en cause ici, répondis-je. Il s'agit de l'autorité de Celui qui commande le feu et les vents. Si vous êtes capable de faire en sorte que le feu et les vents vous obéissent, alors faites ! Sinon, je suggère que nous nous préparions à sortir pendant qu'il est encore temps. »

Cynfarch tourna les talons et se précipita vers les bâtiments. Je revins sur mes pas et m'aperçus que les flammes avaient fini par former une muraille de feu impressionnante, un voile immense et ondulant, montant et tourbillonnant vers l'extérieur sous l'influence des vents créés par la chaleur. Les guerriers de Cynfarch achevèrent la tâche que Llew avait amorcée. Des langues de feu couraient à travers l'herbe sèche, embrasant de grands empans qui disparaissaient sous l'action du vent ainsi créé.

«Venez, dis-je à Nettles. Il faut y aller, maintenant.» Le petit homme tourna le dos au spectacle embrasé et me suivit sans dire un mot.

Nous quittâmes les remparts et rejoignîmes la cohue qui commençait à envahir la cour ; les gens couraient dans tous les sens pour récupérer leurs biens les plus précieux dans les salles et dans leurs appartements. Une dizaine de chariots — ou peut-être plus — attendaient dans la cour, et parmi eux les quatre qui avaient servi à transporter l'eau, et dont les cuves étaient toujours installées dessus ; les six autres furent rapidement remplis à ras bords de toute la richesse du clan.

Cynfarch apparut dans son chariot et prit place à la tête de son peuple. Cynan, à dos de cheval, criait des ordres. Un homme arriva en courant avec mon cheval. Je saisis les rênes et renvoyai l'homme afin qu'il rejoigne sa famille ; puis, après être monté en selle, j'aidai Nettles à grimper derrière moi... et ce fut juste à temps ! Une ruée déferla soudain depuis l'autre bout de la cour, et nous fûmes alors encerclés puis engloutis dans un déferlement de bêtes complètement apeurées, beuglant et mugissant en voyant la hauteur des flammes qui les dominaient.

Le roi Cynfarch, debout dans son chariot, avec son cocher à ses côtés, porta le carynx courbe à ses lèvres et émit un son âpre. Pas moins de deux cents personnes se ruèrent comme un seul homme vers la porte. Le roi ouvrit la route et roula vers la plaine embrasée.

Je fis halte à l'extérieur des portes avec Cynan jusqu'à ce que tout le monde fût sorti. Les familles passèrent les premières, se hâtant de rejoindre la muraille de feu à la suite du chariot royal. Puis ce fut le tour des vachers, qui conduisaient les porcs et autres bestiaux — les moutons suivaient d'eux-mêmes —, et enfin, les chariots remplis à ras bords avec les affaires précieuses de la tribu.

Cynan tourna le visage vers les flammes. Son cheval se mit à prendre peur, eut un mouvement de recul et secoua la tête. «Regardez !, dit-il en élevant la voix au-dessus des flammes. Le feu est en train de provoquer un souffle !»

La chaleur intense avait créé un courant d'air brûlant, qui soufflait avec violence, attisant les flammes qui en devenaient plus hautes et plus rapides... un vrai torrent de feu qui faisait rage.

«Allez, prends encore ça, Meldron, ah, ah, ah !, s'exclama Cynan. Llew t'a encore bien eu.

— Où est-il, Llew ?, criai-je.

— Je ne le vois pas, répondit Cynan en scrutant les flammes mouvantes et ondoyantes. Pas plus que Bran !»

De mon regard intérieur, je scrutai à mon tour la muraille de flammes dont la lumière commençait à faiblir : j'étais à la recherche d'un signe de Llew. Nettles me tapota alors sur l'épaule et pointa en direction de la lisière principale du feu. Je vis Llew, le corps brillant sous l'effet de la chaleur, monté sur un cheval lancé au galop le long de la muraille de flammes. On aurait dit une créature née de la tempête, oublieuse des flammes qui s'enroulaient autour de lui. Bran le suivait, à quelque distance. Et les guerriers, maintenant montés sur leurs chevaux, longeaient à toute allure, munis de leurs torches, la lisière de flammes, faisant halte près des brèches afin d'allumer un nouveau brasier, puis repartant aussitôt au galop.

«Là !, hurlai-je. Il est devant nous !»

Llew disparut à nouveau dans les volutes de fumée et dans les flammes qui dépassaient, et nous nous concentrâmes sur notre tâche. Le roi Cynfarch fit sortir son peuple au milieu de la plaine enfumée et carbonisée, puis bifurqua vers le nord afin de s'éloigner de cet enfer. Nous suivîmes avec les chariots ; Llew et ses hommes, au devant, s'étaient alignés et s'efforçaient de maintenir les flammes qui nous protégeaient de l'ennemi, les alimentant sans relâche.

Toute la journée qui suivit, nous voyageâmes vers le nord sans être vus, au milieu d'un nuage de fumée infecte qui obscurcissait le ciel et cachait le soleil. Des cendres noires s'abattaient sur nous comme une pluie crasseuse. Nous tirâmes nos capes au-dessus de nos têtes pour nous protéger et continuâmes à avancer. À chaque pas, je craignais de voir Meldron et son armée déboucher de l'obscurité et interrompre notre fuite.

Mais aucun cavalier ennemi ne parut ; pas plus que nous ne vîmes le scintillement sinistre d'une lance, nous n'entendîmes le piétinement sourd d'un cheval. Mais j'étais toujours à l'affût de quelque piège.

Les jours se succédèrent, et chaque aurore annonçait un soleil encore plus torride et virulent que la veille. La terre, déjà dure et sèche comme de l'argile brûlée, craquelait comme un pain resté trop longtemps dans le four. Les gens marchaient continuellement dans un épais nuage de poussière. La chaleur devint étouffante. Nous nous reposions du point du jour à la tombée de la nuit, espérant éviter à la fois les rigueurs de la canicule et la horde guerrière de

Meldron — laquelle devait certainement nous traquer en suivant nos empreintes de pas dans la poussière.

Ce ne fut que lorsque nous amorçâmes la longue montée à travers les collines du nord que je commençai vraiment à croire que nous avions peut-être échappé à l'ennemi ; ce ne fut que lorsque je sentis le terrain commencer à grimper vers Druim Vran que je pus imaginer enfin que nous avions effectivement réussi.

Après la frénésie provoquée par l'awen, Llew resta encore enfermé dans une certaine stupeur. Bran faisait route avec lui, mais il ne parlait à personne, se contentait de tenir les rênes en baissant la tête, le corps incliné vers l'avant sur sa selle, comme submergé par le chagrin. Je tentai de le stimuler un peu, mais en vain — même Nettles fut éconduit...

Le petit homme étranger était à cheval avec moi : il devint mon compagnon inséparable, mon ombre. Je me mis à lui apprendre les fondements de notre langue, et restai en admiration devant l'agilité de son esprit : avec quelle vitesse il assimilait les expressions les plus difficiles ! Ainsi, avant même que nous ayons pu rejoindre Druim Vran, nous étions capables de converser avec des mots simples. Je trouvai en lui un compagnon très agréable, de bonne volonté et désireux d'apprendre.

Ce fut là le seul élément positif du voyage. Pour le reste, je conservai une attitude très prudente et maussade... et je n'étais pas le seul. Malgré la splendide diversion organisée par Llew, Cynan craignait comme moi que nous ayons échappé à Meldron à trop bon compte, et cette pensée lui déplaisait fortement. Nous mîmes pied à terre et attendîmes ensemble, près de nos chevaux, que le dernier chariot et le dernier mouton eussent franchi le vallonnement de Druim Vran pour entamer la descente vers notre discrète forteresse aquatique.

« Frère, dit-il, je me fais du mauvais sang... et vous avez le droit de vous moquer de moi... pourtant, c'est vrai, je ne me sens toujours pas à l'aise. » Après avoir dit ces mots, il détourna son visage ; et même si je ne pouvais pas le voir, je savais qu'il était en train d'observer la route derrière nous, pour voir si Meldron n'apparaissait pas.

« Vous avez eu pas mal de chance de pouvoir quitter Dun Cruach, fis-je remarquer.

— Oh, pour sûr, admit-il avec aigreur. L'affaire a été rondement menée. Et bien sûr, c'est grâce à vous. Nous n'avions pas d'autre solution. Pourtant... » Il se tut, baissant à nouveau la tête vers le sol : « C'est une chose de pouvoir s'enfuir, c'en est une autre d'arriver à destination sain et sauf. N'ai-je pas raison ?

— Eh bien, nous sommes arrivés sains et saufs...

— Vraiment ? Le ton que vous employez ne me paraît pas pleinement convaincu... » Il attendit, puis ronchonna : « Je vous écoute, barde, mais je n'entends rien.

— Je ne vous cacherai pas mes craintes ; je suis même content de pouvoir vous les confier, Cynan Machae. J'estime que ce voyage est inopportun ; je l'ai dit dès le début. Et même si nous nous retrouvons protégés par notre haute palissade, je me sens pas en sécurité ici. Je vous le dis vraiment, les problèmes sont loin d'être résolus. »

À l'instant même où je prononçai ces paroles, je sentis les résonances creuses de mon propre désespoir. Pourquoi ? Cynan avait raison de me poser la question. Je m'étais opposé à l'idée de quitter Dinas Dwr, mais finalement tout s'était bien déroulé. Alors pourquoi ressentais-je toujours un frisson mêlé d'un pressentiment ? Tout était-il bien aussi paisible que les apparences le montraient dans notre royaume caché ? Ou bien nous restait-il encore à découvrir quelque nouveau désastre ?

Des cris de bienvenue parvinrent jusqu'à nous, résonnant depuis le lac en contrebas, alors que les gens se précipitaient pour nous accueillir chez nous. Cynan remonta sur son cheval : « Allez, venez, sinon nous allons manquer les retrouvailles. »

J'écoutai les cris de joie, percevant dans ces acclamations non seulement le plaisir de nous revoir, mais quelque chose d'autre encore... une nuance insaisissable. Quoi donc ? L'accueil était-il trop chaleureux ? Les signes de bienvenue trop exubérants ? Ou bien m'étais-je trop attendu au pire au point de ne plus reconnaître la joie lorsqu'elle s'exprimait ?

Cynan se rendit compte de mon hésitation : « Pourquoi attendez-vous ainsi ?

— Ce n'est rien..., dis-je en saisissant brusquement les rênes et en me hissant à nouveau sur ma selle. Rejoignons la fête. » Je tirai un coup sec et commençai à redescendre le long de la piste abrupte.

« Tegid, lança-t-il, il y a quelque chose qui ne va pas ? »

La réponse à sa question ne fut pas longue à venir, car nous n'avions pas encore fait la moitié du chemin jusqu'au lac que nous perçûmes ce qui manifestement était une odeur de mort.

Mon cheval s'arrêta et refusa d'avancer plus loin. Mais je lui administrai une bonne tape sur le garrot avec la bride et le forçai à partir au galop. Cynan hurla derrière moi pour que je l'attende. Je n'y prêtai aucune attention, et me mis à dévaler à toute allure le sentier jusqu'au lac.

XXXIII

LE MOT DÉJÀ PRONONCÉ

Je compris ce qui n'allait pas avant d'arriver à Dinas Dwr. Un homme n'a pas besoin d'avoir des yeux pour reconnaître l'odeur du poisson pourri... même le flair le moins doué y parviendrait. La puanteur devint de plus en plus forte au fur et à mesure que je me rapprochai du lac... elle devenait plus violente, plus virulente à chaque pas.

Au moment où j'arrivai, la foule s'était calmée. Je m'avançai au milieu de l'assemblée, étrangement réticente, et trouvai Llew, debout, immobile, sur les galets — hagard. « Vous m'aviez prévenu, Tegid, murmura-t-il. Mais je n'ai pas voulu vous écouter. »

Le son de sa voix éveilla mon regard intérieur. Je vis les eaux jadis claires et pures de notre lac troublées par un dépôt infect... comme l'œil vitreux d'un cadavre en décomposition, ou la surface jadis éclatante d'un miroir d'argent désormais ternie et rongée. Le rivage était clairsemé d'une végétation mourante, desséchée et puante sous la chaleur du soleil. D'une rive à l'autre du lac, les eaux étaient souillées par les cadavres bouffis des poissons et des oiseaux aquatiques. La surface semblait frissonner, gargouillant doucement au fur et à mesure que des bulles se formaient, puis éclataient, relâchant des effluves malodorants qui venaient infester l'air. Toute la vallée empestait.

Bran, qui se tenait non loin de là, fixait le lac pollué. « Le poison est finalement arrivé jusqu'à Dinas Dwr, dit-il. Désormais, nous ne sommes plus en sécurité nulle part dans le royaume des mondes. »

Scatha et Goewyn arrivèrent jusqu'à nous. Les femmes nous embrassèrent chaleureusement. Je vis que Goewyn avait pris place à côté de Llew, et elle n'en bougeait plus ; elle parlait peu, mais elle ne le quittait pas des yeux. En dépit de sa proximité, Llew ne lui adressa pas un mot. Il ne la regarda pas davantage — s'il l'avait fait, il se serait rendu compte combien son manque d'attention brisait le cœur de la jeune femme.

Remarquant qu'il y avait de la suie et des cendres mélangées à la poussière de nos vêtements, Scatha sut en déduire que nous avions traversé des flammes ; Alun prit hardiment la parole et pria Llew de raconter à tous ceux qui étaient rassemblés ici les exploits du bouclier de feu.

« J'aurais voulu être là pour le voir », répliqua Scatha. Et tous les Corbeaux reprirent en chœur en cherchant à nous féliciter. Mais malgré tout, leur accueil restait sombre, car ils n'étaient pas moins consternés que nous en constatant l'horrible spectacle.

« Voilà un bien triste retour », dit Goewyn. Elle tendit sans enthousiasme une main en direction du lac. « Voilà l'état dans lequel vous le retrouvez… », dit-elle avec consternation.

Llew regarda tous ceux qui s'étaient rassemblés non loin de nous. « Où est Calbha ?

— Il est parti à la recherche d'eau. Il a pris six hommes avec lui… Cela fait quatre jours qu'ils sont partis, répondit Scatha. Nous avons très peu de réserves.

— Nous avons dû quitter le crannog », dit Goewyn d'un ton embarrassé.

Scatha ajouta : « Nous avons pensé que c'était préférable… jusqu'à ce que la pollution soit enrayée.

— C'était incontestablement ce que vous aviez de mieux à faire. » Llew regarda la surface du lac avec douleur. Les larmes faisaient briller ses yeux, qui clignèrent ; puis elles se mirent à couler sur ses joues. Il les essuya rapidement avec son bras mutilé. « Si j'avais été là… », murmura-t-il. Puis il tourna le dos à sa ville lagunaire.

Comme Goewyn l'avait raconté, le peuple avait déménagé du crannog pour aller camper à l'autre bout du vallon, à proximité de la crête rocheuse… en s'enfonçant dans la vallée pour être aussi loin du lac que possible. Même ainsi, ce n'était pas encore assez loin. Les odeurs du lac infecté, sous les chaleurs étouffantes du soleil, nous parvenaient avec une intensité qui ne s'était pas atténuée.

Cynfarch et son peuple s'installèrent avec nous, déconcertés, désespérés. Ils avaient l'impression d'avoir gagné dans leur fuite un sort encore pire que celui qu'ils avaient quitté. Cynfarch, particulièrement démoralisé, ne cessait de gronder au milieu du camp des

Galanae comme un orage prêt à éclater à tout instant. À sa décharge, il faut admettre qu'il tint sa langue et garda ses appréhensions pour lui-même.

Deux jours passèrent et le morne soleil s'embrasa, toujours plus chaud. Nous évaluâmes la quantité d'eau disponible et la répartîmes minutieusement, attendant toujours des nouvelles ou un signe de Calbha. Qui ne vint pas.

Il n'y eut pas non plus de répit concernant les odeurs du lac. Le soleil intense et la chaleur desséchante rendirent encore plus active la putréfaction, transformant l'eau jadis si pure et fraîche en un bouillon putride et stagnant. Mes petits guerriers mabinogis vinrent vers moi pour m'inciter à poursuivre les leçons, mais nous ne pûmes supporter la chaleur et la puanteur ; même notre bosquet ombragé ne nous offrait aucun soulagement. Je décidai d'abandonner l'enseignement : « Nous reprendrons lorsque tout sera rentré dans l'ordre. Retournez dans vos familles, et faites ce que vous pouvez pour les aider. »

Gwion en avait gros sur le cœur ; alors je lui fis don de ma harpe, en disant : « Fais en sorte qu'elle soit toujours accordée, Gwion Bach. Si tu veux vraiment devenir un jour un filidh, il te faut apprendre comment on prend soin d'une harpe.

— Convoquez-moi quand vous voulez, Penderwydd, promit Gwion. À n'importe quelle heure du jour ou de la nuit, vous trouverez cette harpe prête pour votre service. »

Le jeune garçon disparut précipitamment, impatient de tester l'instrument. Je me retournai vers Nettles, qui m'avait accompagné jusqu'au bosquet : « Ça n'est pas grand-chose, dis-je.

— Mais cela lui a… euh… rendu le moral, remarqua-t-il en hésitant un peu sur les mots.

— Si je pouvais en faire autant pour l'ensemble de Dinas Dwr… », répliquai-je.

Pendant la journée, l'odeur de la mort nous agressait ; la nuit les enfants pleuraient parce qu'ils avaient soif et parce qu'ils avaient la fièvre. On préparait des repas, que l'on servait, mais personne ne mangeait. Avec l'infection qui traînait dans l'air et que nous respirions, personne n'avait aucun goût pour avaler quoi que ce soit. La chaleur et la puanteur sapaient aussi bien nos forces que notre volonté ; nous évoluions dans une sorte de torpeur, sous le coup de notre infortune immense, découragés par notre incapacité à la surmonter. C'était un ennemi que nous ne pouvions pas combattre — dont nous pouvions encore moins être victorieux.

Au soir du second jour, Llew souhaita me demander conseil. « Il faut faire quelque chose, Tegid. Suivez-moi. » Il me conduisit à l'écart du camp afin que nous puissions parler sans être écoutés. Nous nous assîmes face à face sur un rocher au pied d'une paroi de la falaise. Le rocher était encore chaud et des mouches noires grouillaient dans l'air du soir. « Calbha n'est pas revenu, et le peu d'eau qui nous reste ne durera plus bien longtemps.

— Combien de jours ?

— Trois ou quatre… cinq tout au plus… si nous faisons attention. »

Une simple gorgée d'eau par jour pour les hommes et le bétail, deux pour les enfants… comment pouvions-nous faire plus attention ?, songeai-je.

« Je ne pense pas que Calbha reviendra à temps, poursuivit Llew, si tant est qu'il revienne.

— Qu'attendez-vous de moi ? »

Llew se mit à réfléchir ; j'entendais le bruit des insectes de plus en plus insistant au fur et à mesure que la chaleur baissait un peu. C'était un bruit plutôt sec, et poussiéreux comme le sol complètement cuit.

« Je ne sais pas, dit-il d'une voix qui avait sombré dans le désespoir. Personne ne peut rien faire. » Quelques instants passèrent, puis il ajouta d'un air piteux : « Je n'aurais pas dû partir. »

J'étais surpris de l'entendre dire cela. C'était vrai : il n'aurait pas dû quitter Dinas Dwr ; j'avais tenté de le prévenir autant que j'avais pu. Mais la manière dont il avait dit cela… cela provoqua chez moi un sentiment étrange — comme si un courant d'eau coulait sous mes pieds, une rivière puissante, une immense cascade affluant sous la croûte de terre que nous foulions. J'avais l'impression de ressentir cette force cachée remonter en suintant à travers le rocher sur lequel j'étais assis.

« Vous saviez que cela allait arriver, Tegid, continua Llew. Vous aviez prévenu que ce serait un désastre… Et vous aviez raison.

— Que voulez-vous dire ?

— Je veux dire que tout cela ne serait pas arrivé si j'étais resté », répondit carrément Llew.

Je sentis à nouveau la puissance cachée qui grondait, coulait en un flot abondant dans les profondeurs de la terre, faisant frissonner l'air tout autour de nous. *Cela ne se serait pas produit si j'étais resté…* Il le savait, donc ! Il le sentait lui aussi. Mais pourquoi ?

Pourquoi le fait de rester à Dinas Dwr aurait-il dû changer quelque chose… À moins que la seule présence de Llew ait pu être capable d'exercer quelque pouvoir contre les puissances rampantes sévissant sur le territoire... Il était après tout détenteur de l'awen d'Ollathir. L'awen du Chef des Bardes d'Albion pouvait être une arme efficace et puissante... Il l'avait déjà prouvé avec son idée inspirée de la barrière de feu. Était-ce donc cela ? Ou bien autre chose ?

« Llew, expliquez-vous plus clairement, dis-je.

— J'aurais dû vous écouter, répéta-t-il avec lassitude. C'est cela. Je l'ai dit. Ne me faites pas répéter.

— Je ne parlais pas de cela... dis-je. Pourquoi pensez-vous que votre présence aurait empêché l'empoisonnement du lac ? »

Il changea légèrement de position. « Qui sait ?, répondit-il avec colère. Quelle réponse attendez-vous de moi ?

— Il est dit que le Véritable Roi, au sein de son royaume, détient le pouvoir de protéger, de préserver. Est-ce cela, la raison pour laquelle vous sentez que votre présence aurait changé le cours des choses ?

— Vous connaissez déjà toutes les réponses, répliqua-t-il sur un ton acerbe. Alors expliquez-moi ceci...» J'entendis une sorte de claque — il venait de frapper l'extrémité de son moignon sur sa paume : « Je suis mutilé, Tegid. Vous vous en souvenez ? »

Puis il s'esquiva, et me laissa sans m'avoir rendu plus avisé qu'avant — sauf sur un point : je savais maintenant qu'une force puissante, extraordinaire gisait là, cachée mais à portée de main, comme une épée dégainée prête à combattre le Jour du Conflit. Il me restait à trouver la manière de la mettre à notre service. Si je parvenais à cela, alors...

Mais d'abord, il me fallait la trouver.

Je ramenai mes jambes sur moi, les croisai, et m'installai confortablement sur le rocher. J'inspirai profondément, puis expirai... une fois... deux fois... trois fois... vidant mon esprit, rejetant la peur et l'angoisse loin de moi, repoussant de mon cœur tout désir si ce n'est celui de pénétrer le mystère. Lorsque je fus complètement calme et détendu, en paix avec moi-même, je pris trois nouvelles respirations purificatrices et commençai à invoquer :

J'invoque la Prompte et Forte Poigne
Et la délivrance qu'elle nous garantit ;
J'invoque le Créateur de Parole
Au nom des Trois Piliers de la Sagesse ;
J'invoque la Lumière Vivante,
Au nom du Feu sacré de la Vérité !

343

*Assistez-moi donc, Grand Guide, et montrez-moi la voie qui conduit à
vous. Car le monde est vaste, et enchevêtrés les sentiers par lesquels un homme
doit passer. Et je suis si aisément détourné du droit chemin.*

Me voilà sur mon rocher, et j'attends :
Je n'en bougerai pas que vous, l'Inamovible Moteur,
M'en fassiez bouger ;
Je ne prononcerai pas un mot que vous, Parole Vivante,
Ne m'ayez dit ;
Je resterai plongé dans le noir que vous, Lumière de la Vie
Ne m'ayez éclairé.

*Exaucez ma prière, Dispenseurs d'Offrandes, car de trois choses je suis à
la recherche :*
Le Savoir de la chose que je ne sais pas ;
La Sagesse pour la comprendre ;
La Vérité, pour la discerner clairement.

Puis, dominé par la paix, silencieux, dans l'attente, je laissai mes
mains reposer sur mes genoux, et j'attendis. Paix... paix. J'écoutai,
j'attendis.

J'attendis... Paix...

L'air, calme et pesant comme un vêtement, retenait tous les sons
de la vallée comme s'ils avaient été enfermés dans l'ambre. J'entendis, à quelque distance, la parole étouffée de mères qui câlinaient
leurs enfants pour les conduire au sommeil. J'entendis le gémissement d'un chien, le mugissement sourd d'une vache et le pépiement
des martinets qui regagnaient leurs nids sur la paroi de la falaise,
juste au-dessus de moi. J'entendis la rumeur du monde qui sombrait
dans l'obscurité, dans un souffle invoquant le silence, comme un
soupir de gratitude pour avoir échappé aux blessures et aux douleurs
de l'horrible journée.

Je me fis sourd à toute cette rumeur et me mis à écouter à l'intérieur de moi-même... la paix... la paix... la paix...

J'entendis le battement de mon propre cœur, lent et régulier.
J'entendis le son de ma propre voix qui tombait comme une pierre
dans le silence d'un puits. J'entendis ma requête de connaissance et
de sagesse qui résonnait dans le murmure des profondeurs.

Les sons cessèrent, disparaissant dans les abîmes. En réponse,
j'entendis la voix du défunt Ollathir, le Chef des Bardes, le guide et
ami plein de sagesse :

« *Pourquoi prononcer un mot qui a déjà été prononcé ?*, demanda avec sévérité la voix d'Ollathir. *Pourquoi révéler ce qui est déjà visible ? Pourquoi proclamer une vérité qui se dresse déjà comme une montagne devant vous ?*»

Alors j'entendis, sur les hauteurs de la crête, le son âpre et net du carynx ; un son d'abord long, puis suivi de deux sons plus brefs. L'appel résonna à travers la vallée silencieuse, à travers les eaux mortes du lac.

Calbha était de retour.

XXXIV

ÉNIGME ET PARADOXE

Les gens se mirent à courir pour accueillir Calbha. La soif leur donnait de l'ardeur, et ils l'acclamèrent avec des cris et des chants. Mais la ferveur se dissipa rapidement : Calbha était revenu bredouille... et il ne restait pas une seule goutte d'eau du peu de réserve qu'il avait pris avec lui lorsqu'il était parti.

La déception fit rapidement place à la consternation lorsqu'il raconta ce qu'il avait vu :

« Meldron a pénétré dans la vallée qui se trouve au-delà de la crête, en direction du sud, dit-il en descendant de cheval. Nous avons estimé qu'il y avait environ cinq mille fantassins et deux mille cavaliers.

— À quelle distance ? » C'était Llew qui avait parlé, en essayant de se frayer un passage à travers la foule devenue subitement silencieuse.

« À une journée de cheval, répondit Calbha. Guère plus.

— Savent-ils que nous sommes ici ?, demanda Cynan qui avait pris place aux côtés de Llew.

— Oui, ils le savent. Meldron le sait. » Le roi Calbha n'avait pas mâché ses mots, qui transpercèrent le cœur de tous ceux qui écoutaient. « L'ennemi suit la route que vous avez tracée lorsque vous êtes partis de Dun Cruach pour revenir ici.

— Bran ! », s'écria Llew en s'adressant autoritairement au Chef des Corbeaux — lequel, perdu au milieu de la foule, lui répondit d'un geste. « Bran, il faudra poster des sentinelles sur la crête !

— Tout de suite, Seigneur. » Et Bran s'éloigna aussitôt en courant.

Llew se retourna vers Calbha : « Vous ont-ils vus ?

— Même si c'était le cas, cela ne changerait pas grand-chose, répliqua le roi. Mais non, ils ne nous ont pas vus ; nous avons attendu toute la journée afin de traverser la crête de nuit pour être sûrs que les éclaireurs de l'ennemi ne nous verraient pas. Et d'ailleurs, Meldron n'a pas besoin d'éclaireurs ; il sait parfaitement où nous trouver, je vous l'ai dit.

— Nous allons immédiatement tenir conseil, fit brusquement Llew. Cynan, faites venir Scatha...

— Je suis là, Llew..., lança Scatha en faisant quelques pas dans la foule.

— Tegid ?

— Je suis derrière vous, répondis-je.

— Très bien. Demandez à Cynfarch de venir nous rejoindre, ordonnai-je. Nous allons tenir conseil dès que Bran sera de retour.

— Je pars chercher Cynfarch », dit Cynan en s'éloignant rapidement.

Goewyn, accompagnée de quelques femmes approchèrent avec des pots remplis d'eau pour les voyageurs de retour. « Vous êtes fatigués, épuisés, dit Goewyn en tendant l'un des pots à Calbha. Buvez donc. »

Calbha accepta de prendre le pot et le porta à ses lèvres. Il jeta un coup d'œil rapide autour de lui. « Y en a-t-il assez pour tout le monde ?, demanda-t-il.

— Il y en a assez pour vous, dit-elle. Vous avez fait un long parcours à notre demande. Nous vous en sommes reconnaissants. Buvez donc, et désaltérez-vous. »

Calbha refusa : « S'il n'y en a pas assez pour tous, il n'y en a pas assez pour nous non plus. Nous ne boirons pas alors que les autres meurent de soif. » Il lui rendit le pot sans avoir bu.

Llew apostropha la foule, à qui il demanda de retourner se reposer. Lorsque l'assemblée se fut dispersée, il dit à ceux qui étaient restés : « Suivez-moi. »

Nous traversâmes à pied nos terres devenues arides, puis gravîmes la pente conduisant à l'endroit même où Llew et moi avions campé lorsque nous étions venus la première fois à Druim Vran. Llew alluma un feu de manière à ce que nous puissions nous voir, étendit sur le sol des cuirs de bœuf que nous avions ramenés du camp. Puis Cynan et Cynfarch nous rejoignirent, et nous nous installâmes pour attendre Bran.

Même si je ne pouvais pas distinguer leur visage, je sentais s'insinuer une atmosphère glaciale : une peur intense, désespérée, qui rampait furtivement comme un serpent.

« Nous commencions à croire que vous n'alliez pas revenir », dit Cynan en s'adressant à Calbha. Il parlait simplement pour essayer de dissiper l'inquiétude grandissante.

« Nous avons sillonné les terres vers le nord aussi loin que nous avons pu », répondit le roi, avide de joindre son récit à celui de Cynan. « Et nous avons poussé plus loin que nous n'avions prévu.

— Il n'y avait toujours pas d'eau ?, demanda Cynfarch.

— De l'eau en abondance ! Il y avait des rivières, des ruisseaux, des étangs, des sources... Mais toutes, elles étaient infectées, toutes des eaux mortes. » Il se tut un instant, puis sa voix devint sèche, comme fissurée : « Il n'y a plus d'eau potable nulle part. La terre se meurt.

— C'est la même situation dans le sud, dit Llew.

— Ah, c'est donc cela..., reprit Calbha. Je me demandai ce qui avait poussé Cynfarch à nous rejoindre.

— Nous avons réussi à échapper à Meldron, à Dun Cruach », fit Cynan, qui se mit ensuite à raconter l'épisode du bouclier de feu à l'intention de Calbha. « C'était magnifique ! »

Cynfarch ne put s'empêcher d'ajouter : « Et si vous n'aviez pas pris inutilement des risques pour nous, Meldron ne serait pas maintenant à l'affût devant nos portes. En fait, nous n'avons fait que troquer une mort pour une autre.

— Lord Cynfarch, fit sèchement Scatha en s'adressant au roi, nous tenons conseil ici. Ce n'est pas l'endroit pour adopter un tel ton...

— Vraiment ?, rétorqua Cynfarch. Si j'ai parlé à tort, je vous fais mes excuses. Mais j'ai parlé sincèrement... Pensez bien à ce que je viens de dire et souvenez-vous en. »

Il y eut ensuite parmi nous un silence embarrassé, qui ne fut interrompu que par l'arrivée de Bran. Lorsque celui-ci se fut installé à son tour, Llew reprit : « Si Meldron a l'intention d'attaquer rapidement, nous en serons avertis...

— Mais il n'a pas même besoin de nous attaquer, grogna Cynfarch. Nos réserves d'eau sont presque à sec. La soif nous anéantira tout aussi efficacement que les lances de Meldron... même si c'est plus lent.

— Fort de sept mille hommes, avança Calbha, le Grand Chien a à sa disposition suffisamment de lances pour en finir au plus vite.

— Sept mille..., fit Cynan songeur. Je voudrais bien savoir où Meldron peut trouver tant d'eau pour une telle armée... »

Mon regard intérieur se réveilla. Je vis apparaître devant moi, non pas les visages de ceux qui étaient réunis en cercle pour tenir conseil ici, mais l'immense armée de Meldron qui affluait vers la basse vallée située au-delà de Druim Vran. Je vis la lente avancée de la procession, sinueuse et luisante comme un serpent venimeux — couverte d'écailles épaisses à cause des innombrables boucliers que les soldats avaient rejeté par-derrière leur épaule. Je vis le soleil qui rougissait leurs yeux, la lumière brûlante du jour embraser l'ombon des boucliers et le tranchant des épées. Je vis monter des nuages de poussière sous les sabots des chevaux et les pieds des hommes.

Je vis un ciel de poix, noir, lugubre, couvert de fumée partout où le Grand Chien était passé ; des éclairs de chaleur fracassaient les ténèbres comme des lambeaux de draps. Je vis la terre sombrer dans l'ombre... une nuit s'étendre et s'approcher toujours plus près de la haute muraille de Druim Vran.

« Nous ne pouvons tout de même pas rester ainsi sans bouger à attendre que la soif nous achève..., dit Llew. Nous devons combattre pendant que nous avons encore la force de le faire.

— Combattre ?, railla Cynfarch. Il a sept mille hommes sous ses ordres... Et même si nous survivions à la bataille en dépit de la puissance de l'adversaire, la soif, de toute façon, nous achèverait...

— C'est là un discours de poltron, Cynfarch, dit froidement Bran. Llew, dites-nous ce que vous attendez de nous. »

Bran, avec raison, s'en remettait à Llew — et ce n'était pas nouveau. C'était là sa manière de se comporter. Mais pendant qu'il prononçait ces mots, j'entendis à nouveau la voix d'Ollathir : *« Pourquoi révéler ce qui est déjà visible ? »*

C'était ainsi que le conseil avait commencé. Nous discutâmes jusque tard dans la nuit. On nous apporta de quoi nous restaurer. Le pain était dur et sec sous la dent, nous avions du mal à avaler ; nous n'avions pas d'eau pour faire passer... La conversation devint de plus en plus animée sous un clair de lune sinistre... on forçait la voix, les esprits s'échauffaient. Pourtant, je ne me souviens de rien concernant la discussion. Je ne touchai pas à un seul morceau du repas posé devant moi. J'avais en effet eu une vision qui m'ôtait toute autre préoccupation de l'esprit : la forme de la montagne à notre proximité.

Pendant que les différents chefs de l'armée délibéraient, des images se présentèrent à mon esprit... des images du passé, du temps où Ollathir vivait encore et où Meldryn Mawr était roi. Je vis Meldryn Mawr assis sur son trône dans la salle d'audience, rayonnant d'une prestance aussi éclatante que le torque qu'il portait à son cou... son regard sombre cherchant la foule devant lui, sage et confiant... sa présence irradiante comme irradiait la couronne sur son noble front... Le Grand Roi en Or, Seigneur et Protecteur de son peuple.

Puis je vis Ollathir, le Chef des Bardes, à ses côtés, magnifique dans sa cape couleur pourpre surmontée d'un torque en or... Le plus grand parmi les bardes, Combattant de la Vérité, fier, plein de sagesse et de gravité, brandissant dans ses mains puissantes la baguette de sorbier des penderwydds... droit, ferme, inébranlable... Seigneur des Érudits, fidèle Serviteur du Pouvoir.

Je vis la belle terre de Prydain telle qu'elle était avant sa dévastation, un joyau de verdure rutilant sous des cieux radieux, et Sycharch s'élevant au-dessus de la plaine sur son fier promontoire dominant des champs couverts de blé, avec, au loin, la mer toujours changeante... les forteresses des différents seigneurs des lieux qui s'embrasaient dans la lumière dorée du petit jour, et miroitaient au couchant du soleil... des terres protégées par de hauts talus et des palissades de bois... de magnifiques domaines boisés, de profondes forêts, des cours d'eau impétueux et d'imposantes rivières... Prydain, le plus favorisé des royaumes, le site le plus inattaquable du roi le plus puissant.

Meldryn Mawr, Grand Monarque d'Or... Ollathir, Prince des Bardes... Prydain, Place Forte de Rois Intrépides... ces trois éléments ensemble... ensemble.

Pourquoi ces trois éléments-là ? Qu'espérais-je donc de cette vision ?

Il fallait un esprit plus aiguisé que ne l'était le mien pour réussir à percer le mystère. Pendant ce temps, l'ennemi était en train de se rassembler derrière la muraille protectrice formée par la crête. Si une réponse devait venir, il fallait qu'elle vienne vite. Meldron, toujours aussi avide, n'attendrait pas pour proclamer sa victoire.

Le conseil de guerre se prolongeait tard dans la nuit. Mais ma tête était entièrement préoccupée par l'énigme qui agitait mes pensées comme une tempête, et je ne supportais plus de rester assis sans rien faire. Mon cœur brûlait à l'intérieur de ma poitrine, je ne pouvais plus supporter d'entendre toutes ces voix stridentes. Je me levai et quittai le cercle du conseil... personne ne remarqua mon départ...

« Parlez... parlez..., pensai-je. Pendant ce temps, l'ennemi est en train de rassembler ses forces à nos portes... il faut que je fasse quelque chose. »

Mais je ne savais pas quoi. Alors j'ai commencé à marcher. J'ai marché, et j'ai laissé mes pas me conduire où ils voulaient, tâtonnant du bout de mon bâton. Je contournai le campement, puis continuai à cheminer sur le sentier.

Par hasard, mes tâtonnements perturbèrent le sommeil d'un dormeur, qui se réveilla et me rejoignit dans ma course errante. Nettles — c'était lui — ne parla pas, il s'était simplement levé et m'avait embrayé le pas. Depuis notre fuite de Dun Cruach, sa présence m'était devenue agréable, et j'accueillis sa compagnie de bon gré. Je m'arrêtai et me retournai vers lui : « Venez, nous allons marcher ensemble. »

À mon grand étonnement, celui-ci répondit : « *Mo bodlon, do.* »

Son expression dans notre langue progressait chaque jour — ce qui n'était que justice, car il y travaillait avec acharnement. J'inclinai la tête, puis repris la marche sur le sentier. Le petit homme étranger cheminait à mes côtés, et nous continuâmes à avancer en silence pendant quelques instants.

« *Mae trafferthu ?*, demanda-t-il enfin.

— Oui, répondis-je, la situation est grave. »

Nous continuâmes à marcher, et je me surpris à lui faire le récit du mystère qui me narguait. J'ignorais s'il parvenait à comprendre tout ce que je lui disais, et peu importait. Je trouvais très agréable de pouvoir parler à quelqu'un, à quelqu'un qui au moins voulait bien m'écouter.

« Lorsque la Créature Malfaisante s'échappa de sa prison du Monde Inférieur, où donc est-elle allée ?, demandai-je. Lorsque Nudd, Prince de l'Uffern *alias* Annwn, Roi des Coranyids, surgit pour venir piller le royaume des mondes, où frappa-t-il en premier ? »

Nettles, marchant à pas feutrés à côté de moi, ne répondit pas ; je fis donc ma propre réponse : « Il vint à Sycharth, la principale forteresse du roi le plus en vue de Prydain. C'est-à-dire...

— Ah oui, dit Nettles, Prydain... »

Je me rendis compte une fois encore à quel point son esprit travaillait vite. Au fur et à mesure que je parlais, il rangeait les mots dans sa tête. Je me mis donc à dire tout haut ce que je pensais, lentement, de manière à ce qu'il puisse en saisir ce qu'il pouvait.

« Ce fut Prydain, dis-je, qui essuya la colère du terrible Nudd... mais seulement après que le roi eut été trompé. Ce fut Prydain que la Horde démoniaque pilla... mais seulement après que son roi eut été mis en fuite.

« Et je vous le demande : qui donc Nudd poursuivait-il de sa haine glaciale ? Qui dut endurer les assauts cruels du Vieil Ennemi d'Albion ?

« Eh bien je vais vous le dire : c'est Meldryn Mawr. Le Souverain de la Nuit Éternelle a choisi le Grand Roi d'Or pour essuyer la charge terrible de sa haine. Ce fut Meldryn Mawr, Prince de Prydain, Seigneur des Llwyddis, qui dut supporter l'attaque impitoyable de l'Ennemi. »

Oui, pensai-je. Le roi de Prydain supporta l'attaque... et plus encore : il survécut et triompha.

« Mais je vais trop vite, dis-je à Nettles qui marchait à côté de moi, piqué par la curiosité. Avant cela... avant que Prydain ne tombe, avant que Meldryn ne prenne la fuite, avant que Nudd et ses viles coranyids ne soient lâchés... il y avait le Cythrawl.

— Cythrawl..., répéta doucement Nettles. *Hen Gelyn.*

— Oui, dis-je. Le Vieil Ennemi. Et qui donc la Créature des Enfers cherchait-elle à anéantir en premier ? C'était Ollathir, le Chef des Bardes d'Albion... Ollathir.

— Le penderwydd Ollathir, fit Nettles songeur.

— Le Chef des Bardes Ollathir, oui..., qui détenait la Souveraineté sur Prydain ! Ollathir seul savait où le phantarque résidait !»

Une nouvelle fois, j'étais confronté aux trois éléments : le seigneur, le royaume, le barde. Mais il y en avait d'autres... d'autres seigneurs, d'autres royaumes, d'autres bardes, beaucoup d'autres. Pourquoi ces trois-là ?

« C'est là le mystère, mon ami, confiai-je tout haut à Nettles. Pourquoi ces trois-là, très précisément ?»

Je ruminai cette question pendant un moment, et je me rendis compte que je connaissais déjà la réponse... le mot déjà prononcé : le Chant d'Albion. Alors je me mis à parler à Nettles du phantarque, et au fur et à mesure que je lui expliquai, je parvenais à m'éclairer moi-même.

« Pourquoi précisément ces trois-là ?, dis-je. Je vais vous le dire : parce que ces trois éléments à eux seuls détiennent le Chant d'Albion.

— *Canaid Alba !*», s'écria doucement Nettles.

Je m'arrêtai à nouveau. Comment se faisait-il que ce petit homme étranger puisse comprendre tant de choses si vite ? Comment était-il parvenu à tant de savoir ?

« Le Chant d'Albion, oui, c'est ce que les Armées des Ténèbres voulaient détruire. Car tant que celui-là existerait, elles ne pourraient pas dominer. C'était la raison pour laquelle elles avaient dévasté Prydain. C'était la raison pour laquelle elles avaient attaqué le Vrai Roi dans son royaume… attaqué la Souveraineté elle-même.

— *Aird Righ ?*», dit Nettles.

J'avais compris sa phrase, mais il avait fait une petite erreur. « Non, pas le Roi Suprême, dis-je. Le Vrai Roi, n'est-ce pas ?

— *Aird Righ !*», répéta-t-il avec encore plus d'insistance. Et je commençai à me demander s'il savait vraiment ce qu'il disait.

« Attendez, dis-je. Laissez-moi réfléchir. »

La Souveraineté… la présence d'un Vrai Roi… qui donc, si ce n'est un Vrai Roi, pouvait détenir le Chant d'Albion ? Et se pouvait-il qu'un Vrai Roi soit aussi Roi Suprême ?

« Mais comment se pourrait-il que Meldryn Mawr soit un Roi Suprême sans qu'il le sache lui-même ?, demandai-je au petit homme qui me suivait comme mon ombre. Ce n'est pas possible. Non, cela est rigoureusement impossible ! »

Nettles ne disait rien ; je sentais son regard posé sur moi, intense, pressant. Que savait-il, au juste ?

« Non, pas le *Aird Righ*, répétai-je. Puis je m'apprêtai à repartir. Je fis deux pas et, brutalement fus cloué sur place. Ce n'était peut-être pas Meldryn Mawr qui était ignorant de son pouvoir. Peut-être était-ce simplement moi ! Meldryn Mawr et Ollathir avaient, qui sait, une bonne raison de le cacher… tout comme ils avaient caché le phantarque au cœur de la montagne de Findargad, dans les profondeurs, afin de le protéger.

Cette hypothèse me frappa avec la force d'un coup de poing. Je vacillai sur mes jambes. Nettles tendit les bras pour me soutenir. Aveugle ! J'étais plus qu'aveugle… j'étais ignorant aussi… et c'était pire.

« Prydain, Meldryn Mawr, Ollathir, dis-je lentement afin que Nettles puisse comprendre. C'est dans ces trois éléments que l'essence d'Albion résidait. »

Et à présent ces trois fils étaient tissés ensemble au sein d'une même personne : Llew.

Je sentis mon cœur s'accélérer comme celui d'un chasseur qui vient d'apercevoir son gibier. « Llew est au centre de tout, dis-je. "Llew" est le mot qui a déjà été prononcé. "Llew" est la montagne qui se dresse devant nous.

— Llew…, dit Nettles.

— Oui, mon ami, bravo… C'est Llew. » Je recommençai à marcher ; Nettles, à côté de moi, s'efforçait de me suivre. « Llew détient l'awen du penderwydd, parce qu'il était auprès d'Ollathir lorsque celui-ci est mort, et le Chef des Bardes a insufflé l'awen dans les poumons de Llew juste avant de mourir. Llew est donc désormais l'héritier du pouvoir de Meldryn Mawr, parce que je suis aujourd'hui le Chef des Bardes d'Albion et que je lui ai transmis le pouvoir suprême. Et Llew a pénétré la zone sacrée de Prydain ; il a traversé Môr Cylch situé dans le Cœur des Cœurs, et par deux fois, il a défendu le pilier de pierre de Prydain sur le Rocher blanc... qu'il a purifié de son sang ! »

Mon esprit s'était engouffré dans cette voie aussi prestement qu'une lance propulsée vers sa cible. En Llew, les trois fils étaient tissés ensemble ; Llew, le nœud de l'affaire. Il était pour ainsi dire le récipient dans lequel avait été versée toute l'essence d'Albion.

Certes ! Mais ce récipient était endommagé, déformé. Il ne pouvait pas exercer le pouvoir qui lui avait été transmis. Et c'était là le nœud de l'énigme...

Roi sans être roi, barde sans être barde, Llew régnait — ou plus exactement refusait de régner — sur une tribu qui n'était pas une tribu, mais un amas de clans séparés qui formaient un royaume qui n'était pas du tout un royaume. Le paradoxe était complet. S'il y avait là-dessous une signification cachée, cette signification se révélait impénétrable.

Bref, grâce à l'innocente méprise de Nettles, je détenais en moi une nouvelle idée pour le moins ahurissante : le pouvoir royal de Prydain était donc sans doute le Suprême Pouvoir Royal d'Albion.

Énigme et paradoxe. Qu'est-ce que cela signifiait ? Je ne savais pas, mais je me promettais d'y réfléchir sans relâche dans les jours à venir.

Je pris congé alors de Nettles, et le renvoyai se reposer de manière à pouvoir méditer la révélation qui venait de m'être faite. J'errai seul, arpentant la vallée comme un animal inquiet. Mes pas piétinaient le sentier qui conduisait au lac infecté. Je marchais, marchais, et arrivant près du rivage, je me dirigeai vers le bord de l'eau. La puanteur environnante m'écœurait, mais je me forçai à poursuivre le long de la berge. Je n'avais encore fait que quelques pas lorsque je sentis la présence de quelqu'un qui était descendu sur le lac.

« Qui est-ce ? Qui est là ?

— Tegid..., répondit une voix, suivie d'un sanglot.

— Goewyn ? »

Je fis quelques pas en direction de la voix qui sanglotait doucement. Goewyn vint se blottir dans mes bras en se tenant la tête, qu'elle posa ensuite contre ma poitrine. « Pourquoi pleurez-vous ? Qu'y a-t-il ?

— Gwenllian…», dit-elle d'une voix sourde et indistincte. Je sentis qu'elle se détacha pour lever les yeux vers moi. « Je l'ai vue, Tegid. J'ai vu Gwenllian… en rêve, expliqua-t-elle rapidement. Elle m'a rendu visite en rêve.

— Oui, dis-je pour l'apaiser, je comprends. »

Elle s'éloigna brusquement de moi. « Je l'ai vue. Elle m'a parlé. Gwenllian m'a parlé.

— Et que vous a-t-elle dit ?»

Goewyn se tut un instant et prit une longue inspiration, le souffle tremblant. « Je n'ai pas compris.

— Dites-moi. »

Glissant la main sous mon bras, Goewyn me fit faire demi-tour et nous recommençâmes à marcher le long des eaux noires et infestées. Elle resta silencieuse un temps, puis recommença à parler :

«Je voulais attendre la fin du conseil… pour savoir ce qui allait être décidé. Mais j'ai senti venir la fatigue. J'avais la tête lourde et je n'arrivais plus à tenir les yeux ouverts. J'avais prévu de ne faire qu'une petite sieste. Mais je me suis endormie dès que je me suis allongée.

« Dans mon sommeil, j'entendis un son étrange, comme un frémissement d'aile au-dessus de ma tête. Le son me réveilla… je me suis réveillée… enfin, dans mon rêve, je me suis réveillée. Pourtant, je savais bien que je dormais, je savais que je continuais à rêver.

— Oui, je connais ce genre de rêve…, dis-je. Et qu'avez-vous vu ?

—J'ai vu le lac », répondit-elle alors que sa voix semblait s'éloigner au fur et à mesure qu'elle rentrait à nouveau dans son rêve — grâce à la mémoire, cette fois. « J'ai vu le lac tel qu'il est en réalité : infect et puant. J'ai vu l'eau s'épaissir du fait de son infection. Et j'ai vu quelqu'un qui attendait là, sur le bord du lac… une femme… tout habillée de blanc. Dès que je l'ai vue, j'ai su que c'était Gwenllian. J'ai couru vers elle. Je l'ai prise dans mes bras, Tegid ! Elle était à nouveau vivante ! J'étais si heureuse !»

Je ne répondis rien ; alors elle continua.

«Alors Gwenllian s'est mise à me parler. J'ai entendu sa voix… elle semblait réconciliée… plus que cela, même. Elle était heureuse. Elle était rayonnante de paix et de bonheur, son visage s'illuminait. » Puis Goewyn retomba dans le silence sous l'influence puissante de sa vision.

« Elle vous a parlé. Qu'a-t-elle dit ?

— Elle m'a dit qu'il ne fallait pas oublier la prophétie. Que c'était très important. Elle a dit que la prédiction avait dit la vérité, et qu'elle allait être réalisée. » Goewyn me tenait le bras fermement, prise par l'excitation. « Elle a dit que le Jour du Conflit était venu, mais que la Prompte et Forte Poigne était avec le *Gwr Gwir*.

— Vous en êtes certaine ? Elle a bien dit le Gwr Gwir ?

— Oui, mais je ne sais pas ce que cela veut dire, répondit-elle. Gwir… c'est la Vérité ? Mais qui sont les hommes de Gwir ?

— Je ne sais pas, dis-je en secouant lentement la tête. À moins que les Hommes de Gwir soient tous ceux qui cherchent à s'opposer à Meldron. »

Cette expression était un élément de la prophétie que Gwenllian avait transmise à Llew après ses Hauts Faits à Ynys Bàinail ; il avait été seul à affronter le Cythrawl, et seul à avoir reçu la parole prophétique. J'avais déjà souvent réfléchi à la prophétie, tâchant de me souvenir des différentes formules qu'elle contenait. Avec Llew, nous avions souvent discuté de sa signification.

« A-t-elle encore dit autre chose ? »

Goewyn se tut un instant afin de choisir ses mots avec le plus grand soin. « Oui. » Sa voix n'était plus qu'un murmure. « Elle a dit… "N'ayez aucune crainte. Il y a un remède mélangé à l'eau." »

XXXV

LE GWR GWIR

« Dites-le moi encore, Goewyn. Que vous a-t-elle dit, Gwenllian ?

— Elle a tendu la main, répondit Goewyn, et a désigné un point, au loin. J'ai alors regardé, et j'ai vu qu'elle désignait le lac. Puis Gwenllian a dit : "N'ayez aucune crainte. Il y a un remède mélangé à l'eau." Et ensuite… » Goewyn se mit à renifler.

« Oui, et ensuite ?

— Je me suis réveillée, répondit-elle. Et je suis venue ici… j'ai couru sur tout le chemin… » Ses larmes recommencèrent à couler. « Je suis descendue au lac… Je pensais que Gwenllian y serait peut-être. Tout avait l'air si réel. Je croyais qu'elle était revenue parmi nous… et que j'allais la retrouver ici.

— A-t-elle dit encore autre chose ? Réfléchissez bien… Quoi que ce soit d'autre ? »

Le menton tremblant, Goewyn secoua lentement la tête. « Non, dit-elle doucement. Absolument rien d'autre. Ah… Tegid…, je l'ai vue ! »

Je tendis les bras vers la jeune femme, et en lui entourant les épaules, je l'attirai vers moi. Nous restâmes un moment en silence sans bouger, puis Goewyn se redressa, se dégagea, puis s'éloigna. Elle sécha ses larmes et me laissa méditer seul la signification de son rêve.

Cette nuit-là, je ne dormis pas. Je marchai le long du lac empoisonné — la puanteur, persistante, s'infiltrait dans mes narines. Dans ma tête, les pensées affluaient ; mes deux conversations, d'abord avec Nettles, ensuite avec Goewyn, m'avaient troublé, et je me sentais mal à l'aise. À chaque pas, je ressentais comme un destin terrible qui se profilait à grande vitesse, juste au-delà des murs de ce royaume des mondes : inexorable, inflexible. Je le pressentais, mais ne parvenais pas à l'appréhender.

Avant l'aube, les guerriers se rassemblèrent. Les préparatifs s'étaient poursuivis toute la nuit, et avec la lumière du jour pointant, on s'affairait. Le carynx sonna le rassemblement, et avec mon regard intérieur, je pus voir la scène. Déployés avec tout leur matériel de guerre, les guerriers, vigoureux et solides comme un bataillon de grands chênes, attendaient d'être appelés par les chefs placés devant eux.

Scatha, observant calmement de ses grands yeux verts, ses cheveux blonds ramenés et attachés sous sa cape de combat rutilante, vint choisir la première. Portant un petit bouclier rond par-dessus l'épaule et une chemise de cuir sur laquelle, comme des écailles de lézard, étaient cousus des disques de bronze, elle leva au bout de son bras long et souple une lance blanche. Elle avait noué trois bandes de tissu au manche de sa lance, juste au-dessous la lame lancéolée — deux bandes noires et une blanche. C'étaient les *meirwon cofeb* — symboles exhibés à la mémoire de ses filles, pour lesquelles elle se battait aujourd'hui afin de venger leur mort et leur viol. De sa voix claire, elle prononça les noms des guerriers à qui reviendrait l'honneur de la suivre au combat.

Pen-y-Cat, comme il avait été décidé, serait la meneuse des combats. D'une adresse extrême, d'une intelligence sans égale, elle était la plus redoutable des adversaires et la plus habile des chefs de guerre. Sous son instruction, d'innombrables guerriers avaient durement gagné leurs armes, et un grand nombre d'entre eux avait conquis grandeur et célébrité — même si aucun d'entre eux n'avait jamais surpassé Scatha. Elle se contenta d'en choisir une cinquantaine en tout, et ce fut au tour d'autres chefs de choisir.

Le suivant fut Bran Bresal, chêne parmi les chênes, cheveux noués de tresses sombres et luisantes, le bras gauche cerclé d'un anneau d'or brillant comme le torque qu'il portait autour du cou ; il leva sa lance rouge. Sortant du lot, il y avait les Corbeaux : Niall, Garanaw, Alun Tringad, Drustwn et Emyr Lydaw. Tout comme leur meneur, ils ne portaient ni cape, ni siarc, ni breecs, ni ceinture. À l'image des héros du Chant qui ôtaient leurs vêtements pour combattre, les Corbeaux entraient dans la bataille totalement nus, leurs corps huilés luisant sous le soleil.

Chaque homme vint s'incliner devant son chef en avançant de quelques pas ; il heurtait légèrement le manche de sa lance contre le bouclier de Bran, et effleurait d'un geste son bras droit — celui qui maniait l'épée — avec son tatouage à l'effigie du corbeau.

Bran appela encore d'autres hommes pour les intégrer à son bataillon — des guerriers choisis par lui afin de renforcer l'effectif du Vol des Corbeaux. Lorsque tous furent regroupés, le héros prit place devant ses hommes, et ce fut au tour d'un autre chef de choisir ses soldats.

Cynan, le regard bleu étincelant à l'idée du choix qu'il prévoyait, fut le suivant. Il se tenait droit, le bras levé, serrant fermement dans son poing une épée bien affûtée. Sa chevelure couleur de feu était coupée court et huilée pour la plaquer sur son crâne ; sa moustache et sa barbe étaient soigneusement peignées. Il appela d'abord les guerriers de l'armée galanae, puis d'autres qu'il connaissait. Puis il se retourna vers le roi Cynfarch, son père, qui fit avec solennité un signe de tête approbateur. Cynan était meneur de combat au service de son père, mais ce dernier se réservait le droit d'entériner son choix. Une fois ce rituel observé, la répartition se poursuivit.

Le roi Calbha, rutilant de bagues et de bracelets d'or, une lourde épée à la ceinture, enfonça d'un coup sec dans le sol la pointe de sa lance peinte en bleu en agrippant fermement le manche de ses deux mains. D'une voix qui résonnait comme le fer, il appela les membres de son armée cruin. Il les fit se présenter par rangées de dix guerriers, et lorsqu'il eut fini, trois bataillons de cinquante hommes se tenaient derrière lui, à ses ordres.

Llew, uniquement revêtu de breecs et d'un ceinturon de cuir, se leva du rocher où il s'était assis, et se tint debout sans un geste, tenant une épée dans sa main valide ; un long bouclier dissimulait son moignon à la vue de tous. Il éleva la voix et appela les guerriers qui restaient. Avec un certain empressement, ceux-ci se joignirent à lui ; nombre d'entre eux étaient avides de se mettre à son service. L'un après l'autre, chaque guerrier, au passage de Llew devant eux, frappa d'un coup sec le bord de son bouclier avec sa lance ; le bruit sonnait comme une pluie d'applaudissement. Lorsque tous furent regroupés, trois trentaines plus trois soldats se trouvaient à ses côtés — en hommage aux bardes de Prydain assassinés.

Puis Llew brandit son épée bien haut, le carynx retentit, et je vis alors Rhoedd, dressé sur un rocher, le cor martial recourbé porté à ses lèvres. Le son fit trembler l'air, remplissant la vallée, puis résonnant le long de la muraille rocheuse. Rhoedd souffla une seconde fois, et le Vol des Corbeaux se mit en branle au pas de course. Scatha, suivie de son bataillon, venait ensuite, puis Cynan, Calbha, et finalement

Llew, avec ses triples rangées. Saisissant mon bâton, je suivis le mouvement et commençai à grimper vers le sommet de Druim Vran.

Le peuple était venu assister à notre départ. Les gens s'alignaient le long de la piste et nous acclamaient à notre passage, stimulant grandement le courage des guerriers. J'aperçus Goewyn sur la ligne de front, agitant une branche de bouleau, et Nettles qui se trouvait à ses côtés avec un rameau de houx ; le bouleau et le houx, les deux emblèmes indissociables de la force et du courage selon la coutume des bardes.

Dans la lumière du petit matin, je vis les armées de notre tribu s'avancer au-devant de l'ennemi avec courage et détermination. Je vis des hommes valeureux — les Gwr Gwir — courir au-devant de la mort, se hâter pour provoquer l'affrontement. Je brandis mon bâton à leur passage en invoquant la Prompte et Forte Poigne afin qu'elle soutienne les combattants pendant la bataille ; je conjurai l'Être Plein de Sagesse et de Bonté afin qu'il guide leurs pas ; j'implorai le Dispenseur d'Offrandes de leur accorder la victoire.

Nous étions malheureusement en nombre largement inférieur à celui des forces de Meldron. Cela, nous le savions. Mais le conseil de guerre avait évalué les risques avec grand soin : pour avoir la moindre chance contre un ennemi tellement écrasant en nombre, il fallait agir vite. Nos réserves d'eau diminuaient rapidement ; nous ne pouvions pas nous permettre de perdre des forces à cause du manque d'eau. Pour garder un espoir de survivre, il nous fallait frapper maintenant... avant que Meldron parvienne à occuper la vallée limitrophe, et surtout, pendant que nous avions encore assez de forces pour tenir nos épées.

Le conseil avait décidé d'aller au-devant de Meldron et de l'attaquer. Si on parvenait à tuer Meldron et les membres de sa Horde de Loups, on pouvait raisonnablement penser que le reste de l'armée abandonnerait le combat — tranchez-lui la tête, et la vipère meurt ! Nous enverrions ensuite prospecter vers le nord, jusqu'à une île des environs, afin de trouver de l'eau ; nous estimions en effet que l'empoisonnement de l'eau n'avait pu dépasser les côtes de Caledon.

Les armées gagnèrent le sommet de la crête et prirent position. Au moment où je les rejoignis, les troupes étaient alignées sur toute la longueur de Druim Vran, attendant que les chefs de guerre aient fini de se concerter.

Nous ne donnerions pas l'offensive tant que Scatha n'avait pas évalué la force de l'ennemi, ni ses positions. ; elle voulait absolument voir Meldron et savoir exactement où il se trouvait parmi ses hommes avant de donner ses ordres à nos troupes. Quoi qu'il en soit, toute défaillance dans l'organisation de Meldron serait compensée par le nombre de ses combattants. L'armée du Grand Chien s'étendait à travers toute la vallée des deux côtés de la rivière : des milliers d'hommes… à perte de vue.

« Je n'aurais jamais imaginé… » Llew secouait lentement la tête alors que j'arrivai près de lui. Bran, lui, était à sa gauche, regardant fixement toute la vallée, en contrebas ; le regard dur, les lèvres serrées.

« Le Chien de Prydain a réussi au-delà de ses ambitions délirantes, fis-je. Il n'y est parvenu qu'en foulant le corps de ses innombrables victimes, mortes ou asservies, qui se sont entassées.

— Il n'en tombera que de plus haut !, déclara Bran. Ce serait pour moi un véritable honneur de participer à la ruine qu'il a si largement méritée. »

Nous restâmes sur la crête à attendre le retour de Scatha. En effet, aucun de nous n'ayant réussi à repérer Meldron ni même sa Horde de Loups, Scatha, accompagnée de Cynan, était descendue pour observer de plus près. Dès qu'elle reviendrait, nous prendrions notre décision définitive concernant l'organisation de l'offensive.

Bref, nous dûmes attendre longtemps. Le soleil amorçait peu à peu son ascension, devenait de plus en plus chaud au fur et à mesure qu'il avançait dans un ciel sale et poussiéreux. La matinée se passa. Nous devînmes las d'attendre ; les hommes étaient de plus en plus nerveux, ils avaient soif. Nous dûmes utiliser notre ration d'eau journalière en regardant le soleil torride s'élever toujours haut dans le ciel. Calbha nous rejoignit et nous nous assîmes l'un à côté de l'autre pour observer la vallée qui s'étendait à nos pieds. La fumée des feux que les ennemis avaient allumés pour préparer leur repas s'étendait à perte de vue, grise et blanche, ondulant comme des vagues.

« Ils sont comme un océan, observa paisiblement Calbha, alors que nous ne sommes qu'un pauvre ruisseau s'écoulant discrètement des collines… »

Le soleil approchait du zénith lorsque Scatha apparut enfin, portant une nouvelle préoccupante : un nombre impressionnant de guerriers continuait à affluer dans la vallée. « Meldron, cependant, n'est pas encore arrivé au milieu de ses hommes, dit Scatha. Il se peut qu'il soit dans le nombre de ceux qui sont en train de pénétrer dans la vallée, mais nous ne l'avons pas vu.

— Toute l'armée n'est pas encore regroupée. Ils ne sont pas encore prêts pour l'attaque, ajouta Cynan. Ils ont plutôt l'air d'attendre.

— Ils attendent évidemment que Meldron arrive, répliqua Llew. Si c'est vraiment le cas, il vaudrait peut-être mieux ne pas traîner, et attaquer tout de suite. »

Cynan paraissait peu convaincu, mais il fit un haussement d'épaule, se rangea finalement à l'évidence. « J'aurais préféré affronter le Grand Chien en personne plutôt que ses chiots, mais on ne peut pas rester plus longtemps ici sans rien faire. Allons-y... »

Llew tourna son regard vers Scatha : « Qu'en dites-vous, Pen-y-Cat ? »

Elle se leva, elle aussi. « Je ne pense pas qu'on réussira à les prendre par surprise, mais ils sont désorganisés et ils ne sont pas prêts. Sans Meldron, on pourra plus aisément les décourager. Oui, il faut ouvrir l'offensive. »

Bran, Cynan et Calbha se joignirent à Scatha pour approuver sa décision, puis tout le monde se sépara pour retourner auprès de ses troupes respectives qui attendaient. « Eh bien voilà, dit Llew en glissant son moignon sous les lanières de son bouclier, le moment est arrivé... Allez-vous nous soutenir au combat ?

— Pourquoi me demandez-vous cela ? Naturellement, et vous le savez bien.

— Oui, je le sais. » Il plaqua son épée contre sa cuisse et saisit mon bras avec sa main valide. « Je dois y aller, Tegid...

— Que tout se passe bien pour vous, mon frère... », dis-je en l'étreignant avec force.

Puis il s'éloigna et alla prendre place à la tête de son armée. Quelques instants plus tard, il brandit son épée silencieusement en guise de signal, et les guerriers commencèrent à dévaler la crête en direction de la vallée. Ils disparurent rapidement au milieu des arbres, et aussi de mon regard intérieur — je ne les voyais plus.

Je me mis à longer le sommet de Druim Vran jusqu'à ce que je trouve un affleurement rocheux suffisamment grand pour pouvoir m'y tenir debout, et suffisamment haut pour être vu depuis la vallée. Une fois perché sur mon rocher, je restai accroupi jusqu'à ce que la bataille s'engage.

Un soleil terne et maussade déversait une chaleur blanche au creux de la vallée, d'où suintait un pauvre cours d'eau, formant une traînée noire et nocive. Cette petite rivière — dense et visqueuse à cause du dépôt nocif — retint mon attention pendant un moment. Elle formait une barrière naturelle au milieu de la vallée — non pas, certes, un obstacle infranchissable... mais j'avais remarqué que l'ennemi restait à distance de ses berges. Sur toute sa longueur, les campements laissaient de chaque côté de la rivière nauséabonde une distance respectable. Personne, naturellement, ne venait s'y abreuver, et personne n'essayait davantage de la traverser.

Grâce à ma vue intérieure réactivée, je scrutai l'ensemble de la vallée à la recherche d'une parcelle de terre déserte, et je n'en vis pas. La vallée grouillait d'une foule invraisemblable — il y avait encore des guerriers qui s'engouffraient par la porte étroite de la vallée. Avait-on jamais vu un tel déploiement de forces dans Albion ?

Non, jamais... J'étais à présent assis sur mon rocher et j'observais l'extraordinaire spectacle. Ni au temps de Nemed ni même au temps de Nuadha on n'avait vu une armée aussi impressionnante. Des hommes et des chevaux, il y en avait à perte de vue. Les lances des guerriers se dressaient comme une forêt de frênes ; l'éclat de leurs épées, dans le soleil cuisant, étincelait comme une mer radieuse et hérissée de vagues, et leurs boucliers étaient plus nombreux que les coquillages sur une plage sans fin.

Scatha, Sage Meneuse de Guerre, avait refusé que l'on utilise des chevaux... une décision extrêmement prudente. Les chevaux nous conféreraient une certaine force au début, mais cela rendrait la tâche plus facile à l'ennemi pour nous identifier, nous encercler et nous maîtriser. Notre plan de bataille reposait sur la pénétration des forces de Meldron, le plus loin possible, afin de le trouver, lui, et de l'enlever... et cela pouvait être effectué plus efficacement par des hommes évoluant à pied, qui dans le chaos de la bataille, pourraient se glisser sans être vus à travers les lignes ennemies.

J'observai le pied de la muraille rocheuse, d'où devaient venir les premiers signes de l'attaque. Scatha avait également exigé que l'on ne fît pas sonner le carynx au moment de donner l'assaut. « Ils se rendront compte de notre offensive bien assez tôt, dit-elle. Mais nous pouvons peut-être réussir à pénétrer au cœur de l'armée de Meldron avant même que ceux qui se trouvent de l'autre côté de la rivière sachent que la bataille est ouverte. »

C'était là notre unique et mince espoir : occuper le centre et le contenir. Cela forcerait l'ennemi à se battre de l'intérieur de ses propres rangs pour pouvoir nous atteindre. Nous serions cernés, c'est vrai ; mais il y avait de toute manière tant de soldats ennemis que nous aurions quoi que nous fassions été cernés. Au moins, en occupant le centre, nous créions un plus petit champ de bataille, et ainsi nos propres armées ne seraient pas séparées.

C'était là, je l'ai dit, une tactique de désespérés. Mais en regardant à mes pieds le nombre impressionnant de soldats qui se trouvaient là, je compris sans le moindre doute le caractère complètement inextricable de notre situation. Nous n'avions aucune chance de battre Meldron... Au plus, nous pouvions espérer... quoi donc ? Amortir son attaque ? Retarder son inévitable victoire ?

Calbha avait raison, nous n'étions qu'un pauvre ruisseau s'écoulant discrètement des collines. L'armée du Grand Chien était aussi vaste et aussi profonde que la mer. Une fois la bataille engagée, cette mer immense nous submergerait et nous disparaîtrions sans laisser une trace.

Au moment même où cette pensée agita mon esprit, j'entendis le croassement rauque d'un corbeau qui prenait son envol au-dessus de la crête. Je tournai mes yeux impuissants vers le ciel, et soudain, une nouvelle vision apparut — des ailes noires se découpant sur un ciel jaune et sale. J'eus un mouvement de recul face à cette vision et m'en détournai.

La voix de Gwenllian arriva comme un souffle léger à mon oreille. La banfàith avait dit : *Que le soleil se fasse sombre comme l'ambre, que la lune se voile la face : l'horreur investit le pays. Que les quatre vents se combattent en un terrible rugissement ; que les échos en résonnent jusqu'aux étoiles. La Poussière des Anciens s'élèvera jusqu'aux nuées ; l'essence d'Albion est disséminée et déchiquetée au sein des vents ennemis.*

Puis le Géant Mauvais fera rage, et, du tranchant effilé de son glaive, terrifiera le monde. Ses yeux lanceront des flammes ; ses lèvres distilleront du poison. Il dévastera l'île, aidé de son immense armée. Tous ceux qui s'opposeront à lui seront emportés par le flot des méfaits qui s'écoule de ses mains. L'Île du Puissant deviendra son tombeau.

Tout cela sera provoqué par l'Homme de Cuivre qui, chevauchant son destrier tout de cuivre également, sèmera noire et grande douleur. Réveillez-vous, Hommes de Gwyr ! Empoignez vos armes et contrez les traîtres en votre sein ! Les échos de la bataille monteront jusqu'aux étoiles du firmament, et la Grande Année sera à son apogée.

Oui, tout était advenu comme elle l'avait prédit. Mais la prophétie se terminait par une énigme :

Écoute, ô Fils d'Albion ! Le sang est né du sang. La chair est née de la chair. Mais l'esprit est né de l'Esprit et reste à jamais avec l'Esprit. Pour qu'Albion soit Un, l'Exploit du Héros devra s'accomplir et Main d'Argent devra régner.

Main d'Argent était le nom attribué au Héros qui allait sauver Albion. C'était le nom de Llew : Llew Llaw Eraint, à propos de qui maintes choses merveilleuses furent prédites.

Une voix accusatrice s'éleva à l'intérieur de moi : *Fou que tu es ! Qu'as-tu fait ?*

J'avais essayé de provoquer l'accomplissement de la prophétie en le proclamant roi. Mais j'avais échoué. Meldron avait ruiné tout espoir que Llew puisse régner. La Loi de la Souveraineté ne peut être brisée ou rejetée — quelle qu'en soit la raison, quelle que soit la personne impliquée. Le Grand Chien Meldron avait brutalement mis le pouvoir hors de portée de Llew en lui tranchant la main.

Et maintenant, pensai-je en regardant toute la vallée enfumée et infectée, où l'ennemi s'étendait, prêt à frapper mortellement, l'Île du Puissant n'était plus qu'un tombeau.

J'entendis le pas de quelqu'un qui s'approchait discrètement derrière moi. Avant même que je puisse me retourner, je sentis la main de Goewyn se poser sur mon épaule. « Je souhaite rester avec vous, Tegid, dit-elle sur un ton qui ne laissait aucune discussion possible.

— Eh bien restez, dis-je, nous soutiendrons nos valeureux ensemble. »

Elle s'installa à côté de moi. « Je ne pouvais pas attendre avec les autres. Et j'ai pensé que vous pourriez avoir besoin de quelqu'un qui puisse vous décrire ce qui se passe. »

Nous étions assis côte à côte, profitant de la douceur de nos présences réciproques en attendant que s'ouvre la bataille. Et lorsqu'elle commença enfin, ce fut comme une toute petite ride sur le bord de cet océan qu'était l'armée de Meldron. Je vis un tourbillon comme un léger remous de vague dans le camp... et l'ai même observé quelque temps avant de réaliser que c'était le bataillon de Scatha qui se lançait à l'intérieur des troupes ennemies.

« Eh bien voilà !, dit Goewyn. La bataille est ouverte ! »

L'armée de Calbha entra en lice aussitôt derrière et déborda sur la droite de Scatha, Cynan ayant lui, à peu de distance, amorcé par la gauche. Les trois bataillons ensemble pénétrèrent rapidement les rangs désordonnés des soldats sans méfiance, frappant plus fort et plus rapidement que je ne l'aurais cru possible. L'ennemi semblait fondre devant eux, s'écroulant sans même avoir le temps de se défendre.

Le Vol des Corbeaux frappa un peu plus loin, sur l'aile droite, en remontant vers Scatha. C'était un spectacle grandiose ! Cette rapidité avec laquelle ils avaient agi ! J'apercevais Bran qui fonçait tête baissée vers l'ennemi, mettant en déroute des tribus entière de guerriers devant lui ; Alun Tringad et Garanaw s'efforcèrent de le rejoindre sur chacun des deux côtés, et le reste des Corbeaux, sans être le moins du monde inquiété par l'ennemi, s'avança pour ne pas être séparé de son chef.

Llew, je ne le vis d'abord pas. Mais finalement, Goewyn s'écria :
« Je le vois ! Sur la gauche, devant Cynan. C'est lui ! »

Dans ma vision intérieure, j'aperçus Llew en effet, avec son
armée, qui volait à la rencontre de Scatha. Comme au cours des
précédentes percées, les rangs ennemis s'ouvrirent à peine devant
eux, s'écroulant les uns sur les autres au fur et à mesure que les
assaillants s'avançaient pleins d'ardeur.

J'entendis une clameur venant du sommet de la crête, sur la gauche ;
tournant la tête, je vis que la moitié de la population de Dinas Dwr
observait depuis les hauteurs de la muraille rocheuse — quant à l'autre
moitié, elle s'efforçait tant bien que mal de trouver un endroit d'où elle
pourrait observer la bataille. Incapables d'attendre l'issue des hostilités,
ils étaient tous venus assister.

Les cris se transformèrent bientôt en un déluge d'applaudissements. Je doutais, bien sûr, que les guerriers puissent entendre les
encouragements des leurs, mais les acclamations descendirent
néanmoins sur eux comme une pluie de prières venues du cœur.
Et pendant un temps, on avait l'impression que l'impossible était
devenu réalité : nous pouvions, par la simple vertu d'une détermination implacable, battre l'ennemi sur son propre terrain et le chasser de la vallée.

Le bruit d'une petite chute de pierres au milieu de la roche, sur
ma droite, vint trahir l'arrivée de Nettles, discret comme toujours,
à mes côtés. Cynfarch, la lance à la main, le suivit de peu, tout en
observant ce qui se passait dans la vallée. Si le déploiement impressionnant des forces de Meldron l'avait surpris, il n'en manifesta rien.
« C'est un très bon début, dit-il en venant se placer derrière moi.
En dépit de leur nombre, ils sont mal entraînés, mal préparés.

— Oui, c'est un très bon début », confirmai-je. Je n'avais vu une
armée aussi désorganisée, aussi désorientée, et je le lui dis. « En
vérité, ils ne se comportent pas du tout comme des guerriers. »

En même temps que je disais cela, je compris quelle en était la raison. Ils n'étaient pas des guerriers. À l'évidence. Comment Meldron
aurait-il pu disposer d'une armée aussi vaste ? Si je m'étais arrêté ne
serait-ce qu'un instant pour considérer la question, la vérité m'aurait
sauté aux yeux : il n'y avait pas suffisamment de soldats dans tout Albion
pour rassembler une armée aussi imposante. Meldron avait gonflé ses
rangs avec tous les hommes sans défense qu'il avait capturés : des
fermiers, des artisans, des bergers et des jeunes gens sans entraînement.
Il leur avait donné des lances et des épées, mais, même s'ils brandis-
saient les armes, ils n'étaient pas guerriers. C'était la raison pour

laquelle, confrontés à la violente fuite en avant de nos propres soldats, nos infortunés adversaires — qui, sans préparation, ne pouvaient pas faire le poids — tournaient simplement les talons et s'enfuyaient, ou, s'ils restaient, étaient terrassés.

Il n'y avait pas vraiment de quoi applaudir, certes. Mais la vue des ennemis en fuite devant la percée foudroyante de nos soldats encourageait malgré tout les cris et les bravos de nos gens. Des acclamations de joie s'élevaient depuis les hauteurs de la crête et résonnaient sur toute la longueur de la vallée comme un torrent lumineux de bénédictions. Grâce à ma vision intérieure, je vis l'ennemi battre en retraite lamentablement, refluant comme une marée découragée, et ne voulant pas se frotter à nos ardeurs dissuasives. Des fermiers et des bergers contre des guerriers exercés ! Nous ne pourrions tirer aucune gloire d'une telle victoire. Cependant, aussi peu glorieux soit l'exploit, je commençai à croire que l'offensive courageuse et décisive de nos guerriers — qui pénétraient toujours plus loin en frappant au cœur de l'armée ennemie — pourrait être en mesure de transformer la bataille en une véritable débâcle.

XXXVI

RIVIÈRE MORTELLE

Calbha et Scatha avaient pénétré au cœur de l'armée ennemie, mais hélas, l'avantage qu'ils avaient pu prendre rapidement ne se maintint pas. Non loin de là, sur la berge de la rivière, la retraite s'était ralentie pour finalement cesser brusquement. La nouvelle de notre offensive était arrivée aux oreilles des cavaliers ennemis, lesquels avaient désormais eu le temps de se regrouper pour effectuer leur première tentative de résistance. Cependant, il y avait là tant de gens terrorisés qui cherchaient par tous les moyens à s'enfuir, que les cavaliers ne purent pas atteindre l'armée de Scatha.

Les troupes conduites par Cynan furent entravées par la foule de plus en plus dense. Empêchés de s'enfuir par leurs propres meneurs, les soldats ennemis mal préparés se retournèrent finalement pour affronter la rage à présent déclinante de Cynan. Il y avait là tant de corps compressés les uns sur les autres que Cynan pouvait à peine manier son épée. Bran et ses Corbeaux étaient également bloqués. Même si nous ne pouvions pas les distinguer clairement, nous devinions l'ordre serré des lances qui s'enfonçaient dans les rangs de l'ennemi. Ceux-là s'avançaient toujours en direction de Scatha, mais leur progression était à présent considérablement ralentie.

« Ils veulent donc se battre !, s'écria Cynfarch. Eh bien que le Dagda ait pitié d'eux... »

L'armée de Llew s'efforçait de rejoindre Scatha et Calbha au centre des hostilités. Mais, comme cela avait été le cas pour Bran et Cynan, l'arrivée des cavaliers ennemis mit un frein à la progression de Llew. La foule indisciplinée des gens de Meldron formait une muraille involontaire ; Llew ne pouvait pas avancer... il y avait trop de monde qui le séparait de la zone centrale où se trouvait Scatha.

Mais si nos propres soldats ne pouvaient pas pousser plus loin leur offensive, l'ennemi, de son côté, ne pouvait pas vraiment riposter. Les hostilités semblaient au point mort. Comme les courants contraires dans l'océan, des vagues de guerriers déferlaient les unes sur les autres, entraient en collision, formant une véritable tempête rageuse — les uns luttant avec acharnement contre les assaillants, les autres faisant tous les efforts pour fuir. Nos propres armées étaient comme des îlots prisonniers de cet écheveau chaotique de courants.

Le son violent du carynx retentit à travers la vallée. L'ordre d'attaquer avait finalement été perçu par les chefs ennemis, qui cherchaient à présent à sonner l'alarme. Mais ils s'étaient sottement installés sur la rive la plus éloignée de la rivière, et ne pouvaient donner des ordres à leurs soldats inexpérimentés, qui s'agitaient donc inutilement.

Bran Bresal ne fut pas long à trouver la solution à son dilemme. Ne trouvant aucune possibilité de se frayer à coup d'épée un chemin à travers la confusion, il brandit son bouclier droit devant lui et se mit tout simplement à forcer le passage, écrasant tout soldat qui se trouvait sur sa route. Les Corbeaux se mirent dans son sillage et bientôt une brèche fut tracée dans la confusion des corps. Ils progressaient en piétinant sur une route vivante. Je ne crois pas que leurs pieds touchaient vraiment le sol

« Ils ont réussi !, s'écria Goewyn au moment où le Vol des Corbeaux parvenait à rejoindre Scatha et Calbha au cœur de la bataille. Et maintenant, c'est Cynan qui s'avance !»

L'ennemi s'était retranché massivement dans la zone délaissée par les Corbeaux. Cynan, qui avait dû pressentir cette stratégie de repli, se dirigea aussitôt dans cette direction. Ce qui avait commencé par n'être qu'une percée un peu hésitante se transforma en une ruée déferlante : Cynan s'était lancé au milieu de l'agitation comme un taureau qui charge un troupeau en déroute ; de nombreux soldats périrent sous sa lance. La force de charge de son bataillon le conduisit en plein cœur de la zone dégagée par Scatha et les Corbeaux.

« Maintenant, il n'y a plus que Llew...», dit Goewyn en me pressant la main alors qu'elle continuait à observer, anxieuse, le spectacle de confusion.

« Les chevaux vont les isoler, riposta Cynfarch en agitant désespérément sa lance. Llew ne peut plus bouger. »

Incapables de s'avancer jusqu'au centre, les cavaliers ennemis avaient changé de direction et forçaient le passage vers l'extérieur en direction de Llew, entravant définitivement toute tentative de celui-là visant à rejoindre les autres dans le centre. Le bataillon de Llew allait être séparé du gros des troupes rassemblées, et il allait devoir faire front tout seul... jusqu'à ce qu'il trouve un passage, ou bien qu'il force la ligne de front des cavaliers.

En dépit du soleil qui brûlait dans un ciel pâle comme la mort, je sentis une ombre qui vint me recouvrir. « C'est maintenant qu'ils auraient besoin de chevaux, murmura Cynfarch. Et de chariots. Des chevaux et des chariots ! »

Un nombre croissant de cavaliers ennemis se dirigeait maintenant vers Llew et ses hommes. Même s'ils n'en étaient pas encore au point d'affrontement, je voyais que cela ne tarderait plus. Goewyn s'en aperçut également. Elle m'agrippa le bras ; ses ongles plongèrent dans ma chair. J'entendis un bruit clair, celui de quelque chose que l'on frappe, et aperçus Nettles qui, tenant fermement une pierre dans sa main refermée, tapait d'un air absent sur la roche où il était assis tout en observant les yeux grands ouverts la bataille qui se déroulait à ses pieds.

Les cavaliers avançaient toujours plus près. Les nôtres étaient encerclés et Llew ne put rien faire pour contenir l'attaque. C'était à moi d'agir. Je me levai. Saisissant mon bâton, je le brandis en direction du soleil torride et implacable. Étant Chef des Bardes d'Albion, j'invoquai la puissance du Taran Tafod en la concentrant sur le sort de nos guerriers.

Je tenais mon bâton en l'air, et me mis à élever la voix jusqu'aux cieux et jusqu'aux puissances situées encore au-delà : « *Gwrando ! Gryd Grymoedd, Gwrando !* », invoquai-je ; puis, d'une voix de plus en plus forte, je continuai : « *Gwrando ! Nefol Elfenau, Gwrando ! Erfyn Fygu Gelyn ! Gwthio Gelyn ! Gorch Gelyn ! Gwasgu Gelyn !* »

Les mots se formaient dans ma bouche et jaillissaient de mes lèvres comme des flammes ; je respirais du feu. Ma voix ne m'appartenait plus ; c'était la voix de la Parole au-delà de toute parole, qui soutient tout. J'avais évacué toute pensée de ma tête et m'étais transformé en un roseau vibrant au rythme des vents obstinés.

« *Gryd Elfenau A Nefol Grymoedd ! Gwrando ! Gorch Gormail Fygu !* » J'invoquais, et n'entendais plus que les échos du Taran Tafod qui résonnaient comme ceux d'un carynx. Remplissant mes poumons, j'ouvrais la bouche et laissais les mots de l'ancienne et sainte parole se répandre du plus intime de mon cœur. « *Nefol Elfenau, Gwrando !* *Erfyn Fygu Gelyn ! Gwthio Gelyn ! Gorch Gelyn ! Gwasgu Gelyn !*»

Un vent léger mais capricieux se mit à souffler ; je le sentais sur mon visage.

« *Gwrando, Gryd Nefol Elfenau ! Erfyn Gwrando ! Erfyn Nefol ! Gorch Gormail Fygu !*» Ma voix n'était plus qu'un cri semblable au meuglement d'un taureau. Les vents s'agitaient de plus en plus, semblant doucement me tirer par la manche alors que je continuais à brandir mon bâton, bras tendus au-dessus de ma tête. Je renversai la tête en arrière et laissai le Taran Tafod agir de lui-même et tonner de toute sa force.

Et, comme pour répondre à mes imprécations, j'entendis le mugissement des vents toujours plus agités qui s'étaient rassemblés à la source des quatre points cardinaux. La chaleur sèche de la journée avait un peu faibli car les nuages s'étaient déployés afin d'assombrir le soleil. Le blanc et brûlant brasier céleste, sous ce voile de nuages et de fumée, avait pâli...

... *Que le soleil se fasse comme l'ambre*...

Le vent s'agitait en tourbillonnant, hurlait, amassait de plus en plus de forces. Un coup de vent glacial me frappa en plein visage, suivi d'un autre qui me souffla par-derrière en me cinglant les jambes et le dos. Les gens se mirent à pousser des cris d'alarme, et dévalèrent autant qu'ils purent la falaise depuis les sommets de la crête. Cynfarch descendait sur les fesses, derrière moi, et Goewyn m'entourait les jambes de ses bras... autant pour trouver un point d'appui que pour se protéger. Nettles, était accouru auprès de nous précipitamment.

... *Que les quatre vents luttent les uns contre les autres en un rugissement terrible*...

Les vents violents décapèrent les routes désertes du ciel et s'engouffrèrent en hurlant dans la vallée, arrachant les pans de rocher, des lambeaux de terre, soulevant des montagnes de poussière qui montaient, tournoyaient en formant de hautes et sombres tornades.

... *La Poussière des Anciens s'élèvera jusqu'aux nuées*...

Goewyn se cramponnait fermement à mes jambes et Cynfarch s'appuyait sur le manche de sa lance pour tâcher de tenir debout. Dans la vallée, en contrebas, nos ennemis commençaient à perdre courage, leur confusion — pour notre bonheur — augmentait. Ils se lamentaient, criaient au supplice alors que les vents furieux et mystérieux les harcelaient.

... *l'essence d'Albion est disséminée et déchiquetée au sein des vents ennemis*...

Au-delà de la rivière empoisonnée, les cors de l'ennemi résonnaient à tout rompre, le terrible vacarme était inexorablement étouffé par les rafales redoublant de rage. Le ciel s'assombrit et donna l'illusion que le soleil s'était couché ; des étoiles aux contours bien dessinés brillaient au milieu des nuages qui défilaient. Des chevaux terrorisés hennissaient autant qu'ils pouvaient, et se cabraient, projetant leurs cavaliers au sol et les écrasant sous leurs pattes. Le cri des hommes terrifiés se mélangeait avec les plaintes assourdissantes des mourants ; le choc violent des lances contre les boucliers perçait jusqu'à la voûte céleste. Nos valeureux soldats s'affairaient à leur tâche, et leurs lames d'acier retentissaient joyeusement au fur et à mesure qu'ils frappaient.

... Les échos de la bataille résonneront parmi les étoiles du firmament...

Les ténèbres envahirent mon regard intérieur — la cécité me rappelait à elle. Au plus fort de la tempête, j'entendais le fracas des armes et le cri des hommes qui s'élevaient depuis la vallée, mais je ne fus plus en mesure de voir ce qui se passait sur le champ de bataille.

« Goewyn !, m'écriai-je. Goewyn ! M'entendez-vous ? Je ne vois plus rien !»

Je pris mon bâton dans mon autre main et de celle qui était maintenant libre, je tâtonnai pour trouver son bras ; je pus alors l'aider à se redresser. Elle m'entoura de ses bras et nous pûmes affronter ensemble les bourrasques. Nettles se chargea de me maintenir sur mes jambes autant qu'il pouvait ; tout en se redressant sur ses genoux, il enroula l'un de ses bras autour de mes jambes et tâcha de me retenir fermement.

« Ma vision s'est éteinte, criai-je. Assistez-moi, Goewyn. Substituez-vous à mon regard !

— C'est terrible, Tegid, il y a tant de monde... je ne le vois pas... Si, le voilà ! C'est Llew, je le vois. Son armée est avec lui. Les cavaliers ennemis les ont rattrapés, mais ils résistent. Les chevaux sont terrorisés, ils se cabrent et s'effondrent... c'est difficile — les cavaliers ne parviennent pas à se battre, juchés sur leur selle. Nos soldats les écrasent autant qu'ils veulent... l'affrontement est d'un acharnement cruel.

— Et les Corbeaux ?

— Je les vois aussi, confirma-t-elle. Je vois Bran. Ils font une percée... et tentent de rejoindre Llew. Mais il y a des ennemis à cheval devant eux... et d'autre encore qui viennent en renfort.

— Ils sont isolés, ajouta Cynfarch. les Corbeaux ne peuvent pas rejoindre Llew.

— Et Cynan… où est-il ? Le voyez-vous ?

— Oui, je le vois…, commença Goewyn.

— Il est en première ligne devant ses hommes, fit Cynfarch. Et il se bat. Tous se battent…

— Et l'ennemi ? Comment résiste-t-il ?

— Il a encerclé notre propre armée. Scatha est au centre ; Calbha est à sa droite, et Cynan à sa gauche — de même que Bran », répondit Cynfarch en forçant la voix pour être entendu malgré les rafales de vent.

Goewyn ajouta : « Ils prennent la fuite par dizaines, Tegid, par centaines… ils refusent de se battre. Mais leurs chefs leur imposent de rester ; ils envoient bien quelques coups, mais les blessures sont rares.

— Combien d'hommes avons-nous perdu ? Combien de morts, combien de blessés ?

— Attendez…, commença Goewyn qui se tut un instant pour tâcher d'évaluer. Il y a beaucoup de pertes chez l'ennemi… beaucoup de corps gisent à terre. Et… ah !, mais il y a là tant de monde… je ne peux pas estimer, Tegid. Quelques pertes, sans doute, mais pas beaucoup. »

Mon bâton commençait à me peser ; j'avais mal au bras à force de le tenir tendu au-dessus de ma tête. Des larmes coulaient de mes yeux morts à cause du vent qui soufflait. Je me mis à serrer plus fort le bâton avec ma main engourdie et tentai de stabiliser mon bras tremblant. Utilisant la langue secrète des bardes, j'invoquai la Prompte et Forte Poigne afin qu'elle protège nos guerriers et leur insuffle du courage.

« *Dagda Samildanac !,* lançai-je, *Gwrando, Dagda ! Cyfodi Gwr Gwir, Sicur Llaw Samildanac ! Cyfodi A Cysgodi, Dagda Sicur Llaw ! Gwrando !* »

Le vent s'engouffrait en hurlant depuis les crêtes rocheuses. Des rafales violentes, glaciales. J'avais les bras et les jambes qui tremblaient sous l'effet des forces qui sévissaient autour de moi. J'entendis le craquement sec d'un éclair et le grondement d'orage qui lui répondit. Tout l'intérieur de mon être frémit ; le sol, sous mes pieds, trembla. C'est tout ce que je pus faire pour résister à la tempête qui faisait rage.

« Tegid !, cria Goewyn en se serrant encore davantage contre moi. Ils reculent… L'ennemi recule !

— Décrivez-moi, Goewyn !

— *Hwynt ffoi !,* hurla Nettles. C'est la débâcle !

— Ils fuient tous vers la rivière !, renchérit Goewyn. Ils s'enfuient ! » Les rafales de vent arrachaient les mots de sa bouche avant même qu'elle puisse, pour ainsi dire, les prononcer.

Je saisis mon bâton par l'une de ses extrémités et le pointai vers le ciel. *« Daillaw ! Gwasgu Gelyn ! Gorch Yr Gelyn ! »*

Je ressentis une nouvelle fois la pulsation vibrante à l'intérieur de mes mains et de mes bras, de mes jambes et de mes os ; de mon sang. En dépit du vent qui me fouettait, je sentais l'air frémir autour de moi, et les cieux qui se convulsaient.

Dans la paume de ma main, le bâton éclata brusquement en fragments de feu, et une odeur de chaleur sèche et de brûlé se mit à remplir mes poumons pendant que le grondement mauvais de l'orage éclatait au-dessus de ma tête. L'os de mon crâne vibra sous le choc ; mon cœur cessa de battre dans ma poitrine. Une lumière blanche et pure se mit à irradier à l'intérieur de ma tête.

Et j'eus alors l'impression de m'envoler... comme un aigle ; haut, très haut dans le ciel tourmenté par la tempête, soufflé par les vents. Tout au-dessous de moi, j'aperçus le champ de bataille et des hommes qui bougeaient dessus. Mais je ne les voyais pas comme des hommes, plutôt comme des vagues au milieu d'une mer agitée, houleuse, violente. Je vis tout cela de mon œil perçant d'aigle, et brusquement, je me mis à tomber... un plongeon étourdissant, une piquée abrupte.

Un voile de brume m'obscurcissait la vue. Je n'en finissais pas de tomber. Et lorsque je crus que j'allais enfin m'écraser au sol, le voile de brume soudain se dissipa et je m'aperçus que je me retrouvai dans la vallée en plein cœur de la bataille. Tout autour de moi, des hommes s'enfuyaient de tous les côtés, le regard terrorisé, trébuchant parce qu'ils voulaient faire vite, foulant aux pieds leurs propres morts. Ils couraient tous vers la rivière, où, dans leur fuite désespérée, ils se jetaient d'eux-mêmes dans l'eau infectée.

Inattentifs à ce qui les entourait, envahis par la panique, ils sautaient depuis les berges grouillantes au milieu des flots corrompus. Les premiers fuyards s'immergeaient jusqu'à hauteur des cuisses, avançaient d'un pas chancelant à travers la boue noirâtre dans l'intention de rejoindre sains et saufs l'autre rive. Mais, après avoir péniblement pataugé quelque temps, ils s'immobilisaient... victimes d'une nouvelle scène d'horreur.

Ne parvenant à respirer, ils se retournaient vers leurs comparses, frappés d'un supplice effroyable. Leurs cris étaient épouvantables. Mais le plus horrible, c'était le spectacle de leurs chairs qui se ratatinaient en suppurant.

Le contact de l'eau détruisait petit à petit la peau, des plaies apparaissaient, le sang finissait par jaillir... le sang, mais aussi un pus jaunâtre. Leurs bras et leurs mains se recouvraient de plaies rouges, de même que leurs jambes et leurs cuisses. Le poison jaillissait jusque dans leurs yeux, dans leur cou, sur leur poitrine, sur leur visage. Les plaintes aiguës des bourrasques se mêlèrent bientôt aux cris perçants de suppliciés qui se débattaient dans les flots mortels.

Ils chancelaient et trébuchaient. Ceux qui se jetaient à l'eau n'en revenaient pas. Pourtant, leurs collègues avaient beau déchirer l'air de leurs cris épouvantables, les hommes continuaient, toujours plus nombreux, à se jeter dans les eaux mortelles. Et chaque fois ils furent pris au piège, mutilés, puis tués par le cruel poison. Du sang rouge se mêlait aux eaux noirâtres.

Des hommes — criant, hurlant comme des animaux, les chairs sanguinolentes, lacérées — s'efforçaient de se rapprocher de la rive opposée. Il n'était pas question de revenir en arrière : les innombrables fugitifs qui poussaient derrière eux les contraignaient à avancer… à progresser vers la mort. La surface de la rivière noire se remplissait de cadavres. Aucun de ceux qui s'aventuraient dans les eaux n'arrivait vivant de l'autre côté.

Les supplices de cette mort étrange mirent en alarme ceux qui se trouvaient sur la berge, à proximité, et leur panique se décupla. Les hommes plantaient leurs armes dans le sol et s'écroulaient par terre — seuls les tressaillements de leurs membres attestaient qu'ils n'étaient pas morts. Du côté opposé de la rivière empoisonnée, des hommes observaient, immobiles, bouche bée, le terrible miracle qui advenait devant eux.

Je détournai les yeux de ce spectacle horrible et me mis à rechercher nos guerriers… Llew, Bran, Scatha, Cynan. On s'agitait autour de moi dans une fuite éperdue et vertigineuse. Des armes tombaient à terre avec grand bruit. Transi par la peur, l'ennemi avait renoncé à combattre et ne pensait plus qu'à fuir. S'agissant de nos propres guerriers, en revanche, je ne voyais rien.

« Llew ! », m'écriai-je en avançant de quelques pas mal assurés. Je butai contre un cadavre gisant à mes pieds et m'affalai tête la première sur le sol. Quelqu'un m'agrippa fermement avant que j'aie pu me relever.

« Tegid ! » Je sentis des mains sur moi qui cherchaient à me tirer. Goewyn et Nettles me maintenaient sur le sol comme si le vent allait m'arracher de terre.

Je sentis résonner à mes oreilles les grondements de l'orage qui éclatait en se propageant dans la vallée. Je suffoquai et dus prendre une longue inspiration. Je m'efforçai de me remettre sur mes genoux pour tenter de me relever, mais mes jambes ne me maintenaient plus. Nettles posa ses mains autour de mes épaules et me soutins.

Goewyn se pencha vers moi. Je sentis ses mains sur mon visage. Elle me parla, mais sa voix semblait ténue, fragile. Mes oreilles bourdonnaient. J'étais à nouveau aveugle.

« Mon bâton... Je... Où est mon bâton ? » Je tendis les mains devant moi et me mis à marcher à tâtons au milieu des rochers qui m'entouraient en frappant le sol de mes doigts transis.

Goewyn me saisit les mains. « Vous êtes blessé, Tegid. Et vous n'avez plus votre bâton.

— Aidez-moi à me relever. »

Goewyn appela Cynfarch en renfort, et tous trois me hissèrent à nouveau sur mes pieds. Mes mains commencèrent à me faire souffrir, puis furent prises de tremblements et de picotements.

« Écoutez ! J'entends des cris !, s'exclama Cynfarch. Vers la rivière... Ils sont en train de détourner l'ennemi vers la rivière !

— Les corrompus sont rappelés à ce qu'ils ont corrompu... », dis-je. Puis je racontai ce que j'avais vu à propos de ceux qui tentaient de fuir en traversant la rivière mortelle. « Mais observez, et dites-moi ce que vous voyez. Vite !

— La rivière les anéantit les uns après les autres !, dit Goewyn en retenant son souffle.

— Le vent s'est calmé, dit Cynfarch. La tempête s'éloigne.

— L'awen s'est à nouveau réveillé », dis-je, davantage à mon intention qu'à l'intention de mes compagnons. Cramponnant Nettles et Goewyn par leurs bras, je dis : « Allons, conduisez-moi. Il faut que nous descendions là-bas. Pressons ! »

Nous amorçâmes la périlleuse descente de la crête rocheuse vers la vallée. Cynfarch marchait devant moi, et je gardais la main sur son épaule ; Goewyn et Nettles avançaient près de moi, me soutenaient, car je me sentais toujours faible sur mes jambes. Au moment où nous atteignîmes le fond de la vallée, la plus grande partie des troupes adverses s'était repliée sur le bord de la rivière. Coincés entre nos soldats et les eaux mortelles, les ennemis attendaient sans un geste, au désespoir de leur vie. Ils furent plusieurs centaines à piquer leurs armes dans le sol en signe de reddition servile. Mais les véritables guerriers, eux, continuaient à faire de vaines tentatives désespérées afin de se regrouper et de relancer les combats.

Nous avançâmes à pas rapides le long de la vallée, enjambant les cadavres des malheureux qui avaient été tués sous la pression de leur propre nombre. Leurs membres tordus pointaient à la surface du sol comme des blés fauchés ; beaucoup d'entre eux n'étaient même pas armés. Et pourtant, on les avait fait venir ici pour qu'ils supportent tout le poids de la rage sanguinaire du Grand Chien.

Nous arrivâmes à l'endroit où Llew avait été encerclé au tout début des hostilités ; nous fîmes halte et nous mîmes à rechercher ceux qui étaient étendus au sol. L'herbe haute et sèche glissait sous nos pas, et l'air était imprégné de l'odeur douceâtre du sang. Nous découvrîmes Rhoedd, qui cramponnait toujours son carynx, et puis d'autres encore parmi les nôtres — ils étaient morts, et notre cœur se serra.

« Où est Llew ? Le voyez-vous quelque part ?

— Je crois qu'il se trouve pris dans la foule auprès de la rivière, répondit Goewyn. Certains continuent à se battre, par là-bas.

— Amenez-moi jusqu'à cet endroit », dis-je.

Nous n'avions improvisé que quelques pas lorsque Cynfarch s'arrêta brutalement. « Que se passe-t-il encore ?, demandai-je avec impatience. Que voyez-vous ? »

Goewyn répondit : « Je le vois aussi… De la poussière. Des nuages de poussière qui s'élèvent au-dessus du vallon… »

Cynfarch l'interrompit : « Des cavaliers ! »

Au même moment, j'entendis comme un roulement de tambour venu des profondeurs de la terre. « Meldron ! »

XXXVII

DÉFAITE

Meldron arrivait au grand galop dans la vallée ; des chevaux lestes s'avançaient en pilonnant le sol de leurs sabots tonitruants ; la trompe guerrière retentissait à tout rompre. Ma vision intérieure s'activa alors brusquement, et j'aperçus Meldron s'avancer à travers la plaine, soutenu par une armée forte de cinq cents hommes. Il n'était d'ailleurs pas à leur tête, mais conduisait un chariot, entouré de son élite — cinquante guerriers choisis parmi sa Horde de Loups. Siawn Hy avançait aux côtés du Grand Chien. Le traître Paladyr n'était pas avec eux, mais je pouvais supposer qu'il n'était pas loin.

Ils avaient traversé les collines de manière à éviter la rivière, et traversaient à présent au grand galop le terre-plein où avaient eu lieu les hostilités, en occupant le terrain derrière nous. Nos chefs guerriers eurent à peine le temps de se retourner face à l'ennemi... ils furent aussitôt rattrapés. L'ennemi avait surgi beaucoup trop vite, et nous n'avions plus le temps de monter une stratégie de défense cohérente ; plus le temps de nous rallier les uns les autres, plus le temps de nous ressaisir.

Tout espoir était vain avant même que nous ayons levé une seule arme contre cette nouvelle menace.

Malgré tout, Bran et Scatha n'avaient pas renoncé à se battre. S'ils avaient pu être prévenus à temps, qui sait ce qu'ils auraient pu accomplir ? Telle que la situation se présentait, Bran venait de réussir à déstabiliser trois cavaliers, et Scatha ne fit qu'une bouchée de quatre autres cavaliers avant même qu'ils aient eu le temps de se frotter à sa bravoure.

Meldron, cependant, ne voulait pas se contenter de nous écraser et de nous terrasser — ce qu'il aurait pu faire trop aisément. Non, il avait prévu quelque chose de plus amusant. Plutôt que d'engager ses soldats dans le combat, il les regroupa en rangées successives pour former un mur d'encerclement autour de nous. Puis il commença, imperceptiblement, pas après pas, à nous refouler vers la rivière. Ceux que nous avions nous-mêmes attirés sur les bords de l'eau s'écartèrent derrière nous jusqu'à ce que nos propres guerriers se retrouvent dos à la rivière mortelle, menacés à la gorge par une forêt serrée de pics de lances.

Bran, intrépide, fit un brusque mouvement en avant, car un guerrier imprudent s'était approché d'un peu trop près. L'homme fut éjecté de son cheval et Bran, saisissant les rênes se propulsa d'un bond sur le dos de l'animal. Pendant un temps on put croire qu'il allait pouvoir ouvrir une brèche dans les rangs ennemis. Le Vol des Corbeaux était même prêt à le suivre, mais quelqu'un fracassa les pattes de l'animal et Bran se retrouva en dessous pendant que le cheval se débattait à terre.

Goewyn, debout à côté de moi, lança un cri de défi alors que les ennemis tentaient de le maîtriser pour l'emmener prisonnier. Elle aurait pu économiser son souffle, car nous n'allions pas tarder à subir la même humiliation. Meurtris par la honte, nos premiers soldats furent désarmés : l'un après l'autre nos Corbeaux furent cloués au sol par des lances et dépouillés de leurs armes ; leurs mains furent attachées derrière leur dos et ils furent ligotés tous ensemble — Bran, Alun, Garanaw, Niall, Drustwn et Emyr —, chacun avec un nœud coulant autour du cou.

Les hommes de Cynan subirent le même sort. Ceux qui résistèrent ou essayèrent de riposter furent roués de coups jusqu'à ce qu'ils perdent conscience ou que les tendons de leurs muscles des bras soient brisés afin qu'ils ne puissent plus soulever leur épée. Et une fois que Cynan eut été battu jusqu'à perdre connaissance et que ses armes eurent été confisquées, ils s'attaquèrent aux troupes de Scatha et de Calbha.

Ce ne fut que lorsque nous fûmes définitivement neutralisés que Meldron daigna apparaître en personne. Le Grand Chien, entouré de sa nombreuse Horde de Loups, vociféra d'une voix pleine d'assurance : « C'est là tout ce que vous avez réussi à faire, s'écriat-il. C'est donc ça, l'invincible armée du puissant Llew ?

— Où est-il, Llew ?, murmura soudain Goewyn. Je ne le vois pas.

— Moi non plus. »

Cynfarch, qui bouillait de colère à côté de moi, répondit : « Je crois qu'il est là-bas… quelque part au centre. Pourquoi ne résiste-t-il pas ?

— Il faudrait que j'aille le rejoindre », dis-je. Et je commençai à me frayer un chemin dans la direction que Cynfarch m'avait indiquée. Goewyn se serra encore plus fort contre moi en cramponnant mes mains. Nettles, tremblant légèrement, vint silencieusement me rejoindre. Un cri rageur et la pointe d'une lance enfoncée dans le dos nous invitèrent à cesser tout mouvement. Nous ne pourrions pas nous rapprocher davantage.

« Pouvez-vous le voir ?, demanda Goewyn.

— Non », répondis-je.

Meldron n'était pas sans se poser la même question. « Llew !, rugit-il. Où es-tu ? Montre-toi, si tu es un homme. Je suis venu te chercher, Llew. Est-ce ainsi que tu accueilles ton roi ? »

Llew, qui se trouvait au milieu de ses hommes, lui fit cette réponse : « Je suis là, Meldron…

— Montre-toi donc, l'estropié, je veux te voir !, hurla Meldron. Ça n'a aucun sens de vouloir te cacher. Est-ce qu'il faut que je massacre un à un tous tes soldats pour espérer te trouver ? »

J'entendis des guerriers pousser des jurons au moment où la cohue que nous formions se mit à bouger. « Non, chuchota Nettles, à voix basse, mais déterminée. *Aros ol*, Llew. Restez où vous êtes…

— N'en faites rien ! », cria Calbha, qui reçut un vigoureux coup de lance dans les dents. Il tomba à terre. Ses hommes s'avancèrent précipitamment vers lui mais furent contraints de reculer par une double rangée de pics de lances.

« Je suis là…, répondit Llew en faisant un pas hors de la foule pour se montrer. Je n'ai aucune intention de me cacher, Meldron.

— N'avance pas plus, c'est bien comme ça…, fit Meldron d'un ton hargneux depuis son chariot. « Alors comme ça, tu pensais que je n'allais pas venir réprimer ta petite… rébellion ? Tu ne pensais tout de même pas que tu allais pouvoir indéfiniment t'esquiver ainsi ? Il fallait bien qu'un jour ou l'autre je venge mon honneur.

— Ton honneur !, s'exclama Llew avec sang-froid. Tu oses encore prononcer ce mot sans scrupule, c'est tout de même extraordinaire !

— Attachez-le ! », hurla Meldron.

Llew fut aussitôt immobilisé. Avec ses hommes autour de lui pour le protéger et ses adversaires ficelés, désarmés, Meldron se sentit suffisamment en sécurité pour affronter Llew face à face. Le Grand Chien fit un pas pour descendre de son chariot. Je bouillais de rage en voyant l'arrogance de son visage plein de mépris, l'assurance de sa démarche alors qu'il s'approchait. « Avec les mots que tu viens de dire, tu viens de signer ton arrêt de mort. »

Llew ne répliqua pas.

« Tu ne réponds rien ? », lança Meldron d'un ton ricaneur. Il arborait un large sourire, plein d'arrogance. La vanité du Grand Chien dépassait vraiment toute limite ; il se laissait aller à tous ses caprices. Il tendit la main et la passa sur le moignon de Llew, lui donna une petite tape et se mit à rire. Ensuite, en balayant le regard pour chercher dans la foule, il s'écria : « Où donc est-il, votre barde aveugle ? Où est-ce qu'il se cache, notre Tegid ? À moins qu'il craigne de recevoir la part qu'il mérite pour sa traîtrise. »

Prêt à répliquer sans perdre un instant, je me frayai un passage et m'écriai d'une voix déterminée : « Tu ne sais parler que de crainte et de dissimulation, Meldron. Il est bien connu que les lâches voient la lâcheté partout. »

Meldron se tourna vers moi : « Ah ! Voilà Tegid ! » Il fit un signe pour que l'on me traîne devant lui. Cynfarch eut l'audace de tenter de les arrêter ; il fut assommé : « Je ne t'avais pas vu… mais il faut dire que toi, même maintenant, tu ne me vois pas davantage. » Il éclata de rire, et certains, parmi les membres de sa Horde, l'imitèrent. « Pour être à la fois aveugle et idiot, il faut que tu sois né doublement sous une mauvaise étoile ! »

J'attendis qu'ils aient terminé de savourer leur insulte pleine de bassesse, puis je répliquai : « Les malades font toujours en sorte de projeter leur propre maladie chez les autres. »

En guise de réponse, Meldron me frappa en pleine bouche avec le dos de sa main. « Avec ce que tu viens de dire, tu signes ton arrêt de mort, et tu mourras le dernier, rugit-il en approchant son visage du mien. Tu mourras. Mais après tous les autres. »

Ce n'est qu'ensuite que je vis quelque chose qui me coupa le souffle. Serti d'or et pendu à une lanière de cuir au cou de Meldron, j'aperçus un fragment de pierre blanche : une Pierre Musicale !

Dans l'éclair d'un regard, mes yeux passèrent rapidement sur Siawn Hy — il en portait une également ; puis sur les autres — tous en portaient une — tous, c'est-à-dire les différents chefs militaires et les guerriers de la Horde des Loups —, portaient une amulette contenant un fragment de pierre. Pensant que le Chant d'Albion les rendrait invincibles, ils avaient confectionné des talismans avec les Pierres Musicales, et à présent chaque homme en portait un autour du cou.

Je ne pus que les entrevoir, car aussitôt Meldron me tourna le dos et s'éloigna en criant : « Emmenez-les à la rivière ! »

On me ligota sans ménagement les mains derrière le dos. Des bras puissants se saisirent de moi et je fus soulevé de terre. Goewyn hurla et fut aussitôt réduite au silence.

« Meldron ! »

C'était Siawn Hy. Il avait attendu, dissimulé dans l'ombre de l'usurpateur. Ils échangèrent quelques mots que je ne pus entendre. Puis Meldron se retourna, et ajouta finalement : « Cela fait longtemps que je souhaite voir cette cité magique que Llew a fait bâtir. Y a-t-il à votre avis quelque chose qui m'en empêche ? Non ? Eh bien, je vais donc aller la visiter immédiatement. »

Alors le Grand Chien éructa en s'adressant à ceux de ses hommes qui nous avaient saisis : « Amenez-les ! Amenez-les tous !, hurla-t-il. Et suivez-moi ! »

Nous fûmes traînés jusqu'au sommet de la crête et les ennemis déferlèrent en nombre impressionnant sur Druim Vran. Le pas des soldats adverses foulait sans ménagement tous les sentiers et notre vallée paisible et retirée fut soudainement envahie. Nos gens, qui s'étaient postés tout le long de la crête rocheuse, gémissaient et pleuraient en constatant notre défaite. Leurs protestations frappaient à nos oreilles comme les pleurs poignants d'une mère dont l'enfant vient de rejoindre les ténèbres de la mort. On pouvait entendre leurs lamentations envahir toute la vallée ; et j'en avais le cœur serré.

Tous faits prisonniers, on nous fit marcher au pas à travers la forêt qui redescendait vers le lac. Nos chefs, en revanche, étaient transportés pieds et poings liés. Nous fûmes regroupés sur la berge. Je voulais être avec Llew, me trouver à ses côtés au moment d'affronter la mort ; je voulais que nous mourions ensemble afin de pouvoir défier Meldron une dernière fois, droit dans les yeux.

Mais j'avais les mains attachées, et mes gardes me poussaient de tous les côtés pour me presser d'avancer. Je ne pouvais rien faire. La mort se rapprochait... je sentais planer des ailes noires, toujours plus proche à chaque respiration.

Risquant le tout pour le tout, puisque je n'avais plus rien à perdre, je me mis à hurler. « Meldron ! Grand Chien Ravageur ! Peste et fléau d'Albion, puisses-tu avoir la vie dure... de façon à pouvoir enfin goûter aux justes châtiments que tes actes ont mérités. Grande est ta faute, mais plus grande encore sera ta honte. Spoliateur ! Être abominable ! Longue vie à toi, Meldron, délecte-toi de la haine que tu as si bien su provoquer ! Réjouis-toi de la répugnance que ton nom inspire ! Félicite-toi des ravages que tu as perpétrés dans tout le pays ! »

Je voulais absolument que mes paroles deviennent des armes capables de le torturer longtemps encore après que ma chair et mes os seraient redevenus poussière.

« Meldron !, hurlai-je. Je t'accuse ! Roi des Chiens, regarde, voilà ce que tu es capable de faire ! » Je tendais mes poings liés vers le lac empoisonné. « Emplis tes poumons de ses miasmes ! Sa puanteur est exquise, n'est-ce pas ? La voilà, la splendeur de ton royaume, Meldron, Roi de la Dépravation, Prince Venimeux !

— Faites-le taire ! », hurla Meldron plein de rage. Et quelques instants plus tard, un coup de poing s'écrasa sur mes mâchoires ; puis un second, qui me renversa violemment la tête en arrière. Ma bouche se remplit de sang et je tombai sur mes genoux.

Lorsque je pus relever enfin la tête, je vis les eaux noires et infectes se reflétant sans éclat dans la lumière blanche du soleil intense qui frappait la surface du lac infesté. Llew était agenouillé non loin de moi sur la rive ; il était ligoté aux poignets, aux genoux et aux chevilles. La silhouette imposante de Meldron se dressait devant lui ; et celui-ci jubilait.

Le regard renfrogné, l'air suffisant, Siawn Hy rôdait à quelques pas derrière.

Je me mis à scruter la foule très dense, et mon regard finit par tomber sur Bran et Scatha ; ils se trouvaient dans les premiers rangs des prisonniers. Calbha était debout, non loin d'eux, la tête inclinée ; il était blessé et saignait à la nuque et aux épaules. Tous les trois, ils portaient une corde autour du cou ; leurs mains et leurs pieds étaient attachés. Je ne voyais plus Nettles, mais Cynfarch, lui, était dressé et attendait ; et Goewyn, provocante, les yeux comme des flammes, était à côté de lui. Après Llew, c'étaient eux qui devaient mourir.

Non loin de là, une barque fut tirée sur les galets. Meldron ordonna que Llew y fut conduit, et quatre hommes de sa Horde le soulevèrent et le transportèrent sans ménagement jusqu'à la barque. Alors Meldron monta à bord avec son prisonnier et ordonna qu'on les pousse à la mer.

Mauvais et plein d'astuce jusque dans sa méchanceté, je compris ce que Meldron avait l'intention de faire. Mon cœur s'excitait à l'intérieur de ma poitrine comme un animal captif qui se précipite contre les barreaux de sa cage. Je fis des efforts pour me relever.

« Meldron ! », hurlai-je. Des poings me frappèrent à nouveau, je fus saisi vigoureusement et l'on me plaqua le visage jusqu'à presque effleurer la surface de l'eau infestée.

Le Grand Chien avait pour intention de tuer Llew de la façon la plus atroce devant tout son peuple rassemblé. Il voulait que nous assistions aux derniers instants de Llew hurlant à s'arracher les poumons pendant que les eaux mortelles du lac empoisonné détacheraient peu à peu la peau de ses os. Meldron était avide de nous voir regarder Llew mourir dans des convulsions horribles, brisé, défiguré, sa chair se transformant peu à peu en une masse informe sanguinolente.

À l'évidence, ce scénario cruel était l'idée de Siawn Hy... On nous avait transportés jusqu'au lac de manière à ce que nous soyons torturés puis massacrés à Dinas Dwr à la vue de tous. Il voulait ainsi qu'il n'y ait aucun doute dans l'esprit de quiconque que Llew était bien mort et que le roi, c'était Meldron.

« Grand Chien !, hurlai-je. Je te défie ! Viens me chercher, et tue moi le premier ! »

Meldron tourna sa face vers moi et se mit à rire pour toute réponse, sans rien ajouter.

Je cherchai une fois encore à me remettre sur mes jambes. On me brutalisa à coups de pieds en me maintenant fermement sans relâcher l'étreinte. Je ne pouvais qu'assister à l'inévitable, impuissant à trouver quoi que ce fût pour l'empêcher d'advenir.

Meldron se mit à ramer, et la frêle embarcation commença à se diriger, lentement, vers un endroit tout à fait hors de portée des spectateurs, mais suffisamment proche pour que tous puissent voir et entendre ce qui allait se passer. Et là, avec Llew recroquevillé à ses pieds, il se dressa, leva les bras à la manière d'un roi qui, dans sa grande bonté, consent à faire une offrande à son peuple.

Ce geste me fit mal au cœur, car je vis là l'image de son père, Meldryn Mawr, l'être le plus noble de tout Prydain. Je ne fus du reste pas le seul à trouver ce pantomime moqueur outrageant. Bran s'écria : « Meldron ! Je te maudis ! Oui, moi, Bran Bresal, je te maudis jusqu'à la septième génération ! »

Bran essaya de s'avancer pour continuer à injurier Meldron et reçut pour toute récompense une pluie de coups pleins de haine. Le spectacle de ces sbires hargneux en train de frapper ce noble guerrier me remplit d'indignation, et je me mis également à crier en essayant, encore, de me relever... mais je sentis aussitôt un pied se poser sur ma nuque pour m'écraser au sol.

Les guerriers prisonniers se mirent à protester contre ces violences indignes assénées à leur chef. Ils furent eux aussi réduits au silence de la façon la plus grossière et la plus honteuse par la Horde des Loups. Ces viles créatures osèrent même s'attaquer à Scatha, mais leur rage répugnante ne fut pas de taille face à sa dignité paralysante. Ils eurent beau la frapper, ils ne réussirent pas à la faire trembler devant eux. Elle garda la tête droite, ses yeux verts fulminant avec tellement de cruauté que ses agresseurs cessèrent rapidement leurs coups, et que Scatha resta à l'abri de nouvelles humiliations.

Cynan, je ne parvenais pas à le repérer, pas plus que les valeureux Corbeaux, tant la foule des spectateurs qui s'amassaient de tous côtés était dense. Du reste, je ne me faisais guère d'illusions : à l'instar de nous autres, ils allaient à leur tour subir le sort de Llew. Je savais que, comme la multitude des spectateurs postés le long du rivage, ils devaient être en train d'observer l'épouvantable scène qui se déroulait devant eux.

Meldron, gonflé d'orgueil et grisé par son autocélébration, était toujours dressé au centre de la barque, les bras tendus vers le ciel. Les bagues et les bracelets en or qu'il arborait sur les mains et sur les bras scintillaient sous la lumière âpre du soleil.

« Mon peuple, lança-t-il au milieu des flots infestés, vous allez assister aujourd'hui à un triomphe ; vous allez assister aujourd'hui à la consécration d'un roi qui place la terre d'Albion tout entière sous sa protection ! Car en cet instant même, mon dernier ennemi est anéanti. »

Ses mots étaient comme des vers dans la bouche d'un cadavre.

« Vous voyez !, s'écria le Grand Chien, vous voyez comment je traite mes ennemis ! Je les écrase, comme j'écrase tous ceux qui croient pouvoir user de déloyauté envers moi ! »

Meldron saisit fermement les bras de Llew et le hissa sur ses jambes. Le guerrier était à présent contraint de faire face à son adversaire, la tête maintenue baissée en signe de défaite.

« Maintenant, vous allez voir ce que je fais de ceux qui osent déclarer la guerre contre moi ! », cria Meldron de manière à ce que tous ceux qui étaient rassemblés autour du lac — ses soldats autant que les prisonniers — pussent entendre. « Vous allez voir comment j'exécute la vengeance à laquelle j'ai droit ! »

Llew dressa la tête, releva les épaules, et toisa Meldron d'un regard inflexible et provoquant.

Meldron, agrippant fermement Llew par les bras, lui tourna le visage vers la foule qui regardait depuis la berge. Puis, arborant un sourire mauvais, le Grand Chien posa ses deux mains sur le dos de Llew et poussa violemment. Llew, solidement ligoté, plongea tête la première dans le lac.

« Non ! Non !», hurla Cynan. S'efforçant d'avancer, poussant avec ses jambes et ses bras, il était parvenu tant bien que mal à se rapprocher du rivage. À présent, il criait de dépit alors que ses ravisseurs le tiraient vers le sol. « Llew ! »

L'atmosphère paisible se mit à trembler des cris d'horreur et de consternation — perçants, assourdissants, poignants comme la douleur. Puis ce fut le silence, terrible…

Llew avait coulé instantanément. Il n'y avait pas eu de lutte, ni de coups, pas de hurlement de douleur mortelle comme ce que nous avions vu et entendu à la rivière. Il n'y eut qu'un simple bruit sourd dans l'eau noirâtre, suivi d'un horrible silence lorsque les flots mortels se refermèrent en une multitude de vaguelettes avant de revenir au calme plat.

Meldron fixait du regard l'endroit où Llew avait plongé. Il semblait mécontent de la trop grande rapidité de l'exécution, et du calme qu'avait su garder sa victime. Il avait espéré un spectacle plus palpitant, et il était déçu. Il avait la lèvre retroussée et son expression s'était assombrie ; la rage bouillait en lui alors qu'il regardait sans bouger l'eau redevenue calme.

Il se retourna vers la foule. Je le vis agiter nerveusement le bras et désigner Cynan pour ordonner son exécution.

Mais à l'instant même où il se retourna, une faible lueur à la surface du lac empoisonné intercepta son regard, et le retint sans bouger. Je la vis également : c'était comme un petit éclair qui scintillait faiblement, un éclat brillant comme celui d'un poisson au reflet argenté qui traverse précipitamment les eaux d'une rivière. Il y avait quelque chose qui bougeait juste au-dessous de la surface du lac souillé.

Le bras que Meldron maintenait toujours tendu hésita brusquement ; il tourna une nouvelle fois les yeux vers l'endroit où Llew avait disparu. Son expression hésita entre la déception et l'attente. Peut-être allait-il enfin jouir d'une vraie revanche grâce à une vraie lutte contre la mort, après tout !

Je crus voir le petit éclair à nouveau, mais c'était peut-être un reflet du soleil sur une vaguelette. Pourtant, Meldron regarda lui aussi. Son bras vacilla car il y eut un prodige.

Goewyn fut la première à le voir depuis la berge. Son cri de stupéfaction résonna comme la corde d'une harpe sur la surface de l'eau. Grâce à mon regard intérieur, je pus la voir — les yeux écarquillés de respect et de crainte mêlés, les traits de son visage soudain rayonnants. Je me tournai pour regarder ce qu'elle-même fixait avec insistance, et je vis un miracle.

La main d'un homme qui sortait des eaux.

D'autres la virent aussi. Ce furent aussitôt des cris d'allégresse et de soulagement. Mais leur exultation cessa immédiatement. Les cris s'étouffèrent dans leur gorge au moment où les spectateurs s'aperçurent que la main n'était pas constituée de chair : c'était une main glaciale, scintillante... une main d'argent.

XXXVIII

MAIN D'ARGENT

Une main d'argent, d'une blancheur lustrée, brillante, sortit des noires eaux calmes. Elle continua encore à s'élever au-dessus de la surface du lac pollué, et je vis que cette main était reliée à un bras nu.

« C'est Gofannon ! », s'écria un homme. « C'est Llyr ! », lança une femme qui tenait un nourrisson dans ses bras. Tous les gens présents retinrent leur souffle lorsqu'ils virent une tête et des épaules émerger. Mais ce n'était ni Gofannon, ni Llyr, c'était la tête et les épaules de Llew qui sortaient des flots.

Au moment où il fit surface, ses paupières étaient closes ; je croyais qu'il était mort. Puis ses yeux s'ouvrirent brusquement ; prenant alors sa respiration, il secoua l'eau putride de son visage et commença à nager.

La foule eut un mouvement de recul. La tête encore remplie du souvenir de ceux qui avaient péri dans la rivière empoisonnée, ils redoutaient un spectacle de mort et d'agonie. Mais Llew était vivant !

Meldron ne fut pas moins bouleversé que les autres, mais il se reprit aussitôt. J'entendis un cliquetis métallique alors qu'il tirait son épée ; les rayons du soleil miroitaient sur la lame dégainée.

Il fit un bond vers l'avant du bateau, brandissant bien haut son épée. « Meurs donc ! », hurla-t-il.

Il frappa, fouetta dans tous les sens, tenant à deux mains le manche de son arme, le visage défiguré par la haine et la rage.

« Llew ! », criai-je.

Llew se retourna dans l'eau. Averti soit par mon cri, soit par son instinct de guerrier, il pivota pour faire front au coup d'épée qui arrivait sur lui et leva une main pour parer l'agression mortelle de Meldron.

Avec la rapidité d'un éclair, le coup tomba. Llew, de sa main d'argent, fit promptement un geste pour parer l'agression.

« Attention ! », hurla Cynan depuis la berge.

Cette main... cette main de métal greffée sur un moignon de chair... Meldron frappa. La main d'argent intercepta la lame qui s'abattait. Le son résonna comme un coup de marteau sur une enclume.

La lame mortelle vola en éclats ; des fragments étincelants tombèrent dans l'eau en vrillant. La lame s'était brisée, et le bras de Meldron avec elle.

Ce fut l'os qui se fractura dans un bruit sec : Meldron vit avec horreur son bras se déformer puis se tordre entre le coude et le poignet. Il cria d'angoisse, brusquement surpris au moment où son poing dut lâcher le manche de l'épée. Puis, alors qu'il ramenait son bras fracturé contre lui, il commença à vaciller.

« Ressaisissez-vous ! », hurla Siawn Hy.

Un bond en arrière l'aurait sans doute sauvé, mais il était déjà trop tard. La barque se pencha, et, déséquilibré par son coup d'épée imprudent, Meldron tomba dans les flots infectés. Les yeux révulsés sous l'emprise de la terreur, il avait, au moment de basculer, lancé dans un souffle haletant un cri désespéré.

Il avait largement mérité un tel sort, mais l'agonie de Meldron ne provoqua aucune liesse chez ceux qui regardaient. Il s'agita désespérément quelque temps encore, puis la boue noirâtre l'attira définitivement vers le fond. Comme cela s'était produit pour beaucoup de ses hommes avant lui, sa peau se plissa puis se craquela, comme zébrée de coups ; des plaies sanguinolentes se formèrent au contact du poison corrosif, détachant la chair des os, et les os de la chair.

Il battait furieusement des bras et des jambes, hurlait sous la torture, griffant sa propre chair comme s'il voulait essayer de l'arracher. Un hurlement abominable s'échappa de sa gorge. Il se tordit, fut pris de convulsions comme si des lances étaient en train de le transpercer ; ses cheveux tombèrent en formant des touffes véreuses. Ouvrant démesurément la bouche, il prit un dernier souffle pour lancer un hurlement de supplicié. Mais son visage se crispa de la façon la plus obscène, la mort se cramponnait à lui, le secouait : les flots corrompus l'avaient englouti, étouffé par son cri.

Meldron disparut dans les profondeurs des eaux noirâtres. Quelques instants plus tard, son cadavre resurgit à la surface, flottant, calme et paisible, ses yeux morts fixés sur la vacuité du ciel.

Llew regagna le rivage. Il nagea sur une courte distance jusqu'à ce que ses pieds touchent le fond, puis se releva. Il n'avait plus de vêtements, les cordes qui le ligotaient avaient elles aussi disparu — les eaux corrosives l'avaient entièrement dépouillé, et il se présentait maintenant devant nous complètement pur et sans tache. Sa peau était absolument sans défaut, nette et sans altération d'aucune sorte, ses bras et ses jambes étaient pleins de force et de santé. Il leva sa main d'argent et l'inspecta avec étonnement. Puis il fit quelques pas. Les hommes de Meldron eurent un mouvement de recul. Je sentis les mains sur mes épaules qui peu à peu relâchèrent leur étreinte, puis renoncèrent définitivement. Je me remis tant bien que mal sur mes jambes et courus en trébuchant sur les galets en appelant Llew.

Il n'était plus très loin du bord, tout dégoulinant d'eau, encore un peu abasourdi par ce qui venait de lui arriver, et il s'arrêta. J'arrivai au-devant de lui, sur la berge, et me mis à l'appeler à nouveau.

« Llew ! Sortez de l'eau », m'écriai-je. Cynan se remit avec peine sur ses jambes, secoua la tête, le regard fixe.

« Il est vivant ! », s'écria Goewyn en accourant vers nous. Elle avait un couteau dans les mains et se mit à couper les cordes pour me libérer les poignets. « Pourquoi ne sort-il pas ?

— Je n'en sais rien », répondis-je en gardant les yeux sur Llew — lequel restait sans bouger, droit et fier, sa main d'argent levée en l'air.

Cynan tendit ses deux mains vers Goewyn. En quelques coups de sa lame tranchante, elle le libéra. Il se retourna vers le lac, avança de deux petits pas et s'écria : « L'eau ! Regardez ! »

Mon regard intérieur s'orienta vers l'endroit qu'il désignait. Je vis Llew dans la même position — il n'avait pas bougé. Mais tout autour de lui, les flots s'agitaient doucement de petites rides, et le cercle s'étendait rapidement, s'élargissait. C'était une eau pure. En réalité, cette eau, entre Llew et la berge, s'était déjà clarifiée, mais le cercle se propageait à une vitesse extraordinaire.

L'infâme mixture noirâtre reculait, s'estompait, disparaissait alors que des cercles concentriques d'eau pure se propageaient depuis le point où se trouvait Llew ; et la présence de celui-ci semblait irradier comme un soleil flamboyant dans un ciel de ténèbres, consumant le brouillard et la couverture de nuages jusqu'à les faire disparaître, chassant le fléau sous la puissance éclatante de sa lumière.

« Il y a un remède mélangé à l'eau », murmura Goewyn, frappant doucement ses deux mains sous son menton avec enthousiasme. Des larmes luisaient dans ses yeux.

L'atmosphère encore résonnante de ses paroles, je me mis à courir pour rejoindre Llew.

« Tegid ! », hurla Cynan en faisant précipitamment un mouvement pour me retenir.

Je fis deux ou trois pas en courant, trébuchai sur un rocher, et m'étalai de tout mon long. Je fus complètement aspergé, la tête sous l'eau avec une sensation de brûlure dans les yeux. Je tentai de reprendre surface, tout suffocant, battant l'eau des deux mains. Des éclairs de lumière intense me couraient à travers les doigts ; je sortis mes mains de l'eau, et je fus ébloui.

Toutes choses se présentaient comme je les avais vues auparavant à travers mon regard intérieur — mais en plus net, mieux défini, plus intense. La vision interne et la vue extérieure ne faisaient plus qu'un : j'étais capable de voir ! Éblouissante, étincelante, d'une luminosité intense, une lumière éclatante et triomphante coulait à travers mes yeux ; je fermai les paupières, et la lumière disparaissait. C'était vrai : j'étais guéri !

Cynan se précipita dans le lac après moi. Dans un grand cri de joie triomphante, il courut dans l'eau jusqu'à rejoindre Llew et l'étreignit avec force. Goewyn se précipita pour les rejoindre. Elle l'embrassa avec ferveur et le serra contre elle.

Je me relevai, courus moi aussi vers Llew et posai mes mains sur lui : « Vous êtes vivant !, dis-je en le touchant. Meldron est mort, et vous, vous êtes vivant !

— Ça y est, c'est fini !, s'écria Cynan, Meldron est mort ! »

Goewyn l'embrassa, puis ce fut le tour de Cynan. Llew répondit à leur étreinte, mais restait dans un état d'ahurissement. Il tendit devant lui sa main d'argent et l'exhiba devant nous. Je la pris dans mes mains. Le métal était froid au toucher, poli comme un miroir avec des reflets étincelants. Les doigts étaient légèrement incurvés, la paume ouverte en un geste d'offrande ou de supplication.

La surface lisse de l'argent était recouverte de spirales et de volutes, d'entrelacs ouvragés — des incisions très fines sur le poli du métal. Et sur la paume était tracé le Môr Cylch, la Ronde, labyrinthe de la vie. Je clignai des yeux, n'étant pas sûr de ce que je voyais, et effleurai une phalange en suivant le tracé du motif magnifiquement exécuté de ces fines volutes symboliques. Le dessin était gravé avec grande délicatesse, et chaque ligne était incrustée d'or.

C'était un véritable objet d'art, exécuté avec adresse, d'une conception magnifique, d'une exécution sans équivalent — l'œuvre d'un maître parmi les orfèvres.

Tout en palpant le motif du labyrinthe, les fragments d'une promesse me revinrent en mémoire : « *Je vous offre un pouvoir qui vous sera conféré par votre chant.* »

Alors me vint à l'esprit l'image de celui qui avait prononcé ces mots : c'était Gofannon, le Seigneur du Bosquet, le Maître de la Forge. Je lui avais rendu hommage avec un chant, et il m'avait offert en retour un précieux cadeau : mon regard intérieur. Llew, de son côté, avait coupé du bois pour lui, mais n'avait reçu, cette nuit-là, aucune faveur en retour du grand seigneur.

« *Je vous offre un pouvoir qui vous sera conféré par votre chant* », avait promis Gofannon. Et il avait réalisé sa promesse avec Llew. Car le chant que j'avais exécuté ce soir-là était *Bladdud le Prince souillé*. Ah, quel lourdaud, quel esprit lent j'avais été ! C'était bien sûr pour la Prompte et Forte Poigne elle-même que j'avais alors chanté.

« Salut à Toi, Main d'Argent !, dis-je en effleurant mon front du dos de la main. Ton serviteur Te rend hommage ! »

Dans un vacarme assourdissant, tout le peuple de Dinas Dwr abandonna toute crainte et se précipita comme un seul homme dans les eaux du lac, à présent d'une pureté impeccable. Ils prirent l'eau revivifiante à pleines mains et la laissèrent couler dans leurs gorges desséchées, buvant tant qu'ils pouvaient. Ils en versèrent également sur leurs têtes assommées de soleil et furent soulagés ; puis ils se lavèrent et se sentirent à nouveau propres. Les enfants s'ébrouaient, s'ébattaient joyeusement comme de petits agneaux écervelés.

Mourant de soif et cédant à la vue d'une telle quantité d'eau fraîche, les ennemis jetèrent leurs armes et coururent prendre part à la joyeuse fête. Ce fut un entrechoc métallique de boucliers, de casques, de lances et d'épées sur le rivage de galets, foulés au sol dans la cohue qui accourait vers le lac. Chez les guerriers ennemis — qui n'étaient pas le moins du monde guerriers — c'était à qui se débarrasserait le plus vite de ses armes. Brusquement libérés du joug terrible de Meldron, ils s'agenouillaient dans l'eau et n'avaient de cesse de rendre grâce pour leur liberté recouvrée.

À les voir ainsi rendre grâce avec tant de sincérité, toute idée de châtiment disparut ; on les avait contraints à supporter les persécutions les plus cruelles ; de quel droit les aurions-nous châtiés davantage ? Ils n'avaient jamais été vraiment nos ennemis.

Entre-temps, les Corbeaux et l'armée de Calbha avaient capturé les chefs adverses, ainsi que les membres de la Horde des Loups, qu'ils avaient regroupés sur la berge. Cinquante guerriers, l'air renfrogné, attendaient passivement leur jugement.

Bran leva sa lance à bout de bras et nous appela : « Llew ! Tegid ! Nous avons besoin de vous ! »

Calbha et Bran étaient debout l'un à côté de l'autre, et les soldats en rangs derrière eux sur les galets tenaient au respect les membres de la Horde du bout de leurs lances. Nous les rejoignîmes sur le rivage, et au moment où nous arrivâmes près d'eux, Bran et Calbha nous emboîtèrent le pas pour nous faire connaître l'identité de leur prisonnier. C'était Siawn Hy. Il baissait la tête comme s'il était en train d'admirer ses mains ligotées.

Une fois que nous fûmes près de lui, Siawn releva la tête et nous lança un regard de colère en fronçant méchamment les sourcils. Il avait une marque sombre et enflée sur la tempe droite.

« Inconscients que vous êtes !, fit-il avec dédain. Vous croyez aujourd'hui avoir gagné... Mais rien n'est changé. Vous n'avez rien gagné du tout !

— Silence !, interrompit Bran. On ne parle pas au roi sur ce ton !

— Tout est fini maintenant, Simon... », dit Llew.

En entendant prononcer son ancien nom, Siawn prit sa respiration et cracha au visage de Llew. Preste comme un serpent, la main de Bran s'allongea et frappa violemment Siawn sur la bouche. Un filet de sang coula de sa lèvre fendue. Bran était prêt à frapper à nouveau, mais Llew l'en dissuada d'un signe de tête.

« Tout est fini, dit Llew, Meldron est mort.

— Alors tue-moi également, marmonna Siawn de mauvaise grâce. Je ne me soumettrai jamais à toi !

— Où est Paladyr ? », demandai-je. Je ne reçus en guise de réponse qu'un sourire plein de mépris.

Calbha brandit son épée et la pointa vers Siawn Hy, puis vers les autres membres de la Horde des Loups. « Qu'est-ce qu'on va faire de cette racaille ?, s'écria-t-il d'une voix froide et sans pitié.

— Enfermez-les dans les entrepôts, et sous bonne garde, ordonna Llew. Nous nous occuperons d'eux plus tard. » Alun Tringad et Garanaw saisirent Siawn par les bras et l'emmenèrent ; le reste de la Horde suivit, sous la surveillance des soldats de Calbha.

Drustwn et Niall, toujours dans l'eau, se rapprochèrent de l'endroit où flottait le corps de Meldron. Ils le retirèrent de l'eau, le hissèrent sur la barque comme un vulgaire sac de blé tout trempé.

Puis, remorquant la barque derrière eux, ils emmenèrent le cadavre pour qu'il soit rapidement brûlé et oublié.

Scatha, observant tout cela, les bras en travers de la poitrine, souriait d'un air glacial. « J'aurais préféré voir sa tête empalée au bout de ma lance, mais je me contenterai de cela. »

Llew acquiesça d'un signe de tête, puis s'éloigna pour accompagner les prisonniers. Il n'avait pas fait dix pas que Cynan ramassa vivement une épée abandonnée par terre, la lança en l'air, puis s'écria : « Longue vie à Main d'Argent ! Hourra ! »

Bran fit un bond en avant et récupéra une lance. « Vive Main d'Argent ! », cria-t-il en brandissant la lance. Et soudain, tout le lac fut envahi des acclamations du peuple de Dinas Dwr et des anciens soldats de l'armée de Meldron, qui cessèrent de s'ébattre joyeusement dans l'eau pour se retourner tous ensemble et rendre grâce à Llew qui passait : « Bravo, Main d'Argent !, lancèrent-ils. Vive Main d'Argent ! »

Les cris montèrent, et montèrent encore comme s'ils voulaient envahir le ciel radieux d'un orage de liesse. Et Llew, marchant le long du rivage, s'arrêtait, se tournait vers l'armée rassemblée en levant bien haut sa main d'argent.

Nous n'aurions pu cependant célébrer la victoire tant que nos morts n'étaient pas enterrés. Comment aurions-nous eu le cœur de nous réjouir en ayant les larmes plein les yeux ? Comment aurions-nous eu le cœur de festoyer alors que les cadavres de nos parents étaient encore la proie des oiseaux charognards ?

Lorsque nous eûmes un peu récupéré et mangé, lorsque nous eûmes bu jusqu'à n'en plus pouvoir de cette eau si pure et si abondante, nous revînmes sur le champ de bataille pour nous occuper de nos morts qui attendaient… et il y en avait beaucoup ! presque la moitié de ceux qui étaient descendus se battre ne revinrent pas. L'armée de lord Calbha était celle qui avait souffert les plus lourdes pertes : les Cruins avaient été littéralement décimés. Les guerriers galanae avaient également payé un lourd tribu : Cynfarch avait été sérieusement ébranlé. Llew et Scatha souffraient moins de pertes que les autres, mais ils auraient eu beau n'avoir qu'un seul mort, c'eût été un de trop, et ils étaient grandement affligés. Seul le Vol des Corbeaux s'en était sorti indemne. Ce furent donc logiquement Bran et ses Corbeaux qui se mirent en tête du cortège qui fit retour vers le champ de bataille, et ce furent eux qui commencèrent à enterrer les morts.

Chacun de nos frères d'arme eut les honneurs d'un enterrement qui rendit hommage à son héroïsme. Puisque tous étaient morts ensemble, nous disposâmes tous les corps dans un vaste tombeau, côte à côte, avec leur lance placée dans une main et leur bouclier posé devant eux. Puis nous les recouvrîmes avec leur cape et édifiâmes pour finir le tumulus de tourbe au-dessus de leurs dépouilles.

Pendant que nous exécutions ces tâches, des ouvriers acheminèrent de grands blocs de pierre qu'ils avaient prélevés sur la crête rocheuse. Une fois le tertre édifié, nous érigeâmes un fier dolmen pour marquer l'endroit.

Il était bien tard lorsque, tout cela terminé, nous retournâmes vers les victimes adverses. Le soleil s'était déjà couché et quelques étoiles commençaient à briller dans le ciel de plus en plus noir. « Ceux-là, qu'ils attendent ! Puisqu'ils ont été tellement avides de la conquérir, cette terre, eh bien laissons-les un peu profiter du fruit de leurs efforts ! »

Mais Llew embrassa du regard la multitude des cadavres de l'armée vaincue : « Non, Cynan, dit-il. Cela n'est pas juste. La plupart d'entre eux n'étaient pas des soldats de Meldron...

— C'est pour lui qu'ils ont combattu. C'est pour lui qu'ils sont morts. C'est donc à lui de s'occuper d'eux à présent, rétorqua Cynan avec aigreur.

— Frère, reprit Llew en essayant de le calmer, regardez autour de vous. Regardez-les... C'étaient des fermiers, des jeunes gens sans entraînement, des laboureurs, des bûcherons, des gardiens de troupeaux. Ils n'avaient pas leur place dans cette bataille. Le Grand Chien s'est cruellement servi d'eux, puis il les a rejetés. Nous avons certes beaucoup souffert, mais eux ne sont pas moins que nous les victimes de sa sauvagerie. Le moins que nous puissions faire, c'est tout de même de manifester un certain respect pour leurs dépouilles. »

Cynan s'inclina de mauvaise grâce. Il se frotta la nuque et contempla l'étendue de la plaine qui, de plus en plus vite, sombrait dans la nuit. Son regard bleu brillait faiblement dans la lumière du jour déclinant. « Que suggérez-vous ?

— Nous devons les enterrer comme nous avons enterré les nôtres, dit Llew.

— Ils ne méritent pas cela, répondit catégoriquement Cynan.

— Peut-être pas, concéda Llew. Cependant, nous allons quand même le faire pour eux.

— Mais pourquoi ?, insista Cynan.

— Parce que nous sommes vivants et que nous avons le choix, et pas eux !, répliqua Llew avec emportement. Nous le faisons pour eux et nous le faisons pour nous-mêmes. »

Cynan se gratta la tête. « Eux, ils ne verront jamais la différence.

— Mais nous, oui, répondit Llew.

— C'est une bonne résolution, fis-je rapidement. Mais le jour a disparu, et nous n'avons plus de forces. Allons d'abord nous reposer, et nous reprendrons demain matin. »

Llew ne voulut rien entendre ; il secoua la tête et ajouta rapidement : « Demain, nous érigerons un dolmen pour eux aussi. À chaque fois que nous le verrons, nous nous souviendrons de ce que la peur est capable de nous faire faire, et à quel point elle peut aisément s'emparer d'une âme. »

Llew se retourna pour regarder le champ de bataille noyé dans la pénombre, lui-même n'étant plus qu'une sombre silhouette découpée sur le paysage crépusculaire. « Allez-y, tous les deux. Détendez-vous, reposez-vous. Moi, je ne dormirai pas tant que toutes les traces du règne de Meldron n'auront pas été effacées. »

Il partit, seul, de son côté. Cynan commenta, tout en le regardant s'éloigner : « Il restera donc longtemps sans pouvoir dormir. Il n'y a pas une maison, pas une colline dans tout Albion qui ne porte la marque infâme du règne de Meldron. » Puis il se tourna vers moi : « *Clanna na cù*, Tegid. Avez-vous déjà entendu parler d'une telle merveille ?

— Non, avouai-je. Jamais. C'est une ère nouvelle qui commence. Je crois que nous allons devoir apprendre à nous comporter différemment. » Je posai une main sur son épaule : « Demandez qu'on nous amène des torches. Et de la nourriture. Nous allons travailler toute la nuit. »

Et toute la nuit nous travaillâmes, avec acharnement... puis toute la longue et chaude journée qui allait suivre. Le peuple de Dinas Dwr et ses anciens ennemis travaillèrent côte à côte, de bon gré et avec ardeur. Deux tertres s'élevaient à présent au milieu de la plaine — l'un au pied de Druim Vran, où nos frères d'arme avaient été enterrés, et l'autre près de la rivière, là où tant de soldats de Meldron étaient tombés. C'était là un acte noble, et les gens le comprirent, même s'ils ne comprirent pas pourquoi Llew voulait l'exécuter avec autant d'empressement. Il avait dit qu'il ne dormirait pas tant que cette tâche ne serait pas accomplie, et je pense qu'il était sincère. En effet, on ne pourrait parler de nouveau départ que lorsque le passé serait définitivement enterré.

Lorsque les ouvriers et leurs équipes eurent enfin posé la dernière pierre — la dalle horizontale — du dolmen, le soleil était déjà sur l'horizon, irradiant une lumière dense et couleur de miel sur le tertre de tourbe. L'ombre du dolmen s'étirait très loin le long de la vallée verdoyante. J'appelai Gwion et lui ordonnai de m'apporter ma harpe. Puis je rassemblai tous nos guerriers et me mis à chanter *La Complainte des Valeureux*.

Il y avait bien longtemps que les sonorités stimulantes de la harpe accompagnant un chant n'avaient sonné aux oreilles de quiconque parmi nous, et les gens se mirent à pleurer — des larmes de deuil, certes, mais aussi des larmes de soulagement. Nous chantions tous, et des flots de larmes s'écoulaient de nos paupières en soulageant nos âmes.

Lorsque la Complainte prit fin, tous voulurent continuer à chanter. J'effleurai les cordes de mon instrument tout en réfléchissant au chant que j'allais proposer, à ce que j'allais offrir comme un hommage à la foule tout entière. C'était un véritable plaisir de sentir à nouveau ma harpe blottie contre mon épaule. Rapidement, mes doigts finirent par trouver eux-mêmes un chant, que j'entonnai aussitôt : c'était le chant dont on m'avait fait don. Pendant que je chantais, les paroles stimulèrent à nouveau ma vue, et j'eus le sentiment de recommencer à vivre dans le monde des hommes.

Je chantai le vallon aux versants abrupts dans la forêt profonde, les hauts sapins qui se tendent vers le ciel... Je chantai le trône en bois de cerf posé sur un tertre recouvert de gazon, orné d'un cuir de bœuf à la blancheur neigeuse... Je chantai le bouclier flambant neuf, et puis le corbeau noir perché sur son bord, les ailes déployées, qui remplit le vallon de son cri âpre... Je chantai le signal de feu qui flamboie dans le ciel nocturne, qui allait se répercutant de colline en colline... Je chantai le cavalier, partant au galop sur sa monture à la robe jaune pâle, dont les sabots lançaient des étincelles en effleurant les rochers... Je chantai la grande armée, dont les soldats se baignaient dans le lac de montagne, l'eau froide devenant rouge au contact de leurs plaies... Je chantai la femme vêtue de blanc, attendant au milieu d'un berceau de verdure, sa chevelure s'embrasant comme un feu d'or à la lumière du soleil... Je chantai le cairn, le tertre funéraire du héros...

Pendant que je chantai, le soleil couchant flamboyait rouge et or en montant jusqu'aux cieux. Des nuages semés de petits reflets roses s'y étiraient comme des phalanges. C'était l'heure bleue, et j'étais devant un tumulus surmonté d'un dolmen : un endroit sacré. Toute parole prononcée à ces moments-là était comme une étincelle prompte à enflammer le cœur des hommes. Et je savais au plus profond de mes entrailles que les événements que j'évoquai par mon chant étaient encore à venir — qu'ils *devaient* advenir.

XXXIX

ORAN MÔR

Nous prîmes du repos et récupérâmes des forces pendant toute la journée du lendemain. Le soleil était depuis longtemps couché lorsque Cynfarch et Calbha nous convoquèrent pour un nouveau conseil. « Il n'est pas juste que l'armée du Grand Chien, puisse vivre et respirer librement parmi nous pendant que les froides dépouilles de nos frères d'arme reposent sous terre, annonça fermement Calbha. Justice doit être faite.

— Il a raison, intervint Calbha. Plus tôt nous en aurons fini, et mieux ce sera. Je suis partisan de régler cette question dès maintenant. »

Llew se retourna vers moi : « Qu'en dites-vous, Tegid ? »

Je lançai un coup d'œil vers le premier roi, puis vers l'autre ; ils étaient inflexibles et ne se sentiraient pas apaisés tant que justice ne serait pas faite. « C'est vrai, admis-je, cette question devra être réglée tôt ou tard. Et le plus tôt sera le mieux.

— Très bien, dit Llew. Nous allons nous rassembler sur le bord du lac. »

Nous quittâmes le crannog et partîmes en direction des entrepôts, près du lac, où les prisonniers avaient été mis sous haute surveillance depuis la défaite de Meldron. Nous nous installâmes sur des couvertures de cuir, face au lac ; Bran prit place à la droite de Llew, et je m'assis à sa gauche. Scatha s'installa près de moi, et Cynan, Cynfarch et Calbha furent aussi du nombre. Plusieurs habitants de Dinas Dwr se regroupèrent derrière nous… parmi eux je remarquai la silhouette discrète de Nettles qui traînait vers les premiers rangs.

Les Corbeaux amenèrent les prisonniers sur le rivage devant nous : une cinquantaine de guerriers de la Horde des Loups et Siawn Hy... c'était tout ce qui restait de l'armée de Meldron. Ils avaient les mains attachées avec de la corde, et les pieds avec des chaînes. Leurs amulettes contenant un fragment de Pierre Musicale leur avaient été enlevées.

Cynfarch fut le premier à parler. Fixant d'un regard glacial tous les prisonniers, il demanda : « Y en a-t-il un qui pourrait être leur porte-parole ? » Voyant que personne ne répondait, il reprit : « Qui est le chef parmi vous ? »

Siawn Hy leva la tête : « Comment osez-vous faire semblant de former un tribunal pour nous juger ?

— Le pouvoir souverain m'y autorise, répondit Cynfarch. Vous et vos complices, vous avez massacré le peuple et anéanti le pays. Vous avez commis des viols, des vols, vous avez tout détruit...

— Nous avons suivi notre roi !, éructa Siawn. Nous l'avons servi au même titre que vos guerriers vous ont servis. Notre loyauté, vous la nommez traîtrise et considérez notre fidélité comme une offense à la souveraineté.

— Vous n'êtes que des voleurs et des assassins !, hurla Cynan. Vous avez tout détruit.

— Nous n'avons rien commis que ce que vous avez commis vous-mêmes, répliqua Siawn. Qui parmi vous n'a pas brandi son épée contre un autre homme ? Qui parmi vous ne s'est pas emparé de quelque chose qui ne lui appartenait pas ? »

Cynfarch et Calbha se sentirent soudainement confus. Siawn se mit à sourire avec une satisfaction sournoise. « Tout cela, vous l'avez commis vous-mêmes, et plus encore, dit-il avec insinuation, et vous vous l'êtes justifié à vous-mêmes en disant : "Nous sommes rois, c'est notre droit." Mais que quelqu'un comme Meldron se présente, alors vous le traitez de voleur et d'assassin. La faiblesse des hommes les rend tous semblables... ils deviennent lâches en présence d'un puissant. Vous êtes révoltés et estimez que c'est justice ; vous êtes faibles et appelez cela vertu. Et pourtant, n'importe lequel d'entre vous aurait fait ce que Meldron a fait, si seulement il en avait eu le courage. Vous vous contentiez de vos petits royaumes, mais seulement parce que vous aviez peur d'en conquérir de nouveaux...

— Tais-toi ! », rugit Cynfarch.

Mais Siawn Hy se contenta de rire : « Vous voyez que c'est vrai ! Vous hurlez pour que je me taise parce que je dis la vérité et que vous ne la supportez pas. À vos yeux, nous sommes simplement coupables d'avoir possédé ce qui vous fait défaut : le courage et la volonté de faire vous-mêmes ce que Meldron a fait. »

Calbha se dressa brusquement sur ses pieds : « Tu mens !, dit-il avec rage. Je n'en écouterai pas davantage. »

Mais Siawn ne fut pas impressionné : « Et pourquoi donc, Calbha ?, fit-il. Auriez-vous oublié les guerres que vous avez menées contre Meldryn Mawr ? Et cela, à cause d'une insulte contre des chiens de chasse, si je me souviens bien. Et puis vous avez utilisé ce prétexte pour vous emparer de quelques terres à Prydain. Est-ce que je me trompe ? »

Calbha se mit à rougir en entendant les paroles doucereuses du prisonnier qui se trouvait devant lui, atterré du fait que Siawn Hy puisse se souvenir d'une si vieille querelle et qu'il soit en mesure de la lui rapporter ici sans broncher. « C'était différent », murmura le roi cruin.

Je me souvenais fort bien de ce litige auquel Siawn Hy faisait si adroitement allusion. Calbha et Meldryn Mawr s'étaient affrontés à diverses reprises, et tout avait été déclenché sous le prétexte qu'une remarque avait été faite au sujet des chiens de Meldryn. L'affirmation de Siawn ne pouvait être niée. Par ce coup de maître, il avait désarmé Calbha.

« Cette querelle entre Calbha et Meldryn remonte à bien long-temps, répliqua Cynfarch pour venir en aide au roi cruin. Ce n'est pas notre problème aujourd'hui. C'est Meldron qu'il s'agit pour nous de juger.

— Meldron, vous lui avez déjà réglé son sort, répliqua Siawn. Alors pourquoi nous faire porter la responsabilité de ses outrages ?

— Il n'aurait pas pu commettre ce qu'il a commis, dit Bran, si vous aviez refusé de le soutenir.

— C'est donc un crime de soutenir son roi ? », s'écria Siawn Hy. La Horde de Loups se sentait à présent plus à son aise ; elle avait rapidement repris de l'assurance. « Vous avez aban-donné votre roi, et vous pensez que cela vous donne le droit de nous juger ? »

Bran regardait Siawn comme s'il surveillait un serpent prêt à mordre. « Ce n'est pas ainsi que les choses se sont passées. Vous travestissez la vérité pour mieux l'ajuster à vos mensonges.

— Vraiment ?, fit Siawn avec un petit sourire narquois. Vous savez bien que si le vainqueur avait été Meldron, c'est vous qui seriez à ma place afin de répondre à l'accusation de trahison. Voilà la vérité. Osez dire le contraire… »

Llew se pencha vers moi : « Vous voyez comment il est ? C'est un beau parleur, qui connaît toutes les ficelles pour convaincre. Bientôt, il va nous dire que c'est nous qui devons nous rendre…

— Que faut-il faire, selon vous ? »

Il se renfrogna un peu : « C'était l'idée de Cynfarch, non la mienne, dit-il. J'imagine qu'il n'y a plus qu'à attendre ; nous verrons bien… » Il jeta rapidement un coup d'œil autour de lui, comme s'il cherchait quelqu'un : « Où est Nettles ?

— Il n'est pas très loin. C'est important ?

— Faites-le venir… Il serait bien qu'il soit là. Nous pourrions avoir besoin de lui… »

Je me levai et me frayai un passage dans la foule derrière moi. Il y avait maintenant beaucoup plus de gens qu'au début du conseil, et je ne le voyais plus. Mais lui s'aperçut que je le cherchais et s'efforça aussi rapidement que possible de me rejoindre. « Llew vous demande, dis-je. Il souhaiterait que vous nous rejoigniez. »

Il ne répondit rien, et se contenta de hocher la tête comme s'il comprenait ; nous retournâmes à l'endroit où Llew siégeait et prîmes place à côté de lui. Calbha avait repris la parole ; Llew se retourna alors vers nous et dit : « Ah, Nettles, vous êtes là… très bien. Écoutez, nous n'avons pas beaucoup de temps… » Il s'arrêta. « Est-ce que vous me comprenez ?

— Oui, répondit le petit homme aux cheveux blancs.

— Parfait. Je vais essayer de dire les choses simplement. » Il désigna les prisonniers rangés le long du rivage devant nous, dont les ombres s'étiraient dans la lumière du soleil couchant : « Ils sont en train d'être jugés… vous comprenez ?

— Le tribunal de guerre…, fit Nettles en hochant la tête à nouveau. Je comprends.

— Très bien, dit Llew en me faisant discrètement signe des yeux. Parfait. »

Lorsque Calbha eut fini, Scatha — qui était restée silencieuse jusqu'à maintenant — prit à son tour la parole : « Vous parlez fort joliment de droit et de loyauté, dit-elle. Pourtant, vous avez attaqué Ynys Sci, au mépris d'un serment qui durait depuis plusieurs générations. C'est pour cela que nous vous jugeons.

— Ah oui… Scatha, la Grande, la Très Grande Meneuse de Guerre… je m'incline devant vous ; vous qui avez enseigné à tant de petits guerriers l'art de massacrer autrui, répondit Siawn d'une voix qui était comme un coup de poignard. Tout le temps que votre enseignement a servi à combattre un ennemi, vous avez été satisfaite.

Mais aussitôt que votre propre royaume est envahi, vous criez à l'injustice. Vous avez appris à des hommes l'art de tuer, vous les avez armés, puis envoyés au combat ; et pourtant vous continuez à crier à l'outrage dès que les techniques que vous avez encouragées se retournent contre vous. Vous êtes mesquine et stupide, Pen-y-Cat ! »

L'argumentation impitoyable de Siawn tournait chacun en ridicule ; sa langue pleine de ruse triomphait. Cynfarch et Calbha ne s'y attendaient pas, et en furent déconcertés. Si assurés de leur bon droit quelques instants auparavant, ils avaient à présent perdu toute confiance en eux. Le tribunal se transforma en conversation à huis clos. Llew se retourna une nouvelle fois vers Nettles.

« C'est Simon, dit Llew. Vous vous souvenez de lui ? »

Le petit homme hocha la tête tout en observant Siawn avec minutie. Il adressa quelques mots dans sa propre langue à Llew, qui lui répondit avant de me traduire : « Nettles dit que Weston et ses acolytes — les Dyn Dythris que nous avons renvoyés dans leur monde — pouvaient communiquer avec Simon. Ils étaient venus pour essayer de le rencontrer. Simon avait gravement mis Albion en danger depuis le début. Il a réussi à occuper un poste au côté de Meldron de façon à exploiter toutes les situations pour son profit personnel.

— Meldron, maintenant, est dans l'Uffern, fis-je. Il est temps désormais que Siawn Hy rejoigne son protecteur ! »

Siawn, qui maintenant arborait ouvertement son un air narquois, nous interpella avec véhémence : « Vous n'avez aucun droit de nous juger ! Laissez-nous partir ! »

Llew m'interrogea du regard ; je voyais qu'il réfléchissait pour savoir quelle décision prendre : « Vous êtes le roi légitime, dis-je en posant ma main sur sa main d'argent, sur laquelle il baissa les yeux. C'est à vous qu'il revient de rendre la justice, dis-je. Quoi que vous décidiez, je suis avec vous. »

Siawn Hy recommença à défier l'assemblée ; ce fut Llew, cette fois, qui lui répondit : « Tu as dit que nous n'avions aucun droit de vous juger, mais tu as tort. Il existe une personne exempte de tout reproche qui elle aussi vous demande des comptes.

— Qui est cette personne sans reproche ?, ricana Siawn. Qu'elle s'avance devant nous pour nous condamner, si elle est là. » Les membres de la Horde des Loups approuvèrent l'intervention de leur chef et se mirent à japper de concert pour inviter l'accusateur sans reproche à se montrer, s'il existait.

Llew fit face : « Moi, je suis sans reproche, dit-il simplement. Je n'ai rien fait de mal, et pourtant j'ai dû supporter d'injustes cruautés de votre fait. Pour cela même et pour chaque goutte de sang innocent que vous avez fait couler, je vous condamne. »

Le petit rictus dédaigneux de Siawn s'épanouit en un large sourire de triomphe « Condamne-moi autant que tu veux, mon pauvre ami. Tu n'es pas roi, et n'as donc aucun droit de me juger.

— Eh bien si, je suis roi, dit Llew. Le pouvoir ne peut être accordé que par le Chef des Bardes. Le royaume de Prydain m'a été confié par Tegid Tathal selon le rite du Tán n'Righ. »

Siawn éclata d'un rire méchant. Le défi dans sa voix, lorsqu'il répondit, était sans mesure : « Toi, un roi ? Tu n'es qu'un estropié, mon pauvre ami ! Un homme mutilé ne peut être roi. »

Mais Llew leva simplement sa main d'argent et fit bouger ses doigts l'un après l'autre. Tout le monde — moi-même y compris — regarda complètement stupéfait le prodige qui s'accomplissait sous ses yeux. La main semblait réelle !

« Comme tu peux le voir, Simon, je ne suis plus mutilé », dit Llew. Il fit un demi-tour sur lui-même de manière à ce que tous puissent voir, puis leva la voix afin que tous puissent entendre : « Grâce à cette main, je reprends possession du pouvoir qui me fut dérobé.

— Qui donc ici accepte de te reconnaître pour son roi ? », répliqua Siawn Hy avec hargne. J'entendis pour la première fois une pointe d'angoisse s'insinuer dans sa voix. « Qui est prêt à te suivre ?

— Moi, je reconnais Llew pour mon roi, dit calmement Bran. Je suis prêt à le suivre et à le servir.

— Tu as renié ton roi, Bran Bresal. Tu l'as abandonné lorsque cela t'a arrangé. Puisque tu revendiques ce droit, j'estime qu'on devrait nous laisser un semblable choix à nous aussi. Qu'on nous accorde de jurer fidélité à un nouveau seigneur. »

Ces propos provoquèrent une discussion au sein du conseil. « Peut-être devrions-nous leur laisser le choix, dit Calbha un peu hésitant. Mais pouvons-nous leur faire confiance ?

— Et à nos morts, leur a-t-on laissé le choix ?, s'écria Llew. Quel choix ont eu les femmes qu'ils ont violées, les hommes qu'ils ont massacrés ? Il regarda Siawn et sa Horde plein d'une résolution inflexible. « À chaque fois qu'ils ont tiré l'épée ou jeté leur lance, ils avaient le choix, et à chaque fois ils ont choisi.

— Llew a raison, dit Scatha. Ils ont eu maintes fois la possibilité de choisir leur camp.

— Je suis d'accord, dit Cynan. Si vous souhaitez leur donner le choix, que ce soit celui-ci : décider s'ils mourront par leurs propres mains, ou par les nôtres. »

Cynfarch et Calbha approuvèrent. « Bien ; la chose est entendue, dit Llew en se retournant vers les prisonniers. En raison de votre soutien actif au règne illégitime de Meldron, je vous condamne. Et j'exige qu'en expiation du sang des victimes soit versé le sang des coupables.

— Llew…, dit Scatha. Avec votre permission, je me mets à votre disposition. Quiconque manquera de courage pour accomplir votre verdict pourra compter sur le mien.

— Eh bien soit », répondit Llew.

Les prisonniers furent emmenés le long du lac ; on traversa Druim Vran pour rejoindre la plaine, et ils furent conduits jusqu'au tertre funéraire de leurs complices. Là, on les fit attendre en rang, face au tertre.

Nous étions en contrebas, le soleil se couchait derrière nous. Un grand nombre de gens étaient sortis pour assister à l'exécution, même si un plus grand nombre encore, ayant vu assez de sang versé, avait choisi de rester à Dinas Dwr. Goewyn et Nettles furent parmi ceux qui nous accompagnèrent ; ils étaient même dans les premiers rangs alors que, l'un après l'autre, les condamnés furent contraints de choisir : mourir, soit de leur propre main, soit de la main de Scatha.

Une trentaine d'hommes se saisirent de leur épée et se jetèrent dessus — certains en hurlant, d'autres silencieux jusqu'au bout. Le reste des condamnés refusa l'épée et préféra affronter l'arme implacable de Scatha. Pas une seule fois elle hésita, pas une seule seconde sa main trembla. Dès qu'un homme était exécuté, son corps était traîné vers le sommet du tertre par des hommes du bataillon de Cynan ou par celui de Calbha, puis abandonné là, près du dolmen pour être dévoré par les oiseaux ou autres bêtes sauvages.

Puis, lorsque le soleil empourpra le ciel sur l'horizon, vint le tour de Siawn Hy, qui dut lui aussi faire son choix.

« Donnez-moi une épée !, éructa-t-il avec hargne. Je ne vous laisserai pas ce plaisir. »

Garanaw et Emyr, qui se tenaient de chaque côté du condamné, lancèrent un regard vers Llew pour qu'il donne son accord. Celui-ci fit un signe de tête. Scatha se mit un peu à l'écart, et Garanaw vint placer le manche de son épée dans les mains toujours attachées de Siawn, et…

… avant même que Garanaw ait eu le temps de retirer sa main, Siawn l'orienta un peu sur le côté et la laissa violemment retomber entre ses deux jambes. Les liens qui immobilisaient ses pieds furent tranchés nets puis projetés au loin, et Siawn Hy se lança tête la première devant lui, pendant que l'arme d'Emyr fendait l'air audessus de sa tête. Il se mit à rouler sur lui-même pendant quelques instants, se releva en courant et rejoignit à toute allure la rivière. Il cria quelque chose, mais je ne compris pas ce qu'il disait.

Il avait atteint la berge avant que nous ayons pu faire un seul geste. Toujours en criant, il se retourna vers nous — un sourire victorieux et mauvais sur les lèvres. Il brandit son épée entre ses deux mains en un salut moqueur.

La lance de Bran, rapide comme l'éclair, filait déjà dans les airs avant même que l'on ait pu réaliser qu'il l'avait tirée. Le fin projectile fit l'effet d'une traînée floue dans le clair-obscur du crépuscule, une sorte de rayure pâle et bleutée dans la lumière déclinante. Tout ce que nous vîmes ensuite, ce fut l'épée de Siawn qui se détacha de lui en tournoyant vers le sol, et Siawn lui-même qui tombait à la renverse en titubant, se tenant la poitrine à l'endroit même où le manche de la lance était brusquement apparu. L'impact du coup projeta Siawn Hy jusqu'au bord de la rivière. Un pied dans l'eau, l'autre sur la berge, il se mit à hurler une nouvelle fois — quelque chose que je ne compris pas davantage —, puis tomba. C'était précisément l'heure bleue.

Alors qu'il tombait, son corps semblait étrangement perdre de son éclat. Il avait touché la surface de l'eau — je l'avais vu —, mais... je ne pus en croire mes yeux ! Il n'y avait eu aucune éclaboussure... et aucun corps ne fut trouvé lorsque nous nous précipitâmes vers l'endroit où Siawn était tombé. Il avait tout simplement disparu.

« Il est retourné d'où il était venu, dit Llew en regardant fixement la surface de l'eau. J'avais toujours eu l'intention de le renvoyer chez nous, mais je pensais qu'il y retournerait vivant.

— C'était son choix.

— Non, dit Llew, ce fut le mien. »

La pénombre avait envahi toute la vallée ; les premières étoiles commençaient à scintiller, la lune brillait d'une lumière intense au-dessus de l'horizon. Llew se tourna vers le peuple de Dinas Dwr — vers son peuple —, vers les rois et les soldats, vers ses amis : « Justice a été rendue, dit-il. La dette de sang a été effacée.

— Longue vie à Toi, Llew Main d'Argent ! », s'écria Bran en jetant sa lance en l'air. Les Corbeaux se rendirent à l'enthousiasme de leur chef, et tout le peuple reprit en cœur et scanda : « Main d'Argent ! Main d'Argent ! Main d'Argent ! »

Llew leva sa main vers les siens ; la silhouette métallique brillait dans la lumière du soleil couchant, et je vis dans cet argent étincelant tout le rayonnement du pouvoir souverain irradiant avec une intensité extraordinaire.

Goewyn apparut, marchant le long de la rivière ; sans un regard, sans un mot, elle s'approcha de Llew. Tous les regards étaient à présent tournés vers sa svelte silhouette, parée simplement d'une robe blanche et d'une cape bleu azur qui descendait de ses épaules. Le clair de lune reflétait sa pâle chevelure d'or ; elle rayonnait comme un astre tombé du ciel.

Elle tenait dans les mains un petit coffret en bois. Un coffret en chêne — le bois qui donne l'inspiration, selon la tradition des bardes. Elle posa le coffret aux pieds de Llew, se redressa, effleura son front avec le dos de sa main, puis s'éloigna. Llew se pencha pour prendre le coffret. Il l'ouvrit puis le présenta face à l'assistance, afin que tous puissent voir. À l'intérieur se trouvaient d'innombrables pierres à la blancheur de lait : les Pierres Musicales.

Llew retira l'une des pierres et la présenta devant la foule. Ses doigts d'argent se refermèrent, puis serrèrent — il broya la pierre dans sa main de métal. Ce fut comme une tempête vocale, qui éclata au moment où la pierre se brisa — comme si toutes les étoiles se mettaient à chanter d'une voix claire et pure ; comme si des centaines de diamants couraient à travers les cieux infinis ; comme si des milliers de harpes s'étaient réunies pour faire résonner les échos déchirants de la musique d'Oran Môr — la Grande Musique ; une vaste symphonie venue d'au-delà du royaume des mondes, composée par la Prompte et Forte Poigne elle-même.

Mon esprit s'éleva, très haut, très vite ; et j'avais le sentiment de ne faire plus qu'un avec cette symphonie sans égale. J'avais perdu toute notion d'identité ; je ne savais plus où j'étais. Je me confondais avec la mélodie qui s'agitait à l'intérieur de moi. J'ouvris la bouche, mais ce ne fut pas ma voix qui résonna dans l'espace crépusculaire. Ce fut le Chant d'Albion.

J'ouvris la bouche, oui, et les paroles se répandirent en un flot musical extraordinaire :

> *Gloire du soleil ! Astre éclatant parmi les astres des cieux !*
> *Lumière de la lumière, Royaume sacré de l'Éther,*
> *Dont l'éclat resplendissant est béni par le Tout-Puissant ;*
> *Offrande éternelle faite à la race d'Albion !*

> *Enrichi de flots innombrables ! aux profondeurs sources d'azur,*
> *Aux rives bordées par la blancheur des vagues, au firmament sanctifié*
> *Puissant par la puissance de l'Unique,*

Bien né dans la paix du grand sacrement ;
Une profusion de richesses pour les descendances d'Albion !

Faisant resplendir la pureté sans pareil de la verdure !
Aussi pur que le feu suprême de l'émeraude,
Qui s'embrase dans le sillon profond des vallées,
Et brille sur les champs fraîchement labourés :
Un joyau sans prix pour les Fils d'Albion !

Abondance de cimes serties de blanc,
vastes au-delà de toute mesure,
repaire des monts escarpés !
Hauteurs impressionnantes — aux sombres forêts et
Rousses, que sillonne le cerf —
Proclamez à tous vents les splendeurs tant vantées de l'Albion !

Chevaux alertes dans les vastes prairies ! Splendides troupeaux
sur le bord de marécages fleuris d'or,
Grondement de sabots puissants,
Une explosion de prières au Créateur plein de Sagesse,
Une joie attendue dans le cœur d'Albion !

D'or sont les greniers à grains du Grand Donateur,
Immenses les libéralités des champs fertiles :
Pommes à l'éclat rouge et or,
Douceur éclatante des nids d'abeilles,
Un miracle d'abondance pour les clans de l'Albion !

D'argent est le tribut, infini le trésor
des eaux riantes ; mouchetés de brun les coteaux,
Des troupeaux soignés servent
le Seigneur des Festivités ;
Une perle d'abondance sur les tables d'Albion !

Hommes pleins de sagesse, bardes épris de vérité,
se déclarant fermement, le cœur enflammé,
comme faisant partie du monde des vivants ;
Savoir pénétrant, Clarté de la vision,
Gloire à la vérité pour les Humains véritables d'Albion !

Allumé à quelque flamme céleste, formé
du feu de l'Amour qui consume toute chose,

Enflammé par la passion la plus pure,
Brûlant dans le cœur du Roi Créateur,
Bonheur éclatant illuminant Albion !

Nobles seigneurs à genoux pour vénérer la justice,
Vœux immortels promis à l'éternité,
Étreignez le sein de la miséricorde,
Hommage éternel au Chef des chefs ;
La Vie au-delà de la mort était offerte aux Enfants d'Albion !

Le pouvoir œuvré d'une infinie Vertu,
Promptement forgé par le Poing Vigoureux ;
Une droiture courageuse,
Une justice pleine de vaillance,
Le glaive prêt à défendre l'honneur des tribus de l'Albion !

Formé par les Neuf Éléments Sacrés,
Forgé par le Seigneur tout Amour et Lumière ;
Grâce des grâces, Vérité des vérités
Convoqué au Jour du Conflit,
Un preux chevalier pour régner à jamais sur Albion !

Je me réveillai dans la nuit la plus noire. J'étais étendu sur une couverture de cuir jaune, dans ma cabane située sur le crannog, mais je n'avais aucune idée de la manière dont j'avais pu arriver jusqu'ici. L'air était calme, silencieux, la chaleur de la journée était encore présente. D'abord, je crus que c'était un dernier écho du Chant qui m'avait réveillé. Je restais étendu, sans faire un mouvement, et j'écoutais dans le noir. Puis un moment passa ; j'entendis alors ce même son une seconde fois, et je sentis l'agitation discrète d'un souffle de vent frais sur mon visage.

Alors je me levai et sortis ; l'orage grondait à travers le ciel et les premières gouttes de pluie se mirent à tomber... de grosses, de lourdes perles de pluie. Je pus enfin respirer à pleins poumons le bon air purifié par la pluie.

L'orage gronda encore, puis il y eut un bruit qu'on n'avait pas entendu dans Albion depuis bien longtemps — celui du vent et de la pluie qui fouettent les collines des environs. La tempête musicale avait envahi le vallon et résonnait à travers la forêt ; la pluie se déversait sur Druim Vran, et traversait le lac en direction de Dinas Dwr.

Réveillés par la tempête, les gens étaient sortis de leurs cabanes et de leurs maisons. Ils avaient levé les yeux vers le ciel et laissaient cette pluie si précieuse leur inonder le visage. Il y eut quelques éclairs, et le tonnerre répondit aussitôt comme une violente cymbale, et la pluie redoubla d'intensité. Des mains avides recueillaient la pluie, et on s'aspergeait les bras et les jambes, complètement déshydratés, et la tête, tout étourdie par la chaleur ; des hommes riaient et embrassaient leur femme ; des enfants dansaient pieds nus sous la pluie qui les inondait.

Ma vision intérieure se raviva une nouvelle fois au spectacle des réjouissances et du soulagement collectif. Je pus contempler les collines qui à nouveau redevenaient vertes, les eaux des fleuves et des rivières qui rejaillissaient. Je pus observer le pelage des bêtes qui retrouvait son aspect lustré, les récoltes qui mûrissaient dans les champs ; les pommiers qui se courbaient sous le poids des fruits, et les châtaignes, les noisettes, les faînes, qui peu à peu grossissaient à l'intérieur de leurs coques. Les poissons s'ébattaient dans les lacs aux ondes claires, pendant que les canards, et les oies, et les cygnes se nichaient aux abords des eaux peu profondes. Le lait abondait, d'une blancheur écumeuse, et l'hydromel aux reflets d'or versé dans les jarres ; la bonne bière brune remplissait les coupes, et les fourneaux regorgeaient du savoureux pain bis ; des viandes de toutes sortes — du porc, du gibier, du bœuf, du poisson, de la volaille — s'entassaient sur les plats. En n'importe quel endroit d'Albion, ceux qui avaient faim pouvaient manger et étaient rassasiés ; ceux qui avaient soif pouvaient boire et étaient désaltérés.

Car les affres terribles de la sécheresse et de la mort avaient pris fin. Le règne de Main d'Argent s'ouvrait.

TABLE

ACHEVÉ D'IMPRIMER EN OCTOBRE 1997
SUR LES PRESSES DE L'IMPRIMERIE
DE L'INDÉPENDANT - CHÂTEAU-GONTIER

N° éd. : 1408
N° d'impr. : 971015
Dépôt légal : 4e trimestre 1997

(Imprimé en France)